14.95
P9-CEW-273

WALDEMAR ŁYSIAK

STATEK

starych pań (cioć, kuzynek i przyjaciółek mamy), oraz służącej, którą rodzice sprowadzali ze wsi i dawali jej własny pokoik z wąskim łóżkiem, a ono dzięki nam zaczynało wkrótce wydawać charakterystyczny odgłos. Te jęki sprężyn i sapanie damy rżniętej żywiołowo przez nieopierzonego samczyka były dla każdego z nas tym, co starożytni Grecy zwali *„megiste musikē"* — najwyższą muzyką. Była ona w istocie muzyką pożegnalną. Tak ostatecznie żegnaliśmy czas wczesnego dzieciństwa.

Mnie los upośledził, gdyż ze względu na szpetotę i paleolityczny wiek kucharek oraz sprzątaczek, które przewijały się przez mój rodzinny dom, miałem do wyboru jedynie trzy możliwości utraty stanu niewinnego. W ogóle nigdy i nigdzie nie tknąłem pokojówki lub kucharki, w przeciwieństwie do mojego ojca, który zrobił to tylko raz i za pomocą tego razu udowodnił swą boskość, albowiem wniebowstąpienia są działalnością usługową zmonopolizowaną przez bogów. Ta kobieta była mamką i niańką: wychowywała jego oraz jego dwóch braci aż do momentu, gdy każdy z nich zaczął mężnieć, a potem usługiwała im tak jak dziadkom; była w ich domu wszystkim: kucharką, pokojówką, ogrodniczką (po śmierci swego męża ogrodnika) i przyjacielem mocodawców. Nosiła się jak dama (co nie znaczy wytwornie, lecz godnie), pomawiano ją o inteligencję (prawdopodobnie miała tę nieuczoną inteligencję, która cechuje ambitnych chłopów), a mimo czterdziestu ośmiu lat była nie tylko energiczna — była wciąż piękna, zachowała jędrne ciało i twarz bez zmarszczek. On zaś był przystojny jak młody bóg, miał koło dwudziestu lat i największy talent wśród studentów Akademii Sztuk Pięknych. Dziewczyny urządzały na niego polowania. Któregoś wieczoru, gdy dziadkowie byli w podróży, wrócił z miasta na lekkim gazie i pragnąc się ochłodzić, wskoczył do basenu w ubraniu i w butach. Nadbiegła, skrzyczała go, kazała mu wyjść, podała mu dłoń, a on ją szarpnął i wpadła do wody. Wyniósł ją na rękach i pierwszy raz ujrzał w niej kobietę, gdyż jasna sukienka z cienkiego materiału przylepiła się do jej anatomii niczym gaza. Piersi były na wysokości jego ust, musiał zgrzeszyć. Z pewnością broniła się, przerażona, rozwścieczona, może drapiąca, bijąca go po twarzy i krzycząca: — Co robisz, Fred, mogłabym być twoją matką!... lub: — Jestem twoją mamką, Fred!... lub coś w tym rodzaju. Wówczas pewnie odpowiedział: — Ale nie przestałaś być kobietą! I jednym ruchem zerwał z niej mokrą sukienkę (koniecznie jednym, rozrywanie sukienek kilkoma ruchami nie ma nic z romantyzmu, jest brutalnym chamstwem napastnika), przewrócił swą zdobycz na trawę obok basenu, no i tak dalej. Nikogo nie było przy tym i mój ojciec nigdy nikomu o tym nie opowiadał, ale całe to zdarzenie musiało przebiegać właśnie w taki sposób, mam niezachwianą oniryczną pewność co do tego, mimo że stryj Hubert, też nie znający szczegółów, widział je w wersji prostszej, zupełnie odpoetyzowanej, która bardziej pasowała do jego filozofii na temat związków między mężczyzną a kobietą. Dzięki postępkowi mego ojca ta kobieta przestała być częścią ich rodziny — po kąpieli w basenie wyprowadziła się natychmiast z rezydencji dziadków. Żyła jeszcze długo, w wiosce na dalekiej północy, a do grobu kazała sobie włożyć tę rozerwaną sukienkę, którą przechowywała tyle lat. Gest melodramatyczny, ckliwy, trywialny, w złym guście, ale tylko dla głupców, którzy nie rozumieją, że wszystko może być relikwią, każdy drobiazg, pod warunkiem, że ten drobiazg jest jedynym świadectwem, iż życie miało sens choćby przez pół godziny, czy też przez kilka godzin, do świtu.

Jakiś jej portret zostałby z pewnością w pracowni ojca, gdyby nie ta okoliczność, że stary uprawiał wyłącznie malarstwo abstrakcyjne. Już gdy był dzieckiem można się było zakładać, że zostanie malarzem abstrakcyjnym, bo miał uzdolnienia plastyczne, a zaprowadzony na koncert Bacha czy Beethovena do filharmonii i zapytany później, co mu się najbardziej podobało, odparł, że to, co było na samym początku, lecz nie wymienił uwertury, tylko poprzedzające koncert strojenie instrumentów. Nigdy nie nauczyłem się tego rozumieć, a tym bardziej kochać owego chaosu barwnych plam u Pollocków, Kandinskych i pozostałych idoli starego; cenię ich jako dekoratorów ożywiających nudę gołych ścian w mieszkaniach; w muzeach to oni są dla mnie nudni. Najbardziej kocham w malarstwie (które znam dzięki albumom z biblioteki ojca) ów typ romantycznej tajemniczości, jaki zaczyna się od „Śmierci Prokris" Piera di Cosimo i biegnie przez porty Lorraine'a oraz chmury Ruisdaela do wschodów księżyca i białych skał Rugii Friedricha. Stryj Hubert, którego ze spuścizny artystycznej naszego gatunku interesowały tylko akty kobiece (od Praksytelesa po Modiglianiego) plus mistrzowska pornografia (Boucher, Daumier, Utamaro, Aretino, Picasso, Devéria, Bellmer, Grosz, Parker e tutti quanti), swój stosunek do sztuki mojego ojca zawarł w jednym kąśliwym zdaniu. To zdanie zabolało ojca, ale nie zdziwiło, bo taki stryj Hubert był. Drażnił każdego, kto się z nim zetknął, publicznie mówiąc rzeczy, które są tabu i w towarzystwie się o nich milczy. Był zeń okropny brutal, straszny cham, bezlitosny grubianin, zatwardziały despota, przebrzydły sadysta, koszmarny pleciuch, cudowny gość, nie można go było nie lubić, uwielbiałem go od dziecka. Zaproszony na otwarcie kolejnej wystawy prac starego (gdy już mój stary był wielkim Fryderykiem Flowenolem, liderem neoabstrakcjonizmu), przeszedł wzdłuż wszystkich płócien i chciał od razu wyjść, ale ojciec złapał go w drzwiach:

— Czemu ci tak spieszno, Hub?

— Muszę się dotlenić.

— Mógłbyś coś powiedzieć nim zaczniesz się dotleniać.

— Chodzi ci o to, że nie powiedziałem towarzystwu: dobranoc?

— Chodzi mi o moje obrazy.

— Zastanawiam się...

— Nad czym? Nad tym, czy to ci się podoba, czy jest do luftu?

— Nie, nie nad tym. Zawsze gdy patrzę na twoje bohomazy, Fred, nurtuje mnie tylko jedno: czy sztuka się zaczyna, czy kończy się tam, gdzie obraz można powiesić do góry nogami bez żadnej szkody dla treści i wymowy dzieła, bo publiczność i tak nie zauważy tego wcale...

Stary zbladł, a potem odwinął:

— To jest bardzo inteligentna myśl, braciszku. Zawsze, gdy patrzę na ludzi tak mądrych jak ty, zastanawiam się, w której półkuli ich mózgu leży ten zwój, gdzie kumuluje się głupota, w lewej czy prawej, czy też może po obu stronach, co znaczyłoby, że mają więcej takich zwojów od zwykłych ludzi...

Kochali się. Naprawdę. Gdy ojciec zginął w tajemniczy sposób, stryj Hubert powiedział:

— Twój ojciec był wielkim artystą, Nurni. Uprawiał dobre malarstwo.

Myślałem, że to znowu kpina:

— Kpisz, stryju!

— Nie, Nurni, ja tak myślę.

— Widocznie coś ci się odmieniło, jemu mówiłeś, że to bohomazy!

— Mówiłem mu tak na złość, bo przezwał mnie kiedyś impotentem. Nie mogłem mu tego darować.

— Ciebie, stryju?! Przecież o tobie gadają...

— Słusznie mówią. Lecz on uważał, że kobieciarstwo to odmiana impotencji, gdyż czyni z człowieka kalekę duchowego. Tak mi powiedział. A jak mnie spytał, co chcę robić w życiu, i jak usłyszał, że pragnę założyć dom publiczny, nazwał mnie alfonsem. To mnie też wkurzyło. W tych sprawach był głupi jak but, na kolorach znał się wybornie, na kobietach tyle, co nic, dlatego skończył tak, jak skończył... Był cudownym facetem i miał cholernie wysoki iloraz, co nie przeszkadzało mu być jednym z tych idiotów, którym się wydaje, że kobiety prostytuują się wbrew swoim chęciom i skłonnościom, tylko w nieszczęściu, zmuszone do tego głodem, bezrobociem albo fizyczną przemocą ze strony jakiegoś bydlaka, i że to jest ich tragedia życiowa, że cierpią i marzą ciągle o życiu innym.

— A nie jest tak?

— Nie jest tak, chłopcze, jest na odwrót. Ubliżał mi, bo nie rozumiał tego. Więc ja płaciłem mu tym samym pieniądzem, nie rozumiałem jego malarstwa, żeby wyjść na remis.

— To głupie, stryju...

— Tak, Nurni, to głupie jak cholera. Ale to ludzkie. Była w tym i zazdrość, wiedziałem, że nie mam szans na remis długodystansowy, bo on przejdzie do historii malarstwa, a o mnie w encyklopediach nie przeczyta nikt, gdyż nie istnieje historiografia płatnego seksu.

— Więc naprawdę sądzisz, że był oryginalnym twórcą?

— Tak, Nurni. Tylko wyrzuć to słowo, ja go nie użyłem. Żadna oryginalność — oryginalności nie ma już od dawna. Wszelka tak zwana oryginalność jest w rzeczywistości albo oszustwem, albo brakiem oczytania lub wiedzy ikonograficznej. Oryginalność to coś, czego z niczym innym nie można porównać, to...

— A kto był oryginalny, stryju?

— Trzech facetów, chłopcze, Gaudi, Goya i Greco. Popatrz: ich nazwiska zaczynają się na tę samą literę, więc to już chyba problem metafizyczny, a być może tylko przypadek, lecz pachnie mi on siarką lub święconą wodą. Tworzyło wielu genialnych artystów, od Fidiasza do Picassa, jednak to, co oni robili, było porównywalne z tym, co robili inni geniusze, zaś to, co robiła owa trójca, było czymś tak indywidualnym, że nie daje się porównać z niczym na przestrzeni dziejów. Fredowi trochę brakowało do tego.

— Ale mówiłeś, że był dobry...

— Był bardzo dobry, był wielki!... Jego malarstwo było dobre dlatego, dlaczego dobra jest każda twórczość, która jest dobra — bo od początku miał talent i do końca miał wrogów. Prawdziwa twórczość to zmaganie się, z niego wywodzi się i wigor i treść i forma, bez wrogów nie ma twórczości. Mogą to być różni wrogowie: dęta głupota, pseudosztuka, idee i mania tworzenia idei, propaganda i totalitaryzm, kłamstwo, kuglarstwo i fałszywe relikwie, człowiek i czas i ból, i bo ja wiem, co jeszcze? Wiem jedno: że nie mogąc obyć się bez wrogów, prawdziwa sztuka uświęca ich istnienie, oto względność zjawisk. To tak jak z krzywdami, bez nich nie ma cierpień, które uszlachetniają. Zachowajmy więc ostrożność w naszych ocenach zła, do których jesteśmy tak pochopni, synku...

Względność zjawisk, a w konsekwencji obojętność wobec dobra i zła, to jest nie uleganie standardowym emocjom przy ocenie białego i czarnego w ludzkim postępowaniu, była drugą (pierwszą był seks) religią stryja Huberta. Dotyczyło to również polityki i muszę przyznać, że tu miało najgłębszy sens, biorąc pod uwagę częstotliwość zmian ustrojowych w naszym kraju. Reżimy i systemy zmieniały się tylko trochę wolniej niż pory roku, co posiadało tę zaletę, że każda generacja otrzymywała możność przerobienia na żywo nieomal pełnego kursu historii, całego ludzkiego dorobku w sferze socjotechniki rządzenia, od tyranii bezwzględnej zaczynając, a na tyranii maskowanej hasłami populistycznymi lub na demokracji tęskniącej do zamordyzmu kończąc. Stryj Hubert olewał każdy reżim, w niezłomnym przekonaniu, że polityka zawsze jest szalbierstwem, które udaje dobroczynność, czym budził gniew swego drugiego brata, a mojego drugiego stryja, Mateusza Flowenola. Ten był politykiem zawodowym, natchnionym demokratą, zaś apolityczność Huberta stanowiła dla niego wyzwanie, lecz nie umiał jej zwalczyć. Swoje credo stryj Hubert ogłosił w dniu wyborów, do których nie poszedł mimo usilnej agitacji ze strony Mateusza:

— Mat, nigdy do urn nie poszedłem i nigdy nie pójdę. Nigdy też nie wejdę na barykady. Rozumiem, że lud ma teraz swoją szansę życiową, ale taki jestem wobec tych spraw, w tym samym miejscu mam terror wobec ludu i zbawianie ludu. Moja opozycyjność wobec waszych tańców rytualnych polega na tym, że w przeciwieństwie do was i do waszych wrogów żyję w systemie ptolemejskim: Kopernik mnie nie dotyczy — słońce wschodzi mi codziennie rano i zachodzi wieczorem za płaski glob. Darwin też — od nikogo nie przyjmuję lusterek i cukierków, zarabiam monety własnym talentem. Galileusz i Newton w ogóle mnie nie obchodzą — grawituję ku chmurom o kształtach biustów i wypiętych pośladków, zamiast ku skibom ornym i kamieniom milowym postępu. Nie imponuje mi autor żadnej wielkiej idei, bo wszystkie wielkie idee uważam za psie gówno. Może tylko Einstein, którego nie rozumiem tak samo jak ci, co nim szermują, ale urzeka mnie tytuł, gdyż względność wszystkiego jest dla mnie oczywista.

W wyborach tych lewicowi demokraci odnieśli triumf, stali się władzą i postanowili z marszu wymienić dotychczasową konstytucję na taką nową konstytucję, która pozwoliłaby im rządzić przez tysiąc lat. Ogłoszono projekt nowej konstytucji i referendum, a po referendum zakomunikowano o „*stuprocentowym poparciu społecznym dla nowej ustawy konstytucyjnej*". Demokratyczna propaganda szalała z zachwytu, bijąc w triumfalne dzwony i reklamując nowy ustrój przy pomocy wszelakich gwiazdorów. Mojego ojca też dopadły kamery telewizyjne. Dziennikarka, która robiła ten program, obsypała starego komplementami, a potem wjechała na to, o co chodziło:

— Mistrzu, chcielibyśmy wiedzieć, jak pan przyjął tak wspaniałe, dowodzące uświadomienia społeczeństwa i absolutnego zaufania do rządu, przegłosowanie nowej konstytucji, można powiedzieć przez pełną aklamację? Myślę, że tak jak wszyscy, z wielką satysfakcją.

— Ze zdziwieniem. Sto procent głosujących „tak" to pomyłka.

— Pomyłka?... Czyja pomyłka?

— Pomyłka liczących głosy.

— Ale dlaczego?...

— Dlatego, że ja głosowałem „nie".

— A... ależ mistrzu... przecież społeczeństwo... Zagraniczne ośrodki robiły badania ankietowe przed plebiscytem, badania niezależne od naszych ośrodków! Wszystkie wyniki tych ankiet wskazywały na ogromne poparcie społeczeństwa dla projektu nowej konstytucji!

— Ja nie przeczę, że większość społeczeństwa jest za nową konstytucją. Jest. Uważam tylko, że ta większość to stado baranów.

Damulka zawahała się, ogarnął ją strach. Ale widocznie uznała, że ma niepowtarzalną okazję zrobić coś dobrego dla własnej kariery, bo wykrzywiła dzióbek gniewem i syknęła:

— Większość, panie Flowenol, to od czasów starożytnych jedyne autentyczne źródło prawdziwej demokracji! W naszym kraju mamy już taką demokrację, plebiscyt wykazał, że obywatele wierzą w sens demokratycznej reformy, którą realizuje nowa władza!

A mój stary odrzekł:

— Jasne. Jeśli wielu ludzi wierzy w to samo, wtedy łatwo dojść do wniosku: jedzmy gówna, przecież miliony much nie mogą się mylić!

W tym momencie jego twarz zniknęła, ekran wypełniły plansze reklamowe i odtąd nie puszczano w telewizji na żywo żadnych programów. Słowem, mój ojciec, dezawuując „błąd" arytmetyczny władz, dokonał reformy medium telewizyjnego. Drugi arytmetyczny kiks tych samych władz był już ich ostatnim wygłupem, gdyż była to pomyłka samobójcza. Zawiedli rachmistrze reżimu, robiąc błąd na poziomie szkolnej arytmetyki. Podrożyli mocno żywność, lecz aby lud się nie wściekał, w tym samym dniu podnieśli wszystkie pensje. Rekompensata miała być bardzo sprawiedliwa: największa dla tych, co najmniej zarabiają, a dla dużo zarabiających tylko symboliczna. Toteż uposażenia dużo zarabiających wzrosły ledwie o dziesięć procent, a zarabiających mało aż o czterdzieści procent. Czterdzieści procent od pensji równej tysiąc dawało czterysta. Dziesięć procent od pensji dziesięciotysięcznej dawało tysiąc. Oto jak jeszcze bardziej rozwarły się nożyce między biedą a zamożnością i robotnicy wpadli w szał, bo potrafili dodać i odjąć kilka prostych cyferek. Strajk sparaliżował całe państwo, a na to tylko czekali ci, którzy na to czekali. Przewrotu dokonała armia.

Stryj Hubert olał nowy porządek, tak jak olewał każdy porządek. To samo zrobił mój stary — lewicowa demokracja była dla niego ochlokracją, zaś armia soldateską. Tylko stryj Mateusz przejął się upadkiem demokratów. Jako konspirator doczekał ekonomicznego Waterloo junty armijnej. Prawem wahadła zastąpił ją liberalny parlamentaryzm, dający szansę wielu partiom, i stryj Mateusz, który awansował na szefa swojej partii, znowu przystąpił do wyborczych szachów. Był wielkim krasomówcą, miał więc dane, by zjednać sobie wszystkich i dorwać się do władzy za pomocą języka, lecz wadą jego talentu było wyrafinowanie przekraczające poziom intelektualny słuchaczy, co oznaczało niemożność zrozumienia go przez tych, do których mówił, a ponieważ nikt nie lubi się czuć idiotą, nikt nie chciał go powtórnie słuchać. Oto jak zaleta staje się kulą u nóg.

Nawet stryj Hubert nie zdołał mu pomóc skutecznie, choć usunął bratu z drogi jednego z najsilniejszych konkurentów, senatora Burgala. Burgal był kameleonem genialnie wstrząsoodpornym — huśtawka polityczna nie psuła mu kariery ani na chwilę, gdyż ugrupowania partyjne i wyznania doktrynalne zmieniał metodą linoskoczków. Podczas kampanii przedwyborczej ze szczególną furią atakował byłego kolegę partyjnego, Mateusza Flowenola; widząc to stryj Hubert zapomniał o teorii względności i postanowił wykończyć kanalię. Zwierzył się z tego memu ojcu, a stary nie mógł powstrzymać zdziwienia:

— Mieszasz się do polityki? Co ci odbiło?

— Nigdy nie mieszam się do polityki. To jest problem nazwiska, a nie polityki.

— Czyjego nazwiska?

— Mojego. Nazywam się Flowenol. Nie wiem jak ty, Fred, ale ja nie znalazłem tego nazwiska na śmietniku! Burgal, flekując Mateusza, znęca się nad nazwiskiem, które i ja noszę, trzeba z tym skończyć. Jestem to winien rodzicom.

— Sądzisz, że bardziej przewracają się w grobie z powodu źle wychowanego senatora niż z tego powodu, że ich syn prowadzi burdel? — parsknął stary.

— Sądzę, że najbardziej wnerwia ich fakt, iż drugi syn to oszust, których wciska ludziom zachlapane płótna jako sztukę! I że trzeci bawi się w polityka czyli w kurewstwo najgorsze ze wszystkich kurewstw, jakie zna ten najlepszy ze światów! Towar, który ja sprzedaję ludziom, jest najuczciwszy. Tylko jeden syn nie wyrósł mamie i tacie na złodzieja!

— Pan Bóg im pobłogosławił, spłodzili świętego — westchnął ojciec. — Świętego Jerzego, jakby kto pytał. Czy poza nazwiskiem, które ci szarga ten smok senatorski, masz coś jeszcze przeciwko niemu?

— Nic. Bardzo lubię jak komuś ręce się pocą, a Burgalowi zawsze się pocą.

— To na poważnie. A na żarty?

— Na żarty to nienawidzę neofitów, a on jest królem neofitów. Nienawidzę tego ohydnego zapału, z jakim nawrócona morda przeklina własnych porzuconych kumpli, z jakim łże, by udowodnić swą szczerość, z jakim gotowa posyłać na stos ludzi, co są z mniej giętkiego materiału, i to tylko za to, że nadal myślą tak jak on myślał nim uznał, że wygodniej będzie zmienić poglądy!

— Dasz mu radę? Na tego sukinsyna hańba spadła już po stokroć i zawsze wychodził z gnoju triumfujący, oblepiony gównem, które zamieniało się w złoto.

— Pewien mądry człowiek powiedział, że śmieszność hańbi bardziej niż hańba, braciszku — wycedził stryj Hubert. — A ja teraz udowodnię, że ten człowiek się nie mylił...

Senator, jak większość prominentów Nolibabu, był stałym klientem w zamtuzie stryja Huberta, lecz gdy ktoś mu podszepnął, że istnieje bardziej elitarny sposób karmienia chuci i że tym steruje również Hubert Flowenol — poczuł nowy głód. Zaczepił stryja swym miodowym szeptem:

— Panie Flowenol, czy mogę liczyć na to, że kiedyś spotka mnie zaszczyt uczestniczenia w jednym z tych przyjęć, które pan robi w swoim domu?

— Jakich przyjęć, panie senatorze, o czym pan mówi?

— Mówię o tym, o czym mi w zaufaniu doniesiono. O orgietkach z udziałem aktorek i tancerek, podobno jest to zabawa nie mająca sobie równej na nolibabskim rynku przyjemności. Rozumiem, że jako rywal pańskiego brata, zwalczający go w ramach wyborów, nie cieszę się pańską sympatią...

— Panie senatorze! — zagrzmiał stryj. — Jako rywal mojego brata jest mi pan milszy od jego przyjaciół, bo ja ich uważam za bandę pieprzonych lewicowców, a Mateusza za idiotę skończonego! Życzę panu, żeby pan ich rozniósł na strzępy, będę na pana głosował.

— Więc czemu, Flowenol?...

— Chodzi panu o te zabawy z aktoreczkami? Drogi senatorze, w tych baletach bierze udział bardzo wysokie i bardzo zaufane grono osób, kilku ministrów, kilku generałów, szef... no, nieważne czego, ale sam pan rozumie... Nie można powiększać liczby uczestników, bo gdyby rzecz wyszła na jaw...

— Panie Flowenol, ręczę honorem za dyskrecję! Kamień do ust! Błagam pana! Proszę mi wierzyć, że potrafię okazać wdzięczność...

Ubłagał. Naznaczonej nocy stawił się w podmiejskim pałacyku. Otworzyła mu pokojówka; miała na sobie tylko czepek pokojówki, co go zachwyciło. Wskazała mu rozbieralnię, gdzie zobaczył cały stos ubrań (spodni, spódnic, sukienek, marynarek, bluzek, koszul, krawatów, biustonoszy, majtek i pończoch, etc.), więc szybko zzuł swoje ciuchy i zupełnie na golasa ruszył za pokojówką w stronę salonu, skąd dobiegał dźwięk erotycznej muzyki. Gdy wkroczył, ujrzał kilkadziesiąt par we frakach, smokingach, garniturach i toaletach wieczorowych zapiętych pod szyję. Była to śmietanka dziennikarzy, aktorów, muzyków, oficerów i prominentów nolibabskich. Zrobiło się cicho. Wszyscy patrzyli na gołego senatora ze zdumieniem, dopiero gdy zaczął uciekać, wybuchnął gejzer śmiechu. Burgal był skończony jako senator (złożył mandat przed upływem kadencji, *„ze względu na stan zdrowia*”) i jako polityk w ogóle, dożywotnio.

Stryj Mateusz nie zyskał na tym nic, i tak w dniu wyborów przegrał, co zniósł z godnością, acz bez entuzjazmu. Rok później generał Told rzucił na śródmiejski asfalt swoje czołgi, parlamentaryzm znowu dostał dymisję, a wraz z nim wielopartyjność, wolność słowa i podobne rzeczy ze słownika demokratycznego. Mnie i moich rówieśników ubrano w mundury. Służba wojskowa trwała dwa i pół roku, końcówkę odsłużyłem w Afryce. Gdy wróciłem stamtąd, zakomunikowano mi, że nie mam już ojca, który zniknął bez śladu, i że wkrótce nie będę miał też stryja Mateusza, bo Narodowe Bezpieczeństwo ukradło mu zdrowie, aplikując tortury. Półżywego („zatłuczonego nie na śmierć” — jak powiedział mój kumpel, Robert Grant) enbecy wywieźli do szpitala przy klasztorze benedyktynów. Ledwie to usłyszałem, a już sam znalazłem się w gmachu Narodowego Bezpieczeństwa.

Rozmawiał ze mną komisarz Krimm. Nie wyglądał na oprawcę, był szczupły, elegancki, miał delikatne dłonie skrzypka, a okrucieństwo tylko we wzroku. Kazał mi usiąść i wygłosił komplement à propos mojej „postawy na wycieczce afrykańskiej, postawy, która przynosi zaszczyt naszym siłom zbrojnym”. Spytałem:

— Czy pan mnie wezwał tylko po to, żeby mnie pogłaskać, panie komisarzu?

— Nie, Flowenol, wezwałem pana, żeby zadać panu pytanie. Pytanie brzmi: czy pan też jest lewicowym opozycjonistą, tak jak pański stryj Mateusz?

— Nie.

— A może pan jest opozycjonistą spod innego godła?

— Nie.

— I nie zamierza pan być?

— Nie.

— Mówi pan serio?

— Tak.

— To bardzo dobrze. Gdyby pański stryj był równie rozsądny, żyłby jeszcze długo w dobrym zdrowiu. Ale ponieważ nie był, to teraz umiera.

— Na co umiera, panie komisarzu, jeśli wolno spytać o to?

Zmrużył powieki, by przyjrzeć mi się uważniej.

— Na upór, panie Flowenol. Jak wskazuje sama nazwa, ta dolegliwość należy do chorób nieuleczalnych.

— Wy jednak próbowaliście go leczyć.

— No cóż, każdy ma jakąś wadę. Naszą jest marzycielstwo, należymy do idealistów. Marzyło się nam, że nasza firmowa terapia uleczy go.

— Leczył go pan własnymi rękami, panie komisarzu?

— Ależ skąd! Nie zdarzyło mi się uderzyć przywiezionego tu człowieka, nie biję. Jestem jeszcze gorszy, używam słów. Są takie słowa, Flowenol, które potrafią otworzyć każdy pysk, i są takie słowa, które bolą bardziej od kopnięcia w podbrzusze, trzeba tylko wiedzieć jakie to słowa i umieć ich użyć w odpowiedniej chwili. Ale to dotyczy przesłuchań. Z pańskim stryjem chodziło o coś zupełnie innego.

— Mówił pan, że chodziło właśnie o upór.

— Tak, ale o inny upór, o upór materii, o nieludzkie wprost milczenie podczas zabiegów terapeutycznych. Pański stryj nie chciał skamłać, prosić o litość, krzyczeć, płakać, wyć z bólu, równie odpornego na ból faceta nie widziałem nigdy w mojej karierze. To jakaś biologiczna czy psychiczna osobliwość, tak naprawdę to nie ma takich ludzi, strasznie tym milczeniem obrażał moich chłopców...

Nienawiść jak krew, może płynąć w żyłach i porażać wylewem mózgowym. Czułem właśnie coś takiego. I to „coś takiego" zawsze mnie uspokaja. Nie drżą mi wtedy ręce, nie zgrzytam zębami, nie zaciskam kułaków i nie mówię podniesionym głosem — robię się zimny. Jest w tym sztuczność, ale jej nie widać.

Krimm wciąż mówił, jego łagodny głos przepływał nad biurkiem i rysował mi pod czaszką obraz kaźni — biłem go, szatkowałem, znęcałem się nad nim bez końca.

— Mówię to panu w zaufaniu, Flowenol, bo według wersji oficjalnej pański stryj wyszedł stąd nietknięty i dopiero u siebie wykonał samobójczy skok przez okno, czym strasznie się potłukł.

— Jego dom jest parterowy!

— Właśnie to sprawiło, że nie zdechł na miejscu. Skok z parterowego okna rzadko kończy się udanym samobójstwem, twierdzę tak jako ekspert w dziedzinie kryminalistyki, ale może przyspieszyć zgon. To właśnie spotkało pańskiego stryja, odebrał sobie życie na raty.

— A co spotkało mojego ojca?

— Pański ojciec wykazał większą inteligencję, zabił się od razu.

— Jak?

— Wsiadł do swojej awionetki i poleciał w kierunku morza. Gdy skończyło się paliwo...

— Lub gdy zgasł mu silnik uszkodzony przez długą rękę... Lub gdy eksplodował materiał wybuchowy...

— Może i było tak, na nic nie ma tu dowodów, ale nawet jeśli było tak, panie Flowenol, to nie za sprawą długiej ręki NB.

— Mógłby pan przysiąc jako ekspert w dziedzinie kryminalistyki, panie komisarzu?

Uśmiechnął się i pokręcił głową.

— Dowód na moją szczerość dałem zwierzając się panu z metody leczenia pańskiego stryja. Gdyby pański ojciec został przez nas wykończony, przyznałbym się do tego. Wiem, co się gada na mieście. Ludzie pieprzą, iż zamordowaliśmy pańskiego ojca. To nonsens, każdy reżim dbający o swój wizerunek potrzebuje wielkich artystów. Zrobił to sam, z przyczyn rodzinnych, miesiąc wcześniej pożegnał się z niewierną żoną. Flowenolowie wyraźnie nie mają szczęścia do żon, najpierw zakosztował tego pański stryj Mateusz, a później pański ojciec, lecz cóż, w końcu ich żony są bliźniaczkami... Tak czy owak pański ojciec zrobił to, co zrobił, bo wypadł z grona szczęśliwych małżonków.

— A zanim wzbogacił grono nieboszczyków, był przez was wzywany.

— Skąd pan o tym wie?

— Ludzie pieprzą.

— Tu dobrze pieprzą. Wezwaliśmy go, aby podpisał deklarację lojalności wobec generała Tolda.

— I podpisał?

— Odmówił.

— Jego upór także próbowaliście leczyć terapią firmową?

— Postraszyłem go trochę, ale nie próbowałem zbytnio nalegać. Zakazywała mi tego instrukcja od zwierzchników. Można powiedzieć, iż wykonaliśmy delikatny test na odporność, nie próbując przyciskać mocniej. Chodziło o to, by się nadmiernie nie rozzłościł. Mam taśmę z tego przesłuchania, mogę ją puścić panu. Chce pan?

Chciałem. Nie żeby sprawdzić, czy wcisnął mi kłamstwo (taśma mogła być po montażu), ale chciałem usłyszeć głos ojca. Krimm straszył go używając słów, w których było więcej błyskotliwości niż autentycznej groźby, jakby bardziej zależało mu na tym, żeby się popisać przed wielkim artystą niż przyprawić go o gęsią skórkę:

„— Mistrzu, rozmawiam z panem w sposób cywilizowany. Ale jeśli tak bardzo nie podoba się panu ten pokój, mogę pana odstawić do gmachu sąsiedniego, gdzie pracują moi źle wychowani ludzie. W tamtym gmachu wielu mężczyzn, przekonanych, że ich męskość ma charakter ciągły, utraciło swoje złudzenia...

— Ośmielilibyście się mnie uderzyć? M n i e, komisarzu?!

— Ja bym się nigdy nie ośmielił, panie Flowenol. Ale mam tu kolegów, którzy zupełnie nie znają się na sztuce...

— A ja się nie znam na takich żartach! Nie uda się panu mnie zastraszyć! I nawet zabić mnie nie udałoby się panu, choćby pan przestrzelił mi łeb na wylot!

— Mistrzu, pan jest nieśmiertelny jako artysta, ale nie jako człowiek... Każdego można zabić.

— Nie, komisarzu, zabić można tylko żywego, i to jest właśnie pech nie tylko takich systemów jak ten, który pan reprezentuje, ale pech wszystkich bydlaków na tej ziemi. Że człowieka można uśmiercić tylko raz. Wam się to już udało, za pomocą jednego konfidenta przenieśliście mnie do krainy trupów, gratulacje. Ale teraz możecie mi już tylko nagwizdać. Wy i wszyscy inni, nikt mnie już nie może ani zranić, ani zabić, bo wszystko mam w martwym tyłku. Więc niech się pan odpieprzy, Krimm, a z panem pański generał. To był nasz ostatni dialog, proszę mnie nie wzywać, komisarzu, bo więcej tu nie przyjdę. I proszę do mnie nie przychodzić!”.

Krimm wyłączył magnetofon.

— O jakim konfidencie mowa? — spytałem.

— Nie wiem, o jakimś kapusiu. Ale nawet gdybym wiedział, to nie mógłbym tego ujawnić, jestem zakneblowany tajemnicą służbową. Niech pan posłucha na mieście, może ludzie pieprzą i o tym.

Gdy już byłem w drzwiach, krzyknął:

— Jak się miewa pułkownik Taerg?

— Dobrze się miewa.

— Proszę mu przekazać wyrazy najgłębszego szacunku!

To mi uświadomiło dlaczego i ze mną obszedł się „w sposób cywilizowany” — rozmawiał z pupilem Taerga.

Nazajutrz pojechałem do hospicjum, gdzie leżał stryj. Miał trupi wygląd, tylko w oczach tliło mu się życie, jakby speszone, iż jeszcze komuś zabiera czas.

— Wróciłeś, Nurni! — szepnął. — Bałem się, że nie wrócisz od tych Murzynów. Ciężko tam było, chłopcze?

Opowiedziałem mu. Potem milczeliśmy. Nie chciałem męczyć go rozmową, wypytywać, zresztą nie wiedziałem o czym moglibyśmy truć. Zza okna słychać było wiatr. Wtem Mateusz poruszył wargami. Nachyliłem głowę ku jego ustom.

— Tak, stryju?

Mówił nie patrząc na mnie, patrzył w stronę okna.

— Kiedy studiowałem prawo... Miałem wtedy tyle lat, Nurni, ile ty masz dzisiaj i pierwszy raz byłem tak długo poza domem... Ojciec wysłał mnie do Włoch, ale dał mi mało pieniędzy. Mieszkałem w obskurnym hoteliku. Za cienką ścianą obok mojego łóżka był sracz z zepsutym rezerwuarem, woda leciała na okrągło, taki jednostajny szum. Żeby nie zwariować, wmówiłem sobie, że to jest szmer wiatru i dzięki temu jakoś znosiłem ten ciągły szum. Teraz mam pięćdziesiąt dziewięć lat i kiedy słyszę szum wiatru, marzę o tym szemrzącym sraczu za ścianą w Mediolanie...

Patrzyłem na niego wstrząśnięty, gdyż pierwszy raz dopełniało się przy mnie misterium umierania w ten sposób. Widziałem już niejedną śmierć, podczas wyprawy afrykańskiej zabijaliśmy i byliśmy zabijani, ale było to umieranie szybkie, gwałtowne i pełne krwi lejącej się jak z ekranu kinowego. On zaś miał mnóstwo obrażeń wewnętrznych nie pozwalających przywrócić go do zdrowia i czekał na ostatnią chwilę w ciszy, w białej pościeli i we wspomnieniach o złotym wieku. Jego organizm dopalał się wolno, ale mózg działał zachłannie, łowiąc z kosmosu, którym są przeżyte lata, z owej bezkresnej przestrzeni, jaką jest minione — pyłki, kamyczki, strzępy, z których była ułożona ta mozaika, utkana ta szata, upleciony ten welon od chwili narodzin. Miał do pomocy dwie anteny radarowe — duet uszu obdarzonych czułą pamięcią. Umierał słuchając wielkiej symfonii, skomponowanej przez mediolański sracz, przez dziewczęcy szept gdy zdejmował pierwsze kobiece majtki w swym życiu, przez jakiś spacer na wagarach, jakąś piosenkę lub film lub okładkę książki, jakiś łopot żagla na jeziorze, jakieś głupstwa, zwykły bilon, stos miedziaków, który nagle okazał się piramidą złotych monet lśniących niczym gwiazdy lub brylanty. Umierał ze wzrokiem człowieka szczęśliwego.

Poczułem czyjąś rękę na ramieniu. To stryj Hubert zawitał do szpitala, przychodził codziennie.

— Wyglądasz lepiej niż wczoraj i dwa razy lepiej niż przedwczoraj, ergo wkrótce będziesz zdrów, Mat! — zełgał tonem wykluczającym sprzeciw.

— Byłeś kiedyś w Mediolanie? — zapytał go w odpowiedzi stryj Mateusz.

— W Mediolanie?... A po co miałbym być w Mediolanie?

Mateusz uśmiechnął się z wyższością i znowu odwrócił wzrok oraz słuch w kierunku okna. Posiedzieliśmy przy nim kilka minut i wyszliśmy razem. Na korytarzu stryj Hubert zaczepił przeora i spytał o chorego, a przeor wykpił się rytualną odpowiedzią księży:

— Poprawa nie następuje, zda się koniec bliski już, lecz wszystko w ręku Boga.

— Jest ksiądz pewien?

— Czego, synu?

— Że wszystko w ręku Boga.

— Najzupełniej, synu!

— I nie wstyd księdzu tak bluźnić? — rozeźlił się stryj Hubert.

— Bluźnić?! — zdumiał się ksiądz.

— Okropnie bluźnić. Mówiąc, że wszystko jest w ręku Boga, ksiądz zwala na niego każdą zbrodnię, każdą torturę, każdą nikczemność jaka dzieje się na tej Ziemi, i tym ksiądz bluźni przeciw Niemu. Czas pojąć, że przynajmniej niektóre rzeczy dzieją się za sprawą szatana! A może wszystko jest w diabelskiej łapie?

— Ty na pewno w niej tkwisz! — zawarczał ksiądz, uwalniając swą twarz od regulaminowej maski dobrodusznego pocieszyciela.

— Jeśli nawet, księże, to nie przez moją słabość!

— A czyją?

— Boską, wielebny. Czy Bóg walczył z szatanem?

— Tak, i jak wiesz...

— I jak wiemy obaj przegrał, bo musiał zawrzeć pakt, na mocy którego szatanowi przypadła Ziemia do wyłącznego użytku.

Tamten milczał przez chwilę, zdawało się, że szuka odpowiedzi, lecz zamiast niej spytał:

— Czy to ty chorego zbuntowałeś?

— O czym ksiądz mówi?

— O tym, że on nie chce przyjąć sakramentu przed śmiercią!

— Nie, nawet o tym nie wiedziałem, proszę księdza. Ale to mnie nie dziwi. Przeszedł tyle, że miał prawo zwątpić w sens łykania opłatków.

— A cóż on przeszedł? Jeśli ból fizyczny, cela więzienna lub złamana przez oprawcę kość unicestwiają wiarę w Boga, to znaczy, że ta wiara była nic nie warta, mój synu, była jako liść na wietrze, była jedynie...

— On przeszedł coś gorszego, wielebny! Strzelono mu za dużo bramek podczas meczu!

— Jakiego meczu?! — zbaraniał ksiądz.

— Małżeńskiego, i tu chodzi nie o ból fizyczny, tylko psychiczny. Dla faceta, który poważnie traktuje małżeństwo, życie małżeńskie nie różni się od futbolu. Taki głupek zaczyna jako napastnik, po pewnym czasie staje się obrońcą, a kończy jako bramkarz. On przeszedł właśnie to i zwątpił w waszego pracodawcę, wielebny!

„Wielebny” nie podjął tematu; zapytał:

— A ty co przeszedłeś, by zwątpić w Opatrzność?

— Przeszedłem własny kurs demonologii, jestem satanistą-samoukiem. Żeby zaliczyć taki kurs, wystarczy mieć dobry wzrok. Niech mi ksiądz powie, czy ktoś pracujący w szpitalu, gdzie umierają dzieci chore na raka, może wierzyć w boską opatrzność i mieć zaufanie do miłosierdzia boskiego, do boskiej wszechmocy i podobnych bzdur?

— I jeszcze mam ci odpowiedzieć, co robił Pan Bóg na rampie selekcyjnej Treblinki, czy tak, panie Flowenol?

— Nie, tego mi tłumaczyć nie trzeba, sam rozumiem, że Pan Bóg nie jest dróżnikiem prowincjonalnych stacji kolejowych. Oraz że ludzkie cierpienie jest bramą do raju czyli zbawienia czyli wiecznego szczęścia, więc w sumie każdy, kto z dymem krematoryjnym uniósł się do niebios, wyszedł na swoje, zaś fakt, że może spotkać w tym samym raju SS-manów, którzy uzyskali rozgrzeszenie, to żaden ambaras, bo czy musi się kłaniać wszystkim przechodniom na ścieżkach niebiańskich?

— W tak inteligentny sposób udowodniłeś sobie, że nie ma Boga? — spytał ksiądz.

— Ja tego udowadniać nikomu nie muszę, nie jestem rzecznikiem prasowym kongregacji ateistów. To wy macie kłopot, bo jako pasterze owieczek chrześcijańskich musicie nie tylko im, ale i sobie, dowodzić czegoś, czego również dowieść nie można — że On istnieje! Gdzie jest dowód? Jest tylko prawdopodobieństwo, zresztą po obu stronach. Moim zdaniem większe jest prawdopodobieństwo, że Bóg nie istnieje, a wszystko, co mamy, to przyjemności życia, choć efemeryczne, jednak dotykalne. No i cierpienia, ale na te wy macie lekarstwo w postaci modlitw. Wszystko w ręku Boga, więc miliony wzywają Go na pomoc. Robią to ze skutkiem, z jakim sierota wzywa rodziców! A najzabawniejsze jest to, że jeśli Bóg istnieje, to ów cyrk z prośbami stawia Go wobec nierozwiązywalnych dylematów, wobec prawdziwej kwadratury koła, bo gdy słyszy prośby o pomoc wykrzykiwane przez kapelanów dwóch armii, które mają stoczyć bitwę, gdy odwołują się do Niego grupy i jednostki, które poprzysięgły sobie nienawiść i śmierć, to ma wówczas wielki problem z dzieleniem swego miłosierdzia i jako pogotowie ratunkowe nie zawsze może być sprawny.

Ksiądz skręcił ostro w bok, dając tym ruchem znak, że jego cierpliwość uległa wyczerpaniu. Podreptał ku sali reanimowanych, chwycił klamkę, ale zamiast nacisnąć, odwrócił się do nas i rzekł surowo:

— Ci, którzy przeklinają Boga, lub też mają do Niego pretensje, lub choćby tylko nie rozumieją Jego braku zaangażowania w ziemskie sprawy, a powodowani są widokiem rzeczy strasznych, które ludzkość wyrządza sobie sama w każdym pokoleniu, nie mają racji i czynią głupio. Zaiste, nie są to bluźniercy — to głupcy. Odwołując się do Boga na widok krzywd, i w pragnieniach, jakie ich rozpierają, ze skargami i z prośbami — degradują Boga. Gdyż degraduje się bóstwo, chcąc je ściągnąć na ziemię. Ci, którzy proszą Boga, aby ich pomścił, chcą Go uczynić bandytą. Ci, którzy modlą się o dostatek, pragną przesadzić Go z ołtarza za okienko kasjera. Inni, błagający o wenę, chcieliby wdziać Nań krupierski uniform. Ci wszyscy zaś, którzy dziękują Mu, bo akurat im się w czymś poszczęściło i myślą, że On to sprawił, już zamordowali swego Boga — uczynili Zeń bandytę, kasjera i krupiera!

— To po co budujecie wielkie domy do rozmów z Bogiem?! — krzyknął stryj. — Tych, którzy widzą w Nim kasjera i krupiera skreślmy, ale czy wypędziłbyś ze świątyni i tych, którzy szukają Uzdrowiciela? O co w końcu można Go prosić, czy tylko o uszlachetniające cierpienie?

— O dobrą pogodę, durniu! — wycedził ksiądz. — O łaskę tolerancji i mądrości nie proś, póki nie sprawdzisz w słowniku, co znaczą te dwa słowa!

I natychmiast się zawstydził tego tonu i tego epitetu, bo spuścił wzrok i powiedział łagodniej:

— Wybacz mi, panie Flowenol, uniosła mnie grzeszna złośliwość, szatan nie rządzi, ale i nie śpi. Wierzę, że ty z czasem znajdziesz swoją drogę do Boga. Zważywszy twój upór i twoją profesję, byłby to cud prawdziwy, ale niezbadane są wyroki Przedwiecznego.

Być może stryj Hubert przyjąłby tę rękę wyciągniętą do zgody, lecz ksiądz popełnił błąd nie cenzurując swojego spiczu. Należało wyrzucić jedno słowo — ową „profesję". Tego mu stryj nie mógł darować. Zrewanżował się jadowitym tonem, dając erudycyjny popis z historii sztuki, co zawdzięczał memu ojcu:

— To prawda, intencje Boga są niezmierzone. Przysypanie Pompei było dla jej mieszkańców holocaustem, ale dla nas okazało się cudownym prezentem, bo dzięki temu, że gorący pył wulkaniczny zakonserwował pompejańskie malowidła, znamy malarstwo starożytnego Rzymu, bez zagłady Pompei nie wiedzielibyśmy o tym malarstwie nic. Okazuje się więc, że i miłosierdzie oraz dalekowzroczność Boga, którego chwalenie jest twoją profesją, dobry pasterzu, są niezmierzone według zasady: „Nie ma tego złego, co by na dobre nie wyszło"!

Ksiądz otworzył drzwi i zniknął nam z oczu. Szliśmy po schodach na parter, później przez ogród przyklasztorny, cały czas milcząc. Dopiero na ulicy stryj Hubert powiedział:

— Mogą głosić swoje brednie dzięki bezkresnemu milczeniu kosmosu. Nie słychać przeczenia, to dlatego czują się tacy pewni. Marzy mi się, że kiedyś dostaną kopniaka stamtąd!

— Jak, stryju?

— Po prostu. Bóg się odezwie gdzieś zza dalekich mgławic: — Przestańcie tumanić ludzkość! Mnie nie ma!

Roześmiałem się:

— Sądzisz, że może to powiedzieć, jeśli Go nie ma? Albo jedno, albo drugie...

— Jedno i drugie prowadzi do tego samego. To, czy Bóg istnieje, czy nie istnieje, nie ma na świat wpływu. Zwłaszcza na ludzi. Świat składa się z ludzi o wąskich ramionach, którzy popełniają czyny zawstydzające, i z ludzi o szerokich barach, którzy nie wstydzą się swoich myśli, bo w ogóle nie myślą, oraz z kobiet, lecz to również nie dodaje mu chwały, bo nie ma kobiet bez wad. Nawet pneumatyczne lalki z sex-shopów, które są cudownie milczące, cudownie wierne, cudownie nie kapryszące i nie wnerwiające człowieka, mają jedną wadę. Byłyby produktem optymalnym, gdyby mogły przedłużać trwanie gatunku, lecz cierpią na bezpłodność. Ale nie traćmy wiary w techniczny postęp...

— Mówiliśmy o wierze w Boga, stryju...

— Tak, tak, Nurni, mówimy o wierze w Boga. Pamiętam jak kiedyś wracałem nocą do wiejskiego domu ścieżką między zaoranym polem a łąkami. Wracałem ze schadzki miłosnej. Było cholerycznie cicho i cholerycznie ciemno, stąpałem prawie po omacku. Właśnie wówczas, dzięki tej wędrówce w ciemności, zrozumiałem, że magia mroku to magia świata zatrzymanego. Nic prócz ciebie nie żyje, nic się nie rusza. Gwiazdy nad moją głową i ziemia pod moimi butami były zupełnie nieruchome, a przecież wirowały z diabelną szybkością od niepamiętnych czasów. „Więc może i Bóg istnieje — pomyślałem — chociaż zmysły mówią, że to nieprawda? I może jest tam gdzieś u góry to biblijne niebo pełne tak wielkich przebaczeń, iż cały ów naród spalony w krematorium pije bruderszaft z bandą swoich oprawców, a kelnerami są anioły Pana Boga? Jeśli tak jest — myślałem dalej — to wszystko jest komedią! Lecz jeśli tak nie jest — zastanowiłem się po chwili — to czy to coś zmienia?...".

— Stryju!

— Słucham cię, synku.

— To w końcu jak jest, wierzysz w Niego, czy nie wierzysz?

— Nie wierzę w Boga, którego oni nam sprzedają. Jak można wierzyć w tego dobrego Ojca, który wysłał bezbronnego Syna do Galilei i Judei, żeby tam Go zamęczono na krzyżu? I żeby ci, którzy Mu tam uwierzą, mogli zaznać zbawienia. I żeby potem mogli otrzymać zbawienie ci, którzy uwierzą Jego uczniom i uczniom Jego uczniów. A ponieważ nauczyciele nie wszędzie dotarli, lub nie dotarli na czas, to miliony nie nauczonych we wszystkich kątach zbawionego świata nie miały i nie mają żadnych widoków na zbawienie. Weź tych, którzy mieli pecha żyć zanim Syn się pojawił! W taką boską sprawiedliwość mam wierzyć? W to, że dobry poganin nie będzie zbawiony, a zły chrześcijanin będzie, bo uderzy się w pierś i odprawi wyznaczoną przez księży pokutę za całe swoje skurwysyństwo? Odrzucam mistyczno-metafizyczne dowodzenie istnienia takiego Boga nie dlatego, że demagogii chrześcijan brakuje logicznego sensu, ale dlatego, że kłóci się ona z elementarną sprawiedliwością, Nurni. Lecz to wcale nie zaraziło mnie nadmiernym ateizmem, widzę bowiem równie wielką słabość rozumowania ateistów. Owa słabość leży w tym, że negują istnienie Boga stosując ziemską logikę, być może jest to większy absurd niż ten, o który podejrzewam apostołów wiary. Słyszałeś o Hawkingu?

— Tata mi o nim mówił, zachwycał się jego walką z własnym kalectwem, a jego teorię pola chciał przełożyć na malarstwo.

— Na malarstwo abstrakcyjne można przełożyć rzygowiny pijaka, one też są bezładną mieszaniną kolorów! — mruknął stryj. — Powiedziałem to kiedyś Fryderykowi, a on mi na to... zresztą nieważne! O czym mówiliśmy?

— O Hawkingu, i o tym, że ziemską logiką...

— Tak, tak. Problemu Boga nie da się nią rozstrzygnąć, Nurni. Przeczytałem niedawno „Krótką historię czasu". Hawking sugeruje tam, że jeśli czasoprzestrzeń jest zamknięta w sobie, bez granic i bez krawędzi, to wszechświat nie ma ani końca, ani początku, i z tego wyciąga wniosek, że Stwórca nie był potrzebny, a jeśli nie był potrzebny, to Go nie ma. Dla ateistów jest to dowód matematyczno-fizyczny na nieistnienie Przedwiecznego, tak jakby matematyka i fizyka miały prawo rozstrzygać coś, co w samym założeniu jest większe od cyfr i praw! Dlatego takie dowody śmieszą mnie w równym stopniu jak kościelne dowody na istnienie Boga, mój chłopcze!

Tu zamilkł i dalej szedł milcząc. Był przypadkiem osobliwym, gadułą i milczkiem, to się rzadko zdarza. Czasami chował się w sobie i trudno go było zmusić do otworzenia ust, odpowiadał monosylabami, wzruszeniem ramion, opryskliwym gestem lub skrzywieniem warg. Innym zaś razem dostawał natchnienia i tokował bez przerw, wylewał z siebie potoki słów, tak iż zdawało się, że żyje tylko po to, aby gadać, jak te kobiety, które istnieją tylko po to, żeby się gzić. W sumie był więc człowiekiem, dla którego gadatliwość to nałóg, lecz i człowiekiem, który zwalcza ów nałóg niby Pitagorejczyk, podejmując od czasu do czasu „próbę milczenia". Tylko że u Pitagorejczyków „próba milczenia" trwała najkrócej rok, a bywało, że i pięć lat, u niego zaś kilka godzin, kilka dób, tydzień był już torturą. Lecz te jego milczenia zdarzały się kilka razy do roku, dlatego nie pamiętał ich nikt, natomiast jego gadatliwość była sławna, bo codzienna, a jako że codzienna, więc dla niektórych męcząca. O to również pokłócił się i pogniewał z moim starym, gdy ten nazwał go w bezbłędny sposób. Nazwał go rezonerem.

Rezoner to dziwne słowo — nie będąc epitetem, ma brzmienie epitetu. Rezoner (zajrzyjcie do słownika) to ktoś, kto lubi rozprawiać, krytykować, głosić, pouczać, przekonywać i przemawiać z dużą pewnością siebie, to facet stanowczo i z upodobaniem mędrkujący, lecz niekoniecznie idiota. A jednak gdy czytamy lub słyszymy ten wyraz, widzimy faceta o wyglądzie dupka siedzącego na nocniku z zatwardzeniem i z bohaterską ambicją, by pokonać opór materii. To słowo kojarzy się nam z ludźmi, co nie dość, że mówią głupoty i wierzą w głupoty, to jeszcze rozdzielają je na czworo mentorskim głosem, pragnąc wszystkim zaimponować swoją mniemaną inteligencją, od której każdy, kto posiada inteligencję, dostaje wymiotów, a każdy, kto jej nie posiada, ulega jeszcze większemu skretynieniu. Hubert jako rezoner stanowił żywy dowód, iż potoczne skojarzenia bywają błędne, gdyż jego inteligencja była czymś więcej niż inteligencją, była mądrością. Lecz określenie „rezoner" nie przypadło mu do gustu.

Zapomniałem o czym wówczas gadali. Pamiętam jedynie, że Hubert nie dopuszczał mojego starego do słowa, i pamiętam jak zakończył się ten monolog udający dialog. W pewnej chwili ojciec spytał gniewnym tonem:

— Wiesz co?!...

Stryj wyczuł atak i natychmiast przerwał bratu:

— Co nieco wiem, chodziłem do szkoły.

— I żaden belfer nie uświadomił cię, że za dużo gadasz?

— Nie, braciszku!

— Może dlatego, że nie było tam przedmiotu pod tytułem: zwięzłość. Gdyby był, to byś się dowiedział, że coś, co może być wyrażone w jednym zdaniu, umiera już przy drugim zdaniu, przy trzecim śmieszy lub nudzi, a przy czwartym staje się tak obojętne, jakby panowała cisza. I gdy ktoś potrzebuje tylu słów, by przekonać do czegoś, budzi odwrotny efekt, bo usilne przekonywanie jest wrogiem przekonania, wężem, który zjada własne ciało wciągając swój ogon do gęby! Ględzisz już dwa kwadranse, a wszystko to można było wyłożyć za pomocą kilku zdań!

— Za pomocą kilku zdań można napisać siedmiotomową powieść, co udowodnił Proust — rzekł stryj, odsłaniając zęby gotowe do gryzienia.

— Wiesz co?! Są tacy...

— Już ci mówiłem, że wiem.

— ...są tacy ludzie, którzy najlepiej przyczyniają się do towarzyskiej konwersacji, kiedy wychodzą z pokoju! Mówię o rezonerach, o facetach wciąż pierniczących przemowy, jakby każda rozmowa była partyjnym wiecem!

Stryj, kiedy to usłyszał, wyszedł z pokoju.

Stary miał rację — rezonerstwo Huberta znajdowało ujście w wygłaszaniu długich fraz przemówieniowych, które, gdy rozmawiał, bywały drażniące, ale kiedy zdarzało się, iż na jakiejś uroczystości przemawiał, były cudowne. Świetną przemowę wygłosił na pogrzebie stryja Mateusza; powiedział między innymi:

— ...Mat był wielkim politykiem, był materiałem na wspaniałego męża stanu, i gdyby los bardziej mu sprzyjał, mógłby uczynić dla naszej ojczyzny bardzo dużo dobrego. Był prawdziwym „ultimus Romanorum", był ogonem własnej komety, w przeciwieństwie do tych wszystkich kupczących polityką, zwyrodniałych lub zneoficonych płazów, których pełno zawsze i wszędzie, a którzy są tylko ogonami wyrastającymi z dupy panującego!

Wśród uczestników pogrzebu przebiegł szmer dezaprobaty dla słownictwa, którym stryj wzmógł funeralną retorykę, ksiądz nawet zamknął oczy, demonstrując tym nieobecność swego słuchu, a Hubert, piernicząc to wszystko, ciągnął dalej pean pochwalny na cześć brata:

— Tym, drodzy przyjaciele, co różniło go od nędznych politykierów, był stosunek do prawdy. Mat nie propagował kultu prawdy, wiedział, że ta jest rzeczą względną, raczej kult prawdomówności, a to zupełnie inna para butów, bo to modeluje określony sposób życia, z pewnością najtrudniejszy, i określony rodzaj stosunku do bliźnich, z pewnością najniebezpieczniejszy. Za takie kaprysy trzeba płacić bolesną cenę. On zapłacił cenę najwyższą. Zapłacił bez strachu. Nigdy się nie bał. I to było w nim imponujące — nie bał się niczego! Nie bał się hańby od własnego postępku — wiedział, że nie ma takiej siły, która może zrobić zeń kurwę choćby jeden raz. Nie bał się politycznej klęski — w głębi duszy była mu obojętna. I nie bał się śmierci — rozumiał, że człowiek musi umrzeć...

W każdym fragmencie tego hymnu znajdował się jakiś wyraz na tyle plugawy, że przepłaszał od grobu kilku bliskich zmarłego, tak iż pod koniec liczba uczestników ogromnie zmalała. Ale dopiero gdy zostałem sam ze stryjem Hubertem, powiedziałem mu, co myślę o tym:

— Stryju, mogłeś nie rzucać mięsem tak często!

— Mogłem też nie kłamać tak często! — obruszył się. — Ale widać kłamstwo ci nie przeszkadza, Nurni!

— Kłamałeś, stryju?

— A co, miałem wywalić prawdę na wieko trumny brata? Miałem powiedzieć, że był politykiem do dupy? Polityk albo jest dziwką, albo nie jest politykiem, a on nie był dziwką, więc jaki był z niego polityk, synku? Nie umiał nawet zmajstrować hasła politycznego, które by porwało tłumy! Wymyślał jakieś brednie w stylu: „Nasz cel to prawdziwa demokracja!", lub: „Głosując na nas, głosujesz na siebie!", lub: „Zróbmy wszystko, aby zatriumfował dobrobyt!". Taki bełkot to ścierka wyżęta tysiąc razy, zdarta płyta, więc wszyscy puszczają to koło uszu. Gdybym się bawił polityką, krzyczałbym: „Aby mężczyźni mieli więcej pieniędzy na stroje kobiet!" i wygrałbym w cuglach, bo wszyscy kupiliby to wrzeszcząc z zachwytu, tak faceci, jak i baby, tym hasłem pozbawiłbym konkurentów cienia szans. Co, może nie?

Szliśmy do zakładu kamieniarskiego, obstalować płytę i pomnik nagrobny. Gdy wybierałem rodzaj granitu, zaświtało mi, że winien to być wspólny grobowiec dla stryja Mateusza i dla mojego ojca, a fundator (stryj Hubert) nie sprzeciwił się temu, lecz szepnął, aby być w zgodzie z sobą samym:

— To się może udać tylko dlatego, że Fred będzie tam leżał symbolicznie. Gdyby naprawdę leżeli tam obaj, mogłoby dojść do rękoczynów!

I w tym momencie jemu również zaświtał pomysł:

— Wiesz co, Nurni, ktoś winien pilnować ich tam, ktoś, kto zachował trochę rozsądku...

Po czym zwrócił się do szefa firmy:

— Gdy będziecie stawiać to granitowe arcydzieło, wybudujcie trzykomorowy grób, a na płycie ma być wolne miejsce dla mojego nazwiska. Chcę leżeć z moimi braćmi.

„To się może udać tylko dlatego, że ojciec będzie tam leżał symbolicznie!" — pomyślałem, woląc nie artykułować mojego strachu.

Zakład kamieniarski był obok bramy cmentarza. Gdy już Hubert skończył dogadywać się z kamieniarzem, ruszyliśmy zobaczyć miejsce pochówku. Mijaliśmy krzyże i płyty grobowe, i w pewnym momencie, gdy byliśmy pośrodku cmentarza, naokoło, jak okiem sięgnąć, widniał las grobów — zdawało się, iż cały świat to tylko niebo i groby.

— Gadanina o holocaustach dokonanych przez różnych Czyngiz-chanów, Stalinów lub innych szczurołapów, o wymordowaniu Ormian przez Turków i o zagładzie Żydów w piecach niemieckich... A przecież czas jest największym ludobójcą — rzekł Hubert.

Nie była to najbardziej błyskotliwa jego myśl, lecz żaden geniusz nie dotyka skrzydłami chmur bez ustanku, czasami lata niżej. On różnie latał, i wszystkie te wzloty miały jedną cechę wspólną — były ozłocone, lub może zatrute, dawką wrodzonego cynizmu, tak jak wrodzone bywają inteligencja, talent lub powołanie do świętości. Dla Huberta nie istniało nic świętego — był człowiekiem, który miłosne drżenie serca i drżenie rąk alkoholika uważał za identyczną degrengoladę.

Po długim błądzeniu znalazł święte miejsce rodziny Flowenol. Stojąc nad grobem dyskutowaliśmy o epitafiach.

— To musi być „opus magnum"!* — rzekł stryj. — Może coś wierszowanego?... Na przykład z Byrona, synku! Epitafium z Byrona byłoby pierwsza klasa!

— Dla ciebie?

— Dla twojego ojca, głośnego malarza, pętaku!

I wówczas za naszymi plecami rozległ się potworny chichot. Jakby ktoś męł żwir w maszynce do mielenia mięsa. Kilkadziesiąt kroków od nas siedział na jednym z grobów facet tak przekrzywiony, że garb wystawał mu ponad głowę, i śmiał się diabelsko, zezując w naszym kierunku.

— Kto to jest? — zapytałem.

— Nie wiem, Nurni.

Ten wyzywający chichot pachniał mi obelgą, więc ruszyłem w stronę garbusa. Wtedy umilkł i wlepił we mnie dziwny, nieomal pożądliwy wzrok. Było coś chorobliwego w tym wzroku, jak w oczach rozpalonych wdów, które trawi nieuleczalna gorączka — jakieś bezwstydne marzenie, które człowiek chce ukryć przed innymi ludźmi i zarazem zrealizować czym prędzej, co stanowi sprzeczność, bo można je realizować tylko przy współpracy innych.

Kiedy podszedłem blisko niego, garbus zeskoczył z grobu, a kiedy się już tam znalazłem, wokół było pusto.

Tekst epitafijny ułożył przyjaciel Granta, młody poeta Jock Kindock. Sześć wersów mówiących, że Fryderyk i Mateusz Flowenolowie „*nie dali się złamać*", gdyż nie byli „*braćmi ugody*", lecz „*rodzeństwem oporu*". Krimm wezwał Kindocka i spytał go:

— Komu nie dali się złamać, mój panie?

— Wam nie dali się złamać, mój panie! — odparł poeta.

Z drukarń wycofano tłoczone już tomiki jego wierszy, pisma literackie zatrzasnęły mu drzwi przed nosem, a „nieznani sprawcy" włamali się do jego mieszkania i ukradli komplet rękopisów. Wówczas Kindock zaczął nowo napisane poezje rozdawać przyjaciołom, a po włamaniach do mieszkań przyjaciół wymyślił coś jeszcze inne-

* — Wielkie dzieło.

go: prosił, by uczyli się tych wierszy na pamięć i przechowywali je w głowach. Obarczył tym i mnie; nosiłem w głowie poemat o *„samotnym wilku biegnącym donikąd*".

Ta zabawa nie mogła trwać bez kresu. Kindock został aresztowany i postawiony przed sądem, a zarzut brzmiał: *„Próba zmontowania antypaństwowej siatki konspiracyjnej w celu rozprzestrzeniania wywrotowych idei za pomocą pseudopoetyckich tekstów podrywających niezłomne zaufanie społeczeństwa do legalnych władz*". Roberta i jeszcze kilku przyjaciół poety wezwano jako świadków. Po odczytaniu aktu oskarżycielskiego sąd zaczął Kindocka przesłuchiwać:

— Nazwisko oraz imię, data i miejsca urodzenia, zawód wykonywany!

— Co, zapomnieliście już? — zdziwił się Kindock.

— Proszę się zwracać do Wysokiego Sądu: Wysoki Sądzie! — upomniał go sędzia. — I proszę odpowiadać na pytania, a nie dowcipkować, bo Sąd ukarze oskarżonego grzywną za brak szacunku dla Trybunału i dla godeł państwowych! Imię i nazwisko oskarżonego!

— Jock Kindock, wysoki sądzie, pseudo „Kubuś".

— Czy to jest pseudo konspiracyjne oskarżonego?

— Nie, domowe, mama mnie tak nazywała, jak byłem mały. Tato nazywał mnie „Kogucikiem", wysoka izbo, bo ładnie robiłem „ku-ku-ryku".

— Nie wysoka izbo, tylko Wysoki Sądzie!

— Tak, tak, przepraszam, wysoki sądzie!

— Sąd pyta oskarżonego, kiedy urodzony!

— Wieczorem, wysoki sądzie, dwadzieścia pięć lat temu późnym wieczorem, ale godziny dobrze nie pamiętam, bo...

Prowadzący przewód ryknął, waląc dłonią leżące na stole akta:

— Sąd, za te kpiny, karze oskarżonego grzywną w wysokości stu rangów!... Proszę teraz powiedzieć jaki jest zawód oskarżonego!

— Poeta, wysoki sądzie.

— Poeta to nie zawód!

Kindock się uśmiechnął i przytaknął:

— Tak, wysoki sąd ma słuszność, to nie zawód, to powołanie.

— Czy więc oskarżony uprawia jakiś zawód?
— Tak, wysoki sądzie.
— Jaki to zawód?
— Pisanie wierszy, wysoki sądzie.
— Pisanie to nie zawód, to już ustaliliśmy! Każdy człowiek pisze listy na ten przykład i nie traktuje tego jako zawodu, jako źródła zarobkowania!
— A delator, wysoki sądzie?
— Kto?
— Donosiciel, kapuś, wysoki sądzie, ten kto pisze raporty dla Narodowego Bezpieczeństwa? Gdyby w naszym kraju istniał związek zawodowy delatorów, byłby najliczniejszą ze wszystkich organizacji związkowych.
— Sąd zwraca oskarżonemu uwagę, żeby powstrzymał się od tego typu idiotycznych rozważań, które obrażają nasze państwo! — krzyknął sędzia. — Oskarżony i tak już odpowiada za próbę destabilizacji państwa i ustroju...
— Proszę wysokiego sądu — przerwał mu Kindock — to nieporozumienie! Nie próbowałbym ruszać czegoś, co mnie nie interesuje. Jedyne państwa, jakie mnie interesują, to języki.
— Języki?
— Tak, wysoki sądzie.
— Jak to, języki?
— Języki literackie, proszę wysokiego sądu. Są dla mnie ważniejsze nawet niż religie, gdyż poezja szuka ujścia w brzmieniu języków, a poezja, ta prawdziwa, to szczyt ludzkiego spełnienia. Wysoki sąd, który posługuje się wyłącznie prozą, może tego nie akceptować, lecz...
Teraz sędzia przerwał Knidockowi:
— Jaką znowu prozą?! Sąd nie pozwoli się zniesławiać oskarżonemu!
— Bez obrazy, wysoki sądzie, wszyscy posługujemy się prozą Jourdaina.
— Kogo?

— Molierowskiego Jourdaina.

— Proszę podać jego dokładne dane, imię, nazwisko, adres i pseudonim!

Kindock pokręcił głową.

— Wysoki sąd mnie nie zrozumiał, nawiązałem żartobliwie do teatru.

— Ah tak? Ten żarcik kosztuje oskarżonego następną grzywnę, w tej samej wysokości, co poprzednia! Czy oskarżony przyznaje się do zarzucanych mu czynów?

— Nie, wysoki sądzie.

— Czy oskarżony ma jeszcze coś do powiedzenia zanim przystąpimy do przesłuchiwania świadków?

— Chcę powiedzieć, że to wszystko mi się nie podoba, wysoki sądzie.

— Co się oskarżonemu nie podoba?

— No... to, że tu stoję nie wiadomo po co... że jestem sądzony, wysoki sądzie.

— Oskarżony doskonale wie dlaczego tu stoi!

— No, niby tak... Ale nie rozumiem tego. Nie rozumiem jak można sądzić poetę. To tak jakby sądzić kurwę albo dziecko, proszę wysokiego sądu.

Kindock za te słowa dostał grzywnę po raz trzeci, a później był korowód świadków, broniących go i opluwających, przemówienie prokuratora i mowa obrończa, wreszcie wyrok: cztery lata w nolibabskim pierdlu.

— To mi się też nie podoba, panie trybunale! — krzyknął skazany.

— Co, za mało? — roześmiał się sędzia.

— Nie chodzi o liczbę, tylko o adres, nie lubię więzień, proszę sądu!

— Dlaczego? Przecież skazany nigdy jeszcze nie próbował więziennego życia...

— Tak, ale z lektur wiem, że tam jest cholernie nudno i kelnerki mają za niskie obcasy.

Sędzia ponownie się roześmiał:

— No cóż, nie możemy być okrutni, gdy ktoś nas prosi tak bardzo. Jeśli skazany się upiera, zmienimy mu adres...

I Kindock dostał cztery lata w kamieniołomach granitu na północy wyspy. Cztery lata trwały zaledwie cztery tygodnie, bo generał Rabon obalił generała Tolda, wypuścił więźniów politycznych i zainicjował kolejne odrodzenie kraju...

Wspominając to wszystko mam dziwne uczucie: czuję zapach tamtego poranka, kiedy stałem na wierzchołku latarni morskiej, a moje źrenice, przyklejone do szkieł, spały — były zgaszone lornetką niczym powiekami w sekundzie snu i widziały każdy detal; dziwne uczucie starych kobiet leżących w szpitalach z oczami zamkniętymi dniem i nocą, jakby się bały, że ich wzrok wyda ich ostatnią tajemnicę, bo zamiast śmierci przywołują obraz pięknego, nagiego młodzieńca, któremu pozwalają się objąć i wówczas jego penis zamienia się w bagnet, a kiedy otwierają oczy i widzą sufit, po którym łazi rój much lub tańczą widma neonów, chce im się tylko płakać, więc szybko przymykają wzrok. Karmię się ciszą zrujnowanych świątyń, wyjałowionych pól, zgasłych uśmiechów i wyschniętych łez — buduję od nowa cały mój świat w mrocznej pieczarze pamięci, gdzie wspomnienia śpią jak nietoperze pod kopułą mózgu, i gdy któregoś dotykam, zaczyna krążyć w nagłych skrętach między ścianami, wypełniając je tylko bólem, bo przypomina, że coś pięknego już minęło, lub że coś złego się zdarzyło; nie umiem patrzeć wstecz tak, jak stryj Mateusz, z beztroską zasypiających dzieci.

RZYM PRZECIW GALILEJCZYKOWI — AKT I.

— Zapomniałeś do kogo mówisz, Marku! Do wodza dwunastego legionu cezara, więc licz się ze słowami!
— Liczę się tylko z sestercjami, łaskawco!
— Licz się i ze słowami, bo nie odpowiadam za siebie!
— Doprawdy, dziwne rzeczy robi miłościwie nam panujący cezar, jeśli takich mianuje legatów! Powierzać odpowiedzialność za sławny Piorunujący Legion człowiekowi, który nie odpowiada za samego siebie!... Ale i ja robię dziwne rzeczy. Powierzyłem ci złoto, które do mnie nie wraca...
— Wróci z procentem! Tylko przedłuż mi termin!
— Jako twój kompan mógłbym przedłużyć ci termin. Ale jako cenzor Jerozolimy nie mogę ci zaufać, bo skarb potrzebuje...
— Skarb jeszcze trochę wytrzyma bez tych paru marnych sestercji!
— Bez tych paru marnych tysięcy sestercji, szanowny legacie!
— Na Jowisza, Marku! Przedłuż mi termin o pół roku, a dam ci mojego woźnicę, powozi jak bóg słońca!
— Nie mogę, łaskawco.

— O kwartał! Zwrócę wszystko z procentami, znasz mnie przecież, Marku Lucjuszu!

— Znam też senatorów, którzy po kryjomu uprawiają lichwę. Znam celników i poborców, którzy dla jednego asa gotowi zabić dziecko. Znam patrycjuszów, którzy okradają swoich klientów i niewolników, i znam kapłanów, którzy plugawią świątynie, i znam centurionów, którzy swoje złote łańcuchy otrzymane za waleczność wymieniają na amforę wina!

— Żeby cię pioruny Jowisza spaliły! Żeby cię ziemia wypluła po śmierci jak zdrajcę! Żeby ci Charon odmówił przewozu!

— Gdybym komukolwiek pofolgował termin, szybko nie zostałaby mi moneta dla Charona za przeprawę, łaskawco!

— Szanowni dygnitarze, skończcie już mówić o interesach, nie po to się zebraliśmy!

— Jeśli tak, to w ogóle niepotrzebnie się zebraliśmy.

— Później wrócicie do interesów, teraz mamy ważniejszą sprawę!

— A ja ci mówię, że prócz interesów nie ma ważnych spraw.

— Jest taka sprawa! Awidiusz Kalpurniusz przywiózł nowe informacje o tym cieśli...

— Czy komuś jest potrzebny piąty dom?

— Ha, ha, ha, ha, ha, ha, ha, ha, ha, ha, ha, ha, ha, ha, ha, ha, ha, ha!!!

— O tym zelocie z Nazaretu?

— Ów włóczęga nie jest ani zelotą, ani esseńczykiem!

— Więc kim jest?

— Teraz jest rabbim. Jedni mówią, że to były cieśla, syn cieśli z Nazaretu, a drudzy, że syn Żydówki i legionisty rzymskiego.

— No to w połowie swój człowiek, dobra nasza!

— Fabiuszu!

— Czy ja coś mówię? Żarcie mi już nie wchodzi, gdzie jest ten Negr z piórami i z miską?

— Włóż sobie frędzel kapy, Fabiuszu, ha, ha, ha, ha, ha, ha, ha, ha, ha, ha, ha!

— Zwą go Jeszua ben Josef z Nazaretu i mienią prorokiem, a niektórzy Mesjaszem, lecz to zwykły buntownik!

— Jaki tam buntownik! To jeden z tych nawiedzonych „cudotwórców", którzy wędrują od Judei do Galilei i z powrotem przez Samarię, mieszając prostakom w głowach nowymi bogami, sztuczkami i błogosławieństwami! Filozofia dla żebraków i dla wyzwoleńców!

— Ta „filozofia" jest bardzo niebezpieczna...

— Dla kogo? Dla mnie, prokuratora Judei? Czyś ty zwariował? Przecież on nie nawołuje do buntu! Jakie niebezpieczeństwo? Wszystko to śmiechu warte!

— A jednak ten człowiek głosi bunt, Poncjuszu, bunt ogromny. Z tego, że chce poniżyć nas i wszystkich jak my wywyższonych urodzeniem, zasługą, pracowitością, wolą bogów i władców — z tego mogę się śmiać. Z wielu rzeczy, które on głosi, mogę się śmiać. Głosi, że wszyscy są sobie równi, a to znaczy, że hegemon Judei, Poncjusz Piłat, jest wart tyle samo, co najparszywszy z niewolników. Głosi, że każdy człowiek winien miłować wszystkich pozostałych — miłuj handlarza, który cię okpił, i zalotnika, który uwiódł ci żonę. Głosi, że należy wszystko wybaczać wrogom — wybacz tym, którzy wraz z murami twego domu spalili twoje dzieci. A gdy uderzono cię z prawej strony, nadstaw lewą. To wszystko może mnie śmieszyć jak każdy żart, lub jak każda głupota budzić moje politowanie. Ale ten człowiek nawołuje do buntu! Bo jeśli oznajmia, że wszyscy winni być równymi — podnieca twego niewolnika do zrównania się z tobą, a twój niewolnik może to uczynić tylko w jeden sposób, siłą! Który zaś z rabów, która ze sług, kto z poddanych i jeńców nie marzy, aby zrównać się z panem? Różne miewają sny, lecz nad to marzenie nie znajdziesz większego! Wyobraź sobie, Poncjuszu, Rzym, w którym wszyscy są równi. Oznacza to koniec władzy, bo nie może być władzy tam, gdzie nikt nie może się wywyższyć nad drugiego i sprawować nad nim patronatu. A zatem oznacza to koniec jakiegokolwiek po-

rządku, bezbrzeżny chaos. Czyli koniec wszystkiego. Koniec Rzymu!

— Rzym budzi wystarczający strach.

— Jest sposób, aby przełamać każdy strach, i on znalazł taki sposób.

— Nawet strach przed śmiercią?

— Tak. Na strach przed śmiercią jedynym lekarstwem jest gwarancja nieśmiertelności, i on rozdaje ją, Poncjuszu. Wmawia ludziom, że po tym życiu czeka ich drugie życie. Lepsze i wieczne.

— Przecież to samo mają u naszych bogów!

— Nie to samo. U naszych bogów patrycjusz jest po śmierci patrycjuszem, a mulnik mulnikiem. Zamożny krezusem, a biedny nędzarzem. U boga, którym ten spryciarz kupczy, panuje nawet nie równość, tylko coś więcej: lepszy los spotyka tam tego, kto był uciskany za życia. To jest nagroda.

— I oni wierzą w to?

— Ludzie uwierzą w każdą obietnicę, która jest lepsza od ich codzienności, na tym polega istota zjednywania sobie tłumów. Nie ma człowieka bez marzeń, a nie ma buntownika bez proroka, który przekonuje, iż marzenia obleką się w krew i ciało. Dlatego on jest taki niebezpieczny!

— Ja uważam, że rację ma Poncjusz, on wcale nie jest groźny. Wszyscy mówią, że on robi sektę, a nie politykę!

— Tak gadają Żydzi, Fabiuszu, i my musimy to wykorzystać. Lecz musimy również pamiętać, że ten kto ma sztab z dwunastu ludzi, nie jest religijnym odszczepieńcem, tylko wodzem! A ci, którzy uwierzą, że po śmierci będzie się żyło lepiej, nie dadzą się spacyfikować za pomocą mieczów i egzekucji. Póki jest ich niewielu, niewielka groźba, lecz jeśli nie zdołamy tego wstrzymać, zaleje nas potop!

— Niewielu? Mówi się o tłumie... Mówi się, że są tam i kobiety...

— Są. Niektóre z bogatych domów. Tłum wokół niego jest okazjonalny, raz mniejszy, raz większy, stale towarzyszy mu tyl-

ko grupa uczniów, zwana „chaburoth". No i te kobiety, pomocnice, jest ich kilka. Antypas Herod nawet nie wie, że jego siostrzenica uciekła do tych zasrańców.

— Gdzie oni są teraz?

— Już blisko Jerozolimy. Trzeba tam posłać wojsko, prokuratorze.

— Prefekt Jerozolimy ma silny garnizon, w razie czego da sobie radę bez trudu.

— To nie jest rzecz pewna. Należy załatwić tego buntownika rękami Żydów, rękami saduceuszów lub faryzeuszów, należy podbechtać Sanhedryn, lecz póki co, należy dla świętego spokoju wysłać tam przynajmniej jedną kohortę!

Rozdział 2.

Urodziłem się w Nolibabie i kocham to miasto, chociaż nie ma ono wdzięku pięknych metropolii. Moja rodzina mieszka tu od wielu pokoleń. Jej członków unieśmiertelnił dziadek Leonard, ojciec mojego starego, na łamach kroniki, którą pisał w świętym przekonaniu, że jest ostatnim już Flowenolem — Flowenolem, co zamyka ród. I byłby nim został, bo jako abnegat prokreacyjny postanowił nie wykazywać się demograficznie, żądając od swych metres wyłącznie seksu oralnego, ale przeszkodziła mu babcia, Bóg raczy wiedzieć w jaki sposób — prawdopodobnie w sposób najzwyklejszy. Ożenił się mając czterdzieści pięć lat, a kronikę familijną pisał mając trzydzieści osiem. Jako zawodowy literat uczynił z niej dzieło bardziej epickie niż historiograficzne, forma była dla niego ważniejsza od treści, a hagiografia, która jest rytuałem takich kronik, dostała po pysku już na wstępie. Wstęp czynił z autora monarchę lalkowego teatru, w którym szmaciane kukły godne są jedynie politowania; tak oto Leonard Flowenol deifikował się, tłumiąc tym jakieś swoje kompleksy i życiowe porażki. Ów wstęp brzmiał następująco:

„Nie otwieram oczu zaglądając w głęboką studnię, w której dusze moich przodków czepiają się oślizłych ścian jak zbutwiałe mchy, grzyby i pleśnie, półprzytomne ze strachu, iż mógłbym zasypać tę czeluść piachem mojego milczenia, mojej obojętności i mojej głuchoty, podczas gdy one czekały tyle wieków aż pojawi się ktoś zmajstrowany ich wysiłkiem, ich cierpieniem, ich chucią, przez bezrozumne pokolenia ich genitaliów, ktoś, kto umie śpiewać jak trubadurzy i ofiaruje im nieśmiertelność gwoli wszelkich zadośćuczynień. Oto jestem, stęsknieni przodkowie moi, spróchniałe matki i spróchniali ojcowie mych cnót, mych kroków ku przepaściom i mych lubieżnych błazeństw, jestem taki lub jeszcze gorszy od tego, jakim mnie ulepiono, ostatni już z naszego rodu, gdyż jestem kulminacją jego pamięci niczym gwiazda przed skonaniem: zamieniam się w niewyobrażalną gęstość czarnej dziury, w przestrzeń poza przestrzenią, gdzie czas ulega odwróceniu i żadna informacja nie może przepaść. Po mnie nie nastąpi już nic, lecz to, co było przede mną, zaniosę na mych plecach ku wieczności, jak marmurowe epitafium, które jest biletem wejściowym do świata waszych tęsknot, doczekaliście się przewoźnika na drugi brzeg tego horyzontu. O, hieny, już chłepczecie moją krew, którą od was dostałem, zlizujecie ją jak procent od pożyczonych mi genów milczącymi jęzorami widm, czuję wasze spazmatyczne oddechy niby muzykę do libretta tworzonego przez mój talent dziedziczący wszystkie okruchy waszych mizernych talentów. Radzę wam, nauczcie się pokory równie wielkiej jak wasza cierpliwość w oczekiwaniu na mnie! Mogę zrobić z wami wszystko, nie zważając na chór waszych przekleństw, będę was wyciągał z dna studni niczym glinę i lepił kukiełki wedle własnego uznania; cieszcie się i tym, cieszcie się tą loterią zmartwychwstań, bo nie macie prawa głosu! Jestem waszym ginekologiem, akuszerem, który dobywając was z mroku brzucha minionych wieków wybuduje familijne drzewo

— ginekologia i genealogia są pokrewne niczym syjamskie siostry. Będę więc działał jako bóg.

Tak, jestem bogiem, i choć prawdą jest, że bez was nie istniałbym, lecz wy po strokroć nie istnielibyście beze mnie. Już to samo daje mi wszystkie prawa, prawo selekcji i prawo kreacji — ja was będę wybierał i rodził na nowo. Tylko ci z was przeżyją i tylko takimi będą żyć, jakimi ja ich stworzę; jedyna wasza rzeczywistość jest w moim mózgu, nigdy nie mieliście innej. Żałosny spacer każdego z was po tej Ziemi był tylko ułudą, osnową przędzy, z której po wiekach upletliście swego demiurga, a teraz liczycie na jego wdzięczność, tak jakby geniusz, wizja lub natchniony gest, a nie biologiczny głód orgazmów, były motorem waszych działań. Pozbądźcie się złudzeń, niewolnicy, stwórca nie ma długów.

Jestem szczeliną ożywczego światła, do której wpada wielka ciemna rzeka pokoleń naszego rodu, odcedzona już z nieistotnych cząstek materii; ze zdarzeń natrętnie powtarzalnych w każdym życiu; z wszelakich głupstw jaźni, mających tylko rangę banału, choć dla tego, kto się nimi delektował na bieżąco, były absolutem, miały swój sens i swój niepowtarzalny smak; z plew wymiecionych wiatrem, przeczesanych zaroślami i kataraktami, przegrabionych przybrzeżnym żwirem, przefiltrowanych z niemiłosierną solidnością nim dotarły do mojego mózgu, w którym zostaną jeszcze okrutniej przefiltrowane na sitach pamięci; ze wszystkich owych stronic rozgadanych mądrością wieków; z gorących modlitw i czułych westchnień; z tych podłości wyświęcanych na bezgrzeszność i tanich filantropii pozujących na wzniosłość umysłu; z marszów, biegów i odwrotów; z dzikich agresji i pokornych próśb; z policzków nadstawianych do cmoknięć i uderzeń; z małych odkryć i triumfów, klęsk i bólów; z paroksyzmów ewolucji, zwanych mutacjami, które nie dają się postrzegać, bo życie trwa zbyt krótko, a spryt i wzrok zajęte są czymś innym. Patrząc na was nie widzę oblicz roześmianych w godzinie słońca, ust skrzywionych w porannym płaczu i dłoni pieszczących inne ciała w blasku świec, które rzucają nieskromne cienie na ściany. Widzę was w księżycowym półmroku, ciemny sznur drepczących bez przewodnika ku ciemności coraz głębszej, ślepych na światło dobywające się ze szczeliny, prowadzonych do niej fatalizmem, który jest poza świadomością, choć bez wątpienia stanowi instynkt gatunku i wytycza mu drogę. Idziecie w milczeniu, jeden za drugim, czasami tylko oglądając się i widząc ciemne łby i błyszczące oczy swych koni, tak jak przed sobą tylko pobłyszczone księżycem zady koni należących do waszego potomstwa. Parada kalek — brakuje wam grozy, której wymaga się od upiorów.

Porzućcie złudną nadzieję, iż będę kokietował każdego z was, że wszystkim okażę litość i w mojej wyrozumiałości skryją się jak w ciemnym lochu wszystkie wasze wrzody lub obmyje się niczym w maszynie do prania całe błoto z waszych rąk i z waszych sumień. Nie popełnię tego błędu, jaki czynią owi z twórców, którzy chcąc zdobyć wielki poklask zwracają się do każdego, którzy kokietują tłum wpatrzeni w masę i w niej szukający usprawiedliwienia. To tłum powinien rozumieć twórcę i w nim szukać usprawiedliwienia, albo pozostać tylko tłumem bez żadnej wymówki. Niebo jest dla wybranych.

Będę was wybierał i traktował z całą swobodą, ale popychany tym, co przynależy do mnie, tym ograniczany i sterowany, w zależności od moich zmysłów i nastrojów, na przykład od butów czyli od pogody. Cudownie czuję się w lekkich zamszowych butach na lato; w ciężkich zimowych albo w kaloszach czuję się dużo gorzej i nic się nie da na to poradzić. Mój stosunek do moich butów, a raczej stosunek moich butów do mnie, ma charakter transcendentalny i podobnie jest z kopulacjami, które miewam: udane czynią mnie sytą świnią, mniej udane filozofem, a niedoszłe do skutku mistykiem czyli świnią poszukującą żeru. Mam dni dobre, kiedy ludzie mnie tylko mierzą, i dni złe, kiedy mnie bardzo mierzą, a wam przyjdzie płacić cenę tej huśtawki. Zrozumiano?

Gdybym chciał czegokolwiek dowiedzieć się od was, wezwałbym was tylko w jednym celu — chciałbym się dowiedzieć o szczęście. Zadałbym wam pytanie: co czyniło was szczęśliwymi i na jak długo? I wtedy wszyscy musielibyście milczeć i odejść ze spuszczoną głową bez żadnych pretensji, bo jako ci, którzy już rozegrali konkurs swych marzeń i starań, wiecie lepiej niż ja wiem, że szczęście ma tylko dwa wymiary: prowizoryczność i wspomnienia, a wspomnienia o szczęściu wyznaczają czas nieszczęścia. Oto jak łatwo zamknąć wam usta wzywając do tablicy...".

I cały czas w tym stylu nadmuchanym dezynwolturą. Z ustnych i pisemnych przekazów, z domowych wspominków i kufrów, z archiwów państwowych i z bibliotecznych szaf, zaczerpnął to, co mu było potrzebne, i wezwał do tablicy sporą liczbę Flowenolów, których oczy zgasły już dawno. Ale sądzę, że czerpał też i ze swojej gniewnej wyobraźni prawem „*licentia poetica*", tworząc na wpół hipostatycznych Flowenolów (hipostaza to nazwa czegoś nie istniejącego, na przykład krasnoludek jest hipostazą). Wszakże fakt, iż można mieć wątpliwość względem pewnych Flowenolów, których opisał, to drugorzędny problem — i tak owa kronika nie przeznaczona do druku była dla mnie rodzinną Biblią, czy raczej herbarzem rodzinnym, jedynym i ostatecznym, gdyż żadne inne źródła nie są mi znane. Po śmierci dziadka rękopis stał się wspólną własnością trzech jego synów i leżał w domu stryja Huberta, u którego zaznajomiłem się z naszym drzewem genealogicznym; wszystko, co wiem o moich przodkach, pochodzi z lektury tego manuskryptu.

Rodzinny Adam wywodził się z krainy dalekiej i tajemniczej (dziadek Leonard uznał go za Portugalczyka, bo praszczur ów lubił się złościć portugalskim przekleństwem: „*ambra di merdo!*"). Jego okręt rozbił się u brzegów naszej wyspy i morze wyrzuciło go na brzeg. Nieprzytomnego znalazła dziewczyna zbierająca muszelki, a on z wdzięczności zrobił jej dziecko i tak się w tym rozsmakował, że wziął z nią ślub, aby robić następne — zmajstrowali tuzin bachorów. Jego imię się nie zachowało, ale zachowało się (prócz opisu fizjonomii i upodobań, wśród których nałóg łowiecki grał pierwsze skrzypce) przezwisko: „Wilk". Dziwna brzydota miała być charakterystyczną cechą jego postaci; mówiono, że jest podobny do wilka, a gdy na wsi lub na polowaniu ubrał skórzane spodnie, wełniane pończochy i kaftan z ogromną kieszenią, w której dźwigał cały skład przeróżnych rupieci, to mógł rzeczywiście uchodzić za dzikiego zwierza. W oczach miał pono coś takiego, hardego i pańskiego, co się kazało domyślać, że ten nieokrzesany człowiek mieszkał kiedyś w pałacu. Bóg raczy wiedzieć dlaczego nie powrócił tam, skąd go przyniosło, mógł to przecież uczynić bez większych kłopotów, wsiadając na statek handlowy. Przypuszczam, że w swoim ojczystym kraju był typowym wykwintnym panem, który od dziecka nawykł, by ubierać się z dyskretną elegancją i mówić cicho, jeść wstrzemięźliwie, wygłaszać poglądy takie jak trzeba i uprzejmie traktować ludzi nudnych lecz użytecznych, ale ten gorset wychowania i otoczenia zbrzydził mu się tak bardzo, iż katastrofę morską uznał za zrządzenie losu, za narodziny do nowego, swobodnego życia, bez chomąta klasowego i pałacowych reguł gry. Mogło być też inaczej: może dopuścił się w swym mateczniku jakiejś zbrodni, uciekł przed karą i dlatego nie mógł wracać.

Z całą pewnością nie mógł wracać najstarszy znany przodek mojej babci, Hank, który też przybył spoza wielkich wód. Dziadek Leonard zajął się rodem swej żony marginalnie, ale za to filantropijnie: sięgnął tylko do początków, i babcinego Adama, który uprawiał katowskie rzemiosło, potraktował z nadzwyczajną dozą sympatii, całkowicie wolną od szyderstw, jakich nie szczędził swoim własnym przodkom po mieczu. Zacytuję ten opis, bo jego rysem charakterystycznym nie jest złośliwość, lecz melodramatyczność i nawet momentami ckliwość, której dziadek jako pisarz się wystrzegał, a tu popadł w nią bezwiednie lub świadomie (może po prostu chciał sprawić babci przyjemność i aby uczłowieczyć jej praszczura kata, wymyślił tę historyjkę na przemian okrutną i łzawą, lecz pozwalającą mniej się wstydzić Adama babcinego rodu):

„Kiedyś lękał się krwi. Ale pies Tafik, którego kochał i z którym spał, zagryzł kurę. Ojciec kazał mu wypędzić kurobójcę lub zabić. Nie zrobił tego. Wieczorem ojciec stłukł go pasem i powtórzył rozkaz. Nie zrobił. Następnego dnia ojciec bił go kijem. Nie zrobił. Wtedy ojciec skatował go cienkimi wiciami leszczyny. Obaj zawzięli się, ale tylko Hanka to bolało. Po tygodniu nie wytrzymał; zdzielił

Tafika w łeb toporem, usiadł przy nim i głaskał ręką czerwoną od juchy przez całą noc.

Kiedy teraz bił człowieka, rozcinając skórę do gnatów, po udach, po krzyżu, po szyi, nie denerwował się, pracował spokojnie niczym rzeźnik dzielący mięso. Ludzkie ciała nie miały dlań tajemnic. Robił rzeczy, które innych katów przyprawiłyby o torsje. Nauczył się tych okropności w służbie bałkańskiego hospodara: wydzierał zakrzywionym hakiem oczy szpiegów, wsadzał rozpalony pręt w sromy nierządnic, złodziei miodowych barci oplatał za wywleczone jelita wokół pnia pszczelich drzew, gachom niewiernych żon przygważdżał jądra do mostu, rozbijał pięty koniokradów obuchem topora, i nigdy nie zadrżała mu dłoń. Obojętnie znosił nienawiść tych, którym służył, i tych, których maltretował, i to, że ustępowano mu z drogi jak zadżumionemu, i to, że nikt nie chciał rozmawiać z nim, napić się lub uśmiechnąć. Wokół była pustka i przyzwyczaił się do niej. Po Tafiku nie miał już żadnego przyjaciela, nie myślał o rodzinie i o własnym domu, znał tylko te kobiety, które czekały na śmierć — przychodził do nich w noc przed egzekucją, delikatnie lub brutalnie rozdziewał z łachmanów, i otępiałe kładł, a wrzeszczące rzucał na więzienną słomę, potem sam się rozbierał i kopulował tak długo aż się zmęczył.

Któregoś dnia jedna z nich, mała Bułgarka, służąca hospodarowej, złapana na kradzieży klejnotu, przytuliła twarz do jego policzka i zaczęła go głaskać drobną, dziecięcą dłonią. Trwało to chwilę. Hank zostawił nagą, skuloną na wiązce słomy, wrócił do swego loszku i przesiedział noc przy gorących węglach, w których rozżarzał się jego katowski miecz. Rano założył grube, skórzane rękawice, owinął rękojeść kawałkiem mokrej szmaty, i tym białym, dymiącym mieczem wysiekł straż tak szybko, że nie zdążyła podnieść wrzasku — trzy zewłoki z nadpalonymi mózgami frunęły na ziemię. Zabrał skazaną i czmychnął w las. Nocą, kiedy spał w stogu, uciekła od niego. Wylądował aż za morzem, nienawidząc bliźnich bardziej niż dotychczas...".

Działo się to przed kilkoma wiekami, a epoka ta wydaje się już tak odległa, jak era włochatych mamutów. We wzruszającej aż do śmiechu historyjce o losie kata, któremu serce złamano, było tyle prawdy, co w opowieściach o mamutach i dinozaurach, ale ponieważ każda historiografia jest zbiorem legend, fałszerstw i propagandowych interpretacji, to nie ma co wybrzydzać — plułbym na to tylko w przypadku, gdyby było nudne. Tam, gdzie zjawia się kat, nie może być nudno i dziadek wiedział, co robi. A poza tym, jak już mówiłem, chciał chyba sprawić babci przyjemność. Obawiam się jednak, że nie sprawił jej przyjemności opisując w naturalistyczny sposób katowską robotę. Nie wiem, czy w ogóle miała w życiu jakąś przyjemność, bo umierając zaczęła strasznie dziadka wyklinać, chociaż nie klęła nigdy przedtem i tępiła brzydkie słowa u domowników. Jako szczeniak nie pojmowałem tego, ale stryj Hubert rozumiał to i gdy ją grzebaliśmy, umieścił na jej grobie jako epitafium fragment z Byrona, swego ulubionego poety. Gdyby tylko się dało, ozdobiłby wersami Byrona każdy grób Flowenolów; chciał to uczynić również z grobem mojego ojca, stryja Mateusza i swoim, ale epitafium, które wymyślił Kindock, było tak piękne i tak celne, że Byron tym razem przegrał. Na grobie babci umieszczono strofę, której dziadek Leonard pewnie by nie pochwalił, lecz gdy ją umieszczano dziadek nie miał już nic do gadania od ponad roku. Nie wiem dlaczego stryj kazał wykuć ów tekst w oryginale. Może dlatego, iż poezja jest nieprzekładalna, a może zwyczajnie nie pragnął, by każdy przygłup mógł się zastanawiać o jaką zbrodnię tu chodzi i wyciągać wnioski natury kryminalnej, podczas gdy „zbrodnia" dziadka była psychicznego rodzaju:

„Mournful — but mournful of another's crime,
She look'd as if she sat by Eden's door,
And grieved for those who could return no more".*

* — *„Smutna — lecz smutna przez nie swoją zbrodnię,*
Wyglądała na siedzącą u wrót Raju
I opłakującą tych, którzy już nie mogą wrócić".

Kat Hank miał potomków, dlatego dziadek Leonard miał moją babcię za żonę, a ja miałem życie, lecz katowskie dzieci, wnuki i prawnuki nie obchodziły już kronikarza, zajął się wyłącznie męską linią swojego rodu. Ciekawy był tu wnuk „Portugalczyka", Fulko O'Wenol (stąd: Flowenol), górski rozbójnik, podobno taki siłacz i przystojny typ, że mnóstwo dam z wyższych sfer aż do skutku wojażowało karetą przez teren zbójecki Fulka i żadna według legendy nie zawiodła się na „tym okropnym gwałtowniku", a niektóre nie zawiodły się kilkakroć, gdyż po pierwszym gwałcie podróż przez góry (aż do skutku) wchodziła im w krew. Za jego czasów musiał być na tych górskich drogach tłok, istny korek z karetami wielkich pań. Fulko został powieszony dopiero na starość, gdy zabrakło mu sił, by rozładowywać ten korek i czmychać po górach niczym kozica przed gniewem rogaczów. Jego własnością była najstarsza pamiątka, jaką nasz ród zachował z przeszłości — prymitywny kociołek, do którego trafiały nie tylko kradzione lub ustrzelone kaczki; jak mówiła tradycja rodzinna, w czasie wielkiego głodu zanurkował tam incognito kot, tak przyprawiony, że uwierzono mu, iż jest zającem. Iluż ludzi nakarmił ten brzuchaty kawałek żelaza, iluż obdarzył siłą! Miał go używać w młodości jeszcze wnuk wisielca, Aleksander Flowenol, który został burmistrzem Nolibabu.

O nim są już przekazy pisemne. Nosił (na pasku) sztuczny nos, srebrny lub woskowy (prawdziwy utracił od syfa, miecza lub skrofułów). Cudownie kłamał. Żaden z O'Wenolów i Flowenolów nie zaszedł tak wysoko. Po swoich przodkach odziedziczył hardą duszę, wybujały erotyzm i kult łowiectwa. Urząd stracił, gdy przegrał w kości kasę miejską. Nie poszedł za to do lochu, ale musiał majętność rodzinną dać na pokrycie strat (Flowenolowie nie mieli odtąd ziemskich posiadłości). W sumie prapradziadek Aleksander był nieciekawym typem; można powiedzieć, iż był jak myśliwski róg: twardy, ale kręty i pusty. Rządził jednak stolicą przez kilka lat i gdyby głupie kości nie odwróciły się od niego, być może jakiś pomnik z nazwiskiem Flowenolów zdobiłby Nolibab do dziś.

W owym czasie ta nadmorska mieścina posiadała arystotelesowską wielkość: była na tyle mała, że w każdym jej punkcie słychać było głos człowieka dobiegający z rynku (człowieka wzywającego obywateli do zebrania się na tej agorze, by przedyskutować i przegłosować wspólne problemy, lub głoszącego idee, które wszyscy powinni usłyszeć, lub tylko informującego o czymś ważnym dla wszystkich), a w rynku słychać było głos z najdalszych krańców miasta, głos człowieka wzywającego pomocy lub odpowiadającego człowiekowi, który zabrał głos na agorze. Tak materia odzwierciedlała kształt demokracji.

W wielkie miasto Nolibab przeistoczył się po drugim z pożarów, które strawiły go doszczętnie. Prócz kilku kamiennych gmachów i jednej świątyni nic prawie nie ostało się płomieniom, więc był jak „*tabula rasa*". Rósł wraz z monarchią, co — posłuszna tajemnej alchemii dziejów — zrodziła się na wyspie w wyniku krwawych walk religijnych i trwała trzysta lat, by znowu, przez gwałt i krew, dać pole demokracji i tyranii wojskowej. Odtąd już żadna banda uszczęśliwiaczy nie rządziła tu dłużej niż kilka lat, rozpędził się kołowrotek kalendarza politycznego pełnego wyborów, spisków, zamachów, przewrotów i kontrprzewrotów, i naturalnie brutalnych represji, co sprawiło, że ten kraj leżący na skrzyżowaniu morskich dróg, choć bogaty pejzażem i opętany manią wielkości, był odrażający jako maszyneria państwowa, wciąż niedorozwinięty, spóźniony, zacofany, dziki i ciemny, nieustannie pogrążony w ekstatycznym „*danse macabre*". Krwawe piruety polityczne, wytwarzające atmosferę stałej niepewności, wiecznego prowizorium, kreowały podwójną rzeczywistość, realność współpracującą z nierealnym wymiarem — ludzie znajdowali się w królestwie z tego świata i poza nim, niczego, prócz śmierci, nie traktując dostatecznie serio. Triumf ulotności, imperium złudy, nieprzemijalna widmowość jutra, produkowały alkoholizm milionów, choroby psychosomatyczne i plagę samobójczą — śmierć, jak nić Ariadny, haftowała życie i myśli o życiu; wyspa, niczym Saturn, zżerała własne potomstwo. Relacja między władzą (władzą zawsze bez serca i zawsze przekonaną o swej nieomylności) a obywatelem

(obywatelem pogrążonym w bytowaniu, którego jedyną racją jest pewność, iż tak samo żyje reszta maluczkich) przypominała metalowego robota i szmacianą lalkę tańczących upiorne flamenco w kole złożonym z szaleńców, abnegatów, zbiegłych zbrodniarzy, starców niezdolnych już do niczego i ogłupiałych mieszczan. Nawet piosenki śpiewane w winiarniach mówiły o umieraniu a nie o miłości, tak jakby każdy miał już za sobą świetliste dzieciństwo, młodzieńcze marzenia i naiwną wiarę. Nawet głupcy nie byli tu szczęśliwi.

W kronice dziadka Leonarda cały ten polityczny paroksyzm został opowiedziany historią naszych przodków. W ciszy owych zapisanych gęstym, drobnym pismem kart rozbrzmiewały ich głosy i głos kronikarza szydzący z każdego, bo każdemu z nich zabrakło heroizmu, by przeciwstawić się mocy piekieł — woleli uciekać od rzeczywistości w filozofię, biologię, zoologię, chemię lub dziejopisarstwo, zawsze na podłożu erotycznym, co u Flowenolów było spuścizną genetyczną bez wątpienia (czy można nią tłumaczyć również skłonność do ateizmu lub agnostycyzmu — tego nie jestem pewny).

Historykiem był Magnus Flowenol, przez Żydów okrzyczany antysemitą (bo powiedział, co myśli o żydowskim kupcu, który wyzuwał biedaków z resztek mienia przy pomocy fałszywych monet), natomiast chrześcijanie zwali go bluźniercą, za ten akapit z rozprawy o upadku starożytnego Rzymu:

„Dzieło Chrystusa zburzyło Rzym i niczego nie ulepszyło. Było więc tylko dziełem zniszczenia. Upadek Rzymu cofnął cywilizację o całe wieki, dopiero w tysiąc kilkaset lat później nadrobiono dystans pod względem kultury i prawa. Gdyby Rzym rozwijał się do dnia dzisiejszego, świat byłby lepszy — ten grzech chrześcijaństwo dźwiga na swoim sumieniu. Chrześcijaństwo bowiem nie jest siłą, lecz chorobą. Wymyślili ten kult przegrani i słabeusze, jako balsam dla takich samych nieudaczników, dla tych, którym biologia poskąpiła żywotności i chęci walki. Żeby przetrwać, musieli wynaleźć ideologię gloryfikującą słabość, pokorę, ubóstwo i wyższość samoponiżenia, a oczerniającą siłę i tłumiącą zdrowy instynkt. Uczynili najwyższą cnotą niemoc pariasów, wymyślając poczucie winy, wyrzuty sumienia, łaskę, odkupienie i przebaczenie, bezwstydnie ściągając ludzkość do poziomu własnej nędzy, także intelektualnej. Ten sabotaż, ten bunt gałęzi nasączonej trucizną, bunt przeciw zdrowemu drzewu, zabił Rzym!".

Kościół rozgniewał się i odtąd Magnus mógł komentować przeszłość tylko na prywatny użytek, pisząc „do szuflady". Zajął się tym, co kochał — seksem i erotyką starożytnego Rzymu. Był z ducha Rzymianinem (czcił Jowisza, jadał na leżąco i utrzymywał cały harem „niewolnic"); do końca pozostał obywatelem rzymskiego imperium. Rzym nigdy nie przestał być dla niego wzorcem moralnym, górą złota i widoczną z dala pochodnią, która wskazuje wszystkim drogę, w sumie jedyną nadzieją ludzkości. Tej jego wiary nie podważało nic, ani Kaligula, ani Neron, ani barbarzyńcy, korupcja i mordy polityczne, głód, okrucieństwo i bezeceństwo, klęski i łajdactwa, nic!

W antyku zakochał się również Adrian Flowenol. Był filozofem, ale miał umysł filozoficznie dość wąsko ukierunkowany. Był mianowicie zwolennikiem tylko szkoły cyrenajskiej i jej założyciela, ucznia Sokratesa, Arystypa, który — w przeciwieństwie do swego nauczyciela (zalecającego powściągliwość seksualną), do Heraklita (gardzącego przyjemnościami seksualnymi), do Demokryta (nie ufającego im i żądającego, by człowiek różnicował swą miłość od rui zwierzęcej), do Antystenesa (ten powiadał, że woli oszaleć niż się ku erotyzmowi zniżyć), do Empedoklesa (rozróżniającego Afrodytę „niebiańską" od Afrodyty „wszetecznej"), do Pitagorejczyków (potępiających przyjemności seksualne) i do wielu im podobnych mędrców — stał się wyznawcą i propagatorem rozkoszy zmysłowych jako dobra najwyższego, a pośród nich seksu jako rzeczy najważniejszej w życiu człowieka. Miał kilka żon i mrowie konkubin, ale uwielbiał tylko jedną; ta kobieta idealna, dama jego serca i duszy, była dwuczęściową składanką, którą ulepił sobie w marzeniu: sławne bezgłowe ciało Afrodyty z Knidos Praksytelesa plus głowa amarneńskiej Nefretete. Jej największą (obok małomówności) zaletą był fakt, iż nie żądała przyodziewku, a szmaty kobiet, z którymi Adrian Flowenol żenił się i cudzołożył, kosztowały bardzo drogo. Każda z nich zawsze „nie miała się w co ubrać" i gdy na jakimś przyjęciu lub balu nosiła ciuch założony po raz drugi, milczała niby ciężko chora, podczas gdy w łachu nowym, nawet jeśli milczała, miała śpiewającą twarz i oczy konwersujące ze swadą złotoustych bogów. Był na tyle inteligentny, że rozumiał to — rozumiał, iż szał zakupów jest dla kobiet ważniejszy od szału miłosnego, i że należy szmaciane kaprysy towarzyszek łoża spełniać bez jęku, gdyż dla dam owo posłuszeństwo zwyczajowi ciągłej zmiany skóry jest czymś więcej niż narkotykiem, więcej niż przymusem biologicznym — że to kobiecy język niezbędny kobiecie do życia. Był dobroczyńcą, ubrał wiele kobiet, których nawet nie dotknął lub nie dotknął nawet wzrokiem, wystarczyło, że ich mężów przekonał do swej filozofii, tłumacząc:

— Kiecka to obok seksu, zapachów i biżuterii najważniejszy głośnik intelektu kobiet, one porozumiewają się między sobą, z nami oraz ze światem, za pomocą pór mody, tak jak przyroda czyni to za pomocą pór roku, więc bul i nie narzekaj, chłopie, tak ma być!

Natomiast syn Adriana, Ralf, był zoologiem, który dzięki swym odkryciom zapoczątkował prawdziwy przewrót: odkrył, że nawet te wśród zwierząt, co do których miano pewność, iż trzymają się w stadłach monogamicznych, są niewierne jak cała reszta. Ralf dowiódł, iż monogamiczność w świecie zwierzęcym nie istnieje i że rozpusta samic wielokrotnie przewyższa poligamiczność samców, a dokładniej: że to właśnie rozpusta samiczek robi wielki burdel z całego zwierzęcego świata. Spowodował trzęsienie podłóg w pracowniach zoologicznych, krytykowano go zewsząd, lecz gdy udało się stwierdzić laboratoryjnie, że w każdym ptasim gniazdku co najmniej trzydzieści procent piskląt to potomstwo innych ojców niż gospodarz, a samice gatunków legendarnie wiernych kopulują z kim tylko mogą i natychmiast pozbywają się nasienia, by zrobić miejsce dla spermy kolejnych amantów — profesor Flowenol został doktorem honoris causa wielu uczelni. Jego hipoteza mówiła, iż w tym zwierzęcym kurewstwie jest mądrość natury (konieczność różnicowania płodów przez plemniki z odmiennych źródeł, co poprawia siłę biologiczną danego gatunku), a etolodzy natychmiast wykorzystali to odkrycie, gdyż etologia z lubością szuka w stadzie zwierzęcym wzorów zachowań ludzkich.

Ralf Flowenol uśmiercił legendę — skompromitował wizerunek pary łabędzi, które tak długo na malowidłach i pocztówkach były symbolem wierności po grób w wykonaniu duetu związanego przez całe życie miłosnym splotem losów i śnieżnych szyj. Stał się dzięki temu ulubieńcem nie tylko zoologów i etologów, zyskał powszechną sławę. Mimo że pisał dość hermetyczną grypserą naukową, jedna z tych prac okazała się bestsellerem na zwykłym rynku czytelniczym: była to rozprawa o pewnym rodzaju wiewiórek i o swoistym „pasie cnoty" stosowanym przez samce tego gatunku (ejakulacja kończyła się wydzielaniem przez te samce gumopodobnej substancji spełniającej rolę czopa, co samiczce uniemożliwiało niewierność).

Magnus, Adrian i Ralf byli w kronice dziadka scharakteryzowani jako trójka satyrów. Według stryja Mateusza i mojego ojca ich brat stał się dziedzicem tamtych trzech, gdyż kobieciarstwo uprawiał od wczesnej młodości z patologiczną, jak twierdzili, zawziętością. Stryj Hubert nie wypierał się obciążenia genami przodków, natomiast demonizowanie tego faktu uznał za śmieszne. Bardzo lubił kobiety (dlatego zmieniał je często; zachwycała go każda, pod warunkiem, że nie brakowało jej urody i nie cuchnęło z ust), lecz było to upodobanie do kobiecych ciał i do niczego więcej. Jako wyznawca względności wszystkiego utrzymywał, że jedyną pewną rzeczywistością jest ciało człowieka, jego cielesność, a zatem seksualność to sprawa bardzo ważna (na tym samym podłożu uwielbiał dobrą kuchnię, był smakoszem, sybarytą kulinarnym). Zaś jako wielbiciel Byrona miał ten sam, co Byron, stosunek do uświęcania dam poezją, jak również do uświęcania czymkolwiek; Petrarka był dla niego, z powodu sonetów do Laury, „filozofującym, płaczliwym, zdziecinniałym głupcem". Uważał, że kobiety zostały zesłane na Ziemię w określonym celu, nie mającym nic wspólnego z malarstwem alegorycznym i poezją romantyczną oraz kościelnymi naukami, a wszystko wspólne z pornografią i z naukami Brantôme'a oraz markiza de Sade.

— Psychicznie... tak, psychicznie, wewnętrznie, jestem bardziej kobietą niż mężczyzną, synku — tłumaczył mi, gdy już pracowałem u niego. — Jestem kobietą z twardym kutasem i zarostem na piersiach. Mam duszę kobiety w ciele mężczyzny.

A ponieważ mój wzrok wyrażał niepewność, czy usłyszałem żart, stryj Hubert objaśnił to szerzej:

— Tak, Nurni, mówię zupełnie serio! Już markiz de Sade, który był wybitnym znawcą praktykiem, nie zaś teoretykiem, stwierdził w jednej ze swych ksiąg, że: „Kobiety mają o wiele gwałtowniejsze skłonności do lubieżnych uciech niż mężczyźni" — w tym sensie jestem kobietą. Później niemieccy seksuolodzy, Sigusch i Schmidt, udowodnili, że kobieta bardziej lubi pornografię niż mężczyzna — i w tym też jestem kobietą...

Jak na kobietę był zbyt kanciasty oraz zbyt płaski z przodu, i odznaczał się tylko intelektualnym seksapilem, ale miał rzeczywiście kilka cech kobiecych: to, że przedkładał praktykę nad teorię, oraz upór typowy dla bab, zwany zawziętością. Pozbawić go racji było niepodobieństwem — wykazywał absolutną niezdolność przyjmowania argumentów, które nie pasowały do jego modelu widzenia świata, co z wyznawaną przezeń teorią względności godziło się niczym była żona z byłym mężem w apogeum procesu majątkowego. Więc gdy bąknąłem, iż powszechnie wiadomo, że pornografia jest faworytą mężczyzn, aż się zatrząsł z gniewu:

— Trele-morele! Powszechnie wiadomo! Powszechną wiarą jest, iż wysoko w niebiosach mieszka Pan Bóg, ale czy fakt, że tylu w to wierzy, dowodzi Jego istnienia? Powszechnie wiadomo, iż baby są delikatniejsze, łagodniejsze, wrażliwsze, słodsze od chłopów. Ale w Peru, gdzie czerwoni bandyci ze „Świetlistego Szlaku" mordują kogo popadnie, wieśniaków i ministrów, wszyscy wiedzą, że najdziksze akty bestialstwa to robota członkiń „Sendero Luminoso", że przy tych „rewolucjonistkach" ich towarzysze to mięczaki, bo zdarza się im okazać litość, na przykład rannemu, a one każdego rannego katują i dorzynają. Kobiety są twardsze i okrutniejsze, synku... Zresztą zapytaj o to Riegla, on jest największym znawcą kobiet w Nolibabie, jest praktykiem nad praktykami!

— Myślałem, że numer jeden to ty, stryju... Taka jest powszechna wiara w Nolibabie. I co ma do tego klawisz więzienny Riegl?

— To naczelny klawisz od trzydziestu lat, synku. Od trzydziestu lat, jako dyrektor Więzienia Centralnego, zarządza tym pierdlem, oddziałami męskim i damskim. Żaden lekarz i żaden psycholog nie może z nim konkurować jeśli chodzi o znajomość ludzkiego charakteru. Kiedy go spytałem jaka jest różnica między babami a facetami, których pilnuje, odparł, że kobiety są bardziej wyuzdane od mężczyzn, bardziej kłamliwe, bardziej okrutne i bardziej egoistyczne, tego nauczyło go owe trzydzieści lat. Miałby dużo do powiedzenia akademickim bubkom, którzy się wymądrzają na temat różnic między płciami. Znam ich lekturki dobrze, cały ten plon burzy mózgów, pot analityków, krwawicę mędrków wyznaczających w oparciu o laboratoryjne badania, o ankiety i rozmowy z tysiącami kobiet i mężczyzn, stan współczesnej wiedzy na temat uczuć i ciał, na temat podświadomości i seksu, marzeń i spełnień, różnic między kobietą a mężczyzną, te prelekcje profesorków socjologów, psychologów i seksuologów mniej uczciwych lub mniej inteligentnych od Siguscha i Schmidta, przybierające nieodmiennie taki kształt, jakby każdy z głosicieli był posłusznym zleceniobiorcą lobby feministycznego, pedałem, wałachem lub wszystkim tym jednocześnie! Mówią ci coś nazwiska: Masters i Johnson?

— Tak, to amerykańscy spece od seksu, podobnie jak Kinsey. Chyba najgłośniejsza para seksuologów...

— Słusznie, para, bo to było małżeństwo. Przez wiele lat badań nad seksem głosili, iż poznawanie tajników orgazmu jest dla nich tylko środkiem, natomiast celem zasadniczym jest pedagogika i terapia seksualna ergo wzmacnianie związków małżeńskich, gdyż lepsze poznanie seksu oznacza trwalsze związki między kobietą a mężczyzną. Zawsze się reklamowali jako ci, którzy ucząc lub lecząc pary małżeńskie, zapobiegli dziesiątkom, a może setkom tysięcy rozwodów. Po czym sami się rozwiedli. Zresztą wielki nauczyciel rozwodził się dwukrotnie, a wielka nauczycielka czterokrotnie, każde małżeństwo jej nie smakowało, bo każdy mąż okazywał się zbyt nudny! W jakimś wywiadzie tłumaczyła te swoje małżeńskie klęski tym, że najcudowniejszy seks, taki przy winie i świecach, musi się znudzić, gdy te świece płoną identycznie przez trzysta wieczorów.

— Miała rację.

— Miała rację, ale przez trzysta miesięcy ogłupiała miliony ludzi teoryjkami ze swego laboratorium! Takie i podobne teoryjki wciąż żyją, wciąż zmartwychwstają i na ogół są tak ukierunkowane, że „demaskują" samców jako rasę upośledzoną, stojącą niżej od samic, bliżej bezuczuciowo kopulujących zwierząt, podczas gdy panie, ze swą bogatą psychiką, wrażliwością i umiejętnością głębokiego odczuwania spraw miłosnych, stoją bliżej bóstwa! Nowoczesny katechizm tych naukowych bzdur, od: „Wszyscy mężczyźni cierpią na kompleks wynikający z obaw, że ich penis jest poniżej norm, które imponują kobiecie, podczas gdy dla kobiety jest to akurat bez znaczenia", do: „Kobieta pragnie przede wszystkim czułości i nie tak łatwo jak mężczyzna ulega kopulacyjnym instynktom", katechizm odwołujący się do psychologii, antropologii i wszelakich izmów, robi z nas chłopców do bicia i ma tylko jedną wadę: główne jego wersety sformułowano na podstawie wyznań tych, którzy lubią się spowiadać, i rozmów z tymi, którzy chcieli otworzyć się przed lekarzem, psychologiem lub ankieterem, głównie rozmów z kobietami — a więc w oparciu o słowa. Tak jakby nieszczerość, złośliwość, wstyd, głupota, brak samokrytycyzmu, wreszcie nieumiejętność rozpoznawania siebie i drugich — w ogóle na tym świecie nie istniały! Któż lepiej jak wy, gliniarze, wie, że chociaż każdy człowiek jest inny, to jednak ludzie niewiele się różnią? To, co ludzie mówią o sobie i o drugich, też różni się w minimalnym stopniu. Tak powstaje statystyka, za pomocą której można udowodnić wszystko i przydać temu naukowy herb! To już wasze tłuczenie po nerach na policji jest przyzwoitszą metodą osiągania celu, daje uczciwszą prawdę, bo...

— Stryju, do cholery, nie jestem od bicia po nerach, nie pracuję w ten sposób!

— Co, obraziłeś się? Tak?... Czy tylko udajesz głupiego? Przecież nie ciebie miałem na myśli, lecz policję jako policję! I mówię o czymś zupełnie innym, o pseudonaukowych pierdołach, o całym tym fałszu i załganiu! Nawet Freudowi udowodniono, że fałszował zeznania swoich pacjentek, bo mu nie pasowały do teorii, a to, co robią feministki dzisiaj...

Był cudowny, gdy się rozpalił. Był podobny do tych wielkich mistrzów — polityków, proroków i demagogów-podjudzaczy — którzy za pomocą krasomówstwa i gestu potrafią swym wypowiedziom nadać taką wiarygodność, że ludzie biorą to za charyzmę.

— ... Mnie możesz zaliczyć do wyjątków, synku, nie jestem typowy, jestem bardzo niestały. Bo to nieprawda, że mężczyźni szybciej niż kobiety nudzą się miłością i wiernością. Popęd kopulacyjny tłamsi w nich ducha głębszych uczuć w mniejszym stopniu niż u kobiet. Nie można o tym przeczytać, ale można to już wszędzie zobaczyć. Pigułka antykoncepcyjna jest największą rewolucją społeczną od tysięcy lat, gdyż dając babom wolną rękę, bezlitośnie obnaża kulisy płciowego teatru!... Zresztą i przeczytać można, ale tylko w spowiedziach babskich, w samokrytycznych wyznaniach pań, które rozparła masochistyczna szczerość!

Ten dialog toczył się na statku, gdzie stryj miał erotyczną bibliotekę. Pokazał mi albumik pełen gazetowych wycinków; był to zbiór kobiecych wyznań. Same sławne (od francuskiej pisarki Françoise Sagan do piosenkarki amerykańskiej Earthy Kitt), przyznające, iż damskie kurewstwo po wielokroć przewyższa męskie kurewstwo. Jako ostatnia wklejona była spowiedź sędziwej, głośnej autorki powieści miłosnych, Angielki Barbary Cartland, na temat niewierności w małżeństwie. Pani Cartland wyznawała, że wbrew utartym opiniom kobiety są o wiele bardziej skłonne do zdrad, że dużo częściej to robią niż mężczyźni i że sama ma w tym względzie na sumieniu nie mniej niż grono jej przyjaciółek.

— Oto prawda, Nurni — powiedział. — Prawda, którą wyznają rzadko i w większości przypadków dopiero wtedy, gdy już są staruszkami. Katarzyna Hepburn musiała skończyć osiemdziesiąty rok, by stwierdzić, że wobec swego „cudownego męża" postępowała „jak zwykła świnia". Taka jest prawda. Cała reszta to teatr, który one grają przed sobą, przed nami, w ankietach psychologów, socjologów i innych durniów, zaś prawdziwe słowa śpiewa ich ciało, tam możesz usłyszeć apel do całego kosmosu: „I wish you fuck me all night!". Tylko żeby to usłyszeć, trzeba najpierw poznać kobietę, a kobietę można poznać tylko dzięki kobietom czyli tym, które ukończyły już trzydzieści lat.

— A te, które mają dwadzieścia dziewięć i pół, nie nadają się?

To go dotknęło:

— Nurni!!... Kpisz z własnego stryja, gówniarzu?

— Z cudzego bym nie śmiał. I nie z ciebie kpię, tylko z tej kalendarzowej algebry.

— W porządku, ujmę to inaczej: kobietami stają się dopiero wtedy, gdy sukienka, bluzka, kurtka, płaszcz lub kożuszek przestają im wystarczać, i gdy dama rozgląda się za czymś cięższym, to jest w wieku, w którym dojrzewają do futra. W tym momencie dojrzewają już do wszystkiego, i wyzbywają się hamulców niczym facet włosów.

Sięgnął po książkę z błyszczącą obwolutą.

— Wiesz co to jest?

— Nie wiem, ale ty mi powiesz, stryju.

— To praca Nancy Friday, „Women at the top", o snach i marzeniach seksualnych kobiet. Dopiero co wydano to w Stanach. Pani Friday udowadnia w niej bezspornie, że lubieżna wyobraźnia bab jest wielokrotnie bardziej śmiała, niepohamowana, nienasycona, bezwstydna i żarłoczna niż u mężczyzn. Mogę ci poży...

— Bezspornie?

— Bezspornie.

— To znaczy jak?

— Spisała zwierzenia tysięcy kobiet marzących o seksie pełnym perwersji, bestialstwa, gwałtu, masochizmu...

— Zwierzenia?... Niedawno ktoś przekonywał mnie, że takie zwierzenia można potłuc o gołe dupsko, bo są to na ogół kłamstwa, w oparciu o które tworzy się fałszywe statystyki i przydaje temu naukowy herb!

— Nurni! — jęknął. — Mówiłem o tym, że ludzie łżą, gdy mówią o sobie dobrze! Lecz gdy mówią źle, gdy odsłaniają kompromitujące wrzody, to można im ufać! Zresztą zostawmy to, co inni mówią. Nic nie uczy lepiej niż własna praktyka, synku. Jako gówniarz rżnąłem mnóstwo panienek, lecz mój uniwersytet zaczął się od mojej pierwszej mężatki. Była dwa razy starsza niż ja. Jej ślubny nakrył mnie i ją, nie przez przypadek, ona to zaaranżowała specjalnie, by szepnąć mi rozkaz: „Daj mu w pysk i wyrzuć go za drzwi!...". Nie dałem mu w pysk i nie wyrzuciłem go za drzwi, sam pozwoliłem się rąbnąć temu mężczyźnie i wyrzucić tej kobiecie. Popychając mnie ku drzwiom, syknęła: „No to się naspałeś, chłopczyku!...". W tydzień później przybiegła do mnie z bukietem przeprosin i słodkich paplań, lecz ja wypchnąłem ją za próg i nim zamknąłem drzwi, powiedziałem: „No to się naspałaś, dziewczynko!...". Tak zaliczyłem pierwszy semestr...

Przybierał ton Mojżesza wiodącego profanów do ziemi objawień definitywnych, znającego sekrety tajemnych dróg wskroś pustyń i rozsuwającego otmęty morskie, a ja mu nie przerywałem, chociaż to morze było już poza mną. Mój uniwersytet zaczął się od pierwszego razu, gdy miałem szesnasty rok, sporo pryszczów, bardzo wysokie mniemanie o własnej inteligencji i o męskości też, bo straciłem niewinność na przepełnionych pasją wychowawczą piersiach czcigodnej damy, której syn był moim rówieśnikiem. Kiedy później spróbowałem moich rówieśnic, natychmiast zauważyłem różnicę między kwiatem z papieru a kwiatem z ogrodu, między plastikowym manekinem a żywą modelką, ślicznie rzeźbionym kawałkiem drewna a ciałem z krwi i kości. Odtąd elegancka i przystojna mężatka, zwana „kobietą luksusową", stała się moim pożądaniem. Miałem kilka takich romansów i było to dosyć, abym zaczął je rozumieć i abym nie potrzebował korepetycji od nikogo. Każda, nawet ta, która jeszcze nie zaliczyła zdrady, śniła o niej, była chora na odmianę, nawet gdy mężowi niczego nie mogła zarzucić; otwierała szeroko przeczyste ślepka i mówiła: „Nie wiem dlaczego to robię, on jest taki dobry, taki kochany...". Pozostałe miały „złego męża", lub męża-cukrzyka, lub kalekę innego rodzaju usprawiedliwiającego selektywne czytanie dziesięciu przykazań. Wiele z nich kochało w małżeństwie z równą siłą jak w romansie: w małżeństwie kochały miłość męża do siebie, lub swoją złość na niego; w romansie kochały swoją miłość do kochanka. To pierwsze nazywały samotnością małżeńską, lub nieudanym małżeństwem, lub brakiem ciepła w małżeńskim związku, to drugie zaspokojeniem swego głodu prawdziwej miłości, wolności i samorealizacji. Prawdziwa miłość lub samorealizacyjna wolność była dla każdej z nich najważniejszym celem w życiu, tylko trochę mniej ważnym od forsy na oprawę ich ciał. Bo dopóki nie były bogate, myślały wyłącznie o prawdziwych pieniądzach i obojętna im była każda inna miłość, nawet prawdziwa miłość, obojętne im były środki, drogi i trupy wiodące do tego celu, tak jak dla perły jest rzeczą obojętną, jaki nurek ją wyłowi, jaki handlarz ją sprzeda i jaki mężczyzna ją kupi — jedyną ważną dla niej rzeczą jest: jaka kobieta ją założy, ta, na której perły gasną, czy ta, na której ich blask zyskuje czarodziejską moc manipulowania światem.

Los sprawił, że nie uniknąłem tego, czego stryj nie uniknął: zostałem złapany przez rogacza, lecz nie w łóżku, tylko na spacerze w parku (deptanie wegetacji roślinnej czterema butami i wspólne kontemplowanie tak zwanego piękna natury, jest obowiązkowym elementem cudzołożenia z mężatką, rytuałem wymuszonym przez istotę, która właśnie to i drugorzędną poezję miłosną uważa za czynnik uwznioślający chuć). Rozpoczął się bardzo nieprzyjemny dialog między małżonkami, a ja, nie chcąc się kompromitować uciekaniem, musiałem się kompromitować kibicowaniem temu. W pewnym momencie, gdyż już zabrakło jej kłamstw (on był przez kogoś dobrze poinformowany), krzyknęła: „Moje sprawy łóżkowe są moją sprawą!..." i facet umilkł, po czym zmył się i wkrótce wziął z nią rozwód, bo wobec takiej deklaracji, której odrzucenie równałoby się zaprzeczaniu człowiekowi prawa do samostanowienia, sens instytucji małżeńskiej nie dawał się obronić. Ja zaś postanowiłem wówczas, że nie ożenię się nigdy, nigdy nie będę uczestniczył w spektaklu dozgonnych obietnic składanych przed ołtarzem i potem torturowanych przez dwa żarna: biologii, która jest naturalną potęgą, bestią genów, oraz etyki, która jest córką filozofów i katechetek.

Stryj roześmiał się, gdy powiedziałem mu o tym:

— Nigdy nie mów „nigdy", synku, rzeczywistość nie uznaje pojęć takich jak „nigdy", „na zawsze" i „niemożliwe".

— Stryju, znasz dobre małżeństwo?

— Znam, lecz uważam je za wyjątek, który potwierdza wszystkie małżeńskie reguły. U tych dwojga miłość dzieli się pół na pół, a przecież związek uczuciowy między kobietą i mężczyzną nigdy nie dzieli się równo na pół, po pięćdziesiąt procent miłości każdego z kochanków, które razem dają miłość obojga. Miłość w pełni wzajemna, którą tak często wynoszą poeci, nie istnieje, to chimera, wieczne echo ideału stworzonego w zamierzchłych czasach. Zawsze ktoś częściej nadstawia policzek, a ktoś całuje więcej razy. Ten, kto chce być genialny poprzez miłość, może to zrobić tylko w jeden sposób. Musi być tym, który bardziej kocha! A co ma robić ten, kto chce być wielki w małżeństwie? Musi być pracowity. Musi utrzymywać swój stan gotowości uczuciowej w nieustannym napięciu zakochania, nie dopuszczać do tego, aby serce straciło wydajność na rzecz zwierzęcej rutyny i regulaminowego obowiązku. Lecz mało ludzi to rozumie i bardzo niewielu stać na podjęcie takiego wysiłku. U większości małżeństwo szybko przeradza się w wygodną przystań, w zakład ubezpieczeniowy i w garkuchnię. Większość małżeństw funkcjonuje, czasami nawet dość długo, jak scentralizowana, planowa gospodarka komunistyczna, w której nikomu nie chce się bić rekordów i podnosić poprzeczki dla wspólnego dobra, gdzie każdy pragnie dużo inkasować, a mało dawać, zarabiać bez wysiłku, zgarniać cudzym kosztem, być nagradzanym za sam fakt istnienia! Świat roi się od małżonków cholernie wypoczętych w służbie małżeństwa i cholernie zdziwionych, gdy ten układ nagle trafia szlag. Bo prędzej czy później małżeństwo trafia szlag, głośny lub cichy, formalny lub tylko realny, bez znaczenia. Ludzie są zbyt leniwi, aby małżeństwo mogło należeć do trwałych pomysłów naszego gatunku.

— Lecz ty takie znasz.

— Znam. Może tylko dobrze udają, ale liczy się to, co widać, a to, co u tych dwojga widać, jest imponujące! Bajkowa para, synku. Już jako dzieci, w przedszkolu, obiecali sobie małżeństwo, nie rozstawali się na krok, a obcym ludziom mówili, iż są rodzeństwem, żeby się nie śmiano z nich. Przeżyli kilkadziesiąt lat w harmonii wprost nieludzkiej. To się zdarza, Nurni. Małżeństwo jest loterią, na której można...

— To już nie garkuchnią, wygodną przystanią, zakładem ubezpieczeniowym i meczem futbolu?

— Dlaczego meczem futbolu?

— W rozmowie z przeorem twierdziłeś, że małżeństwo jest jak futbol.

— Tak twierdziłem?

— Właśnie tak.

— No cóż... Można porównywać małżeństwo do różnych rzeczy. Z punktu widzenia oblubieńca również do corridy, bo byk poznaje reguły gry dopiero na arenie, gdy już ktoś tańczy wokół niego w kolorowym stroju. Małżeństwo to gra i walka, lecz przede wszystkim loteria, bo przysięga wierności małżeńskiej jest podpisem na wekslu bez gwarancji, słowem honoru bez pewności dotrzymania, przepustką do kantoru loteryjnego, gdzie kupuje się losy na niewiadome, na ciepło domowego ogniska lub na łazienkę hotelową bez własnego udziału, o której jakiś udziałowiec, jeden, drugi czy piąty, będzie później paplał, hańbiąc tym obrączkowanego hazardzistę dubeltowo. Nie zamierzam grać na tej loterii, i to nie z tego powodu, że dobry los rzadko się tam trafia, lecz z zupełnie innego powodu. Już ci mówiłem, że...

— Nigdy nie mów „nigdy"! Ciebie nie dotyczy ta mądrość?

— Zgadłeś, synku, jestem ponad.

— Dlatego, że jesteś kobietą?

— Też.

— I dlatego, że jako kobieta dojrzała jesteś bardzo dojrzały?

— Nie, nie dlatego. Najmądrzejsi ludzie często popełniają ten błąd. Znam kilku takich profesorów. Mają się za mądrych i zrównoważonych, a swoje studentki za głupie, roztrzepane i niepoważne, więc widzą przepaść rozsądku między sobą a swoimi studentkami, lecz to właśnie oni wpadają w tę przepaść, z bogów zamieniają się w służących, bo zostali stworzeni, by służyć tancerkom, a nie naukom. Próg ich błędu...

Przerwałem mu żartem, iż ci uczeni głupieją, gdy witają próg sklerozy; w efekcie podniósł głos:

— Nie, mój chłopcze, nie mówię o zgrzybiałych ludziach! Tych, o których mówię, cechuje energia i rozum. Tu chodzi o coś innego, dojrzałość to pochodna mądrości, a nie siwizny. Ta dojrzałość jest czymś bardzo cennym, tylko szczęście jest cenniejsze, lecz ma ona skrzydła z wosku, nie istnieje taka mądrość i taka dojrzałość, których nie można utracić w ciągu kwadransa. Mężczyznom najczęściej zdarza się to przez widok jakiejś samicy. A moją tarczą jest moje kalectwo, synku — ja nie umiem zwariować dla jednej, kocham wszystkie. Miłość, wbrew sensowi miłości, to dla mnie „quantitas" — coś ilościowego, a nie „qualitas" — coś jakościowego... Czemu rżysz? Tu nie ma nic do śmiechu! Ktoś powiedział: „Można znać kobiety lub je kochać, trzecie nie istnieje". W moim przypadku to nieprawda, znam kobiety i kocham je bardzo.

— Wszystkie?

— Wszystkie!

Kochał wszystkie, prócz brzydkich, starych i należących do KKD-U (Konfederacji Kobiet Dumnych-ULTRA). Ta organizacja feministek uważała burdel stryja Huberta za wrzód na ciele ludzkości i robiła wszystko, aby statek utonął, dlatego stryj przezywał KKD-U: „Konspiracją Kopniętych Dup-UPIORNOŚĆ" bądź „Konfederacją Kurew Dewiatycznych-URYNAŁ", one zaś nazywały stryja: „Alfonsem", „Gynofobem" lub: „Mister Mizogin". Trudno było o większą wzajemną niechęć, lecz prawem ironii losu on i one wyrażali jeden wspólny pogląd: niechęć do instytucji małżeństwa.

Ów pogląd był i moim; cudzołożna aktywność lalek, którymi bawiłem się we własnym łóżku, plus krach ślubnych związków mego ojca i stryja Mateusza, nie dawały mi szans na pozytywny stosunek do obrączkowania się z kobietą. Podzielałem też kilka innych zapatrywań stryja Huberta. Obaj wiedzieliśmy, iż życie składa się z trzech światów — z tego, co ludzie mówią, z tego, co roją, i z tego, co rzeczywiście jest. Obaj nie mieliśmy złudzeń wobec całego gatunku (nie tylko wobec kobiet) — rozumieliśmy, iż wewnątrz każdego człowieka toczy się konwulsyjna gra manichejskich sił (zło i dobro, szczodrość i samolubstwo, wybujały idealizm i skrajny cynizm, tęsknota do tego, co szlachetne i pobudliwość do tego, co najgorsze), a na zewnątrz wszystko jest inscenizacją z tradycyjnego teatru „*commedia dell'arte*": maski, bufonady oraz zamiłowanie (lub już przyzwyczajenie) do improwizowania, po którym dopiero przychodzi namysł, lub żal, lub wstyd, lub syta radość. Obaj czuliśmy to samo do polityki i do polityków — polityka w każdym swoim aspekcie wydawała mi się równie pociągająca jak wdzięki stuletniej damy. Obaj uważaliśmy, że kobiet nie dzielą (na mniej lub bardziej skłonne do kurewstwa) różnice charakterologiczne lub różnice w wychowaniu, lecz uroda i wiek — brzydkie i stare nie mają wielu szans na kurewstwo. I obaj lekceważyliśmy dziewczęta, preferując ciała dojrzałe. Jednak — choć w każdym takim rycerzu jest coś ze zwierzęcia porwanego szałem rui — on i ja różniliśmy się mocno. Jego to bawiło inaczej, należał do tych strzelców, którzy zapinając spodnie trzymają głowę wysoko i rozglądają się wokół, wypatrując nowej zdobyczy, podczas gdy we mnie była tęsknota za czymś głębszym, co mogłoby uśpić moje myśli o kobiecie mieszkającej w moim mózgu, wciąż obecnej przed moimi oczami i nieosiągalnej, kobiecie, którą los uczynił moją macochą, być może w tym celu, żebym uznał ból serca, nostalgię i odwetowy hedonizm za naturalny stan umysłu i ciała, i abym nie mógł iść przez życie szukając uciech i złota z beztroską świni szukającej trufli. Dzięki temu — w przeciwieństwie do stryja Huberta — byłem potencjalną ofiarą, tak jak stryj Mateusz i mój ojciec.

Stryj Mateusz odebrał tę wypłatę pierwszy; zdarzyło się to tuż przed powołaniem mnie do wojska...

Mateusz był w młodości romantykiem; młodego Mateusza-polityka pchało zawsze ku lewicy, a Mateusza-samca ku kobietom, o których naczytał się w książkach romantyków, czyli — jak zakpił stryj Hubert — ku „kobietom nieużywanym". Było to następstwem wypadku, któremu uległ mając lat piętnaście: jego kumpel szkolny, kochanek młodej nauczycielki języka nie tylko ojczystego, zaprosił stryja Mateusza do niej i tam pani nauczycielka nauczyła swoich uczniów, że kobieta może dać rozkosz dwóm mężczyznom w tej samej chwili, pod warunkiem, że nie brakuje jej wyemancypowanych warg. Ktoś inny stałby się dzięki temu lubieżnikiem, wszakże stryj Mateusz był z innego kruszcu i odtąd szukał kobiety, która przypominałaby panią profesor tylko budową zewnętrzną, zaś wnętrze miałaby niepokalane. Fortuna mu sprzyjała — znalazł taki skarb, gdy będąc młodzieńcem dwudziestojednoletnim pojechał na daleką prowincję, by wziąć udział w przedwyborczym wiecu. Jako partyjny agitator sprawdził się kiepsko, gdyż dla wieśniaków jego przeintelektualizowanie było nie do zniesienia, zwycięsko natomiast zaagitował latorośl swoich gospodarzy, farmerską córkę, która właśnie miała wstąpić do zakonu, lecz pod urokiem stryja Mateusza przedłożyła nad cichy klasztor urok wielkiej metropolii. Stryj Hubert nie wróżył dobrze temu małżeństwu; kłócąc się z moim starym palnął:

— Już Casanova przestrzegał, że z rozhabiconych zakonnic wyrastają największe kurwy!...

Mateusz kochał żonę i szanował ją, mimo iż nigdy nie przestała być ciemną chłopką w przebraniu kobiety wielkomiejskiej (nigdy nie tknęła jakiejkolwiek książki, miała wstręt do drukowanego), stąd przez wiele lat wróżba stryja Huberta była tylko złośliwością. Ale potem okazało się, że była trafną wróżbą. W ogniu któregoś z politycznych zawirowań, gdy Mateusz należał akurat do opozycji, bezpieka zrobiła mu rewizję. Obok papierzysk ujawniających jego *„działalność wywrotową"* znaleziono również dzienniczek Mateuszowej żony, który ujawnił jej działalność seksualną. Dokonano tego w trakcie prucia mebli, ścian, podłóg i sprzętów, przy czym enbecję interesowały tylko dokumenty stryja Mateusza, wszystkie inne rzucali na ziemię. Mateusz, widząc ów zeszyt rzucony w kąt, schylił się, podniósł, otworzył, przekartkował i przeczytał; miał sporo czasu, gdyż rewizja trwała kilka godzin...

Stało się to w dwudziestym trzecim roku ich małżeństwa. Niedoszła zakonnica była mu wierna przez lat szesnaście, a później, posłuchawszy namów przyjaciółki-rozwódki, kobiety zepsutej i o zepsutym życiu, zaczęła się puszczać, idąc do łóżka z każdym, kto się nawinął pod rękę, co kwitowała ze skrupulatnością buchaltera w zeszyciku-kalendarzyku, pismem przypominającym dziecięce pismo. Uświadomiony lekturą tych wspomnień, stryj Mateusz wziął rozwód jak tylko wyszedł na wolność (po kolejnym przewrocie politycznym) i topił gorycz w luźnych związkach z mnóstwem używanych kobiet, a także w wolnościowej filozofii wyrolowanych samców, którą po włosku ujęto maksymą: „*Che molto guadagna chi putana perde*" („Wiele zyskuje, kto kurwę traci"). Włoskim operował prawie jak Włoch, gdyż we Włoszech kończył studia.

Terapeutą, który leczył go z seksualnej chandry, był stryj Hubert. Kuracja obejmowała zajęcia teoretyczne i praktyczne. Praktyczne stryj Mateusz przeszedł we wnętrzu statku, gdzie brat go zamknął i rzucił w ramiona swoich pracownic. Teoretyczne miały charakter wykładu:

— Mat! Żaden mężczyzna, choćby nawet pociągający bardzo, nie jest na tyle pociągający, żeby sprawić, iż będzie jedynym pociągającym mężczyzną na świecie czy nawet w swoim miasteczku! A kobieta, która pracuje zawodowo...

— Co to ma do rzeczy? — przerwał mu uczeń.

— Ma, braciszku, bardzo dużo ma. Przewaga kolegi z pracy nad mężem polega na tym, że kolega z pracy nigdy nie chodzi w domowych pantoflach i w rozpiętej koszuli wyrzuconej na spód podartego dresu, jest zawsze ogolony, a czas, który mógłby poświęcić na czytanie gazet w ubikacji, poświęca na prawienie komplementów. I do tego jest n o w y ! No i życie jest zbyt długie na niezłomną miłość czy wierność. Gdyby ludzie żyli tylko do trzydziestu lat...

— Kpisz ze mnie? — spytał Mateusz.

— Nie! Jeśli mi nie wierzysz, to zapytaj jakiegokolwiek biologa, seksuologa czy innego fiuta od tych spraw! On ci wyklaruje, że prawdziwa erotyczna pobudliwość budzi się w damach między trzydziestką a czterdziestką. I czegóż ty chcesz, żeby wówczas mąż był tym, który ją będzie zaspokajał? Co za idiotyzm! Po szesnastoletnim pożyciu? Żebyś nawet był super-ogierem, to po tak długim spółkowaniu jesteś już tylko obowiązkiem, a obowiązek ma niewiele wspólnego z radością i wolnością. Czytałeś „Na wschód od Edenu" Steinbecka? Tam jest taki dialog między matką a synem, ona mu tłumaczy dlaczego kiedyś przemeldowała się na stałe z małżeńskiego domu do burdelu. Zrobiła to będąc jeszcze młodą i zrobiła to dlatego, że miała dość rodzinnego gniazdka, własnego potomstwa i swojego męża, któremu nic nie mogła zarzucić. Chciała po prostu żyć ciekawiej, weselej, pełniej! Każda baba tego pragnie, tylko nie każda ma dość odwagi w tak młodym wieku, choć inna sprawa, że dzisiejsze przyspieszenie uczyniło kurewką prawie każdą dziewczynkę w wieku szkolnym. A twoja była ci wierna przez szesnaście lat, braciszku! Lecz nie mogła być ci wierna w nieskończoność...

— Hub, daj mi już spokój, proszę!

— Nie dam ci spokoju, Mat, póki nie zrozumiesz czegoś, co próbuję ci wytłumaczyć! Zrozum, baba blisko czterdziestki potrzebuje nowego miłośnika! Pcha ją do tego strach, tak, ogromny strach, braciszku, bo wie, że koniec już blisko, że niedługo zwiędnie. Cóż więc robi? Panikuje, a potem szuka potwierdzenia swej atrakcyjności, i ktoś ją musi wesprzeć w tym, upewnić, że jej atrakcyjność wciąż trwa. I kto to ma być, mąż? Facet, który ją kopuluje od lat szesnastu? Z którym to jest rutyna, przyzwyczajenie, obligatoryjna higiena seksualna? Chłopie! Tylko inny facet może dokonać tego cudu, tylko on może jej przywrócić poczucie wartości, odmłodzić, zasłonić przed tą wszystkożerną świnią, jaką jest czas... Dlaczego kręcisz łbem? Że co, że przysięga małżeńska, godność osobista, religia et cetera? Braciszku!...

Stryj Hubert miał tylko jedną pretensję do cudzołożnej szwagierki — że z zemsty za fakt, iż ujawnił się jej podwójny żywot, świsnęła wszystkie skarpetki Mateusza gdy odchodziła z jego domu. To było jej głównym, a właściwie wyłącznym grzechem, pozostałe stryj Hubert lekceważył bądź usprawiedliwił, darowując jej nawet, że szkalowała męża i że judziła wszystkich jego przyjaciół i znajomych tą samą blagą: „On był twoim wrogiem, źle o tobie mówił, knuł..." etc. (dla wielu ludzi takie kłamstwa brzmią wiarygodnie, gdyż ci ludzie sami źle myślą, źle mówią i źle czynią przeciw ludziom sobie bliskim). Równie kłamliwie plotła, że mąż krzywdził ją, ale i tu stryj Hubert brał jej stronę; mojemu ojcu tak to wytłumaczył:

— Mat rzeczywiście skrzywdził ją bardzo. Cała ta małżeńska afera zrodziła się przy grubym nieporozumieniu. Dziewczyna była klasycznym prowincjonalnym materiałem na prostytutkę, lecz zamiast w łapy sutenera trafiła w ręce faceta, który się w niej zadurzył i zrobił z niej swoje małżeńskie bóstwo. To był głupi kawał i Mat jest temu winien, bo w końcu to on zrobił jej ten kawał!

Stryj Hubert miał niewyparzoną gębę — znowu, co się często zdarzało w jego dialogach z moim starym, użył słów, które zraniły ojca. Stary bowiem ożenił się z siostrą „prowincjonalnego materiału na prostytutkę", więc gdy usłyszał to, podwójnie się wnerwił. Podwójnie, jako że wściekał się już widząc, iż Hubert broni żonę Mateusza:

— A o tym, że Mateusz codziennie ją bił i że musiała „kąpać się w zlewie w piwnicy", bo jak chciała skorzystać z wanny w łazience to dostawała manto, nie słyszałeś, dowcipnisiu?! Ona to śpiewa wszystkim, chociaż nigdy nawet nie podniósł ręki na nią, całe życie nosił ją na rękach!

— To są rytualne numery małżonek w fazie rozwodu! I te, które przyłapano, więc one mszczą się za to, że je przyłapano, i te, które chcą sobie same odmienić, stosują repertuar identyczny: zarzucają mężom wszystko oprócz ukrzyżowania Chrystusa. Idź do sądu na jakąkolwiek sesję rozwodową, a przestaniesz wydziwiać, Fred! Mściła się za to, że zerwano jej maskę z buziaczka, to normalne, więc o co ci chodzi?

— O to, że pieprzysz bez sensu, broniąc tej... Pieprzysz jak skończony idiota!

— Idiotyzm — wyjaśnił mu stryj Hubert — to słowo greckie. W medycynie jest to termin fachowy, który oznacza: „najwyższy stopień niedorozwoju umysłowego". Ale to nie ja powinienem się leczyć...

— Tylko ja, co?! Dlatego, że ją potępiam?!

— Ja też ją potępiam, braciszku — rzekł stryj. — Uczciwa kobieta jest jak Carmen, gdy kocha, to całą sobą, a gdy zdradza, to mówi po prostu: kocham innego, mój drogi. Za brak tych kilku słów, no i za brak tych kilku skarpetek, potępiam żonę Mateusza. Lecz nie chcę być inkwizytorem!

— Wolisz być jej adwokatem, słyszę to!

— A czegoś się spodziewał? Że usłyszysz grad przekleństw i epitetów? Zły adres, nie do mnie z tym! Chcesz posłuchać czegoś, co ci sprawi przyjemność, to dopasuj sobie do niej słowa, którymi Byron potępiał pewną damę...

Zdjął z półki wspomnienia Byrona, znalazł ten akapit i przeczytał:

— „Nigdy nie widziałem kobiety równie źle się zachowującej — jak wyrachowana, zimna kurwa, którą zresztą była w istocie. Ale była przy tym bardzo ładna. Była to najpaskudniejsza suka, z jaką się w życiu spotkałem, a widziałem ich już wiele"*.

Odłożył Byrona i zapytał starego:

— Pasuje ci, braciszku? Jeśli nie, to może ten portret zaspokoi twój głód smażenia czarownic...

Wziął do ręki inny tom, kartkował kilkanaście sekund i znalazł:

— „W twarzy tej kobiety nie ma nic, co by zdradzało, czy bardzo jest pogrążona w nikczemności, okrucieństwie i rozpuście, a przecież jest podła jak żmija z baśni przygarnięta przez głupiego chłopka,

---

* — Tłum. Henryka Krzeczkowskiego.

okrutna jak lady Mackbeth i wyuzdana jak przedsenne majaki. Uśmiechnięta złota maska na owrzodzonym sercu"*.

Odłożył i tę książkę, po czym wyraził myśl własną:

— Chciałbyś, żebym tak mówił? Można w ten sposób mówić. Ale od tego nikomu nie robi się lżej, a dookoła robi się głupiej. Potępiać kobietę w czambuł to mniej więcej to samo, co potępiać w czambuł przyrodę, gdy walące się drzewo zgniecie ludzi, albo gdy ktoś się utopi podczas sztormu...

Kiedy dzisiaj przypominam sobie jak w trakcie innych dialogów (na przykład ze mną, gdy robił mi wykład o kobietach) gromił płeć żeńską, jak cytował Katarzynę Hepburn ubolewającą, że zdradzała męża „niczym zwykła świnia" i jak odsądzał „damy" od czci i wiary (te „damy" w jego ustach brzmiały piekielnie pogardliwie) — to myślę, iż gdyby wszedł na salę sądową jako mecenas, i gdyby tam zezwolono mu być równocześnie obrońcą i oskarżycielem, każdy proces z jego udziałem nigdy nie zostałby w żadną stronę rozstrzygnięty, bo retoryczny geniusz stryja Huberta zapatowałby się na amen, uniemożliwiając wydanie werdyktu, stworzyłby siłą obustronnych argumentów klincz nie do przełamania. Nikt inny nie potrafiłby udowodnić tak bezspornie jak on, że coś jest absolutnie białe, mimo że nigdy nie przestało być kompletnie czarne. Wówczas, w trakcie kłótni z moim starym, był całkowicie sobą:

— ... Potępiam żonę Mateusza, bo kocham Mateusza, ale rozumiem ją, Fred. Można kogoś ganić i rozumieć tego kogoś, to są dwie rzeczy zupełnie różne...

Po czym wygłosił jedną ze swych najlepszych mów; za Peryklesa takie krasomówstwo dawało laurowy wawrzyn. Mówił w natchnieniu, może bardziej do siebie niż do mojego ojca:

— Potępia się, Fred, przez niemożność identyfikacji z potępianym, wywołaną szowinizmem gatunkowym, klanowym lub płciowym. Nie rozumie się przez ograniczoność umysłu, która jest legitymacją głupoty... Ta kobieta zniszczyła piękny dom, piękne gniaz-

---

* — W. Łysiak, „Wyspy bezludne", rozdział pt. „Modliszkiada".

do, pozostawiła ruinę głębszą niż gdyby runęły mury. Z punktu widzenia czcicieli murów żadna kara nie jest dostateczną za taką zbrodnię. Ale ja nie należę do czcicieli murów. Żal mi Mateusza i rozumiem, co stracił. Tak — w tych jego murach życie wydawało się rajem, nie brakowało w nich niczego. Miliony kobiet śnią o podobnych murach dla swego gniazda. Murach spojonych dobrobytem i nie znających strachu o jutrzejszy stół. Murach dumnych i skłaniających do pychy, która dla wielu ludzi jest życiowym celem... Murach solidnych jak mury więzienia! Gdyż nie widać przez nie gwiazd, Fred, morze nie obmywa stóp podnietą przypływu, las nie drapie po twarzy, wiatr nie ślizga się po zboczach, koń nie przeleci galopem! Im solidniejszy mur, tym więcej pokus spoza muru wabi serce i ciało. Tylko poza nim jest rosa, która budzi śpiącego w trawie, poza nim jest oddech łąk i gwizd parowozu, poza nim tajemnice drogi mlecznej i wszystkich dróg przez świat, poza nim księżyc i deszcz, który zwilża wyschnięte wargi, poza nim woń dzikich ziół i krzyk swobodnych zwierząt, poza nim złodziej i grzech. Smak surowego mięsa!... Magia grzechu tkwi zawsze poza murami, Fred. Jedynie tam można się rozejrzeć we własnej duszy, znajdując skarb, choćby to był kamyk polny lub zgubione pióra szarych ptaków. I wiedz, że ani kawałka muru nie możesz zabrać ze sobą w ostatni spacer do Boga, a wspomnienie jednej nocy spędzonej pod otwartym niebem i cudowny dreszcz grzechu musisz, bo inaczej Przedwieczny nie miałby cię o co zapytać, nie zechciałby poświęcił twojej osobie jednego spojrzenia, widząc tylu ciekawszych rozmówców! Nie ma doskonalszego leku na niesmak życia, który się rodzi z pięknych murów, niż ucieczka i grzech, więc choć mógłbym rzucać w Miriam kamieniami, mógłbym to robić tylko od pierwszego, instynktownego gniewu, tylko chwilę, natomiast zawsze będę ją rozumiał. Wyznając takie poglądy — czyż mógłbym nie rozumieć sensu świątyni zła zbudowanej przez nią z grzesznych głazów? Zabraniam ci posądzać mnie o taką głupotę!...

RZYM PRZECIW FLORENTYŃCZYKOWI — Akt I.

— Bartolomeo!

— Tak, wasza świątobliwość?

— Ilu tam jeszcze czeka na posłuchanie?

— Dwóch, wasza świątobliwość. Ten florencki „capitano della giustizia", którego Cezare zwabił do Rzymu, i medyk waszej świątobliwości.

— Daj najpierw florenckiego psa, Bartolomeo.

— Wejdź, kapitanie!

— Uniżony sługa waszej świątobliwości!

— Zdaje nam się, kapitanie, żeś uniżonym sługą Lorenza Medyceusza, jak również syna naszego, ale jeśli chcesz być i naszym sługą, nie mamy nic przeciwko temu. Czy u was tak samo leje?

— Nad Arno słońce nie zachodzi, wasza świątobliwość.

— Siete felici. Ma Roma anche senza sole e bella*. Jak tam zdrowie twego pana, księcia Lorenzo, kapitanie?

— Słabuje od wielu chorób, wasza...

---

* — *Szczęśliwcy. Lecz Rzym i bez słońca jest piękny.*

— Cóż, starość nie radość, kapitanie. Lecz bardziej jeszcze niż zdrowie twego pana interesuje nas co dolega temu mnichowi, temu opatowi z San Marco, jak mu tam?

— Girolamo Savonarola, wasza świątobliwość.

— Tak, brat Girolamo... Dochodzą nas słuchy, że ten człowiek oszalał i chce zburzyć Kościół Rzymu...

— Ten człowiek chce wszystko zburzyć, wasza świątobliwość. A najpierw bogactwo i zepsucie ludzkie.

— Uuuuuu!... Czyżbyś podziwiał brata Girolamo?... Jeśli tak, to posłuchaj go, będziesz szczęśliwy. Złącz się z ubóstwem, harówką, głodem. Pieniądze rzuć do wody, kobietę oddal, a dom zrównaj z ziemią i zamieszkaj w beczce, rowie, grobie lub pośrodku lasu!

— Ja go nie kocham, wasza świątobliwość, ja tego łotra nienawidzę niczym diabła! To, co on mówi z ambony, słuszne jest, bo i ludzkie zepsucie wielkie jest. Ale sposoby, których on się ima, żeby świat poprawić, nieludzkie i głupie są!

— Masz jakiś prywatny ból, żeby szczekać na brata Girolamo, kapitanie?

— Mam, wasza świątobliwość.

— Jeden?

— Jeden, i jeden wystarczy!

— Zdradzisz nam ten ból?

— Moja żona po spowiedzi u tego mnicha sypia osobno.

— Znaczy odsunęła cię od łoża, kapitanie!... Z tego, co nam wiadomo, nie ona jedna, dużo jest wyziębionych mężów we Florencji. Wiemy i to, że na ślubach w waszym pięknym gródku młode pary przysięgają zachować wstrzemięźliwość przez miesiąc lub kwartał, a niektóre i dożywotnio. Ty zaś miałeś z żony długi pożytek, inni gorzej wychodzą na tym, że los ich rzucił do Florencji. Dzieci masz?

— Dwoje, wasza świątobliwość.

— Służą opatowi za szpiegów?

— Są zbyt już duże, wasza świątobliwość. Ta policja dziecięca, którą zorganizował, składa się ze smarkaczy, i to oni na rodziców swoich donoszą.

— A starzy Florentyńczycy nie donoszą, kapitanie?

— Wszyscy donoszą, połowa moich rodaków oszalała z uwielbienia dla brata Girolamo. Niewiasty głównie donoszą...

— Niewiasty, mówisz? Cóż, niewiasta to źródło grzechu, jak powiada Testament, Ewa służebnica węża. Lecz nas bardziej trapi coś innego. To, że z ambony Santa Maria del Fiore i z celi klasztoru San Marco tyle plugastwa przeciw Kościołowi Świętemu wylatuje! Nie dostaliśmy jeszcze o dniu wczorajszym raportu, a ty pewnie wiesz, co wczoraj bredził?

— To samo, co zawsze, wasza świątobliwość. Piętnował bogactwo, zepsucie i żądzę władzy duchowieństwa, wyklinał symonię...

— Taaak... Gorzej, iż nie dostajemy raportów z tego, co będzie bredził! A ty pono, jak mówi nasz ukochany syn Cezare, masz krewniaka wewnątrz klasztoru...

— Mam, wasza świątobliwość. To mój kuzyn.

— Czy nie mógłbyś go nakłonić, żeby dla ojca świętego pracował?

— A czy ojciec święty, mocą swej władzy papieskiej nad każdym mnichem, nie mógłby przymknąć złemu mnichowi ust?

— Gdybyśmy teraz tak postąpili, głupio byśmy postąpili. Nie trzeba nazbyt wcześnie przymykać mu ust, niechaj dalej kradnie ludziom radość życia. Niech wzbrania kobietom pachnideł i barwiczków, a mężczyznom niech wzbrania kobiet. Niech pali malowidła i księgi jako dzieła szatana, niech zabrania kart, kości, kielichów z winem, uczt i tańców, modnych przyodziewków i trefienia włosów, pierścieni i naszyjników, niech zabrania wszystkiego! Zobaczysz jak to się skończy, będziesz miał swoją słodką vendettę... Czy uprosisz kuzyna?

— Każę mu, wasza świątobliwość.

— I on posłucha ciebie?

— Tak, ojcze święty!

— Wówczas my uprosimy skarbnika naszego, ażeby godziwie odpłacił tobie i twemu kuzynowi wasz trud. Idź z Bogiem, kapitanie.

— Dozgonnym jestem waszej świątobliwości sługą, dozgonnym sługą!

— Niech cię Bóg prowadzi, amico mio!...... Bartolomeo!

— Jestem, panie!

— Medyk nadal czeka w przedpokoju?

— Czeka, wasza świątobliwość, i razem niewiasta jakowaś czeka.

— Młódka?

— Wygląda niby dwie młódki, z tyłu i z przodu, a od każdej strony też po dwie, z tyłu dwie u dołu, z przodu dwie u góry, to razem z tą, co jej nie widać, pięć będzie, wasza świątobliwość.

— Bartolomeo!!...

— Prosić?

— Proś, łajdaku!

— Messer Antonio, możecie wejść!

— Pochwalony, wasza świątobliwość!

— Na wieki wieków, ser Antonio. Kim jest ta dama?

— Lekarstwem dla waszej świątobliwości.

— Urocza, ser Antonio!

— Wasza świątobliwość źle mnie zrozumiał, jestem medykiem, nie rajfurem! Wasza świątobliwość ku pokrzepieniu swego żołądka będzie pił mleko z jej cycków. Tak już poprzednik wasz, panie, Innocenty VIII czynił, i to się wielce jego zdrowiu przysłużyło. Hortensjo, daj ojcu świętemu pierś... Raczy wasza świątobliwość ssać!.............. Dobrze............ bardzo dobrze............

— Mmmmmm!...

— Teraz drugą, Hortensjo!............

— Mmmmmm!... Boskie, medyku!

— Tak. Mleko zwierzęce, wasza świątobliwość, mniej ma przymiotów leczniczych. Będzie dosyć na dzisiaj. Wyjdź, Hortensjo!

— To ty wyjdź, uczony mężu! My z Hortensją zostaniemy tu jeszcze chwilę i zamienimy się w rolach.

Rozdział 3.

Zostając gliną nie byłem jak ci, którzy wybierają ten zawód w szaleństwie świętości swego powołania; to gliniarze-kapłani. Kultywują swą wiarę na przekonaniu, że ład to więcej niż prawo i porządek — to świątynia. Wiedzą, że zło, jeśli nie postawić mu tam, zaleje ludzkość, chcą więc być budowniczymi i konserwatorami tamy. Stoją niezłomnie na brzegu, wpatrzeni w czarny ocean, wyprostowani regulaminowo, bo ukochali służbę, nie bojący się nocnego mroku i strzegący pod gwiazdami śpiące stado, a rozpiera ich duma strażników i najbardziej lodowaty wiatr nie sprawi, by zadrżała im w dłoni halabarda. Są twardzi i wytrzymali wytrzymałością kariatyd, którym przyszło dźwigać ciężar wielkiego gmachu, póki nie zmęczą się lub nie przejrzą na oczy, ale wówczas grono (dość, co prawda, nieliczne) podobnych im świątków zajmuje ich miejsca, by ten mesjanizm nie zginął, to jest: by nie zachwiał się procent udziału sumienia w policji.

Nie kierował mną głód wyniesiony z hollywoodzkich bajek, z kryminałów i komiksów, lub sportowa żyłka z sal treningowych karate, gdzie młodzi troglodyci synonimują męskość z kubaturą bicepsu i z siłą uderzenia nogą, a przygoda policyjna jawi im się czymś na kształt obiecanej ziemi. To żałosne uprawianie publicznych sprawdzianów modelu „macho", supersamca, bohatera i szlachetniaka, przynosi im więcej rozczarowań niż zwycięstw, lecz wrodzona głupota trzyma ich na uwięzi, nigdy nie wydoroślေją. Wszystkie Walhalle pełne są duchów takich supermenów, siedzących przy dębowych stołach i walących o blat pustymi kuflami, żeby niebiańska kelnerka napełniła je znowu.

Obce mi było też myślenie sierot, co przywdziewają mundur z powodu zrozumienia sensu gry, w której jest się kulką lub żetonem, albo krupierem, albo strażnikiem kasyna, więc oni wolą być wśród tych ostatnich, aby nimi nie pomiatano, i jest to dla nich kwestia obszaru wolności, zakresu swobód, czy inaczej pewnego poziomu niewolnictwa, który mogą jeszcze zaakceptować, bo na niższym poziomie czuliby się tak i robiliby takie rzeczy, że musiano by ich zesłać do domu wariatów, zamknąć w więzieniu, stracić za rebelianctwo lub pochować na cmentarzu samobójców.

Nie byłem również jak ci, co poślubiają ten fach z wyrachowania (takich jest większość), a ich wyrachowanie bazuje na tym, że każdy ustrój i każdy rząd musi rozpieszczać swą policję dla swego własnego dobra.

Ani nie byłem jak ci, dla których policyjny mundur jest ziszczeniem niezbyt ambitnego snu o władzy — o władzy takiej, która zapewnia bezkarność.

I nawet nie jak ci, którzy śnią o władzy głównej i nieśmiertelnej, gdyż wiedzą, że ustroje się zmieniają, dynastie wymierają, demokracje gniją, tyranie eksplodują, rządy upadają, armie przegrywają, zaś policja nie przegrywa nigdy i jest potrzebna każdemu tak samo, taka sama i w takim samym celu, jest wieczna.

Zostałem gliną, bo pragnąłem zemsty.

Wiedziałem, że być może i bez tego mógłbym dokonać odwetu, ale rozumiałem, że „bez tego" będę miał o wiele mniej szans i będę musiał prowadzić grę dużo bardziej skomplikowaną, by dojść prawdy i doścignąć winowajców, a po cóż używać środków nazbyt wyrafinowanych i z natury bardziej męczących oraz kosztownych, które prowadzą do celu drogą krętą, gdy prosty chwyt sprawę ułatwia? Miłość i nienawiść spieszą się i klną wszystkich tych długowiecznych, którzy wymyślili i realizowali genialną zasadę: co masz zrobić dzisiaj, zrób jutro. Dlatego dałem się zwerbować.

Werbunkowym był szef strażników reżimu, pułkownik Adrian Taerg.

Pułkownika Taerga poznałem w wojsku. Byłem już po studiach, miałem lat dwadzieścia sześć i wyzbywałem się godności w garnizonie Korot, gdzie kazano mi padać i wstawać, podskakiwać, kucać, biegać do utraty tchu, czołgać się po błotach i zakładać przeciwgazową maskę („Kompaniaaaa!... Maskę na ryj!!"). Jako tresowany manekin czułem się kiepsko i zauważałem, że coraz bardziej się odróżniam od tego Flowenola, którym byłem w cywilu, tak jak człowiek, który marzy o porządnym obiedzie, jest człowiekiem zupełnie różnym od człowieka, który marzy o porządnym cudzołóstwie w Acapulco.

Dowódcą mojej kompanii był kapitan Taerg. Nie przypominał innych oficerów. Miał twarz może nawet nie ponurą, raczej smutną, lub dokładniej taką, na której rzadko gości uśmiech, a kiedy klął, źrenice nie zwężały mu się jak u kota — były groźne, lecz nie jadowite. Promieniowała z niego siła autentyczna, obca przybierającej pozór siły klownadzie kurduplów w mundurach podoficerskich. I jeszcze coś: nigdy się nie popisywał wojskowym dowcipem, którego koszarowy wdzięk brzydził przynajmniej niektórych z nas; w każdym razie mnie brzydził bardzo. Najczęściej były to „zagadki". Podoficer pytał żołnierza:

— Szeregowiec Flowenol, jaki karabin macie na ramieniu?

Każdy z nas już o tym słyszał i wiedział, że należy odpowiedzieć:

— Dobry, panie kapralu!

— Gówno prawda! Wy macie karabin automatyczny, Flowenol! Ale ja widzę, że wy nie wiecie o tym! A wiecie, co to znaczy, że coś jest automatyczne?

— Nie wiem, panie kapralu!

— To ja wam to, Flowenol, wytłumaczę. No, weźmy taki przykład... jeśli na przykład wasza matka była kurwą, to wy automatycznie jesteście skurwysyn!

I tu cały oddział śmiał się regulaminowo, żeby gnojek był zadowolony i żeby dobrego humoru starczyło mu na resztę dnia.

Oficerowie uprawiali „zagadki" bardziej pod względem intelektualnym wyrafinowane, świadczące o tym, że już nie należą do podoficerów. Pytanie brzmiało:

— Szeregowiec Flowenol, czy wiecie, co to jest dwuznaczny?

— Nie wiem, panie poruczniku!

— Wyjaśnię to wam, Flowenol. Jeśli na przykład żołnierz mówi, że dał facetowi w pysk, to jest jednoznaczne. Ale jeśli żołnierz mówi, że dał babie w pysk, to już jest dwuznaczne, ha, ha, ha, ha, ha, ha, ha, ha, ha!

Gdy usłyszałem ten „dowcip", złamałem rytuał odpowiedzią:

— Niekoniecznie, panie poruczniku.

— Jak to niekoniecznie, Flowenol?!

— Jeśli żołnierz mówi, że dał facetowi w pysk, to też może być dwuznaczne, bo istnieją pedały w mundurach, panie poruczniku.

Miał taki wygląd, jakbym go uderzył w pysk; zbliżył się do mnie i spytał:

— Umiecie grać w szachy?

— Tak jest, panie poruczniku!

— To przez tydzień będziecie czyścić sracz na wartowni, tam kostka jest w szachownicę! I żadnych odwiedzin, Flowenol!

Nazajutrz była niedziela „odwiedzinowa", więc stryj Hubert przyjechał do Korotu, żeby zobaczyć się ze mną. Gdy usłyszał, że jego bratanek „gra w szachy" i że zobaczyć go może na zdjęciu, spytał moich kolegów za co „gram w szachy", po czym udał się do kapitana Taerga. Rozmawiali pełną godzinę. Później Taerg wezwał porucznika, sklął go, a stryj odnalazł mnie na trawniku pod koszarami.

— Ten twój kapitan to równy gość — powiedział. — Miałem z nim ciekawą rozmowę.

— O czym, stryju?

— O rzeczach różnych. Także o wojnie w Wietnamie, czyli o tym, że studentów i absolwentów nie należy powoływać do wojska.

— Dlaczego?

— Bo mają we łbach antywojskowy libertynizm.

— Ale co ma do tego Wietnam, stryju?

— On mi tłumaczył, że jankesi przegrali wojnę wietnamską nie w Wietnamie, tylko u siebie, na skutek młodzieżowych buntów, które były pochodną złej taktyki werbunkowej. Dopóki poborowych brano ze środowisk biednych, panował spokój, ale kiedy sięgnięto po złotą młodzież z collegów i uniwersytetów, zaczął się antywojenny protest-gigant, który ta młodzież organizowała pod hasłami pacyfizmu i humanitaryzmu, a w rzeczywistości tylko dlatego, że chciała ochronić własną złotą dupę. Zgodziłem się z nim, a on zgodził się ze mną, że była tam i judząca ręka Moskwy, jak wszędzie wówczas, czego na przykład nie może pojąć Mateusz, taki z niego kretyn! Ten Taerg podoba mi się bardzo.

— Stryju, jeśli Taerg uważa, że wojo nie jest dla studentów i absolwentów, to niech on mnie zdemobilizuje!

— Nie licz na to, synku. On rozmawiał ze mną jako teoretyk. W praktyce musi robić to, co mu kazano, a jest to twardy żołdak, więc staraj się nie podpaść mu, Nurni!

Starałem się, ale mi się to nie udało. W dniu narodowego święta, tak jak wielu moich kolegów, otrzymałem dwudniową przepustkę. Wykorzystałem ją, by pojechać do nienagannie zbudowanej rozwódki, pracownicy muzeum w miasteczku, w którym dwa lata wcześniej odbywałem praktykę studencką. Pięćsetkilometrowy dystans między miasteczkiem a garnizonem (czyli razem tysiąc kilometrów) pozostawiał na miłość ledwie kilka godzin. Nie zaspokoiłem swego głodu w kilka godzin. A gdy spostrzegłem, że już nie zdążę wrócić na czas, przestałem myśleć o zegarku; uniknąć kary nie mogłem, zaś jaka ona będzie było mi wszystko jedno. Kochałem przez trzy doby i wsiadłem w pociąg, padając z niewyspania. Bałem się zasnąć, by nie przejechać garnizonu, lecz nie utrzymywałem powiek, łoskot kół był silniejszy od mięśni. Zauważyłem jednak, że gdy pociąg staje, ja się budzę. Wpadłem na chytry pomysł: w moim przedziale było kilku żołnierzy, z pewnością jadących do Korotu, więc gdy pociąg tam stanie, będą wysiadać, a ja wysiądę z nimi! Przestałem zwalczać senność. I przyszedł ten moment: pociąg stanął, ocknąłem się, zobaczyłem plecy wojskowych żegnające mój przedział, więc i ja wyskoczyłem z pociągu. Czarna noc, w ciemnościach dworzec wydawał mi się jakiś dziwny... To nie był Korot, lecz stacja przesiadkowa do innego garnizonu! A mój pociąg już odjechał! Tak straciłem jeszcze kilka godzin. Zajechałem do Korotu lokalną ciuchcią, tuż przed świtem. W koszarach mojej kompanii wartownik miał taki wzrok, jakby zobaczył upiora:

— Chłopie, coś ty zrobił! Taerg dostał szału! On cię chyba zabije!

Wlazłem na piętro. Kumple spali koncertowym snem. Była piąta pięćdziesiąt, brakowało kilka minut do pobudki, więc usiadłem w mundurze na łóżku i czekałem. Nagle ryknęły wszystkie alarmowe dzwonki w koszarach. Chłopcy, jak porażeni ogniem, zaczęli wciągać na siebie slipy, skarpety, buty i mundury (regulamin alarmu nocnego dawał sześćdziesiąt sekund na kompletne ubranie się i ustawienie pod bronią na placu przedkoszarowym, rzecz nie do wykonania w takim czasie). Poprawiłem mundur, zdjąłem ze stojaka z pm-ami mój gnat, zszedłem spokojnie po schodach i stanąłem przed budynkiem samotny jak Adam w Raju. Wtem obok zapiszczały hamulce jeepa, wstrzymanego tak gwałtownie, że aż żwir trysnął spod kół. Z jeepa wyskoczył komendant garnizonu, generał Rabon. Spojrzał na zegarek, potem na mnie, i spytał:

— Nazwisko!

— Szeregowiec Flowenol, panie generale! Czwarty pluton piątej kompanii strzelców!

— Brawo, Flowenol! Pięć dni przepustki!

Odwrócił się do adiutanta:

— Zanotuj! Szeregowiec Flowenol, piąta, czwarty pluton! Pięć dni przepustki w nagrodę!

Mój fart trwał do końca alarmu. Taerg, otrzymawszy ze sztabu pochwałę dla mnie i dyspozycję co do pięciodniowej przepustki, wezwał plutonowego i tak ryczał, że całe koszary mogły usłyszeć o czyją mać mu chodziło. Potem mnie wezwał i oznajmił mi, co ze mną będzie. Zamiast przepustki dostałem tygodniowy karcer, a później, zgodnie z obietnicą, „wyrywał mi nogi z dupy" kiedy tylko mógł. Ale nie poinformował generała, tak jak przedtem nie zgłosił, iż podległy mu żołnierz nie wraca z przepustki (nie zrobił tego, bo chronił własną dupę). Więc kiedy miesiąc później szykowano elitarny oddział naszych wojsk, który z ramienia sił pokojowych ONZ miał jechać do Negrów, generał Rabon przypomniał sobie „tego znakomitego chłopaka z piątej" i zostałem wcielony, w stopniu sierżanta, do oddziału eksportowego. Taerg pojechał również i również awansował, był majorem.

Wysłano nas do środkowoafrykańskiej Langi, gdzie plemienna wojna zamieniła w perzynę pół kraju. Mieliśmy (obok kontyngentów brazylijskiego i szwedzkiego) nadzorować rozejm wzdłuż linii dzielącej zwaśnione strony. Pierwszy miesiąc zszedł na budowie barakowiska; następne były sielanką bez znoju, czekoladowa skóra tamtejszych samic była afrodyzjakiem i tylko żarcie nudziło się szybko: ciągle trzeba było żreć ONZ-owskie puszki, bojowe racje MRE (Meal Ready to Eat — posiłek gotowy do spożycia), które nazywaliśmy Meal Refused by Ethiopia (posiłek odrzucony przez Etiopię). Prawie każdemu ten egzotyczny urlop pasował bardzo, ale mnie nie pasował, bo Taerg nie przestawał „wyrywać mi nóg" — już po tygodniu byłem zdegradowany, gdyż jakaś czarna dama została aresztowana za bieganie w moim mundurze. O tym, że pan major ma swego chłopca do bicia, wiedzieli wszyscy i niejeden lizus też próbował dać mi w kość, lecz to się dla każdego z takich źle kończyło: Taerg bezlitośnie karał cwaniaczków, pokazując, że ma monopol na gnojenie mojej osoby. Nienawidziłem skurwysyna, w duchu przysiągłem mu śmierć.

Negrom szybko znudził się pokój. Wzmocnieni świeżym sprzętem przez patronujące im mocarstwa, znowu rozpętali piekło. Kontyngent ONZ-owski próbował ugasić ten pożar i sam spłonął jak busz. Ocalało kilkudziesięciu ludzi, większość Brazylijczyków, trochę Szwedów i trochę naszych, w tym ja i Taerg. Samoloty, które miały nas ewakuować, strącono za pomocą rakiet Stingerflame, samochody zostały unieruchomione przez brak benzyny. Generał Santos stanął na czele niedobitków i zarządził odmarsz. Przebijaliśmy się do jeziora Kallo. W małej wiosce, której nazwy nie pamiętam, zostaliśmy otoczeni. Prócz kobiet i dzieciaków nie było tam nikogo, najstarszy chłopiec miał dziesięć lat. Oblegający chcieli ich wyrżnąć, ale ponieważ twardo broniliśmy tej wiochy, zaproponowali nam furtkę z kotła. Ich szef powiedział naszemu:

— Wy nas nie obchodzicie, idźcie stąd! Przez dwadzieścia cztery godziny nie będziemy strzelać. Potem zabijemy każdego, kto tu zostanie!

Santos się zgodził. Taerg podszedł do niego i zawarczał:

— Jak panu nie wstyd, generale!?

— O co chodzi, majorze?

— O to, że pan skazał na śmierć te kobiety i te dzieci! Proszę cofnąć rozkaz wymarszu!

— Proszę mnie nie pouczać i wypraszam sobie ten ton, majorze Taerg! — krzyknął Santos. — Znam swoje obowiązki! Moim naczelnym obowiązkiem jest uratować moich podwładnych! Zostając tu nie uratujemy ani siebie, ani tych Murzynów! Ale jeśli panu roi się bohaterstwo i męczeństwo, może pan zostać, zmuszał pana nie będę.

— Dobra — rzekł major.

— Co dobra?

— Zostanę tu.

— Bóg z panem. Pułkowniku Haldrin, sformować kolumnę marszową!

Taerg poprosił o ckm, skrzynkę amunicji i trochę granatów. Santos odmówił. Major sięgnął po spluwę, ale wówczas Brazylijczycy wymierzyli w niego broń. Ja siedziałem u wejścia do murzyńskiej chaty, bawiąc się z gromadką dzieciaków. Wstałem, wyjąłem granat, włożyłem paluch w zawleczkę, a dłoń (na oczach całego oddziału) w plecak z granatami i podszedłem do generała.

— Mogę to zatrzymać, panie generale?

— Chcesz zostać razem z nim, durniu? — spytał Santos.

— Albo polecieć z panem i z pańskimi gówniarzami do nieba, od razu!

Nie mogli strzelać, gdyby ten plecak wybuchnął, w promieniu kilkudziesięciu metrów leżałyby tylko trupy. Teraz Taerg zażądał dwóch ckm-ów z amunicją i od ręki je dostał. Mnie spodobał się moździerz, więc Taerg też wziął moździerz, żeby było po jednym dla każdego. Wymierzył ckm w Brazylijczyków i Szwedów, po czym rozkazał:

— W tył zwrot i niech was diabli!

A mnie zapytał:

— Dlaczego zostajesz?

— Chcę zobaczyć jak pan major będzie umierał. Gdybym odszedł, straciłbym tę przyjemność!

Uśmiechnął się:

— Wolnego, Flowenol! Nie tak łatwo mnie skasować! Chodź, ustawimy maszynki.

Widząc, że ja zostaję, zostało jeszcze sześciu naszych chłopaków: porucznik Kray, sierżanci Grotius i Welter, oraz Zeurtine, Matakers i Altan. Przez dwie doby napastnikom nie udało się zbliżyć o metr, ale jechaliśmy już na ostatnich pestkach, a granaty poszły co do jednego. I wtedy zdarzył się cud, przyszła odsiecz; to nie nas wyrżnięto, lecz tych, którzy chcieli wyrżnąć nas. Ziomkowie szczepu, do którego należała ta wieś, ucięli napastnikom głowy, odprawili wielkie święto na cześć ośmiu białych „bwana" i dali nam landrover (z zapasem benzyny) jako honorarium.

Po trzech miesiącach znaleźliśmy się w Aleksandrii, skąd zabrał nas do Nolibabu okręt floty wojennej. Na nolibabskim nadbrzeżu ujrzałem mojego przyjaciela, Roberta Granta, który się bawił w dziennikarstwo. Zapytałem:

— Co tu robisz?

— Czekam na bohaterów! Mam przeprowadzić z wami wywiad, i to ma być jazzowy wywiad!

— Płyń! Przeprowadź sobie z Taergiem, tylko pamiętaj, że od wczoraj to pułkownik, a nie major.

— Wiem. Kiedy wypijemy?

— Jak się nakąpię i naśpię. Teraz gnam do domu, nie widziałem ojca już tak długo...

Spojrzał na mnie zdziwiony:

— Jak to ojca?

— No ojca, mojego starego!

— Nurni, to ty nic nie wiesz?!

— Co mam wiedzieć?

— Twój stary zniknął, miesiąc temu!

— Zniknął?!... Gdzie zniknął?

— Nad morzem. Wziął swoją awionetkę, poleciał w kierunku morza i nie wrócił. Mówią, że popełnił samobójstwo, ale inni mówią, że bezpieka maczała w tym palce. Taki jazz!...

Czułem jak całe ciało zamienia mi się w kawałek galarety.

— Dlaczego miałby popełnić samobójstwo? — zapytałem wargami z galarety.

— Nie wiem. Wiem tylko, że przesłuchiwała go enbecja i że wyrzucił żonę z domu, a kilka tygodni później odfrunął. Ale ten jazz na tym się nie kończy... O swoim stryju słyszałeś?

— O którym stryju?

— O tym z różowej partii. Jego też przesłuchiwała bezpieka. Zatłukli go.

— Nie żyje?!

— Nie żyje, choć chwilowo pozostał przy życiu. Zatłukli go nie na śmierć, kona... Nurni, bardzo mi przykro... I bardzo mi głupio, że to ja jestem tym jazzmanem, który ci to zagrał pierwszy...

Jadąc do domu myślałem o Miriam. Była moją macochą, siostrą bliźniaczką żony stryja Mateusza, która nosiła to samo imię. Stary poznał ją na weselu Mateusza, a ożenił się z nią w trzy lata po śmierci mojej matki, gdy kończyłem czternasty rok. Miała skórę bielszą od śniegu; stosowała roztwór, który likwidował opeleniznę — pamiętam ów flakonik wypełniony miksturą z białka, soku cytryny i alkoholu francuskiego. Zawsze odejmowała sobie dziesięć lat i to z powodzeniem — uchodziła za dużo młodszą, gdyż natura pomagała jej w tym oszustwie. Mając wrodzony talent do słodkiego rysunku w typie kart z życzeniami, była nauczycielką — uczyła dzieciarnię z nuworyszowskich elit rysować kotka lub motylka. Była kobietą stworzoną do skąpych, obcisłych strojów i do spódniczek mini, więc jeśli nawet pokazała tylko twarz, chciało się zobaczyć wszystko. Była przez mojego ojca uwielbiana; niczym czarodziej spełniał jej kaprysy. I była moją miłością od pierwszej chwili kiedy ją ujrzałem. Odkąd ją ujrzałem, czułem się jak nikczemnik, który wyrządza podłość swemu ojcu.

Nigdy, żadnym gestem lub spojrzeniem, nie dałem tego poznać, ale być może jej instynkt odkrył prawdę, gdyż czasami uśmiechała się do mnie drwiąco, z tym milczeniem, które tak wiele mówi. Przez wszystkie lata ich małżeństwa była jedyną treścią moich snów. Żyłem w przerwach między snem a snem, żyłem o b o k każdej naszej wspólnej nocy, wędrowałem marginesami mroku, i kaleczyłem sobie powieki o światło dnia, o myśli dzienne, o wydarzenia na jawie, o każdą kobietę, którą zastępczo brałem w ramiona i o każdego mężczyznę, który rozmawiał ze mną. W każdym obszarze — w polu głupiej wesołości i w strefie głębokiego smutku. Wewnątrz absolutnej ciszy i na falach każdej melodii, choć żadna melodia nie przypominała mi tego mocniej niż muzyka Chopina, owa przedziwna muzyka — jakby krople deszczu spadały na klawiaturę... Wszędzie widziałem jej twarz, także wtedy, gdy byłem od niej bardzo daleko

— na studiach, w armii i w langijskim buszu. Chociaż nie ośmieliłbym się jej dotknąć — nigdy nie miałem innej kobiety. Te kobiety, które miałem, były kochankami testosteronu w moim ciele. Kochałem się tylko z nią.

Nacisnąłem dzwonek obok furtki. Robiłem to przez kilkadziesiąt sekund. Potem — nie chcąc, aby taksówkarz, któremu kazałem czekać, sądził, iż wdzieram się bezprawnie — obszedłem dom i nie znalazłwszy mojej dziury w ogrodzeniu, przeskoczyłem parkan. Drzwi i okna były zamknięte. Wróciłem do taksówki, nie wiedząc jaki wybrać adres, gdyż stryj Hubert mógł być w swoim domu lub na statku. Okazało się, że niczego nie muszę wybierać, za mnie wybrano. Przy taksówkarzu stał jakiś typ, który wręczył mi bezzwłoczne zaproszenie do komisarza Krimma. Krimm puścił z magnetofonu głos mojego starego i napompował mnie jeszcze większym gniewem...

U stryja Huberta zjawiłem się dopiero pod wieczór. Miał wszystkie klucze do mojej willi i zmęczoną twarz. Kiedy spytałem, co zaszło między Miriam a moim starym, mruknął:

— To samo, synku!

— Znaczy co, stryju?

— To samo, co między Mateuszem a jego Miriam: facet udał się do kinematografu, ale trafił do burdelu, na skutek braku orientacji. Jest takie wschodnie przysłowie, synku: „Gdy los się do ciebie uśmiecha, spotykasz przyjaciela, gdy los jest przeciwny — piękną kobietę”...

— Co zaszło, stryju!?

— Wpadła tak, jak syjamska siostrzyczka, tylko nie na kurewstwie, lecz na jeszcze gorszym kurewstwie, współpracowała z bezpieką.

— W domu czy w szkole?

— Mnie pytasz?... Ją zapytaj, albo w NB zapytaj, albo Pana Boga zapytaj!

— Kto to odkrył?

— Fred.

— Jak?

— Nie wiem jak.
— Więc skąd to wiesz?
— Od niego.
— I nie powiedział ci jak?
— Nie powiedział, nie chciał się spowiadać nikomu!... Próbowałem go ciągnąć za język, ale... Jakiś enbek musiał to nadać, enbek, który przestał lubić swoją firmę.
— Donos od „życzliwego"?
— W tym celu wymyślono poczty i telefony.
— To mógł być jakiś złośliwiec, jakiś sfrustrowany palant, jakaś menda...
— Nurni, twój ojciec był idiotą, ale nie był łachudrą, nie uwierzyłby bez dowodów. Ten złośliwiec musiał mu dać lub sprzedać niepodważalny dowód, jakieś taśmy, dokumenty...
— Masz pewność, że autentyczne, że nie fałszywe, nie spreparowane idealnie?
— Nie mam nawet pewności, że tak było, że dowiedział się w ten sposób. Ale jeśli tak było, to po co mieliby fałszować dokumenty?
— Żeby dokopać!
— Jemu? Nie sądzę, żeby chcieli mu dokopywać, woleli go pilnować. Każdy człowiek sławny jest niebezpieczny, a żona jest lepsza od podsłuchu telefonicznego i tańsza od psów.
— Czyli nic nie wiesz! Jedynie spekulujesz!
— Wiem to, co on mi powiedział! Powiedział, że była konfidentką i że wykopał ją za furtkę.
— To wie nawet Grant!
— A skąd mam znać szczegóły? On nie chciał z nikim rozmawiać, zamknął się u siebie i nie wychodził przez miesiąc, nie odbierał telefonów, nawet nie wiem, czy coś jadł, czy tylko pił... A potem udał się na lotnisko...
— Czyli nic nie wiesz!!
— W porządku! Nie wiem, czy to robiła, lecz wiem, że mogła to robić!
— A to skąd wiesz?

— Z lektury, umiem czytać we wzroku. Fred był analfabetą, dlatego nie dostrzegał, że ma fałszywą kobietę.

I zaraz „ugryzł się w język" (żeby zmienić temat, bo speszyłem go, wykazując mu, że nie wie nic); roześmiał się:

— Przepraszam, to jest pleonazm inaczej zwany tautologią!

— Co jest tautologią?

— Określenie „kobieta fałszywa". To masło maślane, fałszywe są wszystkie baby, nie sądzisz, synku?

Gówno mnie obchodziło, czy wszystkie kobiety są fałszywe, bardziej poligamiczne, mniej warte et cetera; nie chciałem słuchać prelekcji z jego ulubionego przedmiotu, ani roztrząsać, czy jakieś powiedzenie jest, czy nie jest tautologią, chciałem się tylko wywiedzieć o Miriam.

— Stryju, po tym, co się stało, jesteś do niej uprzedzony!

— Ależ tak, ależ tak! Kiedy przez dziwkę umiera ktoś, kogo kochałeś, to jesteś do takiej dziwki nadzwyczajnie uprzedzony! Bo zwyczajnie uprzedzony do niej, to ja jestem już od kilku lat, odkąd byliśmy razem w Bangkoku. Pojechałem tam, żeby zobaczyć, jak funkcjonują azjatyckie burdele. Fred i ona pojechali ze mną, a właściwie to ja pojechałem z nimi, bo Fred miał w Bangkoku wystawę swoich prac i chciał zwiedzić zabytki tajskie. On zwiedzał zabytki, ja zwiedzałem zamtuzy, i wszystko było w porządku, póki ona nie zapragnęła, żebym ich wziął na tajskie „porno-live". Wiesz o czym mówię?

— Domyślam się, stryju.

— To jest rzeźniczy spektakl, Nurni, nigdy bym czegoś podobnego nie zaakceptował na „Santissima Trinidad". Więc kiedy ona wyraziła takie życzenie, zrobiłem kwadratowy wzrok. Ale nie ja brałem z nią ślub, wyobraź sobie Freda! Najpierw myślał, że ona głupio żartuje, miał ją za świętą. Okazało się, że nie żartuje! Od słowa do słowa i zaczęli się potwornie kłócić, Fred dostał szału. Przegrał. Wymusiła to, grożąc, że jak jej tego nie pokażemy, pójdzie oglądać sama albo z pierwszym lepszym Tajem! Spektakl trwał półtorej godziny. Najpierw pieprzenie, Taj z Tajką, potem drugi Taj z Tajką, jedyna ciekawa rzecz przy tym, iż tajski fiut jest dwa razy mniejszy od naszego, szparag. Ale gdy zaczęły się produkować same panie!... Nurni! To, co kobieta potrafi robić, używając sromowych warg jako palców, to jest najczystsze prestidigitatorstwo! Strzelały korkami i piłeczkami pingpongowymi, podpisywały się flomastrem, zdejmowały monety z blatu stołu i nawet odkapslowywały butelkę z colą! Choć jestem erotomanem, Nurni, to mi nie przypadło do smaku. A jej tak! Był półmrok i cholerny dym papierosowy, mógłbyś zawiesić siekierę, lecz to mi nie przeszkadzało widzieć błysków w jej oczach. Gdy wracaliśmy do hotelu, zasunęła rzewną mowę. Chciała tylko ujrzeć jaki ten świat jest straszny, jak ludzie są zepsuci i podobne bla-bla-bla dla frajerów. Trudno w to uwierzyć, ale przekonała go, tym pieprzeniem i cielesnym pieprzeniem, zaraz po powrocie. Odtąd już umiałem czytać w jej wzroku. Fred nie umiał tego nigdy.

— On ją kochał!

— Wiem, Nurni, każda ślepota ma swoje źródło. I każda głupota też! Miriam przez parę lat nie opuściła niedzielnej mszy, aż tu ni stąd ni zowąd, mniej więcej w tym samym czasie, kiedy byliśmy w Bangkoku, przeszła na ateizm i jemu to nic nie powiedziało! Mnie powiedziało, ale myślałem, że chodzi o gacha, nie o robotę dla NB. Zresztą może i miała gacha, jedno nie przeszkadza drugiemu, dużo częściej pomaga. Z kobiet i pedałów robi się kapusiów łatwiej niż z mężczyzn, służy do tego seks oraz szantaż związany z seksem, czyli seks i tylko on.

Tym mnie już zupełnie wkurzył:

— W obronie żony stryja Mateusza wygłosiłeś bardzo piękną mowę!

— Żona Mateusza nie ukradła mi brata, synku!

— A skąd wiesz, że to Miriam ukradła ci brata, jeśli nie wiesz nic?! Może ukradła ci go ta sama ręka, która Mateuszowi zamieniła ciało we wrak nie do remontu? Może samolot był „podrasowany"?...

— Słyszałeś coś na ten temat?

— Słyszałem, że bezpieka maczała w tym palce!

— Od kogo?

— Od Granta, stryju.

— A on?

— Pewnie od ludzi.

— Od ludzi!... Ja bez dowodów uważam ją za enbecką sukę i ty się o to wściekasz, chociaż wiadomość pochodzi od twojego starego, ale w plotkę od dziennikarza, dla którego wymyślanie takich sensacji to nałóg, byłbyś skłonny uwierzyć! Ja nie! Znajdą się dowody, czy choćby mocne przesłanki, wówczas wrócimy do tematu...

— Same się nie znajdą!

— A ty chcesz, żebym ja ich szukał?

— Chcę, żebyś mi pomógł, sam nie dam rady.

— Co takiego?!!... Nawet nie próbuj, gówniarzu, bo załatwią się z tobą jak z Mateuszem! Musisz czekać!

— Na Sąd Ostateczny, stryju?

— Na to, że zmądrzejesz, Nurni!

Pokłóciliśmy się, a później upiliśmy — pierwszy raz piłem z nim alkohol. Nie był pijakiem i nawet stronił od alkoholu, lecz klęski mego ojca i Mateusza zadały mu cios, znajdował się w kiepskiej formie i potrzebował się napić z kimś bliskim. Pijąc gadał o Miriam i o ojcu. Nic konkretnego — swoim zwyczajem „filozofował", tak długo, aż doszedł do tezy:

— To nie enbecja go zabiła i nie baba, tylko postęp, synku!

— Jaki postęp, stryju?

— Normalnie... postęp! Rozwój cywilizacyjny! To właśnie on pogrzebał resztki tego, co było małżeńskim katechizmem praw i obowiązków, dając ludziom samowyniszczającą wolność. Nawet dzieci w małżeństwie płodzi się przez głupie wpadki na wakacjach, lub pod wpływem wideokasety porno, lub na gazie. Kiedyś robiło się dzieci z innych motywów... Ten sam postęp przykopał Mateuszowi. Kiedy co krok możesz kupić kolorowe pisma, w których tysiące kobiet pokazują wnętrze swej pochwy, to świat nie może nie być seksualną rzeźnią, spełnionym komunistycznym rajem, gdzie kobiety należą do wszystkich... I dobrze! Ja na tym zarabiam, nie mogę się opędzić od pań szukających roboty lub uciechy na statku... Polej, Nurni, bo mi w gardle zaschło...

— Stryju, druga minęła...

— Dlaczego mnie o tym informujesz?

— Bo się nie wyśpisz.

— Chcesz mnie zostawić samego?... W porządku, mnie samotność nie zabija. Ani nie grozi mi niczym, nie jestem jak twój ojciec, nie należę do cudzoziemców.

— On też nie należał do cudzoziemców!

— Należał, Nurni, należał!... Polej!... Wypijemy strzemiennego!

Przełknęliśmy strzemiennego, więc mógł kontynuować:

— Zrozum, drogi chłopcze, że to był Marsjanin! Każdy z ludzi wybitnych jest cudzoziemcem w każdy miejscu, nawet w swoim domu, pośród najbliższej rodziny, właśnie przez swą wybitność, czyli odrębność, czyli inność. Nie ja to wymyśliłem, to rzecz znana, zdiagnozowana i opisana, i tak oczywista, że nie podlega dyskusji. Fred wobec swojej psiej żony nie mógł być partnerem, był intruzem z Marsa, był obcy, nigdy nie rozumiany i nigdy nie zaakceptowany. Całe rzesze mogą takich ludzi akceptować i adorować jako twórców, lecz taki człowiek w bliskim kontakcie zawsze jest cudzoziemcem. Nie znalazł wielkiej kobiety, która mogłaby to udźwignąć, trafił na taką, na jaką trafił, i nie ma się co dziwić, że Miriam nie udźwignęła tego, że zatęskniła do swojskiego układu, pies chce psa! A poza tym, mój chłopcze...

Urwał i rozejrzał się wokoło.

— Co poza tym, stryju?

— Zdradzę ci sekret!... — szepnął, kładąc palec na ustach. — ... Fred był jeszcze bardziej winny! Ot co!

— W jaki sposób?

— W straszny sposób!... Bo widzisz, chłopcze...

— Tak?

— ... tyrania miłości, szlachetności i wiedzy to coś, czego kobieta zbyt długo nie może znieść, prędzej czy później musi mieć tego wyżej uszu! Taki terror jest nie do zniesienia, jeśli to rozumiesz, to rozumiesz ją...

Potrzebował dużo whisky, żeby i dla niej wygłosić obrończą mowę.

— Stryju, gdzie teraz jest Miriam?

Kontynuował tę mowę, nie zwracając na mnie uwagi:

— ...to rozumiesz ją, i rozumiesz wszystko. Fred zgrzeszył przeciw człowieczeństwu. Orwell słusznie pisał w swoich „Rozważaniach", iż bycie człowiekiem polega na unikaniu szukania doskonałości i na niepraktykowaniu moralnego ascetyzmu, bo to psuje przyjaźń lub miłość. Wiedział, jaką cenę trzeba nieuchronnie płacić za kochanie jednej istoty ludzkiej, i uważał, że to jest cena do zapłacenia, w każdym razie coś lepszego niż świętość, której trzeba się wystrzegać bardziej od nikotyny i alkoholu.

— Stryju, gdzie jest Miriam?

Wzruszył ramionami, zadzwonił po taksówkę i wypił drugiego strzemiennego. Dając mi klucze do willi ojca, przyjrzał się im tak, jakby chciał je opluć, i rzekł:

— Cóż zostaje z pomników naszej pychy, synku?... Kupa ruin, pustka, która chichocze szyderczo. Żal mi cię, że musisz tam iść...

Musiałem tam iść, to był mój dom, tam miałem pokój na strychu i wszystkie wspomnienia z dzieciństwa.

W ciemnościach ogród utracił swą tożsamość, zmienił się w bezkształtny masyw pozbawiony uroku. Drzwi zaskrzypiały na powitanie. Hall, z prawej kuchnia, z lewej korytarz do pracowni starego, na wprost salon, wszystko w kurzu, w siatkach pajęczyn i w upiornej ciszy, od której czułem się jak złodziej korzystający z nieobecności domowników. Chociaż znałem tutaj każdy kąt, wydawało mi się, że stąpam po dziwnym muzeum, budzącym ciekawość i lęk. Uświadomiłem sobie, że on musiał tu tak samo krążyć, kiedy nie było jeszcze pajęczyn i kurzu, ale już jej nie było; i również musiał odbierać siebie tak, jakby szukał czegoś w obcym miejscu, bo bez niej ten piękny dom stał się pięknym grobowcem: ściany, sufity i kolory przestały promieniować, ciepło zamieniło się w lód, mobilność w skamieniałość, życie w śmierć, a melodia w obuch ciszy. To już nie był ten sam dom. Zniknięcie Miriam przeistoczyło każdy jego fragment — meble, obrazy, donice kaktusów, sprzęty i żyrandole — w nagrobki zapomnianego kirkuta, gdzie nikt nie przyjdzie ani z potrzeby, ani z obowiązku. W takich chwilach okazuje się jak ważne są rzeczy nieważne. Wszystkie te drobne gesty, nawyki, codzienne posiłki i zdawkowe słowa, bibeloty i skrzypienia zawiasów, każdy potoczny rytuał i lekceważony przedmiot. Cała owa banalność powszedniego dnia, gdy zniknęła, urosła do rangi religii, tym większej, że straconej bezpowrotnie. Piękno ujawniło swą drugą twarz, mniejszą, lecz istotną — jest nie tylko w uczuciach, jest i w rzeczach, którymi czas rozsiewa nostalgię, tak jak poeci, aby trafić do serc, używają zwykłego papieru i długopisu.

Musiał krążyć po wszystkich tych kątach niczym zranione śmiertelnie zwierzę, cierpiąc, ignorując telefony i zadając sobie pytania, na które mógłby odpowiedzieć tylko Szatan lub Bóg, albo siedział godzinami w wielkim fotelu obok kominka, przywołując ludzkie twarze, słowa, zdarzenia i daty, z których los uplótł jego drogę nad wielką przepaść, i których nie można wskrzesić po to, żeby nadać im inny kierunek. Był jak wielki monarcha opuszczony w swym pałacu przez dwór, gdy Rzym rzuca klątwę, widział ich wszystkich i słyszał, ale nie mógł już naprawić niczego. Był królem w królestwie cieni.

Ruszyłem do schodów, na piętrze czekała sypialnia. Ściany zdobione grafikami szkoły Montparnasse, podwójne empirowe łóżko, szafa, komoda i toaletka, przed nią miękki taboret, u stóp dywan puszysty jak trawnik. Zrozumiałem, że gdy wszedł tutaj po jej odejściu — stało się najgorsze. Dopiero tutaj; przedtem myślał, że jego ból już nie może być większy. Wszedł i rozdarło mu słuch. Usłyszał ciszę swego mieszkania. Ciszę piwnic, zamkniętych strychów i górskich szałasów. Ciszę samotnej nocy, otępiającą jak muszle przystawiane do uszu, bezsensowną jak mroczna pustka amfory po wypitym winie, smutną jak powrót z kolejowego dworca lub cmentarza. Usłyszał swoją zbędność.

Zamknąłem oczy i zobaczyłem go kiedy idzie przez ogród i dźwiga tę niewiarygodną prawdę, którą ktoś mu sprzedał, ktoś mu podrzucił lub ktoś mu przyniósł jak Apollo Wulkanowi wieść, iż Wenera go zdradza. Był środek zimy, wszędzie pełno białego puchu. Płatki skrzypiące pod nogą i spadające na powieki niczym grad srebrnych monet, drzwi coraz bliżej, klamka rozpalona do białości... Ujrzałem z bliska jego twarz. Przypominała zaklęty kamień, i cały miał coś z nieruchawych, łagodnych monumentów: ciężkie, powolne ruchy, wielkie buciory, sztywną niezdarność kroczenia i nieobecny uśmiech, a gdy już zabrudził śniegiem schody i wszedł tutaj — basową artykulację głosu pytającego czemu popełniła takie skurwysyństwo? Widziałem jego oczy; była w nich śmierć Miriam, lecz nagle coś w nich zgasło, i zrezygnował z tego zamiaru. Stał, patrząc na nią, i czekał, co mu odpowie, i już wiedział, że jest godny tylko politowania. Nie dlatego, że ślepo wielbił tę kobietę, lecz dlatego, że nie umiał zabić lub wybaczyć. Klęska obnażyła jego słabość — nie potrafił przekroczyć progu owej mitycznej wielkości, jaką jest zbrodnia lub bezgraniczne poświęcenie.

Widząc ich stojących twarzą w twarz, zdałem sobie sprawę z tego, że w świecie istot, które krzywdzą się wzajemnie bez ustanku, naprawdę może skrzywdzić człowieka tylko dwoje ludzi obdarzanych przezeń wielkim uczuciem: ktoś, kogo ów człowiek bardzo kocha, i on sam. Inne krzywdy nie istnieją.

W łazience leciała z kranu woda brązowa od zardzewiałych rur, ale coraz bardziej bladła i w końcu ujrzałem wodę czystą, mogłem wejść do kąpieli. Obudziłem się przed południem, założyłem cywilne ciuchy i wybiegłem na miasto. W barze zjadłem hamburgera i pojechałem do hospicjum benedyktynów, żeby przywitać się ze stryjem Mateuszem. Spotkałem tam stryja Huberta; razem wyszliśmy, a gdy skończył przeklinać duchowieństwo i zamilkł na jakiś czas, powiedziałem, że nie chcę mieszkać w moim domu.

— Byłem tego pewien — mruknął. — Nikt nie chce spać na katafalku.

Wracając z Langi widziałem w Kairze takich, co chcą; pokazano mi tam cmentarz pełen wielkich grobowców i w każdym mieszkała bezdomna rodzina, formalnie na dziko, ale praktycznie za zgodą władz, gdyż skanalizowano im te grobowce. Lecz oni nie mieli wyboru, podczas gdy ja chciałem sprzedać mój dom i kupić coś własnego.

— Na razie u mnie zamieszkasz — rzekł stryj — i odnajdziesz szanowną macochę, bo to jej spadkowa własność. Bez jej zgody nie możesz tego sprzedać, synku.

— A gdzie ją znajdę?

— Nie wiem, Nurni. Może wróciła do gniazda rodzinnego... Zacznij tam. Jeśli żyje jej ojciec, to uważaj, łobuz! Kiedyś był sołtysem w swojej wsi, potem gajowym, w końcu dostał leśnictwo. Enbecja zawsze miała z niego pociechę, nadzorował lokalne wybory w czasach niejednego reżimu. Patologiczna menda o mordzie szlachetnej, taki sympatyczny!

— Znasz go?

— Znam go! Parę razy go widziałem, ostatni raz na weselu Freda. Nie lubił Freda, choć bardzo udawał, że lubi i szanuje. Wirtuoz mimikry!

— Dlaczego nie lubił ojca?

— Myślę, że zazdrościł zięciowi sztywnego karku. To jest typowe u ludzi, których słabość, irytująca ich samych, polega na tym, że zawsze przychylają się do zdania tej persony, z którą akurat rozmawiają. Tacy ludzie w każdej sprawie wyznają pogląd swego ostatniego rozmówcy, jeśli nawet nie duchem, to nałogowym potakiwaniem, i dlatego uchodzą za grzecznych i sympatycznych czyli dobrych. I takimi bardzo łatwo manipulować. Politycznie też. Zdałeś już broń?

— Mam urlop miesięczny. Później jadę do Korotu, zdaję wyposażenie i szluś.

— To weź do tej wiochy pukawkę, będę spokojniej drzemał.

Samochodu nie miałem, rdzewiałby tylko podczas mojej służby. Stryj miał; był to Rollce Royce pieszczony przez szofera osobistego. Natomiast Grant posiadał normalny samochód, więc do niego zaszedłem z prośbą, żeby mnie podrzucił na prowincję. Ale kiedy otworzył drzwi, zobaczyłem półtrupa i zrozumiałem, że przez pewien czas nie będzie mógł prowadzić wozu. Wyglądał koszmarnie. Nigdy nie był chodzącą pięknością, brakowało mu klasycznej urody, ale za to nie brakowało mu szatańskiego wdzięku i chyba jeszcze czegoś szatańskiego, bo baby stały do niego w kolejce (używając cudzych słów: gdyby Robert poszedł do nieba, wszystkie anielice poszłyby do piekła). A teraz przypominał zleżały, surowy kotlet; miał twarz ciemną od sińców i strupów, przekrwiony wzrok i był pijany. Kazał mi wejść, usiąść, po czym dał mi szklankę z burbonem. Zapytałem go:

— Kto cię tak natłukł?

Machnął dłonią.

— Robbie, mnie chyba możesz powiedzieć!... Bezpieka?

— Nie, ja sam, Nurni...

— Pobiłeś się własną pięścią, co?

— Sam jestem winien, wlazłem w tłum pieprzonych jazzmenów...

— W jaki tłum?

— W ten, który oklaskuje „Starca".

„Starzec" funkcjonował już wtedy, gdy ja wyruszałem zwiedzać Afrykę, lecz wówczas nie ściągał tłumów. Przybył diabli wiedzą skąd. Miał rytualny atrybut proroka — białą brodę — i nauczał tego wszystkiego, czego bezskutecznie nauczało wielu proroków, począwszy od Echnatona, Chrystusa, Buddy i Franciszka z Asyżu. Głosił swoją doktrynę ze skał na brzegu morskim, blisko starych doków floty wojennej. Ludzie, którzy go oklaskiwali, mieli go za Mesjasza, podczas gdy Kościół uważał go za sekciarza, stryj Hubert za cwaniaka, a media za fotogeniczną sensację na rozkładówki niedzielnych magazynów.

— Kazano ci zrobić reportaż i kilka zdjęć? — spytałem Granta.

— Nawet nie to... Ale chciałem go wysłuchać, bo zdychałem od nudy.

— Po jaką cholerę pragnąłeś go słuchać?

— A kogo mam słuchać?... To jedyny facet, którego jeszcze można słuchać w tym kraju!... To, co w tym kraju jest najgorsze, Nurni, to parszywa nuda seksualna oraz intelektualna... Wszystkie baby się uwzięły, żeby się upodobnić, co jest winą seksualnych poradników, których one się uczą na pamięć, jak już obracasz jedną, to tak, jakbyś miał każdą inną! A intelektualnie to samo, pustynia, gówniany jazz! Żadnego ożywczego kierunku, żadnego porywu myśli. Degrengolada duchowa, twórczy kabotynizm, permanentne robienie minety decydentom-przygłupom i niedorobionym krytykom! I ogólnie kultura komiksu... Świat Spenglera!... Salony, owszem, są, ale przypominają bydlęce targowisko, to wystawa spekulantów i karierowiczów o nuworyszowskim intelekcie. Wariatów też od cholery, lecz to są wariaci na ponuro. A tu pojawia się wariat na wesoło, pycha! Cudowne jam-sessions! Wiesz co wczoraj improwizował ten świrus?

— Skąd mam wiedzieć?

— Propagował antykoncepcyjny przepis Savonaroli: namawiał młode mężatki i dziewczęta szykujące się do ślubu, żeby w małżeństwie zachowywały zupełną wstrzemięźliwość seksualną. Taki jazz! Bomba!

— Tylko młode mężatki?

— Tylko.

— To oznacza, że nie jest świrem, wie, że doświadczona mężatka daje mężowi skąpo, nie trzeba jej odstręczać od małżeńskiego seksu. Zna się na kobietach.

— Jasne. Jeśli ten gość nie obejrzał się w chwili przyjścia na świat, to chyba nie wie jak zbudowana jest kobieta!...

— Tam cię potłuczono, kpiarzu?

— Tam.

— Za jakie grzechy?

Znowu machnął ręką i sam spytał:

— Z czym przyszedłeś?

— Chciałem pożyczyć wóz.

— Szerokiej drogi, jeśli tylko nie będzie ci wstyd do niego wsiąść.

— Dlaczego ma mi być wstyd?

— Bo też dostał manto. Blacha pokopana, tylna szyba wybita, i tak dalej. Była kupa jazzu, jest kupa szmelcu.

— Dostał manto od tych samych kozaków, od których ty dostałeś manto?

— Uhmm.

Musiało go to boleć bardziej niż najczarniejszy siniak — Robert był jednym z tych motoryzacyjnych wariatów, którzy do samochodu mają seksualny stosunek; bez kobiety dłużej by wytrzymał niż bez auta, i co roku jeździł na salon paryski, by w tym raju zakosztować uniesienia samochodowego. Spytałem:

— Grant, coś ty tam zbroił? Co oni mieli do ciebie?

— Mieli inne poglądy na pewien rodzaj jazzu...

— Jaki?

— Chodziło o sprawiedliwość. Ten świrus o niej gadał.

— A tyś słuchał, więc o co...

— Gdybym tylko słuchał, to miałbym wóz i nos w porządku. Wdałem się z jego akolitami w polemikę...

— W jaką polemikę?

— Mówiłem ci już, na temat spra-wie-dli-woś-ci! Udowodniłem im, że gdyby zapanowała powszechna sprawiedliwość, byłoby to coś najgorszego, najgłupszy rodzaj jazzu, bo to okradłoby ludzi z pragnień i marzeń, świat stałby się gnijącą w spokoju kałużą, w której każda kropla wody gniłaby równomiernie obok innych. Byłby to zabójczy stan wiecznego spoczynku, w którym zatarłyby się wszelkie różnice między jednostkami, jak w kupie żwiru, gdzie kamyk numer jeden i kamyk numer milion niczym się nie różnią od wszystkich pozostałych. To tak jak ze szczęściem...

— Nie wiem o czym mówisz, Grant.

— Mówię, że to tak samo, jak ze szczęściem. Gdyby nie było nieszczęścia, nikt nie wiedziałby, co to jest szczęście, byłby to jazz dla głuchego, byłaby to kategoria nie pojmowana, stan nie przeżywany, a już euforycznie na pewno nie przeżywany... Udowodniłem im, że tylko niesprawiedliwość ma sens, że trzeba ją pielęgnować, trzeba dbać o niesprawiedliwość...

— A oni cię pobili?

— Tak. I mój wóz też.

— A chlałeś przed tą dyskusją?

— Człowieku, ja ten problem potraktowałem teoretycznie, te-o-re--tycz-nie, Nurni, według leguł... re... według reguł logicznego rozumowania, lo-gicz-ne-go, pojmujesz ten jazz?

— Tak, ale oni się tego nie domyślili, uważali, że widzisz to praktycznie, Grant.

— Obnażyli swą przyziemność, Nurni!

Czknął i dał mi klucze do swego samochodu. Blacha była trochę podrapana i wgnieciona, lecz nie aż tak, jak się obawiałem. Znajomy mechanik wstawił tylną szybę następnego dnia rano, wymienił klocki hamulcowe, zrobił mały przegląd silnika, i mogłem wcisnąć pedał gazu.

Po dwóch godzinach zajechałem do wioski, w której mi wyjaśniono jak jechać dalej. Długa droga przez las i ujrzałem stary, drewniany dwór, mieszczący leśnictwo. Ojciec Miriam przywitał mnie niczym własnego wnuka, lecz nie wiedział gdzie szukać swojej córki. Zniknęła jak duch — nie napisała i nie zadzwoniła, ale gdy tylko zadzwoni lub napisze, to on do mnie zadzwoni, daje mi słowo. Potem sobie przypomniał, że córka ma koleżankę w pobliskim miasteczku.

Noc przespałem na panieńskim łóżku Miriam, a rano pojechaliśmy wypytać tę koleżankę szkolną. Koleżanka nie wiedziała nic. I druga koleżanka również. Rozłożył ramiona w geście absolutnej bezradności — chciał mi pomóc odszukać Miriam i zrobił już wszystko, przykro mu...

Nie umiałem czytać w oczach jak stryj Hubert, więc skąd mogłem wiedzieć, czy to prawda, czy łgarstwo? Być może łgał. Miał dziwny odruch warunkowy, po którym można by go było poznać nawet gdyby zakrył twarz kominiarką terrorystów: gdziekolwiek wszedł, na ułamek sekundy odwracał głowę i obrzucał bystrym spojrzeniem drzwi, jakby chciał sprawdzić, czy wszelka przyzwoitość, wspaniałomyślność i balast sumienia pozostały bezpiecznie za nimi.

Każda z przyjaciółek Miriam mogła kłamać równie dobrze jak on; nie uczestniczyły w przesłuchaniu, a ja nie byłem urzędnikiem państwowym, nie obawiały się mnie. Podsłuch telefoniczny dałby mi szansę jeszcze większą niż przesłuchania, ale żeby coś takiego zagrać, musiałbym mieć przyjaciół wśród enbeków. Byłem nagi.

Choć niezupełnie... Gdy odwiozłem starego do leśnictwa i ruszyłem w drogę powrotną, trzasnęły mi gumy (na metalowych bolcach rozrzuconych wszerz leśnego traktu), a gdy wysiadłem — dwóch wiejskich osiłków zbliżyło się do mnie w celu bez wątpienia niedwuznacznym. Jeden trzymał francuski klucz, drugi miał kastet. Wyjąłem gnata, odbezpieczyłem i kazałem im rzucić te przyrządy. Mieli kłopot ze słuchem, więc powtórzyłem rozkaz strzelając w niebo. Kiedy wreszcie usłuchali, odłożyłem broń i poszedłem się z nimi przywitać. Przywitałem się bez trudu; kilka uderzeń z rodzaju tych, za które dentyści winni dawać łapówki bokserom i chuliganom, a potem kilka kopów, i obaj uciekli w las.

Rozcierając pięść pomyślałem, że kiedy już zdam broń, będę w pełni nagi. Trafiłem na wieśniaków, lecz gdybym wpadł na poważnych łobuzów, zrobiliby ze mną to, co ja tutaj zrobiłem, lub coś dużo większego, na przykład użyźniliby mną grunt; nie była to optymistyczna myśl. Pozazdrościłem tym wieśniakom, wolnym od moich stresów. Zdałem sobie sprawę z tego, jak bardzo godni są zazdrości ludzie, co zwykłym waleniem w dziób prostują kręte ścieżki życia, nie dzieląc żadnego włosa na czworo, nie dręcząc się wątpliwościami i pytaniami, których ciężar zmógł pokolenia filozofów, nie frustrując swych jaźni bólem serc, nie wiedząc, co to wstyd, którego źródłem jest bezradność — nie znając żadnych burz mózgu. Zwykłe walenie w mordę jako antidotum na wszelkie rozterki, jako ścieżka przez byt, jako patent na beztroski żywot (plus trochę alkoholu, zakąska i goła kobieta) — człowiek musi się czuć bardzo wolny w takiej skórze.

Opony z przodu miały już budowę kapcia mocno schodzonego, a prawa tylna zamierzała mieć taki sam kształt. Podreptałem ku wiosce, lecz gdy uszedłem pół mili, zza pleców dogonił mnie grzmot. Wróciłem, żeby obejrzeć, jak wóz Granta dopala się, zasmradzając zdrową atmosferę lasu. Co mogłem poradzić? Zrobiłem długi spacer; trzymałem odbezpieczoną broń, kląłem i upajałem się zapachem świerków, a na końcu z wiejskiej poczty zadzwoniłem do miasta po taksówkę. Spałem w sleepingu.

Grant był zdumiony, gdy stryj Hubert zjawił się u niego.

— Panie Grant — powiedział stryj — przyszedłem zwrócić panu wartość wozu, bo mój bratanek jest chwilowo bezgotówkowy, tylko nie wiem jaka jest ta wartość. Proszę ją pomnożyć przez dwa lub trzy i podać mi sumę.

Grant obliczył nie tracąc czasu:

— Wystarczy jedna jazzowa butelka.

— Przepraszam, jaka butelka? — zdziwił się stryj Hubert nie znający narzecza Robbiego.

— Flaszka jazzu w płynie — wyjaśnił mu Grant.

— Znaczy alkohol?

— Tak. Na przykład Janek wędrujący, w czerwonym lub czarnym mundurku.

Takiej kalkulacji stryj nie zaaprobował:

— Jako dodatkowe oprzyrządowanie nowego wozu może być i flaszka. Ale sama flaszka nie wystarczy.

— Panie, wie pan co?! Pieprzę ten wóz! — krzyknął Robert.

— Radzę panu pieprzyć dwunożne maszyny, panie Grant, to ma trochę więcej sensu.

Grant kontynuował jakby nie dosłyszał:

— Myślałem, że jest moim najbardziej jazzowym przyjacielem, a on mnie zdradził, sukinkot!

— Kto pana zdradził?

— Mój pieprzony wóz!

— Gdzie pana zdradził?

— U tych pedałów od „Starca"! Nie pomógł mi, kiedy chciałem uciec! Rozrusznik się zaciął...

— Współczuję panu, zdrada ze strony przyjaciela to większa przykrość niż rogi posiane przez małżonkę. Więc ile mam zapłacić?

— Panie Flowenol! — rzekł Grant bez respektu. — Gdyby nie był pan stryjem Nurniego, to bym pomyślał, że nie jest pan stryjem Nurniego, tylko jakimś dziwnym Flowenolem... Nie chcę od pana żadnej forsy! I od Nurniego też nie chcę, bo my z Nurnim zawsze jesteśmy kwita. „I tak żeby było ma być!", jak mówił rebe Glosman, kiedy wkuwałem Talmud, zanim uciekłem od mojego tate i mojej mame, bo chciałem grać odmienny jazz!... Whisky, brandy, czy inna trucizna, panie Flowenol? Co pan wypije?

Stryj się zastanowił i powiedział:

— Może i ze mnie dziwny Flowenol, ale z pana jest najdziwniejszy Żyd, jakiego widziałem odkąd zobaczyłem pierwszego z Żydów.

— Tak, bo ja jestem Żydem antysemitą.

Znałem to na pamięć. Grant zawsze twierdził, że jest antysemitą, bo nie lubi humoru Woody Allena i samego Woody Allena. Lecz teraz wciął się — miał przed sobą kogoś równie pyskatego:

— A humor Charlie Chaplina pan lubi? — zapytał stryj.

— Uwielbiam!

— A gołe dziewczyny Modiglianiego?

— Kocham!

— To nie jest pan antysemitą — zadecydował stryj.

Grant rozgadał się ze stryjem jak z kompanem nie widzianym od długiego czasu, wykładając mu swoją filozofię dekadencji (Zachód musi zginąć, bo jest cywilizacją dyskotekowo-komiksową, oraz z powodu prokreacyjnego lenistwa ludzi białych, których już wkrótce w ogóle nie będzie, „tylko nas, żurnalistów i fotoreporterów, żadna cholera nie ruszy, bo my jesteśmy rasa wyższa, ogniotrwała, jesteśmy cywilizacją insektów, które wszędzie się wpieprzą i przetrwają wszystko, potop, ludobójstwo, atomową zagładę i każdy inny jazz tej gównianej planety", etc., etc.). Taki partner jak mój stryj dodawał mu większego gazu niż alkohol. I znalazł u stryja zrozumienie. A rano znalazł pod domem nowiutkie Audi zarejestrowane na nazwisko Robert Grant, więc nie miał wyboru.

Moją przygodę leśną stryj zinterpretował odmiennie niż ja to uczyniłem:

— Pan leśnik mógł ich nasłać, żeby wybili ci kilka ząbków, lecz równie dobrze mogła to być spontaniczna inicjatywa. Mieli aż dwa powody: widzieli obcego i widzieli obcego węszącego, a prowincja nie lubi takich typów, zwłaszcza ten drugi typ wywołuje u ludu wnerwienie. Co zaś do broni, to u nas nie Ameryka, cywil plus broń równa się kilka lat w pierdlu. Gdybym był tobą, porozmawiałbym z pułkownikiem Taergiem, Nurni.

— Z pułkownikiem Taergiem? On mi nie może dać zezwolenia na broń, gdy już wrócę do cywila.

— Teraz rzeczywiście on nie ma takich praw, synku. Ale w przyszłości...

— W jakiej przyszłości?

— Bardzo bliskiej, chłopcze.

— O czym ty mówisz, stryju? Przecież nie znasz Taerga...

— Poznałem go, gdy „grałeś w szachy".

— Ale to była tylko wizyta w garnizonie!

— To była tylko pierwsza wizyta, a że przypadliśmy sobie do gustu, on mi się zrewanżował wizytą, i potem były kolejne wizyty...

— Więc wy się dobrze znacie?!

— Bardzo dobrze.

Zamilkłem jak uderzony w skroń. Mógłbym się wszystkiego spodziewać, lecz że Taerg i Hubert skumają się ze sobą nie przewidziałbym w najgłupszym ze snów. Przypomniało mi się, że gdy żądałem od stryja pomocy przeciw enbekom, kazał mi czekać („Musisz czekać!"), a teraz, gdy mowa była o przyszłości, powiedział dwa inne słowa: „Bardzo bliskiej".

— Stryju, czy Taerg i ty kręcicie coś politycznego?

— Nie pytaj o to stryja, zapytaj pułkownika, synku. Chcesz, czy nie chcesz rozmawiać z nim?

— Na jaki temat?

— Na temat tej spluwy, której tak bardzo pragniesz.

— Więc już rozmawiałeś z nim o mnie, stryju?

— A nie było mi wolno?

— Gdzie mam się z nim spotkać?

— Na moim statku, Nurni.

Po raz pierwszy znalazłem się w jego królestwie — dotknąłem statku. Był to drewniany zabytek, największy liniowiec ze wszystkich, które wybudowano w erze liniowców wojennych, król tamtej epoki, moloch. Hiszpanie, którzy go stworzyli w XVIII wieku i którzy go ochrzcili mianem: „Najświętsza Trójca" („Santissima Trinidad"), dali mu też przydomek: „Pływająca Compostella" (od monstrualnej, romańsko-gotyckiej katedry Santiago de Compostella), a w całej Europie był zwany „pływającą fortecą". Miał trzy tysiące ton wyporności, cztery pokłady bateryjne i sto trzydzieści sześć dział, podczas gdy najsławniejszy liniowiec w dziejach liniowców, brytyjski „Victory" admirała Nelsona, miał tylko trzy bateryjne pokłady, około dwóch tysięcy ton wyporności i setkę dział. A więc i on był „pływającą fortecą", jak każdy liniowy okręt marynarki wojennej, lecz hiszpański mamut był prócz tego „pływającym miastem", zawierał w swym brzuchu wielkie, pałacowe wnętrza, stajnie, obory i nawet bogaty ogród, co powodowało szok u oficerów innych narodowości, gdy wizytowali kolosa. Wycofano go ze służby sto kilkadziesiąt lat temu i zamieniono na galerniczy hulk, a kilkanaście lat temu stryj Hubert odkupił wrak, przeprowadził błyskotliwy remont, przyholował króla mórz do Nolibabu i zaadaptował na wyspę rozkoszy (kasyno oraz „Salon Rekreacyjnych Gier" czyli burdel). Całość miała luksusowy poziom i obcojęzyczną nazwę: „Santissima Trinidad", której lepiej było nie tłumaczyć.

Elegancka motorowa łódź przywiozła mnie do celu, na górę wjechałem windą zawieszoną u burty, po czym wylądowałem w gabinecie, który był niegdyś kajutą admiralską. Pułkownik Taerg zjawił się kilka minut później i spytał:

— Wiesz dlaczego wybrałem to miejsce, Flowenol?

— Nie wiem, panie pułkowniku, stryj mi tego nie powiedział, ale domyślam się przyczyny.

— I jaka to według ciebie przyczyna, Flowenol?

— Konspiracyjna, panie pułkowniku. Ten statek nie budzi obaw, mężczyźni przyjeżdżają tutaj łajdaczyć się.

— Rzeczywiście, nie budzi obaw, jest solidny, nie powinien zatonąć...

— Chodziło mi o to, że jako miejsce spotkań on nie budzi podejrzeń, panie pułkowniku.

— Czyich podejrzeń?

— Na przykład enbecji...

Uśmiechnął się z aprobatą:

— Słuszna uwaga! Lista jego zalet nie kończy się na tym. To miejsce zostało sprawdzone i mamy pewność, że brak tutaj podsłuchu.

— Mamy?... Kto ma tę pewność?

— Ci, którzy mają generała Tolda po dziurki w nosie.

A więc o to chodziło! I tego mógłbym się domyślić, a nie domyśliłem się wyłącznie przez apolityczność stryja Huberta — nie przyszło mi do głowy, że ten człowiek sponsoruje grę polityczną i to na takim szczeblu! Zapytałem:

— Czy mój stryj jest wśród was dlatego, że chce pomścić swego brata?

— Tego mi nie mówił.

— A co mówił?

— Mówił, że kilku obecnych panów ministrów ma chrapkę na „Santissima Trinidad", bo to bardzo dochodowy interes. Twój stryj postanowił obronić swój interes przed rekwizycją. Finansuje nas, bez jego milionów byłoby nam trudniej, generał Rabon mu tego nie zapomni. Generał i ciebie pamięta. Pamięta cię z korockiego garnizonu, powiedział: „Weź tego chłopaka z piątej". Dlatego rozmawiamy.

— Co pan mi proponuje, panie pułkowniku?

— Drugą okazję na przyjemność. Chciałeś zobaczyć moją śmierć. Nie zobaczyłeś, gdy broniliśmy Negrów, może ci się uda, gdy będę szturmował pałac prezydencki. Pragnę cię mieć ze sobą. I tych kilku chłopaków, którzy zostali z nami w tamtej wiosce.

— A jeśli mój pech sprawi, że pan znowu przeżyje, panie pułkowniku?

— To generał Rabon stanie na czele państwa, a ja na czele enbecji. I wówczas też chciałbym cię mieć ze sobą.
— Nie założę tego munduru!
— Nie będziesz musiał, założysz łachy cywilne.
— Nie przyjmę żadnego etatu w enbecji!
— Nie proponuję ci zawodu enbeka. Mam na myśli policję inną, którą dopiero stworzę, formalnie państwową, lecz w istocie moją własną... zresztą przyjdzie czas, wrócimy do szczegółów. A gdyby i to ci nie odpowiadało, może super-etat w państwowej biurokracji? Co wybierzesz?
— Jest mi wszystko jedno, panie pułkowniku.
— Szkoda, że jest ci wszystko jedno. Myślałem, że będziesz wolał pracować u mnie...
— Mogę pracować nawet w miejskiej pralni lub w cyrku, jeśli tylko dostanę tego, którego chcę dostać!
— A kogo chcesz dostać?
— Szefa sekcji politycznej w NB.
Ku mojemu zdziwieniu zareagował tak, jakbym prosił o bilet kinowy:
— Dobrze, Flowenol.
— Da mi pan Krimma, pułkowniku?
— Weź go sobie sam, Flowenol. Poprowadź szturm na kompleks gmachów NB!... Poprowadzisz?
— Tak, panie pułkowniku.
— I co wybierzesz jeśli zwyciężymy, Flowenol?
— Zostanę gliną u pana.
Rozmawialiśmy kilkadziesiąt minut. Mianował mnie porucznikiem. Na końcu spytał:
— Co ty masz do niego?
— Mam do niego nienawiść, panie pułkowniku. Mnie i Krimma stworzono po to, żebyśmy stanęli przeciwko sobie. O jednego z nas jest za dużo w granicach tej planety.

— Trujesz jak rymopis lub filozof, widać tę samą krew, co u twojego stryja! Chcesz odwetu za drugiego stryja, tego socjała, którego zatłukli enbecy, chodzi tylko o to.

— Chodzi o mojego ojca.

— Jego też wykończył Krimm?

— Wykończył.

— No to mam jasność. Nikt lepiej niż ty nie poprowadzi ataku na Krimma. Dopadniesz go, mogę to Rabonowi przyrzec. A potem wykończysz. A potem...

Zawiesił głos, jakby się przestraszył, że powiedział zbyt wiele słów.

— Co potem, panie pułkowniku?

— Potem będziesz rozczarowany. Pójdziesz na cmentarz, położysz skalp Krimma na grobie swego starego i zrozumiesz, że to nic nie pomogło staremu...

Wiedziałem o tym sam. Lecz nie zamierzałem wyjaśniać pułkownikowi, iż to ma pomóc tylko mnie.

RZYM PRZECIW GALILEJCZYKOWI — AKT II.

— Bądź pozdrowiony, szlachetny Kajusie Antoniuszu. Sława tobie i twoim przodkom.

— Kim jesteś, starcze?

— Nazywam się Hilos, szlachetny trybunie, Hilos z Krety.

— Pytam: kim jesteś?

— Kim jestem? Nie wiem kim dzisiaj jestem, Kajusie Antoniuszu. W młodości byłem histrionem, grałem w dramatach i komediach, a później... później też byłem histrionem, chociaż nazywali mnie błaznem. Do wczoraj byłem błaznem szlachetnego Poncjusza Piłata, lecz opuściłem go dzisiejszej nocy...

— Tak po prostu? Rzuciłeś służbę u hegemona Judei tak po prostu?

— Nie lubię przyjęć u niego! Jego kuchnia jest nudna jak cnota brzydkich kobiet, zawsze to samo, aż podniebienie człowieka mdli.

— Gdy już wpuściłem cię do mego domu, to nie igraj tak ze mną, bo szybciej niż myślisz mogę cię wsadzić na łódkę Charona! Zostałeś wygnany, błaźnie?

— Tak, panie.

— Za co? Za zbyt grubą złośliwość wobec prokuratora?

— Złośliwość błaznów jest przywilejem błaznów...

— Więc za co?

— Za zbyt grube zmarszczki. Przyszła na mnie starość i już nie potrafię fikać koziołków, ani wytrzymać z wesołą gębą, pełną dowcipów i maksym, całej uczty aż do rana. Zużyłem się, więc mnie wyrzucił. Leczenie umarlaków kosztuje drogo, a ja jestem po dawnemu złośliwy, wciąż nie umieram.

— Pragniesz wsparcia, Hilosie?

— Pragnę więcej, chcę, abyś mnie przygarnął.

— Ja?!... Nie potrzebuję błazna, stary człowieku!

— Ale może potrzebujesz starego człowieka, który nie ma dachu nad głową.

— W Cezarei Morskiej jest wielu bogaczy, wielu dostojników i oficerów, w samym obozie jest dziesięciu trybunów kohort dwunastej legii! Dlaczego przychodzisz do trybuna ósmej kohorty z tą prośbą, tak sobie wylosowałeś? A może już byłeś u innych trybunów?

— Przyszedłem tylko tutaj.

— Dlaczego akurat do mnie?

— Wybierz sobie, panie, jakiekolwiek pochlebstwo.

— Jakiekolwiek, mówisz? Za tę jedną drwinę na każdym innym progu w ty mieście dostałbyś kopniaka!

— Na każdym innym nie pozwoliłbym sobie na tę jedną drwinę i na żadną, Kajusie Antoniuszu. Oto udzieliłem ci odpowiedzi.

— Mówisz tak, jakbyś uważał mnie za człowieka dobrego, Hilosie...

— To cię obraża, panie?

— To mi nie schlebia, daremny trud.

— Ja też nie próbuję go podjąć, ani nie próbuję uważać cię w moich sądach za człowieka dobrego. Ludzie są tylko mniej lub bardziej źli.

— Ja jestem bardziej. Słyszałeś, że potrafię być okrutny?

— Słyszałem też, co mówi Teofrast filozof. Powiada, że błędy, które człowiek pazerny czyni przez żądzę, która go rozpiera, gorsze są dużo od tych, które skrzywdzony człowiek czyni z bólu i gniewu. Krzywda odbiera człowiekowi rozum i pcha ku czynom wściekłym, żądza zaś wyzbywa przyzwoitości i ku czynom haniebnym wiedzie. Twoje grzechy nie z żądzy się biorą.

— Wiesz, kto mnie skrzywdził?

— Takich jak ty może skrzywdzić tylko niewiasta, zbyt silny jesteś na to, by mężczyzna mógł zadać ci ból.

— Słyszałeś coś o tym?

— Jak mógłbym o tym słyszeć, jeśli nikt nie słyszał o tym, bo duma, strach lub wstyd zamykają ci usta, Kajusie Antoniuszu? Zwyczajnie zgadłem. Zgadłem, prawda?

— Zgadłeś, dziadygo!

— A masz jeszcze tyle odwagi, by wyznać nieznajomemu kim była? Nie trzeba na to zbyt dużo odwagi, więcej jej trzeba, by wyznać znajomemu... No więc kim była? Małżonką, niewolnicą, kosztowną heterą czy dziwką z lupanarium dla żołnierzy?

— Żydówką, błaźnie!

— Żydówki są najlepsze i najniebezpieczniejsze, Kajusie Antoniuszu. Lecz nie zostałeś tak bardzo skrzywdzony, bywają wśród nich gorsze kochanki oficerów najezdniczych wojsk. Przypomnij sobie Judytę, która ucięła łeb Holofernesowi... A ta twoja, jeśli nie była małżonką, sługą, heterą i dziwką z lupanarium, to kim była?

— Siostrzenicą tetrarchy galilejskiego!

— Heroda Antypasa, trybunie?!

— Tak, siostrzenicą Heroda Antypasa, wnuczką Heroda Wielkiego, króla Żydów! Niech będzie przeklęta na wieki!

— Czemu?

— Bo ja byłem mężczyzną, a zrobiła ze mnie płaczka, Hilosie!

— No to być może wyrządziła ci dobrodziejstwo, gdyż byłeś tylko mężczyzną, a teraz jesteś też człowiekiem, Kajusie Antoniuszu. I nie przeklinaj na wieki, nikt nie jest przeklęty na wieczność,

można być tylko zapomnianym na wieczność i to czeka każdego z nas.

— Jego również?

— Kogo?

— Tego, do którego uciekła. Zwą go Jeszuą z Nazaretu.

— A ja już myślałem, że ta kobieta cię zdradziła, trybunie!

— Zdradziła! Przez trzy lata wyznaczała mi schadzki, później zniknęła, i teraz się dowiedziałem, że wędruje u jego boku wraz z nierządnicą Marią Magdaleną!

— Te kobiety przy jego boku są jego miłośnicami, ale nie tak, jak myślisz, trybunie. One go kochają inaczej, bo on jest inny niż reszta Żydów i być może cała reszta ludzkich zwierząt, sam mówi, że jest z innego świata.

— Z jakiego innego?! Sfrunął tu z Olimpu, czy z Hadesu wyszedł, czy może z dalekiego wschodu przywędrował od tych żółtych, skośnookich i gęgających, lub może przypłynął zza oceanu? Świat jest jeden!

— Tak, świat jest jeden. Ten, na którym spryt zowie się mądrością, a pycha dumą, na którym przemoc czyni dzielnym, obłuda szczerym, a niewierność zakochanym, gdzie skąpi to oszczędni, bezlitośni to sprawiedliwi, a pochlebcy to grzeczni, gdzie delator jest prawdomówcą, a prawdomówca przestępcą...

— Dosyć!

— On to samo powiedział, Kajusie Antoniuszu.

— Co?

— Powiedział: dosyć!

— Niedługo i jemu powiedzą: dosyć!

— Tak, wiem. Cesarstwo ma go dosyć, i wielcy Żydzi mają go dosyć, i jedni i drudzy kombinują jak się go pozbyć cudzymi rękami, prokurator chce rękami Sanhedrynu, a kapłani żydowscy ręką prokuratora. I to im się uda, siła złego na jednego, tylko nie wiem komu. Tak jak wciąż nie wiem, gdzie będę dzisiaj spał i czy będę dzisiaj jadł.

— Możesz się przespać i najeść u mnie.

— A jutro?

— Jutro nie będziesz spał ani jadł w tym domu.

— Rozumiem...

— Nic nie rozumiesz. Jutro moja kohorta wyrusza do Jerozolimy, by przed przybyciem Nazarejczyka wzmocnić garnizon. Chcesz, to wezmę cię ze sobą, żartownisiu.

— Dzięki, szlachetny panie, oby bogowie dali ci wiele...

— Zostaw w spokoju bogów!

— Powiedz mi, panie, czemu akurat twoją kohortę wyznaczył legat do tej misji?

— Bo nikt tak biegle jak moja kohorta nie tłukł Żydów, kiedy się zbuntowali o skarbiec świątyni zagrabiony przez Piłata dla budowy wodociągu. Idź teraz do kucharza, niech da ci żreć.

Rozdział 4.

W przeddzień szturmu zapytałem stryja Huberta dlaczego zrobił to, co zrobił.

— Dlatego, że kilku dupków z Ministerstwa Finansów i z Urzędu Podatkowego ma zbyt długie ręce, a „Santissima Trinidad" jest moją własnością i będę go bronił przed każdym, z Panem Bogiem włącznie! — odpowiedział.

— To już mi zdradził Taerg, ale czy tylko dlatego?

— Nie tylko. To był powód na dziś. Jest i drugi powód, na jutro, bo gdy pragnie się przeżyć, trzeba myśleć perspektywicznie. Widzisz, Nurni, Told doprowadził kraj do kompletnego upadku. Ludzie harują i milczą, lub szukają pracy i milczą, a milczenie głodnego żołądka i pustego portfela ma zawsze swój kres. Najpierw brzuch burczy i sakiewka burczy, potem mózg burczy, aż wreszcie wychodzi się z domu na ulicę i zaczyna się szukać ciężkich przedmiotów. Weź taki fakt: ten szczwany „Starzec", który ględzi o równości, codziennie przyciąga większy tłum niż dnia poprzedniego. Oto lampa alarmowa, ale Told i jego ludzie są ślepi, więcej, uważają, że ten staruch odwala dla nich dobrą robotę, bo pacyfikuje społeczeństwo, nie namawia do buntu, tylko do modłów i do mistycznych medytacji, każe „szukać zła w samym sobie, a nie na zewnątrz". Ilu takich „Starców" musieliby mieć, żeby spacyfikować cały kraj?... Ja nie jestem ślepy, bo mnie nie wolno. Jeśli w tym kraju wybuchnie bunt, to gniew tłumu obróci się przeciw bogaczom, do których ja należę. Z doświadczenia, z doświadczeń naszych czasów wiadomo, że w starciu bogatego z biednym zawsze traci bogaty...

— Bo biedny do stracenia nie ma niczego!

— Właśnie o tym mówię, synku. I o tym, że ja tracić nie zamierzam. A ponieważ Told nie zamierza zmienić polityki wewnętrznej ani ustąpić, należy dać mu dymisję.

— I wy nakarmicie ten tłum kiełbasą oraz radością?

— Dlaczego: my? Ja nie zamierzam rządzić.

— Ale jeśli jutro nam się uda, rządzić będą ludzie, których ty wsparłeś za pomocą swego majątku. Czy oni sprawią cud ekonomiczny?

— Nie wiem, lecz przynajmniej uzdrowią sytuację na jakiś czas. Rabon jest cicho wspierany przez Kościół, któremu Told się naraził wyrzucając ze szkół religię i sekularyzując co tylko można w tym kraju. Kościół to Rzym. Jeśli Rabon zostanie prezydentem, Kościół odzyska swoje dobra i kler spacyfikuje społeczeństwo. Pomnóż sobie „Starca" przez liczbę ambon, z których będzie się oddawać cesarzowi co cesarskie. Do tego episkopat ułatwi wzięcie nowych pożyczek od zagranicznych banków i rządów, to wystarczy na grubo więcej niż rok. Zrozumiałeś?

— Zrozumiałem. Czy był i trzeci powód?

— Nie, tylko te dwa.

Czułem się zawiedziony, i nie mogłem pojąć, a raczej nie mogłem pogodzić się z tym, iż on nie ma trzeciego celu, jakby stryja

Mateusza i mojego ojca nigdy na tym świecie nie było. Chyba że ukrył ten trzeci powód przed bratankiem, woląc zademonstrować oschłość serca niż przyznać się, że poniósł tak wielkie koszty dla prywatnego odwetu. Czyż nie dokonał na pewnym senatorze zemsty tylko dlatego, że ów senator szkalował Mateusza? Albo czyż nie podkreślił fioletowym flomastrem słów przesiąkniętych mściwością w „Listach" Byrona, które znalazłem na jego biurku? Był to fragment listu Byrona do przyjaciela:

„Mógłbym wybaczyć sztylet albo truciznę — wszystko, tylko nie spustoszenie, którym mnie rozmyślnie otoczono, kiedym stał samotny przy moim ognisku domowym, a moje bogi domowe leżały wokoło mnie — strzaskane. Czy sądzisz, żem o tym zapomniał? To do pewnego stopnia pochłonęło we mnie wszelkie inne uczucia, i jestem na tej ziemi tylko widzem, dopóki nie nastręczy się sposobność pomszczenia się w dziesiętnasób. Może się jeszcze zdarzyć. Inni są bardziej winni niż... i w tych to mam oczy nieustannie utkwione"*.

„Niż ona" — lecz Byron lub wydawca jego epistolografii zakropkował drugie słowo. Miałoby więcej sensu, gdyby mój ojciec podkreślił ów akapit (gdyż Byron pisał tu o krachu swego małżeństwa), ale żeby tak się stało, musiałby sięgnąć po Byrona, i musiałby pragnąć odwetu, i musiałby mieć fioletowy flomaster, i musiałby czuć pedantyczną chętkę, aby cokolwiek podkreślać — za dużo jak na kogoś, kto miał już wszystko gdzieś. Stryj Hubert (który uwielbiał Byrona) podkreślił ów akapit „za" mojego starego, w jego imieniu. A więc to on marzył o zemście; nie na Miriam, tylko na ludziach, którzy ją zwerbowali — na tych „bardziej winnych". Tak właśnie myślałem wówczas... Dziś już nie wierzę we wszystko, co produkował wtedy mój mózg. Mogę być obłąkany, ale jestem trochę mniej głupi. O tyle mniej, o ile rozsądniejszym staje się człowiek, który zbadał zwierzęcą prostotę skomplikowanego mechanizmu przez ból, jaki zadaje mechanizm miażdżąc nieostrożną, zbyt pewną siebie rękę. To

---

* — Tłum. Stanisława Kryńskiego.

cena owej pychy, dzięki której przypisujemy sobie doskonałość. Ale któż jest od niej wolny nim nie zazna upadku?

Tamtego dnia pomógł mi ogień, i ogień wyrządził mi krzywdę. Od Taerga dostałem batalion plus kilka ręcznych wyrzutni z pociskami zapalającymi, więc gmachy NB szybko stanęły w ogniu i ferajnie, której kazano się tam bronić, równie prędko odechciało się bohaterstwa. Wybiegli z białą flagą, z rączkami w górze i z Krimmem skutym kajdankami, wręczając go nam jak okup. Ale ten sam płomień rozporządził się kartoteką (papierową i komputerową) Narodowego Bezpieczeństwa; zamiast teczek i dyskietek z hasłami „Flowenol", przechwyciłem popioły i kupę stopionego metalu. Gdyby nie to, miałbym konfidenckie dossier Miriam, lub także bym go nie znalazł i wtedy mógłbym zwątpić w ów gest, którym ojciec wyrzucił ją za próg.

Krimm był ranny (przestrzelone udo) i miał osmaloną lewą rękę, wyglądał jak cztery nieszczęścia na raz. „Psiakrew! — pomyślałem — bić rannego?!... Nie, nie można bić rannego. Chyba, że to Krimm!...".

Wszystkich kontuzjowanych przeniosłem do gmachu, którego nie sięgnął pożar, kazałem ich opatrzyć moim sanitariuszom, złożyłem telefoniczny meldunek w sztabie buntowników (rozmawiał ze mną zięć generała Rabona, pułkownik Solt) i już mogłem się zająć człowiekiem, dla którego tu przybyłem.

Krimm leżał na biurku, był obandażowany. Powitałem go:

— Dzień dobry, panie komisarzu.

— Dzień dobry, panie...?

— Poruczniku.

— ... panie poruczniku... To teraz porucznicy dowodzą batalionami?

— Sam się dziwię, panie komisarzu, nie wierzę we własne szczęście.

— Czego pan sobie życzy, poruczniku Flowenol?

— Życzę sobie Krimma!

— A ma pan do tego prawo?

— Mam, pułkownik Taerg dał mi prawo do zrobienia z panem wszystkiego, co mi przyjdzie na myśl.

— I co panu przyszło na myśl?

— Pewna forma dialogu, którego pragnę, bo podczas naszej pierwszej rozmowy pan mnie zaraził swoją namiętnością empiryczną. Chodzi o doświadczalne sprawdzanie granic uporu ludzkiego ciała. Od tamtej pory...

Wszedł mi w słowo:

— Nie wierzę, poruczniku. Od tamtej pory pan się nie zmienił. Bicie bezbronnego, a przy tym rannego człowieka, uważa pan za niegodziwość, za hańbę. Nigdzie nie jestem bardziej bezpieczny niż w pańskich rękach.

Strzeliłem go otwartą dłonią w dziób. Roztarł policzek i wycedził:

— Panu się coś pomyliło, poruczniku. Tak się karci fałszywego przyjaciela, a nie mordercę ukochanego stryjka... Niech pan da spokój, bo wyrzuty sumienia pana zabiją, byłaby szkoda, jest pan świetnym wojakiem. No i Taerg by tego nie przeżył, gdzie znajdzie pretorianina lepszego niż pan? Pan myśli, że on dając mnie panu, zrobił to dla pana? Taki prezent, żeby pan mógł nakarmić swoją chęć odwetu? Nie, on sobie robi przyjemność, ja mu zawadzam, dla nas dwóch jest zbyt ciasno w jednym państwie. Chciał to załatwić cudzymi rękami, a tu kłopot! Czegoś nie zrozumiał. Wydawało mu się, że nienawiść, tak jak seksualizm, jest niezależna od woli, kultury, wrażliwości i kindersztuby człowieka. Tymczasem nienawiść, która nie jest związana z seksem, jest nienawiścią zbyt słabą, żeby takiego harcerzyka jak pan pchnąć do bestialskich czynów, do mordu lub skatowania kogoś. Jeśli się mylę, to niech mnie pan o tym przekona. Tylko nie klepiąc po buzi, bo to śmieszne.

Miał słuszność i chociaż nie wiedział o moim uczuciu, sformułował istotę rzeczy, do której nie chciałem się przyznać przed samym sobą — źródłem prawdziwie mściwej gorączki może być tylko miłość zupełnie inna niż miłość bratanka, i większa nawet niż synowska miłość. Teraz przyznałem się do tego:

— Masz rację, Krimm. Patrząc na ciebie myślę nie tylko o moim stryju. Myślę o tym, co zrobiłeś z moją macochą.

— Więc to tak?... — wyszeptał (nie było w tym szepcie strachu, lecz owo zdziwienie charakterystyczne dla ludzi wszystkowiedzących, których nagle zaskoczyło coś trudno przewidywalnego), i bezwiednie powtórzył: — Więc to tak!...

Spytałem:

— Gdzie ona teraz jest, Krimm?

— Nie wiem, poruczniku... Naprawdę nie wiem, nigdy nie interesowałem się żoną pańskiego ojca.

— Jak długo była waszą konfidentką?

— Też nie wiem, bo nie była moją konfidentką, a czy była naszą konfidentką, o to już musiałby pan spytać moich szefów lub szefa sekcji zajmującej się artystami, literatami, uczonymi i klerem. Ja zajmowałem się opozycją polityczną i konspiracją antyrządową.

— Mój ojciec nie należał do opozycji i nie brał udziału w żadnej konspiracji, a został wezwany przez pana!

— Wezwałem go, bo jego brat, który należał do konspirującej opozycji, zamówił u pańskiego ojca plakaty buntownicze, i pański ojciec zmajstrował całą serię takich plakatów wymierzonych w rząd.

— Kto panu to ujawnił? Przecież nie stryj Mateusz, który milczał, gdy sprawdzaliście upór jego ciała...

— Dowiedzieliśmy się o tym dzięki jego żonie.

— A więc to żona Mateusza była konfidentką!

— Nie etatową, raczej nieświadomą. Podsuwaliśmy jej kochanków, a ona lubiła nie tylko robić im minetę w służbowych samochodach, ale i paplać o wszystkim, opowiadać o swoim mężu...

Nie mogłem się powstrzymać, uderzyłem go w brzuch rozprostowaną dłonią karateki, odbierając mu przytomność.

— Cliff! — krzyknąłem do Matakersa, który czekał za drzwiami sąsiedniego pokoju. — Dawaj wodę!

Matakers przyniósł kubeł z wodą i wylał ją na twarz Krimma. Brzęknął mój walkie-talkie, to Altan wzywał mnie na dziedziniec.

Zbiegłem po schodach, do wozu, gdzie mieliśmy krótkofalówkę, i usłyszałem Taerga przekrzykującego trzaski:

— Brawo, Flowenol!... Tutaj też zabawa skończona, Told rąbnął się z własnego pistoletu, a przedtem rąbnął szefa NB za to, że ten nie wyniuchał, co w trawie piszczy... Reszta prowincjonalnych garnizonów przechodzi na naszą stronę... Czy już poćwiartowałeś Krimma?

— Jeszcze nie, panie pułkowniku.

— To wstrzymaj się i odeślij go do pałacu prezydenckiego, generał Rabon musi...

— Krimm jest mój, panie pułkowniku!

— Oczywiście, to tylko pożyczka! Rabon chce go przycisnąć, bo Krimm zna numery szwajcarskich kont Tolda i jego dworaków, rozumiesz...

— Rozumiem... ale...

— Cholerne trzaski, ledwo cię słyszę, co jest z tą linią!?

— Mam tu sprawne telefony, panie pułkowniku!

— W którym gmachu?

— W gmachu C, tylko on się nie spalił!... Słyszy pan, pułkowniku?...

— Słyszę, czekaj na telefon!

Zadzwonił po kilkudziesięciu sekundach z pytaniem:

— Przesłuchiwałeś Krimma?

— Tak.

— Co gadał?

— Gadał to samo, co ja powiedziałem panu o sobie i o nim. Powiedział, że dla pana i dla niego jest za ciasno w jednym państwie.

— No to nie to samo, bo ty mówiłeś o jednej planecie, więc mnie i jemu jest ciaśniej niż wam! Rozluźnisz ten uścisk, tylko trochę później, poruczniku. Przyślij go tu zaraz, potem ci go oddamy, masz moje słowo!

— A jeśli Krimm dogada się z generałem Rabonem?

— Masz moje słowo, poruczniku!

Jego słowo było gówno warte; nie dlatego, że gówno warte jest słowo większości ludzi (za wyjątkiem dziwnych wyjątków w rodzaju mojego ojca), tylko dlatego, że jeśli nawet szanował swój język, to przecież nie on był suwerenem, lecz Rabon. Zrozumiałem, że Krimm może już nie być mój, i czułem do siebie złość, że jeszcze leży tam żywy. Chwilę później poczułem drugą złość: trzeba było Taergowi skłamać!... Teraz mogłem zrobić już tylko dwie rzeczy: mogłem mieć nadzieję, że odzyskam Krimma, i mogłem zmniejszyć mojego pecha robiąc dobrą minę do złej gry, zachowując twarz przed tym mordercą. Przypomniałem sobie jak stryj Hubert wyśmiewał się z techniki malarskiej swego brata, mówiąc mu:

— Jesteś genialny! Tylko ludzie genialni potrafią czynić ze swej słabości siłę!

Uczynić ze swej słabości siłę!... Pohańbić skazańca, rezygnując, i tym odnieść chwilowy triumf! Mężczyzna, gdy może przejechać się sportowym Ferrari, a rezygnuje z tego, gdy trzymając w ręku nowy typ sztucera nie wystrzeli, gdy zwabi do swego domu piękną sąsiadkę i wypuści nietkniętą — obraża ten samochód, tę broń i tę kobietę, bardziej niż samego siebie obraża. Sprawić, żeby był jak poderwana dziewczyna, której przestaje się pragnąć, gdy już nic nie stoi na przeszkodzie, bo nie lubi się smaku zwycięstw zbyt łatwych.

Wróciłem do pokoju, gdzie leżał i gdzie powoli odzyskiwał przytomność. Stałem przy nim przez chwilę w milczeniu, patrząc mu w twarz, splunąłem na nią i odwróciłem się:

— Cliff, zabierz tego szczura i niech chłopcy odwiozą go do pałacu. To psie gówno mnie brzydzi, nie będę brudził sobie rąk!

— No to ja sobie pobrudzę! — krzyknął Matakers, nie rozumiejąc mojego miłosierdzia.

— Cliff!... Niech oni go tam tłuką, i niech go powieszą lub odstrzelą, tak jak rąbnęli już jego szefa, my nie będziemy robić za katów!

— Wszyscy robimy za katów... — odezwał się Krimm słabym głosem. — Tak, tak, Flowenol! Przestań się oszukiwać, kłamiąc grzeszysz. Bozia się za to gniewa.

Czyżby się domyślił?... Mógł się domyślić, ludzie jego pokroju mają supernochal ukształtowany przez szpiclowską predyspozycję, a wyostrzony przez rutynę zawodową.

— Wesołek! — mruknął Cliff. — Może go rozweselić trochę bardziej, panie poruczniku!

— Można mu tylko życzyć wesołego sznura, Matakers! Zabierz go stąd!

— I niech mi oddadzą mój portfel! — przypomniał sobie Krimm. — Mam w nim rodzinne zdjęcia, więc jestem do niego bardzo przywiązany, pan to rozumie, prawda?... Pieniądze, spinkę do krawata, tudzież zegarek, zapalniczkę i papierośnicę, czyli całe złoto, mogą sobie zatrzymać. Aha, mam jeszcze ten sygnet i te dwie spinki do mankietów, to również złoto, mogę i tym uszczęśliwić pańskich chłopców.

— Zwróćcie mu wszystko! — rozkazałem.

— Dziękuję, panie poruczniku — rzekł Krimm. — Nie miałem wątpliwości, że usłyszę taki właśnie rozkaz. Pan jest łatwym człowiekiem, z góry wiadomo, co pan zrobi i czego pan nie zrobi. Jedyna rzecz, której nie wiem o panu, to jak, kiedy i przez kogo niewinny zabijaka utraci niewinność. Ale że to będzie wielki ból, to wiem, bo nikt nie jest tak bardzo wrażliwy na cios jak zwycięzca.

— Właśnie się o tym dowiedziałeś, Krimm, co?

— Zgadza się, poruczniku, właśnie to przeżywam. Tylko że ja mam skórę grubszą niż mają oseski.

Pocieszałem się, że uprawia tę zjadliwość, by zmniejszyć rozmiar swego upokorzenia, ale czułem niepokój, którego źródłem były obawy, czy mam rację. W sumie mój blef i mój niepokój obnażały moje gówniarstwo, którego rewersem był ów oczywisty fakt, że Krimm wyfrunął z tego gmachu.

Znowu odezwał się telefon, tym razem był to stryj Hubert:

— Nurni, czy jesteś zdrów i cały?

— Tak.

— Chwała Bogu, jeśli On istnieje!

— Modliłeś się do Niego?

— Prawie, synku.

— Stryju, posłuchaj! Konfidentką była żona Mateusza, rozumiesz?

— Co mam rozumieć?

— To, że ten, kto doniósł ojcu, mógł ją pomylić z moją macochą! Ta sama twarz, to samo imię i to samo nazwisko po mężu, Miriam Flowenol! Ten ktoś nie wiedział, że tamta ma bliźniaczkę, dowiedział się tylko w jakiś sposób, że Miriam Flowenol kabluje enbecji, i powiadomił ojca!

— Bardzo prawdopodobne, Nurni! Bardzo prawdopodobne!

Czemu tak entuzjastycznie to wykrzyknął? Wszystko mogło tu być prawdopodobne, a nic nie było pewne, nie wiedzieliśmy nawet, czy wiedza ojca brała się z donosu, czy z innego źródła, a Hubert — miast uruchomić swój rytualny sceptycyzm — przytakiwał jak dzieciak moim dziecinnym spekulacjom. Po odłożeniu słuchawki to, co przed chwilą wydawało mi się bardzo możliwe, zaczęło mi się wydawać słabiutką hipotezą naiwniaka...

Próbowałem w tłumie jeńców odnaleźć szefa sekcji naukowo-artystyczno-kościelnej, ale nie było go wśród pojmanych i żaden z nich nie wiedział, gdzie jest ten człowiek. Znowu wezwano mnie do radioaparatu i tam przez głośnik ofiarowano mi gwiazdkę z nieba, taką, co spada na łeb, żeby go uszkodzić. Jeep, w którym czterech moich chłopców wiozło Rabonowi Krimma, został po drodze zatrzymany przez patrol. Były to niedobitki gwardii przybocznej generała Tolda; eskorta myślała, że to patrol zwycięzców. Opłaciła tę pomyłkę śmiercią. Krimm zwiał!

Ledwie wysłuchałem meldunku, gdy Grotius krzyknął mi przez okno, że Krimm do mnie dzwoni! Zabrzmiało to jak marny żart, ale w słuchawce telefonu rozległ się głos człowieka, który pół godziny wcześniej leżał na biurku niczym trup gotowy do sekcji zwłok:

— Witaj, niewiniątko taergowskie!... Jestem wolny, od kilkunastu minut...

— Wiem.

— Wiem, że wiesz. I wiem, że będziesz chciał odnaleźć eks-komisarza Krimma. Nie dasz rady, nie trać czasu. Najlepsze, co możesz zrobić, to spieprzyć za ocean nim ja wrócę na swój tron. Bo ja wrócę. Nie wiem kiedy, lecz wiem, że tak. A przedtem będę was kosił jednego po drugim. Kto tu zostanie u żłobu, pójdzie na przemiał, obiecuję!... W Biblii piszą, Flowenol, że jest czas siewu i czas zbierania, czas miłości i czas nienawiści, czas wojny i czas pokoju, i tak dalej. No więc teraz będzie czas odzierania głupców ze zwycięskich złudzeń, i czas tworzenia polegającego na niszczeniu! Ty wiesz, Flowenol, że ja lubię niszczyć, ale od dzisiaj będę tworzył za pomocą niszczenia. Będę tworzył grunt pod waszą wysiadkę i pod nowy układ, w którym mój fotel wróci do moich rąk!...

— Wszystkiego najlepszego na nowej drodze życia — burknąłem, bo co miałem powiedzieć.

— Dzięki. W rewanżu dobra rada: jeśli nie chcesz stąd wiać, to przynajmniej rozejrzyj się za inną pracą, gdyż u Taerga etat szybko ci się skończy, i sam możesz szybko się skończyć. Kapujesz dlaczego? Bo on jest, może nie pierwszy, ale główny na mojej liście! Będzie moją ukochaną tarczą strzelecką, a strzelnica ma to do siebie, że kto stoi zbyt blisko tarczy, musi oberwać, wiesz co to rozrzut...

— Gówno mu zrobisz!

— Założymy się?... Masz u mnie francuski koniak, jeśli on przeżyje ten rok. Jeśli dożyje końca następnego roku, zostaniesz przeze mnie amnestionowany, Flowenol!... Baw się dobrze w elicie Rabona! Teraz będziesz do niej należał, będziesz wśród tych, którzy rządzą, niewinny centurionie. Ale gotuj się na to, o czym mówił Saint-Just: „Niewinnie rządzić nie można!" Że ten Francuz miał rację, przekonasz się bardzo prędko... Muszę kończyć, będą mi wyjmować z uda moją kulę. Wesołego władania!

Dźwięk odłożonej słuchawki, delikatny, jak repetowanie, lub jak wystrzał przez tłumik pistoletu.

Taerg również miał z nim telefoniczny dialog, tylko trochę później. Powiedział mi o tym, więc i ja powiedziałem mu, że Krimm odbył ze mną taki dialog.

— Co ci konkretnie truł?

— Cytował Biblię.

— Cytował Biblię? I to wszystko?

— Jeszcze obiecał, że nas wykończy, i że pana najchętniej posłałby do piachu.

— A co ty na to?

— Nic. Umarłem z przerażenia.

Taerg machnął ręką, jakby się opędzał od komarów:

— Straszy nas, bo obecnie niczego innego nie może zrobić. I długo nie będzie mógł. Zorganizowanie skutecznego podziemia to coś więcej niż zorganizowanie przyjęcia imieninowego, to mu zabierze sporo czasu, najmniej kilka miesięcy, a w tym czasie sam może wpaść.

— Z jego doświadczeniem logistycznym i policyjnym?... Trudno będzie przystopować go, a nakryć jeszcze trudniej, panie pułkowniku.

— Biorę to pod uwagę, Flowenol, wiem, że Krimm to trudny orzech do zgryzienia. Na razie zamknąłem miasto, ale nie mogę przeczesać każdego domu, to by trwało rok. Wyznaczy się cenę za jego łeb, może kogoś skusi. I cały czas będę polował na niego...

— A on na pana. Będzie się ścigał z panem w biegu do gardła któregoś z was. Dlatego będzie pan potrzebował mocnej ochrony, panie pułkowniku.

— Proponujesz siebie?

— Dopóki nie znajdzie pan kogoś lepszego.

— Nigdy nie znajdę kogoś lepszego. Ale jako zwykły goryl marnowałbyś się, poruczniku, miałem w stosunku do ciebie inny plan. Chcę, żebyś stworzył moją prywatną policję, która będzie czymś w rodzaju tajnej nadpolicji, lub czymś w rodzaju komanda do zadań specjalnych, podległego tylko mnie. W ramach tej jednostki mogłaby funkcjonować i moja straż przyboczna...

— Czy w ramach tej jednostki mógłbym też załatwiać moje sprawy osobiste?

— Jakie sprawy?

— Dwie. Pierwsza to Krimm.

— Krimma będą szukały odpowiednie, wyspecjalizowane komórki żandarmerii i Narodowego Bezpieczeństwa, a gdy już znajdą, i jeśli wezmą żywcem, dostaniesz go, poruczniku. Jaka jest ta druga sprawa?

— Chodzi o moją macochę, która zniknęła bez śladu.

— Przypuszczasz, że ją zamordowano?

— Nie. Przypuszczam, że gdzieś się ukryła, tylko nie wiem gdzie i dlaczego.

— Zgoda. Tak jak powiedziałem, będziesz od zadań specjalnych, a ich wcale nie musi być dużo, gdyby to była działalność codzienna, to nie byłaby specjalna, od zwykłej roboty będę miał moich enbeków. Ty będziesz miał mnóstwo wolnego czasu, kapitanie...

— Kapitanie?...

— To awans!

— Dziękuję, panie pułkowniku, ale nie jestem zainteresowany.

— Dlaczego?

— Dlatego, że porucznik to był szczyt moich marzeń.

— Flowenol, czy ja dla twoich kaprysów mam się narażać na gniew jego ekscelencji, oświadczając mu, że mój człowiek ma w dupie jego wdzięczność? Prezydent Rabon chciał ci podziękować w ten sposób za twoją...

— Niech pan mu powie, że jestem po chrześcijańsku skromny. To mu się spodoba.

— Co?!

— Stryj mi doniósł, że generał Rabon...

Poprawił mnie:

— Jego ekscelencja pan prezydent Rabon!

— ... tak, jego ekscelencja prezydent Rabon, otóż, że ekscelencja zawarła cichy pakt z Kościołem, więc to się jej bardzo spodoba.

— Flowenol, ty mi się coraz mniej podobasz!... — mruknął, przygryzając wargę. — Zdaje się, że w woju wyrwałem ci za mało nóg!

Nie wiem, co powiedział Rabonowi. Kazał mi organizować moje „komando" i jednocześnie uczęszczać do szkoły policyjnej, leżącej niedaleko Nolibabu, którą elewi zwali Harvesem (Harvard plus Hades), gdyż poziom szkolenia był tam bardzo wysoki, a „dawanie w kość" na poligonach przekraczało trening zwykłych komandosów. Mój kurs trwał cztery miesiące, ale nie byłem skoszarowany — przyjeżdżałem rano i wracałem po kilku godzinach. Do tego samego namówiłem sześciu chłopaków — tych sześciu „Negrów", którzy nie opuścili mnie i Taerga w langijskiej wiosce (Chris Altan, Ewald Grotius, Rok Zeurtine, Cliff Matakers, Timo Welter i Lon Kray); w ten sposób powstał kościec i sztab mojej gromadki. Owa szóstka zwerbowała swoich przyjaciół, do których miała pełne zaufanie, i tak to szło.

Proces formowania zespołu był trudniejszy niż mogłem przypuszczać. Dobierałem ludzi, sprawdzałem, wyrzucałem, znowu uzupełniałem stan osobowy i szlifowałem tę bandę, karcąc fałszywe zagrania, bo taki zespół ma zawsze coś z orkiestry, która lubi zrobić nowemu dyrygentowi kawał, aby sprawdzić jego profesjonalizm; zawsze znajdzie się kilku muzyków, którzy podczas prób zagrają fałszywe nuty, chcąc się przekonać, czy maestro jest prawdziwym, czy nadmuchanym dyrygentem. I jeśli nie zauważysz, że podczas gry całego zespołu trenującego Piątą symfonię sekcja instrumentów smyczkowych dla draki wrzuca co nieco z „Żółtej łodzi podwodnej" Beatlesów, to po tobie — nawet nie myśl o galowych występach. Tylko jednemu grajkowi pozwoliłem trwać w przekonaniu, że mu się udało. Cliff szybko ustalił, iż Ludwik Lallino, mój służbowy szofer, donosi pułkownikowi o każdym moim kroku, ale cóż dałoby wyrzucenie gnoja? Taerg by się wnerwił, a potem znalazłby inne „oko"; lepiej było udawać, że jest się nieświadomym, i nie patrzeć na sympatyczny dziób Lallina. Bo Lallino wiecznie się uśmiechał. Jego uśmiech był jak uśmiech prostytutki, który jest jak dziura wywiercona w zwierzęcym ciele.

Moją kwaterą służbową stał się budynek na peryferiach Nolibabu (daleko od pałacu prezydenckiego, ale blisko siedziby Taerga), skromny, zaledwie dwupiętrowy, cofnięty w głąb ogrodu i mający obszerne garaże pod ziemią. Z tych garaży wiódł podziemny tunel, który się rozgałęział na dwa korytarzyki: jeden prowadził do rezydencji Taerga, drugi do piwnic starego czynszowego domu w małej uliczce, tak iż można było wejść lub wyjść z kwatery zespołu nie przez furtkę frontową, lecz w sposób sekretny. Przy jawnym wejściu wisiała tabliczka: BIURO STATYSTYCZNE URZĘDU MIEJSKIEGO. Na legitymacjach mieliśmy wydruk: SŁUŻBA KONTROLNA POLICJI MIEJSKIEJ NOLIBABU (BS).

Taerga strzegłem dzień i noc, lubię francuski koniak. Ośmiu moich beseków (trzy ośmioosobowe grupy, zmieniające się co osiem godzin) towarzyszyło mu wszędzie gdzie się ruszył (dwóch w jego pancernym wozie, trzech w innym wozie z tyłu, i trzech w jeszcze jednym z przodu). Szybkość poruszania się antyzamachowa, możliwość tworzenia osłony dymnej kilkusekundowa, trasy przejazdu zmieniane w ostatniej chwili. Nawet gdy spał lub zabawiał się z żoną albo kochanką, moi ludzie warowali obok progu. Tylko mechanicy z Biura Statystycznego mieli prawo opiekować się jego wozem. Tylko ich koledzy dostarczali mu żywność, jaką zamówiła jego żona (czterej goryle strzegli ją, gdy chciała wyjść na miasto lub gdy wyjeżdżała z Nolibabu). Propozycję znalezienia mu sobowtóra do wprowadzania zamachowców w błąd — odrzucił. Na szczęście nie miał potomstwa, które musiałbym strzec w szkole, kinie, dyskotece bądź w czasie wagarów; zabrakłoby mi ludzi.

Pierwszą akcję specjalną kazano nam wykonać zaraz po tym, jak ukończyłem Harves. W trakcie mojego studiowania Kościół, który partnerował Rabonowi sprawując rząd dusz nad milionami wiernych, załatwił sobie religijny quasi-monopol, to jest zlikwidował, a dokładniej rozpędził siłą (siłą enbecką) wszelkie ruchy religijne alternatywne wobec chrześcijaństwa i judaizmu. Pogoniono każdą z wielu modnych sekt orientalnych (głównie azjatyckich), które za poprzedniego reżimu były rozpieszczane jako przeciwwaga dla Kościoła (to dlatego Kościół wsparł lub może nawet utworzył spisek). Formalnie hierarchia kościelna nie miała z tym nic wspólnego — to Ministerstwo do spraw Wyznań realizowało program *„przywracania porządku”* siłami żandarmerii i NB. Gdy już Nolibab i większe miasta wyczyszczono z buddystów, hinduistów i im podobnych, został tylko jeden problem do rozwiązania. Ten problem nazywał się: „Starzec" i był problemem bardzo delikatnym, bo „Starzec" również reklamował Chrystusa, lecz w konkurencyjny sposób, a do tego w sposób niezbyt pochlebny dla hierarchii kościelnej. „Starzec" krytykował ją.

— Żyjemy w wolnym kraju, sam widzisz, jego ekscelencja zezwolił zakładać partie opozycyjne, w parlamencie jest ich już od groma — powiedział mi pułkownik. — Tak więc każdy ma prawo mieć tu swój nadbrzeżny Hyde Park. Pod warunkiem, że dostał to prawo i że przestrzega reguł gry. Lecz ów staruch atakuje kardynała Jonsa i papieża, a co za dużo, to niezdrowo. Jako agent francuskich integrystów mógłby...

— Czyj?

— Integrystów francuskiego biskupa Lefevre'a, który się zbuntował przeciw reformom Soboru Watykańskiego, a teraz toczy wściekłą wojnę z Watykanem.

— I „Starzec" to agent Lefevre'a?... Ma pan pewność, panie pułkowniku?

— Gdybym nie miał pewności, to bym nie mówił, że tak jest, Flowenol!... Told sprowadził do nas tego grzyba, by popsuć humor Jonsonowi, i Told cały czas miał przy staruchu swoje „oko", enbeka, którego teraz ja przejąłem. Bardzo inteligentny typ, należy do ścisłego sztabu „Starca", niczym apostoł...

— A co ja mam grać w tej grze, panie pułkowniku?

— Ty masz zagrać to, czego publicznie nie możemy zrobić, „Starzec" to nie Hari Krishna. Trzeba, żeby zniknął...

— Wobec tego ja zniknę, panie pułkowniku. O ile mam pociąg do mordowania nieletnich, to seniorów nie będę mordował! Czy wystarczy ustna prośba o zwolnienie, czy mam złożyć dymisję pisemną?

Patrzył mi w twarz zdziwiony, jakby zobaczył na niej wrzód, którego przedtem nie dostrzegał.

— Flowenol, albo jesteś pijany, albo walnięty!... Kto ci kazał robić to, co suponujesz?! Już nawet nie chodzi o fakt, że zbrodnia na tym staruchu byłaby parszywą zbrodnią, ważniejsze jest, że byłaby katastrofalną głupotą, Jons nie chce męczenników po drugiej stronie barykady! Masz zerwać grzyba, ale tak, żeby nikt tego nie spostrzegł. Potem wywieziesz go do kangurów i tam zwrócisz mu wolność, zaś australijska telewizja ukaże całemu światu starucha żywego i głoszącego integrystyczne kazanie wśród torbaczy i misiów koala.

— Ile mam czasu na wykonanie tej drobnostki?

— Tyle, ile trzeba, żebyś nie popełnił żadnego błędu. Im szybciej, tym lepiej.

Gdyby nie warunek, aby nikt tego nie zauważył (i gdyby nie fakt, że misie koala to również torbacze), nie miałbym owemu rozkazowi niczego do zarzucenia.

Agent, którego Taerg pochwalił i który w enbeckiej grypserze nosił pseudo „Apostoł" (jego nazwiska nie poznałem nigdy), był starzejącym się człowiekiem o łagodnym spojrzeniu, ale gdzieś w głębi jego oczu, a może w skrzywieniu ust, bądź w jakimś innym fragmencie twarzy, czaił się przedziwny, kontrolowany ekshibicjonizm, który gasł na życzenie lub wracał, gdy agent rozluźniał swą czujność. Położyłem przed nim plan dawnego Biura Floty, gdzie „Starzec" miał dziką kwaterę. Była to ruina od kilkudziesięciu lat. Obszerny parter został przez ludzi „Starca" zamieniony na siedlisko: służył jako kuchnia, stołówka i sypialnia dla czterdziestu osób. Podejście z zewnątrz wykluczone; wokół ruiny koczował nocą tłumek wyznawców idola, stanowiąc swoistą straż.

— A w zimie? — zapytałem zdumiony.

— W zimie palą kilka wielkich ognisk — rzekł „Apostoł". — W starych dokach mają górę drewna. Ich fanatyzmu nie zabije żaden mróz.

— Więcej kobiet czy mężczyzn?

— Po równo, kobiety są nawet bardziej stuknięte... To jest opętanie przez diabła. Tam wiatr wieje bez przerwy i to się rzuca na rozum. Oni krzyczą po nocach, gdy śpią!

Wskazał mi wyjście z piwnic na parter. Oznaczyłem je czerwoną kreską i brygady enbeckich minerów zaczęły kopać tunel od starej przystani marynarki wojennej (kamuflażem były prace remontowe w jednym ze starych doków, przeznaczonym rzekomo na muzeum floty). Taerga poprosiłem, aby sekcja chemiczna przygotowała mi odpowiednią dawkę gazu usypiającego.

Minerzy wyliczyli swój czas na dwa tygodnie. Czekając aż się uwiną, zapragnąłem zobaczyć i posłuchać „Starca". Hubert, gdy się dowiedział, natychmiast zapragnął tego samego. Ciarki przeszły mi po grzbiecie, nie chciałem przyświecać sobie zapalniczką w zbiorniku benzyny. Musiałem go powstrzymać:

— Przecież nie lubisz tego faceta, stryju!

— Owszem, nie lubię proroków i tych, którzy budują nowe Kościoły, stare wystarczą. On niby propaguje stary, przedsoborowy Kościół, ale to cwaniak, marzy mu się coś innego, nowatorskiego.

— Widocznie nie tylko jemu, do ściany nie przemawia.

— Oh, Nurni, cóż to jest liczba wyznawców! Każda nowa religia, sekta czy obrządkowość znajdzie sobie chętnych. Zobacz, w Anglii miliony ludzi mają Kościół, który powstał kilka wieków temu tylko dlatego, żeby pewien koronowany syfilityk mógł legalnie ciupciać nową nałożnicę. Te miliony ludzi doskonale o tym wiedzą, uczą się o tym w szkołach, i nic a nic im to nie przeszkadza, czczą ten swój Kościół, którego kolebką były chuć i bezprawie.

— Stryju, ten tłum wokół „Starca" to groźny tłum...

— Dlatego właśnie chcę iść z tobą. Miałem ochotę już kilka razy, ale zawsze czas mi nie pozwalał, a później, gdy Grant dostał od nich manto, uznałem, że to nie jest bezpieczny pomysł. Z tobą i z twoimi pieskami się nie boję.

— Za to ja się boję iść z tobą, stryju.

— A to dlaczego?

— Bo nie chcę żadnych afer, stryju!

— Jakich afer? To według ciebie ja jestem aferzystą, synku?

— Nie jesteś aferzystą, tylko brytanem, który jak słucha religijnych doktrynerów, to im odszczekuje i w końcu zagryza ateistycznymi zębami. Iść tam z tobą, to murowana awantura.

— Przysięgam, że będę milczał jak grób!

— Stryju... kobiecie prędzej bym uwierzył, że na herbatce z przyjaciółką lub na balu będzie milczała jak grób!

Odpowiedział mi tylko spojrzeniem zranionej łani. Wziąłem go ze sobą.

Ujrzeliśmy tłum, lecz nie była to ciżba aż tak wielka jak ta, która przychodziła rok temu; meldunki mówiły, że pod wpływem ambon liczba wyznawców „Starca" regularnie maleje, co okazało się prawdą.

Gdy przybyliśmy, „Starzec" trzymał księgę i czytał:

„Wody, które widziałeś,
gdzie Nierządnica ma siedzibę,
to są ludy i tłumy,
narody i języki...
A Niewiasta, którą widziałeś,
to jest Wielkie Miasto...
Niewiasta była odziana w purpurę i szkarłaty,
cała zdobna w złoto, perły i drogie kamienie,
w ręce swej miała złoty puchar
pełen obrzydliwości i brudów swego nierządu.
A na jej czole wypisane imię-tajemnica:
Wielki Babilon!".

— Co to jest? — spytałem szeptem, zasłaniając usta dłonią.

— „Apokalipsa", synku — odrzekł stryj. — Zawsze podejrzewałem, że nie chodziłeś do szkoły.

— W żadnej szkole Stary Testament nie jest lekturą obowiązkową.

— Gdybyś chodził do jakiejkolwiek, to byś wiedział, że „Apokalipsa św. Jana" znajduje się w Nowym.

Zawstydziłem się, a tymczasem „prorok" oddał Pismo jednemu z przybocznych i rozpoczął gadać własnym tekstem. Trafiliśmy chyba na nietypowe kazanie, bo piętnował swoich słuchaczy. Miał niski, wcale nie zgrzybiały głos:

— ... Jeśli moje słowa nie przynoszą wam pokarmu, to tak, jakbym w ogóle nie mówił i jakby mnie nie było, odwróćcie się do mnie plecami i odejdźcie, albowiem czas jest zbyt cenny, żeby go tracić na głupstwa. Moje słowa nie mają was zdobyć ani poddać mojemu głosowi, słowa, które szukają niewolników są głosem piekieł. Tylko słowa, które obok nektaru nadziei niosą i pokarm gorzkiej prawdy, warte są słuchu. Tedy nie oczekujcie, że będę tańczył przed wami, aby was skusić, byście się stali ulegli wobec mnie jako samica wobec samca. Będę wam urągał i wytykał wam grzech, który toczy was niby najgroźniejsza z chorób. Choć nosicie w sobie tylko jeden. Bo nie ma w sercach waszych wielu grzechów, jest tylko jeden, a są nim dwa oblicza waszej duszy... Czemu dusza ludzka pragnie pokoju i rwie się do dzieła wojennego? Czemu kocha słodycz domowego ogniska i szuka rozpusty poza domem? Czemu jest gotowa do miłosierdzia i skłonna uprawiać okrucieństwo? Czemu jest tak głodna sprawiedliwości i tak miłe jej patrzenie z góry na drugiego człowieka? Bo jesteście jako ogrodnik, który ma dwa zagony, dobra i zła, ale żadnego nie chce się wyrzec, by nie zmniejszyła się jego posiadłość...

Stryj zlikwidował pół kroku, które mnie dzieliły od niego i lekceważąc moich sąsiadów szepnął mi:

— Stary banał o dwoistości natury ludzkiej. Dalej powinna pójść aria demonologiczna o przewadze imperium ciemności nad jasnym imperium, z podtekstem, że tylko jedyny dobry Bóg, czyli jego Bóg, może odwrócić i kiedyś odwróci ten układ. Święty Augustyn truł taki sam tekst, zapożyczając i rozbudowując doktrynę Persa Mani. Głosił też, że kiedy oba imperia ulegną rozdzieleniu, to jedni będą żyć w łasce, a drugich, grzesznych, dosięgną kary. Inkwizycja zbudowała na tej doktrynie swoje królestwo!

Ostatnie słowa mówił już zbyt głośnym szeptem, zaczęto się odwracać w naszym kierunku.

— Ciszej, stryju! — syknąłem. — I w ogóle nic nie gadaj, milcz!

Białobrody wzmocnił ton:

— ... Starczy wam pokazać na ekranach telewizorów konające z głodu afrykańskie dzieci, a monety z waszych sakiewek płyną na fundusz wspomagania dalekiego kontynentu, lecz czy któryś z was wybrał się na przedmieście, by podać dłoń pariasom szczepu własnego i osuszyć łzy, jakie wyciska im nędza? Nie, bo Kościół, który tu rządzi, zamyka wam słuch i wzrok!...

O ciemnym i jasnym imperium ani słowa; stryj musiał być rozczarowany. Wykręciłem głowę, by się temu przyjrzeć, i zrobiło mi się słabo — zniknął, zanurkował w tłum!

— Lon... — szepnąłem Krayowi — ... idź go odszukaj i jak będzie coś ględził, to go uduś, albo chociaż wyrwij mu jęzor!

Lon począł się rozglądać i przepychać w ciżbie. Starzec już nie mówił, lecz krzyczał:

— ...Oto dlaczego wszyscy musimy zawierzyć Bogu, lecz Bogu prawdziwemu, którego ci, co mu fałszywie służą, krzyżują powtórnie! Wszelako wina nie leży tylko w sercach kłamliwych sług bożych, ona jest, jako rzekłem już, w waszych sercach także, bracia moi! Tedy nie nastąpi odrodzenie, póki wy nie pozbędziecie się zagonu zła! Póki ciemnej nocy w myślach waszych nie przeciwstawicie jasności dnia w myślach waszych! Póki nie przestaniecie szukać cielca złotego, i uciech sprośnych, i wszelakiej marności ludzkiej niczym ślepy kret kopiący mroczne tunele i szukający larw pod ziemią! Gdyż to nie one tuczą w człowieku prawdziwego człowieka, lecz zrozumienie drogi, jej sensu i jej kierunku! Dlatego do was mówię, a dzisiaj zwłaszcza do tych mówię, którzy opływają w złoto i są ślepi na potrzeby brata swego nędzarza, co cierpi głód! Gdybym zapytał, ilu majętnych, a głuchych i ślepych, stoi dziś przede mną, żaden się nie odezwie, i nie podniosą rąk swoich mówiąc: „Jam jest tu!", nie ujawnią obecności swojej, bo każdemu z nich strach i skąpstwo ukradły odwagę wraz z resztką sumienia...

Przerwał mu potężny baryton:

— Jam jest tu!

Wszystko zamieniło się w milczenie, jakby z obłoków nad nami lunęła cisza i skąpała wszystkich w niemym zachwyceniu albo oburzeniu, które są paraliżem chwilowym i wyzwalają grzmot kiedy nadciąga burza. Usłyszałem głuchy pomruk wielogłowej bestii i zobaczyłem czyjąś rękę wyciągniętą w niebo; tylko jeden słuchacz mógł być jej właścicielem, stryj. Moi chłopcy i ja zaczęliśmy przepychać się w jego kierunku, lecz wyprzedził nas głos białobrodego:

— Pokój z tobą, bogaczu! Lub hańba z tobą, jeśli pozostajesz w służbie hańby!

Stryj odkrzyknął:

— Pozostaję we własnej służbie i nie mam zamiaru dzielić się moją zasobnością z pijakami, narkomanami, lumpami, nierobami, żebrakami śpiącymi na poduszkach pełnych banknotów i wydrwigroszami, którzy robią w konia opiekę społeczną!

— Więc nie miłujesz ani Boga, ani ludzi! — zakonkludował „Starzec".

— Jak mógłbym miłować Boga, który jest matrycą człowieka? — zapytał go stryj. — Czyż Pismo, o którym ty mówisz, że jest kłamliwie interpretowane i że trzeba je interpretować w uczciwy sposób, czyż to Pismo nie przekonuje nas, iż „człowiek został stworzony na obraz i podobieństwo Boże"? Nie mógłbym kochać tak okropnego Boga!

— A czy taki człowiek jak ty mógłby w ogóle miłować kogoś? — parsknął białobrody.

— Nie za bardzo, to prawda, świątobliwy nauczycielu! Lecz nie z tej przyczyny, że miłość i śmierć chodzą w parze, jak twierdzi zastęp mądrali odkąd urodził się pierwszy mądrala, tylko dlatego, że w parze tańczą miłość i ból, a ja nie jestem masochistą!

„Starzec" wyciągnął paluch w kierunku stryja i zagrzmiał:

— Tedy jesteś drewnianą kukłą, która nic nie wie i nic nie czuje, i nigdy nie zrozumie, że miłość to najwyższe dobro, jak uczy nasz Pan!

— Wasz Pan się myli! Każda miłość kończy się sprzeniewierzeniem — ucieczką, nudą lub zdradą! Sam tego zaznał. O ileż skuteczniej naprawiłby świat, o ileż więcej posiałby dobra, gdyby zamiast miłości uczynił fizjologią lojalność i wierność. Tak, mistrzu, tak!

Gdyby lojalność w przyjaźni i wierność w miłości były fizjologią, jak choćby łaknienie i głód, to procent ludzi dobrych i ludzi szczęśliwych byłby taki, że już nikt na tym świecie nie potrzebowałby czekać na jakiegoś Mesjasza, który zrobi porządek!

— Ależ On uczył tego, uczył wytrwałej miłości, człowieku!

— No to, zaiste, był fenomenalnym nauczycielem, podobnie jak ty! Rozejrzyj się dookoła!

— To tylko ludzka słabość...

— Tere-fere-kuku! Najbanalniejsza prawda pedagogiki to arcysłuszne twierdzenie, że kiepskiego nauczyciela rozpoznaje się po tym, iż każdą klęskę dydaktyczną tłumaczy faktem, że miał złych uczniów!

W tym momencie dopadłem go i szarpnąłem:

— Koniec tej grandy, stryju, wynoś się stąd!

Strzepnął nieistniejący pyłek z marynarki w miejscu, którego nie dotknęła moja ręka, i spytał:

— To ty też jesteś ateistą, Nurni?

— Nie będę o tym dyskutował tutaj, wychodź, już!

— ... Pomyślałem, że może jesteś, bo robisz mi propozycję tak niechrześcijańską...

Dałem znak, chłopcy zarzucili mu kurtkę na łeb i wyszarpnęliśmy go z tłumu, który chyba sądził, że jesteśmy mścicielami białobrodego, więc nie przeszkadzał nam.

W nocy poprzedzającej noc przed akcją miałem sen, który miewałem już wielokrotnie od powrotu z Afryki (zawsze, gdy mój mózg znajdował się w stanie silnego napięcia lub stresu). Śniłem dziwną, wielodniową wędrówkę do nieznanego miejsca, którą odbywałem pod wpływem tajemniczego imperatywu, idąc lub biegnąc z tą myślą, że rezygnacja będzie gorsza niż śmierć. W dzień połykałem wiele mil, a gdy nadchodziła noc kładłem się wśród drzew lub krzewów, chyba że uprzednio deszcz zmoczył mi posłanie. Wtedy paliłem ogniska z suchszych gałęzi i spałem jak koń, na stojąco, oparty o pień, a moja kurtka i tak nie wysychała do świtu i za każdym razem było w niej coraz więcej dziur wypalonych przez iskry. Rano znowu wchodziłem na szlak i znowu ciągnął się przede mną ten sam gościniec, biały i pusty, ginący w oddali, w bladym, przydymionym świetle. Krajobraz był zawsze taki sam, lecz ja wciąż czułem się tu jak cudzoziemiec, intruz na obcej ziemi. Każdego wieczora powtarzało się to samo: docierałem do kresu terytorium, o którym nie wiedziałem nic, i każdego ranka rozpościerał się przede mną świat nieznany i niepewny, zagadkowa kraina bez drogowskazów i bez jednego człowieka, który mógłby objaśnić mi drogę. Aż do tej nocy przed akcją wymierzoną w „Starca".

To był nerwowy sen, pełen gorączkowych myśli i słów rzygających wściekłością jak przypływ pianą na plażę. Zamiast iść, biegłem nie czując zmęczenia, tylko dziki, podniecający nurt gniewu, rosnącą zawziętość, która ożywiała moje mięśnie i dodawała mi sił. Nagle, jakby ktoś przekręcił kulę ziemską — z pełni słońca znalazłem się w strefie mroku, gdy minąłem drewniany krzyż, który pochylił się od starości niczym żebrak, co żebrze całą noc. Księżyc rzucał mi cień do stóp. Przed sobą ujrzałem ludzi idących w moim kierunku skrajem gościńca; długi sznur przypominający pogrzeby, które spotyka się na wiejskiej drodze, czarne i sztywne. Ciężkie, srebrne hafty ich strojów błyszczały, rozsiewając metaliczne światło, ich dłonie były niewidoczne pod płachtami rękawów, ich cienie wyprzedzały ich. Twarze mieli zakryte kapturami i pochylone, co przydawało im wygląd zakonników, a cisza panująca wokół pozwalała słyszeć ich marszowy krok. Każdy z nich był wyższy ode mnie przynajmniej o głowę, gotycko smukły i majestatyczny jak ludzie na obrazach Piera della Francesca — wyniośli, dumni, ogromni, uformowani w milczący orszak rzeźb, w quasi-liturgiczny pochód kariatyd, w procesję kolumnowych gigantów, gdy martwa cisza dudni niczym uroczysty dzwon, a wszystko, co jest w tle, jest służebnym sztafażem, całkowicie zdominowanym przez wielkość człowieka wychodzącego na pierwszy plan. W moim śnie ciemność ukazywała tylko widmowe kształty owego planu, kontury sylwetek i bladą grafikę gałęzi drzew wiszących nad nimi, z jakąś magiczną intymnością głaszczącą oczy i sprawiającą, że chciało się iść na palcach, by nie zakłócić monumentalnej ekspresji tego spektaklu.

Odeszli, a wówczas z mroku przede mną wyłoniła się kobieca postać, która zastąpiła mi drogę. W niej również było coś z widm — nierozpoznawalność oblicza i miękkość sylwetki, której kontur zlewał się z ciemną przestrzenią. Welon, chusta lub fale długich włosów spływały na jej ramiona, sięgając piersi. Usłyszałem szept:

— Dlaczego idziesz tą drogą, synku?

Poznałem głos, to była moja matka; umarła, gdy miałem jedenaście lat. Była mi zawsze mniej bliska niż ojciec, nie umiałem rozmawiać z nią, kochaliśmy się w milczeniu. Namiętność, którą ojciec czuł do swej drugiej żony, pełna wzajemnych wybuchów, dąsów i przebaczeń, stanowiła ogromny kontrast ze spokojną miłością, którą czuł do mojej matki, lecz to nie zmienność jego charakteru wytyczyła tę różnicę, to one ją zbudowały — mojej matce niczego nie trzeba było przebaczać, co jest u kobiety kalectwem, które podtrzymuje ciepłą miłość, miast wzmagać miłosne szaleństwo. Pamiętałem moich rodziców zawsze uśmiechniętych do siebie. Na muzykę ich mieszkania składały się pocałunki i zapachy, słowa i odstępy między słowami, i wszystkie te relacje między ciszą a nie ciszą, cudowny rytm przypływów i odpływów zawsze tego samego morza, powolnego jak adagio cantabile.

Spytała znowu czemu idę tą drogą. Jakiej mogłem udzielić odpowiedzi?

— Nie wiem, mamo — szepnąłem. — To dziwna droga...

— Obudziłam się słysząc twoje kroki, synku... Zawróć i zabij myśl o tej kobiecie. Odejdź stąd i nigdy tu nie wracaj...

— Mamo, ja przecież nie wiem...

— Ale ja wiem, Nurni... Zawróć!

— Mamo...

Przerwał mi jej szept, tak cichy, jakby już się oddalał z wiatrem, który płynął spomiędzy czarnych pól:

— Synku, to jest droga do piekła... Do piekła, synku...

Poczęła cofać się, patrząc mi w oczy oczami, których nie widziałem w ciemnościach, a jej księżycowy cień wydłużał się coraz bardziej, aż dosięgnął moich butów, jakby chcąc je owinąć i uwięzić.

Następnej nocy zrealizowałem plan. Tunelem minerskim weszliśmy pod ruinę, tam założyliśmy maski gazowe i od strony piwnic rozpyliliśmy gaz, który bezboleśnie odurzył chrapiących wyznawców białobrodego, nie przerywając im snu. Nikt z nich nie widział jak go zabieraliśmy, więc gdy „Apostoł" rzucił im przypuszczenie, że „Starzec" wniebowstąpił, wielu to kupiło.

W dyplomatycznym kontenerze przetransportowałem starucha do Canberry. Lekarz naszego ambasadora stwierdził, że „ładunek" jest zdrowszy niż powinien być w jego wieku. Nocą zawiozłem białobrodego daleko od miasta. Na pustkowiu skręciłem z szosy w step i kazałem mu wyjść z samochodu. Panował jeszcze mrok, ale nie było tego zimna, które towarzyszy przedświtom w Nolibabie. Usiedliśmy na wielkim kamieniu i czekaliśmy aż wzejdzie świt. Czekaliśmy bez słów. Niebo szarzało i różowiło się coraz bardziej, a ja coraz dziwniej się czułem sam na sam ze starym. Słońce, jakby ktoś je kopnął, wyskoczyło nagle zza horyzontu, ukazując wszystkie barwy otoczenia niby w znieruchomiałym kalejdoskopie. Zapierająca dech cisza bajecznego krajobrazu wytwarzała stan owej intymnej więzi, którą czujemy tylko wobec osób bliskich nam tak bardzo, że możemy z nimi milczeć, aby się rozumieć bez końca. Uznałem to za sentymentalizm, za chwilową słabość nie mającą racjonalnego sensu, i poderwałem się na nogi. Przez chwilę stałem oślepiony promieniem słońca, który uderzył mnie we wzrok. Wtem on przemówił:

— Żaba marzy o skrzydłach, zapominając, iż los, którym jest bocian, już umie latać.

Odwróciłem się do niego:

— Mówisz o mnie?

— Mówię o sobie. I o tobie też, mówię o nas wszystkich... Nie wiem, co mam robić, młody człowieku.

— Powiedziałem ci już, starcze, co masz robić. Zbawiaj na tej ziemi i nie wracaj do Nolibabu, bo oni cię zabiją.

— Ale nie twoimi rękami, prawda?

— Skąd wiesz?

— Bo ty prędzej zabiłbyś siebie samego.

Wzruszyłem ramieniem i przybrałem ton jeszcze bardziej oschły:

— Nie próbuj mnie nawracać, daremny trud. Za dużo jest we mnie nienawiści, by można mnie było zbawić, starcze.

— Widzę to, nie chcę cię ani nawracać, ani zbawiać. Za dużo jest w tobie nienawiści do siebie samego.

— Co mówisz?

— Mówię, żebyś czasami przytulił się do siebie, młody człowieku.

Wysoko nad nami pruł niebo odrzutowiec, krojąc błękit białą smugą ciągnącą się jak welon panny młodej uciekającej od ołtarza pod wiatr. „Starzec" zaczepił na nim wzrok, a ja odszedłem bez słowa, wsiadłem w samochód, później w samolot i wylądowałem w Nolibabie.

Po kilku tygodniach australijska telewizja ukazała białobrodego światu, jak naucza w małej osadzie górniczej; wzbogacono reportaż informacją, że przeniósł się do Australii, bo uznał ją za wybraną ziemię (źródłem tej informacji była nasza ambasada). Wówczas jego wyznawcy w naszym państwie rozpoczęli festiwal samobójstw; odbierali sobie życie jeden po drugim, niby rażeni epidemią. Dwudziestu ośmiu wybrało śmierć, z czego dwudziestu siedmiu przez rozczarowanie ucieczką idola, a ostatni, dwudziesty ósmy, z innego powodu. Tym ostatnim był „Apostoł".

— Czy to pan kazał go wykończyć? — spytałem Taerga.

— Gdybym chciał go wykończyć, nie czekałbym tak długo — odparł Taerg. — To on sam skopiował fragment Nowego Testamentu.

— Jak?

— Niezbyt dokładnie. Łykając pocisk wypluty przez lufę wsadzoną w usta... Flowenol, kiedy ja przestanę być dla ciebie Sinobrodym? To cię nie męczy, cholera? Bo ja mam już tego dość! Rozumiesz?

— Męczy mnie, pułkowniku, nie to, że mam udział w śmierci pańskiego Iskarioty, lecz mój udział w śmierci tamtych dwudziestu siedmiu.

— Więc zrób to samo, co on, odkupisz swoją winę!... Zachowujesz się jak małe przestraszone dziecko!

— Ktoś mnie właśnie niedawno postraszył, że nie można rządzić niewinnie, i to się sprawdza szybciej niż ten ktoś przypuszczał.

— Więc zmień zawód, poruczniku, przywdziej sutannę, włosiennicę, syp na łeb popioły i okładaj się dyscypliną! Jeśli nie uczynisz tego sam, a dalej będziesz się mazał, to ja ci w tej zmianie zawodu pomogę!

Na razie pomógł mi w czymś innym — zmienić lokum. Dostałem wielkie służbowe mieszkanie na trzydziestym piętrze nowego luksusowego wieżowca w centrum stolicy. Miało ogromny balkon, z którego widać było port i zatokę. Moja aktualna kochanka, żona dyrygenta Filharmonii, istne perpetuum mobile w przerabianiu aretinowskich figur, natychmiast zadeklarowała chęć dzielenia ze mną tego nowego metrażu permanentnie, a nie tylko dorywczo. Spytałem ją, jak sobie to wyobraża, czy chce zdruzgotać zasady, będąc kochanką oficjalną, a żoną na przychodne, i co powie jej mąż. Odparła, że chce wziąć z nim rozwód. Spytałem dlaczego. Odpowiedziała, że jej mąż nie rozumie, co znaczy subtelnie spojrzeć na kobietę, a jej tego potrzeba. Wyprosiłem ją za drzwi, starając się uczynić to w miarę subtelnie (własnoręcznie zniosłem jej dwie walizki do jej mercedesa), ale nie wiem czy udało mi się okazać prawidłową subtelność — subtelność jest pojęciem nazbyt względnym, bym mógł sam oceniać jej poziom w moim wykonaniu.

Chwilę później przyszedł Grant, bo „nowy parapet trzeba zmoczyć". Przyszedł z Kindockiem, który milczał jak ktoś, kogo zaraz powieszą, a on już nie ma sił, by walczyć, płakać lub kląć inaczej niż w duchu. Z mebli miałem tylko tapczan, stolik i jedno krzesło (umeblowałem się dopiero po dwóch tygodniach), więc siedzieliśmy na dębowej klepce, na której widniała kałuża w kolorze żółtym.

— Co to jest? — zdziwił się Grant.

— Mocz — wyjaśniłem.

— Aha... Na twoim miejscu odlałbym się przez okno lub z balkonu, gdyby dali mi mieszkanie bez kibla.

— To nie mój mocz.

— A czyj?

— Jamnik się zwalił na podłogę.

— I gdzie jest ten siusiacz?

— Wyszedł razem z Heleną, kilka minut temu.

— Więc to był jamnik Heleny?!... Dzięki Bogu, już myślałem, że tak ci odjazzowało, iż kupiłeś to czworonożne spaghetti, by mieć z kim rozmawiać na swoim poziomie... Tylko po jaką cholerę ona go tu przynosi, chce go nauczyć waszego jazzu, świńtucha?

— Nie, była tu pierwszy raz, chciała mu pokazać moje nowe gniazdko.

— I co, spodobało się panu pieskowi?

— Jak widzisz. Pragnął osiąść, dlatego oznakował teren po swojemu. Tylko że ja chcę mieszkać sam. Wyrzuciłem gnojka, a on zabrał ze sobą Helenę.

Grant klepnął się w kolano.

— Więc to taki jazz!... Czy ona zamierzała...?

— Uhmm.

Nadął policzki i wypuścił powietrze jak z wolno flaczejącego balonu:

— One wszystkie mają jazzowego pierdolca, a największego te, które mają pudla, jamnika albo innego Pluto! Dzięki temu są tak uduchowione, że nie przyjmą listu bez wiersza, jak nieosłodzonej herbaty!

— Jock, czy on zamawia u ciebie poezję miłosną? — spytałem Kindocka.

Kindock nic nie rzekł, odpowiedział mi Grant:

— Jock nie uprawia poezji miłosnej, Nurni.

— Dlaczego?

— Dlatego, że wytłumaczyłem mu, iż pisać o miłości można tylko gorzej, bo ten jazz w „Pieśni nad pieśniami" i w „Cynowym żołnierzyku" osiągnął już wszystko, co było do osiągnięcia.

Kindock zerwał się i bardziej wybiegł niż wyszedł, mrucząc w pogrzebowy sposób:

— Cześć, mam kilka spraw...

— Co mu jest? — spytałem. — Wygląda jak z krzyża zdjęty.

— Jeszcze nie zdjęty, wciąż wisi, i cholera wie jak długo to potrwa. Małżeństwo mu się rozpieprzyło dwa dni temu.

— Na amen?

— Chyba tak. Liza powiedziała, że ma go dość i wyniosła się. Rzekomo do swojej matki, ale na mojego nosa tej „matce" rośnie między nogami instrument tego faceta z Hameln. Głupio wyszło, stary, bo Liza wzięła ze sobą foksteriera, a my tu gadu-gadu.

Rzeczywiście, głupio wyszło. Nie miałem w tym nowym mieszkaniu żadnej szklanki i zakąski, więc pożegnaliśmy szkocką „parapetówę", którą przyniósł Grant, i odwiedziliśmy knajpę, w której mnie żegnał, gdy wyjeżdżałem do Korotu. Zastaliśmy w niej tę samą boazerię, ten sam alkohol, tego samego barmana i o dziwo tę samą liczbę kurewek, trzy samotne panienki czekające na klientów, ale nie były to tamte, minęło kilka lat.

— To ich córki — westchnął Robert.

— Poznajesz, która jest twoją? — spytałem, grzejąc w dłoni koniak.

Siedzieliśmy tam kilka godzin, gadając najpierw o „Starcu", a później o Kindocku. Gadanie o „Starcu" było moją relacją z australijskiej wyprawy; gadanie o Kindocku polegało na tym, że Grant perorował, a ja zamieniłem się w słuch. Każdy opróżniony kieliszek dodawał mu inteligencji i uskrzydlał jego retorykę „jazzową":

— To wzruszające, jak bardzo one potrzebują czworonogów i ptaszków, prawda? Muszą się koniecznie opiekować kimś słabszym, nie fizycznie słabszym, lecz mózgowo słabszym, tym się dowartościowują. I tak było zawsze. Że duże kurwy mają duże samarytańskie skrzywienie, wiadomo od wieków! A wobec fauny i flory ma to skrzywienie każda. Cosi fan tutte putane, amico mio! Staruszka Brigitte Bardot ze swoją menażerią psów i kotów to tylko wierzchołek góry lodowej, ona symbolizuje ten syndrom. Albo Marylin Monroe, stary. Wiesz, jaki jazz kiedyś zagrała? Widząc przez okno krowę moknącą na deszczu, wybiegła, złapała za postronek i wciągnęła zwierzątko do salonu, tam przeczekało deszcz! Identycznie jest z Lizą. Serduszko wielkie jak Tadż Mahal, a odkochała się w Jocku, bo on ma tylko dwie kończyny dolne i nosi krawat zamiast smyczy. No i jest zbyt inteligentny!

Nie mogłem tego dłużej słuchać:

— Grant, pieprzysz strasznie!

— Dlaczego?

— Dlatego, że miłość to nie taka prosta sprawa, a małżeństwo...

— Mylisz się, Nurni, to bardzo proste. To jest jazz bardzo nieskomplikowany! Miłość jest jak gra na skrzypcach, a małżeństwo...

— Dlaczego akurat na skrzypcach?

— Dlatego, że kształtem przypominają kobietę!

— Gitara, mandolina i kontrabas też przypominają.

— Ale tylko skrzypce tulisz do policzka, idioto! Zresztą o co innego mi chodzi, o grę, która jest jak miłość. Trzech rzeczy tu potrzeba: mózgu, żeby nie być nudnym, serca, żeby nie być tylko maszyną, i techniki, żeby nie być wiecznym amatorem...

— Przed chwilą mówiłeś, że za dużo mózgu...

— Bo nie może być za dużo, i winien być raczej rozrywkowy niż inteligentny, kapujesz ten jazz? I to dotyczyło luźnych związków, bo w małżeństwie potrzeba jeszcze czegoś. Potrzeba wytrwałości, jak mówił mój tata. Mówił, że...

— Wiem. Daruj sobie szczegółowe argumenty, bo już je znam.

— Skąd je znasz?

— Stryj mi tłumaczył, tylko że on to nazwał pracowitością. Ale chodziło mu właśnie o wytrwałość.

— No i dobrze jazzował, chodzi głównie o wytrwałość! Jak komuś jej zabraknie, to małżeństwo umiera! Lizie zabrakło wytrwałości... Takich kobiet jak ona jest coraz więcej. Każda z nich, jak już zdecyduje się na małżeński jazz, jest bardzo dobra do małżeństwa. W końcu kobieta to zawsze matka, choćby tylko potencjalna, więc nikt nie umie tak utulić mężczyzny jak kobieta. Ale kiedy się jej odmieni kaprys — zniszczy mężczyznę tak okrutnie, jak nie potrafiłby tego zrobić najpodlejszy jazzman!... Prawie wszystkie prędzej czy później mają ten kaprys, Nurni. Niewiele rzeczy może się udać z żoną, lecz ta jedna udaje się prawie zawsze.

— Tak, tylko że w wykonaniu obu stron, Robbie, a nie tylko bab, bo nie tylko one miewają ten rodzaj kaprysów. To idzie po równo. Teraz rozumiem, dlaczego stryj Hubert tak cię lubi. Obaj macie tego samego pierdolca!

— Znaczy jakiego? — zapytał, przewracając kieliszek w podnieceniu. — Masz na myśli niesprawiedliwość wobec samic? To odruch genetyczny, one też nas złośliwie sumują, to jest niesprawiedliwość biologicznie zaprogramowana!

— Mam na myśli nie tylko to. Ale nie chcę o tym gadać przy kieliszku.

— A znasz lepszą okazję? Jak nie pogadamy o tym dziś, być może okazja nie powtórzy się prędko. Zdradź mi, na czym polega ten wspólny jazz mój i twojego stryja, Nurni!

— Na tym, że miłość i nienawiść w jednym mieszkają ogródku.

— To stary banał, Nurni!

— Chodzi mi o to, że uwielbiacie kobiety i uważacie za wredne od urodzenia.

— Ależ ja nie potępiam ich!

— On też ma rozdwojenie jaźni, przyjacielu. Każdą z osobna broni zawzięcie, ale ogólnie uważa, że faceci to ofiary kurwiących się bab, których rozwiązłość i poligamiczność jest większa o całe piekło. Mówisz, że Lizie zabrakło wytrwałości w małżeństwie? A przysięgniesz, że Jock nic tu nie zawinił? Mógł nawalić w stu rzeczach, w łóżku lub poza nim, mógł zrobić jakiś gruby błąd...

— Gówno, chłopcze, ten jazz nie polega na popełnianiu lub nie popełnianiu błędów! Jak zresztą każdy jazz. Jeśli ma być kiepsko, to gdy robisz coś, jest kiepsko, a gdy tego nie robisz, też jest kiepsko.

Powstrzymywanie się od zła, unikanie błędów, głupota i mądrość, wszystko to nic nie daje. Moi starzy dostawali szału, że palę papierosy. Moja ciotka, która była lekarką, powiedziała im, że zna bezbłędną terapię i to błyskawiczną, po której każdy palacz raz na zawsze rzuca szlugi. Zabrała mnie do prosektorium i pokazała mi preparowanie tkanki płucnej dwóch zmarłych mężczyzn. Jeden nigdy nie palił, drugi, nałogowiec, zmarł na raka płuc mając czterdzieści pięć lat. Płuca pierwszego były czyściutkie, płuca drugiego to była potworność, nie możesz sobie wyobrazić, patrząc miałeś dość szlugów.

— Ale ty dalej palisz!

— Właśnie o tym mówię, tylko mi przerywasz. Mnie to nie powstrzymało od błędu. Wychodząc stamtąd zapytałem prosektora ile lat przeżył ten niepalący. Przeżył trzydzieści dwa lata.

— To demagogia, Robbie.

— To fatalizm, Nurni.

— Ale ten, który był nałogowcem, gdyby nie palił, mógłby przeżyć osiemdziesiąt lat!

— Po co?...

Wlepił we mnie wzrok pytający, a moje milczenie odebrał jako laur dla swojego intelektu, i teraz miał do tego prawo. Ucieszony tym, kontynuował:

— To nie polega na robieniu czy nie robieniu błędów, Nurni, tylko na zupełnie innym jazzie. Chodzi po prostu o fart. I nawet nie o to, czy masz fart, lecz o to, jak długo trwa ten fart. Ty wiesz, że ja kocham samochody, więc wyłożę ci to samochodowo. Według mojej teorii, teorii-pana-Roberta-Granta-wszelkie-prawa-zastrzeżone!, szczęście oraz erotyzm to dwa samochody bez hamulców. Jazda może trwać długo, nawet wbrew prawidłom ruchu i wbrew wszelkim znakom zakazu po drodze, lecz Eros, który pcha ludzi do niewiarygodnych głupstw, to samochód mniej niebezpieczny, bo jazda nie zawsze kończy się katastrofą, tylko wyczerpaniem paliwa, lub zepsuciem bądź wyłączeniem silnika, a ten pierwszy samochód musi się rozbić! Na tym polega ten jazz. Tak!

Walnął pięścią w stół, co zmobilizowało trzy bezrobotne panienki przyssane do barowych gwoździ; poczęły nam oferować siebie metodą uśmiechów.

— Uznały nas za ostatnią deskę swego rachunku ekonomicznego — rzekł Grant. — Wezmę jedną do domu. Tobie też radzę wziąć... No to po ostatnim, strzemiennym!... Do której startujesz?

— Do żadnej.

— Uuuuu!... Helenka tak cię zmęczyła?

— Nie nudź, Robbie, wiesz, że nigdy nie byłem z płatną.

— Nawet w woju?

— Nawet w woju.

— I u czarnych też nie?

— Też, panie śledczy.

— A u stryja?

— U stryja dobierałem się do stryja.

— No to bierz którąś z tych, nigdy nie jest za późno na debiut!

— Dziękuję.

— Nie masz pojęcia ile tracisz! Nie dlatego, że one są artystki w łóżku, ale dlatego, że one są przyzwoitsze od tak zwanych przyzwoitych bab. Tu chodzi o uczciwość! Ucz-ci-wość, Nurni, kapujesz? One nazywają swoje kurewstwo po imieniu, a te „przyzwoite" całą komedię swoich namiętności ubierają w sentymentalność, w westchnienia, zwierzenia i wspomnienia, czyli w jazz górnolotno-romantyczny, tak jakby goła dupa mogła się karmić poezją!... Jest jeszcze inna różnica. Prostytutki, nawet te najdroższe, to najtańsze kobiety globu! Innych różnic nie ma, wszystkie są blondynkami, na tym polega ten jazz!... No więc jak, chcesz poznać co to uczciwość? Ucz-ci-wość, Nurni! Masz jedyną okazję w życiu!...

— Nie chcę.

— Nie to nie, frajerze, jazz ci tego nie przebaczy!

Wypił do dna, wstał, klepnął mnie po ramieniu i odszedł ku profesjonalistkom, ale zrobiwszy kilka kroków stanął, zawrócił i pochylił się nad blatem.

— Daj mi adres świętego.

— Jakiego świętego?
— No, tego, którego wywiozłeś do kangurów i misiów koala.
— Nie znam dokładnego adresu. Grant, o co ci chodzi?
— Chciałbym mu przesłać lekturę z moim nazwiskiem.
— „Dzieci kapitana Granta"?
— Nie. Chcę go zapytać listownie o... o...
— O co?
Przez chwilę się ze sobą zmagał, aż się odważył:
— Czy w niebie można mieć samochód!
— Nie można.
— Skąd wiesz?
— Zapytałem go o to.
— Poważnie mówisz?
— Poważnie. Spytałem go, czy w niebie można mieć samochód.
— I co ci odpowiedział?
— Że nie można.
— Dlaczego?
— Dlatego, że tam nie ma benzyny i przez to nie ma samochodów.
— Żadnych?
— Ani jednego.
— Mógł cię okłamać!
— Mógł.
— A jak ty myślisz, są?
— Nie ma.
— Nie ma?
— Nie ma.
Przylepił podejrzliwy wzrok do mojej twarzy, mrugając, bo mu się rozdwajała, i zapytał konspiracyjnym szeptem:
— Jesteś tego pewny, Flowenol?...

RZYM PRZECIW FLORENTYŃCZYKOWI — Akt II.

— Stawiłem się, panie, wedle twego życzenia.
— Wzywam sporo grzeszników, kim ty jesteś?
— Nazywam się Niccolo Machiavelli...
— Przypominam sobie! Nie wezwałem cię jako grzesznika, młody człowieku. Jesteś tym pisarzem, który pracuje dla Signorii i o którym mówiono mi wiele dobrego.
— Jestem nim, panie.
— Do mnie nie mówi się tak!
— Jak mam mówić? Wielebny ojcze, szanowny opacie, szlachetny proroku?...
— Hardy jesteś, czego mi nie powiedziano! Powiedziano mi tylko, że masz przenikliwy mózg, dużą znajomość prawa i pióro biegłe jak nikt!... Moi ludzie mówią do mnie: frate, a o mnie: fra Girolamo. Moi wrogowie w ogóle do mnie nie mówią, o mnie zaś mówią: Savonarola, tak, jakby wymawiali imię Belzebuba. Chciałbym, abyś należał do moich przyjaciół, nie do moich wrogów. Potrzebuję pisarza, który w moim imieniu będzie korespondował z monarchami.

— Robię to już w imieniu Republiki, którą stworzyłeś, frate.

— Signoria zmienia się co trzeci miesiąc i ledwie co druga jest mi przychylna. Chcę abyś pracował tu, w San Marco.

— Nie.

— Nie?!

— Nie należę do twoich wrogów, frate, ale nie pragnę też należeć do twoich ludzi.

— Czemu?

— Bo jestem tchórzem, a ty kochasz robić sobie wrogów. Kiedyś ich liczba przeważy liczbę twoich wielbicieli i wtedy cię zmiażdżą, a z tobą tych, którzy pracują dla ciebie.

— To nieprawda! Nie chcę robić sobie wrogów!

— Wiem, że nie chcesz. Chcesz wyplenić w człowieku wszelakie zło i uzdrowić Kościół Chrystusowy, lecz robisz to tak, że jedni cię nienawidzą, a inni wkrótce znienawidzą. Potęgi świeckie i kościelne masz już przeciwko sobie. Możni wokół...

— Prędzej wielbłąd będzie stąpał przez ucho igły, niźli możni wejdą do Królestwa Niebieskiego, rzecze Pan!

— Ale w królestwie ziemskim oni mają władzę. Jeśli już z nich uczyniłeś sobie wrogów, trzeba było przynajmniej nie zadzierać z całą resztą! Kobieta nie może żyć bez pachnideł, strojów i pieszczot lubieżnych, a ty jej tego zabraniasz...

*— Bo to ją oddala od Boga, od Kościoła, od modlitwy! Bo to ją wpędza w coraz bardziej plugawy grzech! Chiavano come cani!**

— Frate, jeśli nawet małżeństwa karcisz za to, co czynią w swoim łożu...

— Bo źle czynią! Wygadzają sobie nie po Bożemu, obracając i tarmosząc na wszystkie strony! Mężów w tym maxima culpa! Święty Hieronim rzecze: „Kto przy żonie swojej miłośnikiem wyuzdanym jest, cudzołożny i grzeszny jest”! Bóg stworzył małżeństwo dla rozmnożenia synów Adamowych, nie zaś dla wszeteczeństwa i rozkoszy nieumiarkowanej!

---

* — *Oddają się jak suki!*

— Frate, za ten pogląd ludzie cię znienawidzą.

— Ci ludzie mnie wielbią, spójrz jaki tłum mnie słucha!

— Jeszcze się tobą nie zmęczył, frate. Na mój rozum wierność tłumu lichsza jest niż wierność kochanka czy kochanki, bo kochankowie wierni się zdarzają, a wiernego tłumu nie było, nie ma i nigdy nie będzie. Nie będą zawsze słuchać tylko twoich słów, są i inni księża, a księży zraziłeś sobie tak samo jak bogaczy!

— Zraziłem sobie kapłanów nie godnych tego miana! Spójrz, co robią! Głoszą czystość z ambony, a dziewki i chłopaczków utrzymują! Postu każą przestrzegać, a sami żyją w luksusie! Wymieszali prawdę i kłamstwo niczym karty na stole zajazdu! W pierwszych wiekach Kościoła kielichy były z drzewa, a prałaci ze złota. Dzisiaj Kościół ma kielichy ze złota, a prałatów drewnianych! Dzisiaj dzwony świątynne z chciwości biją na wzór przekupniów, którzy wszystko chcą sprzedać: beneficja, sakramenty, odpusty, śluby, becik i trumnę! Cóż uczynili z Kościoła? Mare tenebrarum!* Ale żadna noc tak ciemna nie jest, by wstrzymać zorzę poranną! Zmiecie ona ich, a nie ominie szatana z Rzymu...

— Na miłość Boską, frate, papieża nie tykaj!

— Nie tknąłbym go ręką moją, aby nie zgniła mi, lecz słowem moim poślę go tam, skąd wyszedł — do piekieł! Czyliż jest gorsze zło od papieży, co grają namiestników Chrystusa, a ze stolicy apostolskiej uczynili zamtuz? Innocenty VIII miał bękartów ośmioro, Rodrigo Borgia już nie zliczy ilu ich ma, tak jak my nie zliczymy ile miłośnic jego biega po Watykanie! Wiemy wszakże, iż łotr ten z córką żyje własną, Lukrecją, z którą żyją i synkowie jego starsi, a najgorszy wśród nich Cezare Borgia, morderca!

— Frate, wszyscy Rzymianie wiedzieli o kurtyzanach, bękartach i zbrodniach Borgiów, a kiedy Rodriga ogłoszono Aleksandrem VI...

— Przekupił konklawe, na którym zebrał ledwie dwudziestu trzech kardynałów!

---

* — *Morze ciemności!*

— ...a gdy go wybrano, cały Rzym szalał ze szczęścia!

— Rzym to Babilon, to miasto głupców i niegodziwców, miasto, które Pan winien niczym Sodomę zburzyć! I ja memu Panu w tym pomogę, a Florencję uczynię nowym Grodem Bożym, nową Jerozolimą!

— Frate, czyż święta Katarzyna nie mówiła, iż trzeba papieżowi oddawać hołd, nawet gdyby był wcielonym diabłem? Nie wojuj z Rzymem, łagodnie z nim postępuj...

*— Wobec takiego Rzymu — clementia dementia!**

— Jeśli tak, jeśli pragniesz wojny, frate, to musisz wziąć całą władzę we Florencji w swoje ręce, inaczej przegrasz! Duchowa nie wystarczy, weź cywilną i wojskową!

— Władzę, młody człowieku? Pamiętasz jak szatan stanął przed obliczem Jezusa? Oferował mu to samo, władzę, władzę nad królestwami tej ziemi. Jezus mógł propozycję przyjąć, stałby się wyzwolicielem Izraela, herosem tego narodu. Ale On odmówił, „królestwo moje nie jest ze świata tego" rzekł. Pamiętasz?

— Tak, frate Girolamo. A czy ty pamiętasz, co stało się dalej? Zawiedziony lud porzucił Jezusa, lud chciał, by Jezus walczył o jego wolność. Garstka została przy nim i odtąd był skazany na klęskę!

— Na klęskę, która była koroną triumfów!

— Nie ma wojennych triumfów bez oręża, frate Girolamo. Wszyscy bezorężni prorocy ponosili klęski, albowiem tłum łatwo daje sobie coś wmówić i przekonać się do czegoś, lecz nie umie przy tym wytrwać gdy nie jest trzymany w dłoni żelaznej, ty zaś reformować chcesz nie biorąc lejców władzy do rąk! A przecież wciąż jeszcze mógłbyś zrobić to bez trudu, tłum florencki jeszcze cię miłuje i taka okazja nigdy już nie wróci! Lecz ty ślepy jesteś jak każdy nawiedzony prorok!... Wiesz za kogo cię uważam? Za śmiertelny grzech przeciwko sposobności, frate! Zginiesz pod gruzami tego błędu!

---

* — *Łagodność głupotą!*

Rozdział 5.

Wszystko, co robiłem dla Taerga, ani na moment nie oderwało moich myśli od tego, czego pragnąłem dla siebie. Pragnąłem tylko trzech rzeczy: dopaść jednego eks-komisarza, odszukać jedną eks-żonę i wyjaśnić zagadkę jednego samolotu, który nie powrócił na lotnisko. Hierarchia tych pragnień miała w moim mózgu i w moim sercu inną kolejność, lecz oddychałem każdym z nich. Sekcja śledcza nowego NB sprawdziła kilka śladów, ale ich zapał był chyba niewielki, mimo że sam komendant kazał im wykonać tę robotę. Mógłbym jeszcze rozesłać list gończy i spowodować telewizyjny oraz gazetowy anons, bądź zrobić jakiś podobny idiotyzm tego samego rodzaju. Kompletna klapa.

Ni stąd ni zowąd stryj Hubert dał mi cień nadziei. Przypomniał sobie, że gdy ja byłem u Negrów, mój stary poznał filozofa o nazwisku Hornlin i że kontaktował się z nim bardzo często, co wyglądało na przyjaźń. Zażądałem informacji od NB. Sześćdziesiąt pięć lat, dwa fakultety, cztery doktoraty honoris causa, troje dorosłych dzieci, żona młodsza o prawie dwadzieścia wiosen i półgłucha po samochodowym wypadku. Hornlin mnie nie znał, ale mógł widzieć moje zdjęcie, więc przed wizytą dokonałem charakteryzacji (wąs i sztuczna broda). Zjawiłem się u niego o jedenastej, by nie trafić na czas posiłku. Spojrzał przez zabezpieczoną łańcuchem szparę między drzwiami a futryną i usłyszał:

— Profesor Abel Hornlin?

— Tak... Pan w jakiej sprawie?

— W sprawie śmierci Fryderyka Flowenola. Komisarz Berlot z policji kryminalnej Nolibabu. Prowadzę w tej sprawie śledztwo. Oto moja legitymacja, panie Hornlin.

— Dlaczego pan nie uprzedził mnie telefonem?

— Wolę bezpośrednie kontakty, co nie znaczy, że się wpraszam. Przyszedłem ustalić termin, który będzie odpowiadał panu, panie Hornlin.

Zastanawiał się przez chwilę, zdjął łańcuch i mruknął:

— Jeśli już pan się fatygował, to proszę wejść, nie mam nic pilnego do roboty.

Poprowadził przez obszerne, stare mieszkanie bez korytarza — szło się amfiladą. Miał cudowny księgozbiór, zajmujący kilka komnat. Żona siedziała w jednej z nich, podobna do szkieletu oblepionego zielonym woskiem. Wyobrażając sobie ją myślałem, że jest młodsza; sprawiała wrażenie starszej od niego, choć on miał klasyczny wygląd filozofa z czasów antycznych. Zerwała się na mój widok i zaskrzeczała:

— Uprać ci coś, synku?

Kiwnąłem głową, że nie.

— Mogę ci coś uprać! Jestem drugą księżną-praczką. Zanim zostałam księżną, byłam praczką, tak, mój drogi! Przede mną była tylko Madame Sans-Gêne! Ja jestem druga.

Hornlin nachylił się i krzyknął jej w ucho:

— Jesteś trzecia, Lilian! Ile razy mam ci to mówić, kochanie?! Przed Madame Sans-Gêne praczką była siostra papieża Sykstusa V!!

Nie przyszłoby mi na myśl, że on umie krzyczeć, tak jak nie podobna wyobrazić sobie, by mógł podnieść głos do wrzasku marmurowy biust Platona czy Heraklita. Zamknął drzwi od swojego gabinetu na krańcu amfilady i wskazał mi fotel, a sam usiadł w drugim i skierował ku mnie pytający wzrok.

Zacząłem „regulaminowo" (uczono nas tego w Harvesie), od komplementu:

— Ma pan cudowną bibliotekę, panie Hornlin.

— Owszem. To moje źródło szczęścia. Zawsze wyobrażałem sobie raj tak jak Borges czy Diderot. Nie jako ogród rozkoszy fizjologicznych, lecz jako bibliotekę.

— Jest pan filozofem, panie Hornlin?

— Tak mnie nazywają, panie... panie...

— Mówiłem już, jestem komisarzem, tak mnie nazywają.

— ... panie komisarzu. Ale ja uważam się raczej za historyka filozofii... Nie wiem, w czym mógłbym panom pomóc, nie znam żadnych szczegółów śmierci mojego przyjaciela, wiem tylko to, co wiem z gazet.

— Wie pan chyba trochę więcej, panie Hornlin. Pan Flowenol z pewnością zwierzył się panu, że jego żona była na usługach NB.

— Tak, powiedział mi o tym.

— Interesuje to nas, gdyż ma to oczywisty związek z jego zniknięciem, czyli z samobójstwem lub z mordem dokonanym na Flowenolu przez reżim generała Tolda.

— Fryderyk nie podał mi żadnych szczegółów o jej współpracy z NB. Nie wiem nic!

— Czy ktoś groził mu? Czy może dostrzegł coś podejrzanego w ostatnich dniach swego życia? Czy miał jakieś obawy?

— Obawy względem czego?

— Może ktoś go śledził?

— Nic o tym nie wiem.

— Czy miał wrogów?

— Każdy człowiek taki jak on ma wrogów, ale ja nie znam jego wrogów. A w ostatnich dniach życia nie kontaktował się ze mną i chyba w ogóle z nikim.

— Dniach czy tygodniach?

— Dniach. Widzieliśmy się tydzień przed jego śmiercią.

— Czy według pana była to samobójcza śmierć?

— Nie wiem, komisarzu. Wiem, że on miał nastrój samobójczy. Ale jeśli to był mord, to tak jak pan powiedział, raczej dokonany przez Narodowe Bezpieczeństwo niż przez Arabów, którym Fryderyk się naraził kilka miesięcy przed swoim zniknięciem.

— Wychodzi na to, że jednak zna pan jakichś wrogów Fryderyka Flowenola, panie Hornlin!

Spojrzał mi w twarz z podziwem, z jakim patrzy się na agresora, który ma nienagannie skrojony mundur:

— Tak więc zostałem przyłapany?

— Można to tak nazwać. Żartuję, oczywiście.

— Oczywiście, panie komisarzu... Pan ma powołanie, komisarzu, proszę mi wybaczyć śmiałość.

— To nie powołanie, to coś innego, Hornlin. Byłbym bardziej zadowolony, gdyby użył pan słów: inteligencja, spostrzegawczość lub dobra pamięć, ale i tak dziękuję, że nie użył pan słów: spryt lub przebiegłość. Wróćmy do faktów czyli do wrogów.

— Myślałem, że pan zapytał o rodzimych wrogów...

— Pytałem o wrogów. Co pan ma na myśli mówiąc o Arabach?

— Chodzi o sprawę tej nagrody.

— Jakiej nagrody?

— To pan nie wie?

— Panie Hornlin, dopiero pół miesiąca prowadzę śledztwo. Archiwa poprzedniego NB spłonęły, zaczynamy wszystko od początku. A ja z górą rok byłem na emigracji w Ameryce Środkowej, wróciłem gdy Told się skończył. Co to za historia z nagrodą?

— Fryderyk miał dostać ją od Arabów, bo krytykował pewnego sławnego Żyda...

— Flowenol był antysemitą, panie Hornlin?!

To pytanie rozdrażniło go; wykrzywił usta:

— Nie był, komisarzu!

— Skąd ta pewność?

— Stąd, że ja jestem Żydem i antysemitów wyczuwam nawet gdy śpią i tylko chrapią, komisarzu!... Kiedyś powiedział, iż żałuje, że nie jest Żydem.

— Z jakiego powodu chciał być Żydem?

— Z bardzo prostego. Żydzi to naród wybrany, panie komisarzu! — odburknął ze złością. — Widocznie Fryderyk też chciał być kruczowłosy, śniady, tajemniczy, przenikliwy, wszystkowiedzący i całkowicie wolny od grzechu!

— Więc dlaczego zaatakował sławnego wybranego, panie Hornlin?

— Bo nie cierpiał ludzi, którzy się płaszczą i podkładają, którzy rezygnują z niezależności poglądów, aby się wkupić i zasłużyć na łaskę decyzyjnych elit tego świata. Kiedyś warknął o takich ludziach w bardzo nieparlamentarny sposób, mówiąc, że „są gotowi robić minetę nawet żyrafom, gdyby żyrafy kręciły tym światem".

— A ów Żyd, któremu mój... mój obiekt śledztwa... zrobił przykrość, to kto?

— Jacob Bronowsky, wielka figura, matematyk, historyk, filozof nauk i sztuk, popularyzator, wykładowca uczelni amerykańskich i brytyjskich, członek wielu towarzystw naukowych, pracownik MIT i UNESCO, autor prac tłumaczonych na wiele języków, słowem wzorcowy humanista dwudziestego stulecia. Zeszłego roku wydano u nas jego popularyzatorski przebój o rozwoju ludzkiej cywilizacji, „The Ascent of Man". W tej książce rzeczą szczególnie interesującą jest dowód na to, jak nienawiść może przyćmić wysoką inteligencję, jak może manipulować nią w kierunku oszustwa, niesprawiedliwości i nawet żenującej głupoty. Bronowsky pisał tę książkę, gdy nienawiść między Żydami i Arabami sięgała zenitu. Myśl, że geniusz mógł zostać wydany przez rasę arabską, była dlań tak nieznośna, iż stwierdził, że matematyk-dziwak Alhazen to jedyny rzeczywiście oryginalny umysł naukowy, jaki wydała kultura arabska, zaś o prawdziwym geniuszu, o Awicennie, napomknął lekceważąco tylko jeden jedyny raz, chwaląc spalenie jego podręcznika medycznego przez Paracelsusa. Nasi krytycy wyli z zachwytu recenzując książkę Bronowsky'ego, a zapytany o nią Fryderyk powiedział do kamery telewizyjnej to samo, co ja powiedziałem panu, tylko mniej przebierając w słowach, uznał, że ten brzydki trik z Awicenną kompromituje Bronowsky'ego bez reszty. Międzynarodowa Fundacja Islamu nagrodziła go Wielkim Orderem Proroka za obronę Awicenny w tym wywiadzie. Lecz Fryderyk z miejsca odrzucił ów honor. Powiedział, że nie może przyjąć orderu, gdyż z zasady nie przyjmuje żadnych nagród, co było prawdą, nigdy i od nikogo nie przyjął jakiejkolwiek nagrody czy odznaczenia, choć często próbowano go uhonorować czymś takim. Ale stwierdził coś jeszcze, coś, co bardzo rozgniewało arabski świat. Stwierdził, że nawet gdyby nie był wrogiem nagród, tej i tak by nie przyjął, ponieważ muzułmański fanatyzm i nietolerancja są mu równie wstrętne, jak żydowski rasizm i żydowska nietolerancja.

— Ten człowiek miał wyjątkowy talent do robienia sobie wrogów — zauważyłem.

— Ma pan rację, ten człowiek nie był dziwką, tu nie mam żadnych wątpliwości.

— A kim był?

— Był wielkim malarzem, tego się pan już chyba dowiedział?

— Chodzi mi o to, jakim był człowiekiem.

— Był człowiekiem bardzo uczciwym i bardzo inteligentnym, za wyjątkiem tych momentów, kiedy ulegał emocjom.

— I to wszystko, co może mi pan powiedzieć o nim?

— Cóż jeszcze mogę dodać, komisarzu?... Wiem, że był odważny, silny, brzydził się lizusostwem i wszelaką korupcją, był też szczęściarzem, przez wiele lat wszystko, czego dotknął, zamieniało się w złoto, w sumie był okazem wspaniałego samca-zwycięzcy.

— I aż tak przegrał?

— Panie komisarzu, kiedy podziwia pan sprawność i zwinność, precyzję i celowość ruchów, siłę i szybkość wielkiej ryby, która penetruje jezioro, i kiedy dochodzi pan do wniosku, że jej budowa jest optymalna dla warunków, w których musi żyć, że to organizm genialny — ma pan rację. Ale rybie nie pomoże doskonałość jej budowy, kiedy wyschnie jezioro. Gwałtownego kataklizmu nie potrafi przewidzieć nikt, bo w szczęściu człowiek nie zaprząta głowy myślami, że każda wartość ma w sobie zarodek własnego zniszczenia, niczym młoda twarz, którą zniszczy nagła starość, ospa lub karambol samochodowy. Oto czemu tak niewielu skazanych może tego uniknąć.

— Należy pan do fatalistów, panie Hornlin...

— Nie, lecz uważam, że takim jak on katastrofa jest pisana, że przeznaczeniem szczęśliwego jest upadek. Szczęście to najokrutniejsza broń w rękach czasu, a już gdy bazuje na miłości do kobiety!... Nietzsche sformułował swój pogląd na istotę szczęścia w cudownie lapidarny i cudownie słuszny sposób: „Szczęście jest kobietą”.

— Chce mi pan przez to powiedzieć, że jego żona była „femme fatale”?

— Tak. Gdyby widząc jak cierpi z powodu jej nikczemności zapytała: — Co ci się stało?, miałby pełne prawo odpowiedzieć: — Ty mi się stałaś!

— Jaką była kobietą?

— Nie wiem.

— Więc dlaczego wspomniał pan o nikczemności?

— Mówiłem o tym, że Fryderyk cierpiał, bo ona zrobiła coś, co on uznał za nikczemne, ale sam nie mogę jej oceniać, komisarzu.

— Dlaczego?

— Bo za mało o niej wiem. Wiem tylko, że kobiety są bardziej buntownicze niż mężczyźni, którzy często kontentują się czymś, co już mają.

— Tak rzadko widywał pan jego żonę?

— Dwa lub trzy razy, przy jakichś fetach. Podczas urodzinowego koktajlu, na wernisażu... Z samym Fryderykiem spotykałem się dość często.

— Od kiedy?

— Od momentu poznania Fryderyka.

— Kiedy to miało miejsce?

— Przed dwoma laty. Fryderyk usłyszał od naszego wspólnego znajomego, że nie mogę zdobyć chińskich lekarstw dla mojej żony chorej po wypadku, i ściągnął mi te lekarstwa z Chin.

— Powiedział pan, że ostatni raz spotkaliście się kilka dni przed jego śmiercią...

— Tak, panie komisarzu.

— Nie licząc obsługi lotniska, był pan prawdopodobnie ostatnim człowiekiem, z którym rozmawiał Flowenol!

— A jego brat?

— Jego brat przez ostatni tydzień nie miał z nim kontaktu. O czym panowie rozmawiali podczas tamtego spotkania?

— O tym samym, o czym podczas kilku ostatnich spotkań, o życiu, o małżeństwie Fryderyka i o jego przegranej.

— Chętnie o tym mówił?

— Wcale nie chciał rozmawiać. Każde słowo trzeba było z niego wyciągać siłą.

— I pan to robił?

— Tak.

— Dlaczego?

— Lekarz, żeby leczyć, musi poznać chorobę...

— Ale przedtem musi się nauczyć sztuki diagnozowania chorób. Jaką chorobę pan odkrył?

— Niemożność wybaczenia obiektowi miłości i nienawiści, panie komisarzu. Moim skromnym zdaniem właśnie to zabiło Fryderyka. A poduczyłem się tego na własnym karku, kiedyś i mnie żona zadała wielki ból.

— I pan wybaczył. Przeskoczył pan tę poprzeczkę, której nie umiał przeskoczyć Flowenol.

— Tak i nie. Wybaczyłem, ale nie przeskoczyłem tej poprzeczki.

— Jak to?

— Panie komisarzu, czy pan widział sportowca skaczącego wzwyż?

— Oczywiście.

— A widział pan filozofia skaczącego wzwyż?... Ja przelazłem pod tą poprzeczką.

Z wolna przełaził też pod poprzeczką, która dzieliła nas obu; czułem do niego coraz większą sympatię. Ale nie wolno mi było rozluźnić gorsetu rutynowego przesłuchania:

— I ten sam lek proponował pan Flowenolowi?

— Nie zdążyłem. Zmierzałem do tego, lecz zabrakło czasu. Pragnąłem najpierw osłabić jego stres gadaniną o czymś innym. Wie pan, co trzeba robić w takich przypadkach, człowiek wymądrza się pocieszająco, łagodząco, w idiotyczny sposób. „Filozofowałem" o zyskiwaniu czegoś przez utracenie czegoś, o wolności, niezależności, o katharsis wzbogacającej, i o podobnych bzdurach... Ale nie sądzę, żeby to pana interesowało...

— To mnie bardzo interesuje, panie Hornlin.

— Jego stres, czy moja terapia, panie komisarzu?

— Głównie on, jego psychika i jego małżeństwo.

— W jakim celu?

— W celu śledczym, panie Hornlin. Jeśli to nie był polityczny mord, to zagadka śmierci Flowenola kryje się w jego małżeństwie i w jego psychice. Chciałbym zamknąć to śledztwo z przekonaniem, że sprawdziłem każdy ślad, i z jakąś hipotezą, która będzie miała sens, ale nie mogę tego uczynić, gdyż nie mam żadnych dowodów. Nie mając dowodów, chcę mieć przesłanki, które poprowadzą mnie do jakiegoś wnioskowania. Krótko mówiąc, szukam prawdy o Flowenolu i o jego kobiecie.

— To szuka pan czegoś, co nie istnieje, panie komisarzu.

— Może w kategoriach filozoficznych nie istnieje, lecz w kategoriach policyjnych zawsze jest jakaś prawda, do której można dojść i którą można zbadać, a ja jestem policjantem, panie Hornlin.

— Ale ja jestem tylko filozofem, panie komisarzu... Widzi pan, według Heideggera naczelnym problemem jest dowiedzieć się, co stanowi podłoże prawdy. Według Wittgensteina wiedzieć, co się mówi, gdy mówi się prawdę. Według Hegla...

— A pańskim zdaniem?

— Moim zdaniem zagadka prawdy sprowadza się do innego pytania: dlaczego prawda jest tak mało prawdziwa?

— Pan oczywiście wie dlaczego.

— Oczywiście nie wiem, panie komisarzu. Lecz przypuszczam, że być może dlatego, iż robimy to, co pan teraz robi, próbujemy ją odsłonić za pomocą czegoś tak zabójczego dla prawdy jak logika i sumowanie faktów. Ale nie sądzę, żeby to była pełna odpowiedź.

— Logika i sumowanie faktów, panie Hornlin, to moje jedyne narzędzia.

— To i tak dużo, gdy ktoś dysponuje takimi narzędziami, ale to panu niewiele pomoże, bo dowodów pan nie znalazł, a przy śmierci Fryderyka nikogo nie było. Wszystko, co pan usłyszał ode mnie, to spekulacja myślowa. Tylko Fryderyk zna prawdę.

— I Bóg, panie Hornlin, zapomniał pan o Bogu...

— A nie odwrotnie? Czy to nie Bóg zapomniał o nas?

— No tak, ja też zapomniałem o czymś. Bóg nie mieści się na ołtarzu filozofii nowoczesnej.

— I na ołtarzu tradycyjnej nie zawsze było Go widać, komisarzu. Macbeth mówi: „Świat jest opowieścią idioty".

— A jest?

— Tak. I nawet gorzej niż tak. Świat jest spektaklem idioty złośliwego, spektaklem gorszącym, bez sensu, bez logiki, bez godności i bez praw, a ponieważ Bóg nie może być złośliwym idiotą, rację przypisują sobie ci, którzy twierdzą, że to nie On wszystko firmuje. Zwalmy odpowiedzialność na Demiurgów, zapiszmy się do gnostyków, będzie nam lżej!

Przerwało mu pukanie w drzwi gabinetu i rozległ się głos jego żony:

— Może wam coś wyprać?

Filozof ani drgnął.

— Mogę wam coś wyprać, chłopcy! Słyszycie mnie?...

Intruz, którym byłem (w takich chwilach nieproszeni goście zamieniają się w dubeltowych intruzów), poczuł wstyd. Siedzieliśmy cicho jak konspiratorzy i ta cisza zbliżała nas mocniej niż dialog.

Zawiesiłem spojrzenie na książkach, unikając jego wzroku, ale było w tym coś tak sztucznego, że w końcu nasze oczy się spotkały, wytwarzając nieoczekiwaną solidarność, dziwną i naturalną zarazem, jak miłość dwojga osób, które się znają, obcują ze sobą w pracy lub w kręgu znajomych, by naraz, od któregoś z kolejnych spojrzeń, stwierdzić, że to więcej niż znajomość.

Poszła sobie, słyszeliśmy jej kroki człapiące w głębi domu. Hornlin szepnął:

— O czym to była mowa, panie komisarzu, gdy przerwano nam?

— O „spektaklu idioty".

— Tak... Parafrazując powiedzonko o szczęściu — świat jest jak kobieta...

Zatrzymałem uśmiech w głębi myśli, a myśl wyraziłem w zdaniu:

— Że nie jest pan fanatycznym adwokatem kobiet, zrozumiałem już wówczas, gdy pochwalił pan Nietzschego.

— To niech pan jeszcze zrozumie, że nie jestem fanatycznym adwokatem mężczyzn, będzie pan bliżej pełnego zrozumienia — odparł. — Człowiek to „homo duplex", tak kobiety, jak i mężczyźni. Pascal wyłożył pięknie tę dwoistość, gdy pisał o bezradności racjonalnych metod wobec najważniejszych w życiu zagadnień. Pisał, że człowiek jest podzielony i sam sobie przeciwny, bo porządek serca nie godzi się z porządkiem rozumu — serce ma swoje racje, których nie zna rozum. I człowiek jest tu bezradny, bezradny wobec własnej dwoistości. W każdej jednostce tkwi potencjał mordu i potencjał miłosnego uczucia, mogą całować i gryźć, rozsiewać dobro i zło, jakże często zależy to wyłącznie od przypadku lub okoliczności, tak czy owak wszystko to tylko człowiek, „homo duplex"! No i mężczyźni, jak i kobiety, jedni i drugie tak samo, w jakimś momencie swoich zwyczajnych żywotów pragną zagrać w rosyjską ruletkę, i duża część robi to, brnąc na oślep ku cudzej krzywdzie, a własnej ekstazie i zgubie, może właśnie dlatego, że hazard to pełnia życia, choćby za cenę kompletnej zatraty. Zrobiła to żona Fryderyka, równie dobrze mógł zrobić to on, może zrobiłby to trochę później, a już z pewnością inaczej. Kiedy przestanie pan dzielić ludzi na płeć lepszą i gorszą, komisarzu, będzie pan bliżej tego pełnego zrozumienia.

— Czegoś chyba nigdy nie zrozumiem, panie Hornlin. Tego, że ma się przyjaciół, kocha się tych przyjaciół, i broni się żon tych przyjaciół, bez względu na krzywdę, jaką wyrządziły mężom. Wszyscy to praktykujecie.

— Wszyscy?... Kto jeszcze to zrobił, panie komisarzu?

— Na przykład Hubert Flowenol, brat Mateusza Flowenola, którego żona była enbecką dziwką.

— Ona również?

— Ona bez najmniejszego wątpienia!

— I jakiego argumentu użył broniąc tych grzesznych ciągot?

— Argumentu pięknych murów jako złotej klatki.

— Bardzo inteligentnie, pięć plus. Gdy patrząc na człowieka budującego twierdzę myślisz, że wznosi on mury, które będą go broniły, masz rację, ale ten, kto zrozumiał, że ów człowiek wznosi więzienie sobie i innym, też ma słuszność — oto odpowiedź na pytanie: co to jest dialektyka? Ile razy zdradził pan swoją żonę, panie komisarzu?

— Jestem kawalerem, panie filozofie. I być może z tego powodu nie rozumiem jeszcze czegoś... Mówił pan, że Fryderyk Flowenol był bardzo inteligentny...

— Powtórzę to tysiąc razy, komisarzu. Na domiar był jeszcze mądry, a to coś więcej.

— Jak człowiek b a r d z o inteligentny, a nawet mądry, mógł się nie poznać na kobiecie, która go nie kochała i która...

— Bo był zakochany w niej i dlatego miał zły wzrok! Tym, o co pan pyta, steruje nie rozum, lecz wzrok. W kwestiach uczuciowych jest to najważniejszy ludzki organ powyżej pasa, oczywiście gdy się wykluczy miłość francuską, panie komisarzu.

Nie wiedziałem, czy sobie kpi, więc na wszelki wypadek zakpiłem sam:

— Pan mnie oszukał mówiąc, że jest pan tylko filozofem. Pan jest człowiekiem renesansowym! Jest pan filozofem, seksuologiem, terapeutą, ateistą i jakby tego nie było dość, jeszcze okulistą!

— A chciałbym być matematykiem, panie komisarzu!

— Serio pan mówi?

— Serio. Matematyka jest królową wszystkich nauk ścisłych i kluczem do zagadki wszechświata, czego nie rozumiał Nobel i dlatego nie ustanowił nagrody dla matematyków. Ani fizycy, ani chemicy, ani pisarze, ani tym bardziej filozofowie nie rozwiążą tajemnic bytu i kosmosu, matematycy zrobią to kiedyś.

— Pod warunkiem, że będą mieli dobry wzrok...

— Ten wzrok, panie komisarzu, to też nie był żarcik, nie błaznuje się na grobie przyjaciela. Wszystko, co związane z porywami mięśnia sercowego, zaczyna się od spojrzenia w twarz. Nasze oczy decydują w naszym imieniu. Patrzymy na drugiego człowieka i budujemy olbrzymi gmach z cegieł nieistniejących, tworzymy obraz tego człowieka na wzór naszych pragnień. I zaczynamy w ten obraz wierzyć, tak jak wierzymy w bogów i w świętych, których wymalowaliśmy na płótnach i na ścianach. A gdy ów obraz zostanie z nami, wierzymy, że stał się naszą własnością, i jest to wiara równie silna, jak wiara ludzi, którzy wierzą, że Bóg należy do nich, bo często się modlą o zdrowie i dzięki temu nie chorują ani nie łamią nóg spacerując ulicami...

— Pan mówi o mózgu, a nie o oczach!

— Tak, panie komisarzu, ale wszystko zaczyna się od spojrzenia w twarz, fizjonomia decyduje. Ludziom o obliczach pociągających, czyli ładnych, automatycznie przypisujemy dodatnie cechy charakteru, stwierdzono to setki razy w toku specjalistycznych badań. Szczytem owych testów było pokazywanie studentom tej samej osoby w dubeltowym wcieleniu: raz była ucharakteryzowana na ładną, a drugi raz na brzydką. I zawsze takiej osobie w wersji atrakcyjnej przypisywano mnóstwo pozytywnych cech charakteru, a gdy makijaż przerabiał ją na brzydką, było odwrotnie. Spec od tego, Eliot Aronson, zakonkludował, że jesteśmy „niewolnikami naszych oczu"... Zona Fryderyka miała ładną twarz, czyli taką, która daje pewność, że właścicielka twarzy jest aniołem.

— Ale tylko zakochanemu...

— Tak, tylko ślepemu. Ja, obserwując jej uśmiech i jej oczy, widziałem sztuczność, nienaturalność, może nawet wredność, i to raziło mnie. Czy pan nie dostrzegł tego samego, gdy ją pan przesłuchiwał?

— Nie przesłuchiwałem tej kobiety.

— Co?!

— Nie mogłem, gdyż ona gdzieś się ukryła, nie ma po niej śladu. Może pan zna jakiś adres lub ślad?

Pokiwał przecząco głową:

— Nic!

— Więc wróćmy do tematu.

— Do której części tematu?

— Do ostatniej, do wrednej duszy pani Flowenol.

— Nie twierdzę, że jej dusza była wredna. Powiedziałem tylko, że w jej uśmiechu i w jej wzroku było coś... no nie wiem, coś ledwo uchwytnego, a jednak uchwytnego, jakiś fałsz i spryt, którego Fryderyk nie zauważał. Jego stosunek do niej był czymś, co bezspornie potwierdza tezę Kanta o nierozpoznawalności obiektywnego stanu rzeczy, o tym, że realność nie jest uchwytna zmysłami — to zmysły tworzą własną, subiektywną rzeczywistość. Żona, którą tworzył przez tyle lat, nie była taką, jaką była w istocie. Według Kanta człowiek jest na ów błąd skazany z powodu słabości zmysłów i wybronić się przed tym nie można, gdyż świat rysowany nam przez świadomość zawsze jest tworem sztucznym, niezgodnym z obiektywną rzeczywistością materii — jest on zgodny tylko ze strukturą naszego własnego aparatu myślenia, z naszym mózgiem ograniczonym całą serią ułomności, od kalectw genetycznych do marzeń. Rzecz jednak w tym, komisarzu, że nie dla każdego owa antynomiczność okazuje się w jakimś momencie życia młotem spadającym na czaszkę i gruchocącym sens istnienia. Tego dostępują tylko wybrańcy spośród idealistów. Fryderyk był wybrańcem diabła. Pod gruzami rzeźby, którą stworzył ten Pigmalion, legła jego naiwna wiara w zgodność własnego osądu i obiektywnej realności. To, co uważał za rzeczywistość, było tylko złudą, i tu właśnie pan Kant się kłania ze swoim geniuszem. W tym błędzie tkwi istota każdej miłości...

— A czy w tym rozgadaniu nie tkwi istota każdej filozofii? Bo jeśli to wszystko, co pan Kant wyłożył tak uczenie, prostak zawiera w równie celnym, a wyższym o lapidarność stwierdzeniu: „Miłość jest ślepa", to...

— To nie ma sensu wdzierać się do duszy pani Flowenol męczącymi śledztwami, analitycznymi rozważaniami i uczonym dzieleniem włosa na czworo, bo prostak już nam wszystko wyjaśnił w równie odkrywczym, a wyższym o lapidarności stwierdzeniu: „Kobieta zmienną jest", i tym posłał filozofów, psychologów i policjantów na śmietnik!

— Ależ ja się nie wdzieram do duszy pani Flowenol...

— Jest pan tego pewien, komisarzu?... Pan mnie oszukał mówiąc, że najbardziej interesuje pana Fryderyk Flowenol...

— Nie ukrywałem, panie Hornlin, że chodzi mi o prawdę głębszą niż ta, którą daje proste sumowanie faktów.

— Niech będzie. Ale to się do tego sprowadza, do anatomii duszy pani Flowenol. I dlatego to jest stracony czas.

Nerwy poniosły mnie:

— Dlatego, że każda prawda jest tak trudna do obiektywnego ustalenia, czy dlatego, że kobiecość jest niemożliwa do rozszyfrowania, panie Hornlin?!

Machnął ręką w geście pogardy.

— Nie, nie, komisarzu! Nie należę do tych, którzy twierdzą, a twierdzą tak bardzo liczni przy różnych okazjach, gdyż to brzmi głęboko i nadaje twierdzącemu pozór mędrca lub światowca, że kobiety nie sposób rozpoznać całkowicie, że jest ona istotą nazbyt tajemniczą oraz irracjonalną. Równie dobrze można ględzić o nierozpoznawalności lemura, dzięcioła, homoseksualisty i alpinisty. Wszystko, co ma kształt materii, jest rozpoznawalne, prócz początków i krańców wszechświata...

— Dusza nie ma kształtu materialnego.

— Dusza to zwrot retoryczny. Pan ją widział? Bo ja nie, i to jest właśnie powód...

Zza drzwi dobiegł straszliwy grzmot, coś metalowego runęło tam na podłogę. Hornlin wybiegł jak oparzony, krzycząc:

— Proszę zaczekać!

Czekałem zły, że dałem się ponieść nerwom i że tak łatwo przychodzi mu zgadywanie, ale gdy rodzinna fotografia stojąca za szkłem na biurku odbiła moją twarz, poczułem wesołość — stryj Hubert pękłby ze śmiechu widząc mnie z tą brodą i z tymi wąsami. Nazajutrz zapytał, jaki zebrałem plon u „przedstawiciela homines sapiens sapiens". Odrzekłem:

— Nic ciekawego, stryju.

— Długo rozmawialiście?

— Dosyć.

— I niczego nie wiedział?

— Niczego, co mogłoby mi pomóc.

— No to o czym rozmawialiście tak długo?

— O wszystkim.

— Jak to o wszystkim?

— No, o wszystkim. O moim ojcu, o życiu, o szczęściu...

— I co powiedział o szczęściu?

— Że szczęście jest kobietą.

— No proszę, zna Byrona! — podniecił się stryj.

— Nie Byrona, tylko Nietzschego, stryju. Cytował go z wielkim respektem.

— Jako autora „bon-motu"?

— Tak.

Fizys stryja Huberta zaczęła grozić eksplozją; nie wierzył własnemu słuchowi:

— Ów mądry rabin powiedział, że ten aforyzm sformułował Nietzsche?!

— A to nieprawda?

— To ignorancja lub kłamstwo! On nie wymyślił, on tylko powtórzył! Lord Byron był wynalazcą tego królewskiego „bon-motu"!!

— Stryju, czemu się wściekasz? Na twoim ukochanym Byronie żerowali Szekspir, Molier, Erazm z Rotterdamu, nie mówiąc już o autorach Pisma Świętego. Jeden Szwab mniej czy więcej...

— Przestań mi tu chrzanić, Nurni! Tę maksymę lord Byron zawarł w którymś ze swoich listów. Napisał: „fortuna jest kobietą", a Nietzsche to splagiatował! Bezczelny!

Nie wiem, czy „bezczelny" tyczyło Niemca, czy Hornlina. Później się dowiedziałem (zupełnie przypadkowo), że już Machiavelli, trzysta lat przed Byronem, napisał: „Fortuna jest kobietą", o czym taki erudyta jak stryj musiał wiedzieć, lecz z miłości do Byrona łgał. Jestem pewien, że gdyby ktoś mu to wytknął, upierałby się w ten sam gniewny sposób, iż to Machiavelli splagiatował Byrona.

Trwało dłuższą chwilę nim stryj się uspokoił i nim powrócił mu humor:

— Tak więc temat damski był faworyzowany podczas dialogu filozofa z gliniarzem?

— Nie, stryju.

— Pan filozof nauczył cię czegoś w kwestii dam?

— Że nie należy się wdzierać do kobiecej duszy.

— No to nie jest takim kretynem jak pomyślałem przed chwilą! Co jeszcze gadał?

— Że wbrew utartej opinii samice nie są trudniej rozpoznawalne.

— Bo nie są! Ja mam większą trudność z rozszyfrowaniem z czego te skurwiele robią dziś hamburgery, z norek czy z kotów! On ma podwójną rację! Pierwsza racja to fakt, iż jest nieprawdą, że nie można kobiety przeniknąć na wskroś i zgłębić jej sekretów w sposób definitywny. A druga racja to ta, iż nie należy tego robić. Ci, którzy to robią, czynią ten sam błąd, co owi, którzy zreformowali liturgię mszy świętej, każąc ją celebrować w językach zrozumiałych dla wiernych. Tym odarli ją z resztek tajemniczości, która stanowi istotę sacrum. Sprofanowali magię, rozumiesz, magię, tak jak kinowa pornografia profanuje erotyzm, i jak kobieta profanuje samą siebie, gdy obnaża najgłębsze zakamarki swej duszy, miast obnażyć wyłącznie serce i ciało. Od ekshibicjonistek, które tak kastrują swą kobiecą boskość, godne są już większego szacunku moje dziewczyny na „Santissima Trinidad", bo oferują tylko anatomię!

— Czemu ci zależy, by mnie wyhamować, stryju?

— Nie zależy mi wcale, mam gdzieś to, co zrobisz, tłumaczę ci tylko, że tego nie powinno się robić. Nadto sądzę, że nie będziesz umiał tego zrobić, bo zbadać duszę kobiety może wyłącznie zimny chirurg, a zakochany jest w tej specjalności impotentem.

— Ja nie jestem w niej zakochany!

Uśmiechnął się i zgasił papierosa, odwracając wzrok ku oknu.

Hornlin wciąż nie wracał. Wyjąłem spod marynarki miniaturowy magnetofon, lekko cofnąłem taśmę i usłyszałem: „...retoryczny. Pan ją widział? Bo ja nie, i to jest właśnie powód... (grzmot metalu zza drzwi, tupot butów starego)... Proszę zaczekać!..." Wyłączyłem. W progu stał Hornlin.

— Świetnie się nagrywa, komisarzu! Czemu pan to nosi pod marynarką? Proszę położyć na blat.

— Czy coś się stało pańskiej żonie?

— Nie. Wróćmy do rozmowy.

— Możemy ją przełożyć na inny termin, proszę pana.

— Dlaczego?... Naprawdę nic, strąciła mosiężny wazon.

Usiadł w swoim fotelu i zapytał:

— Czym jeszcze mógłbym panu służyć?

— Jakimś pomysłem.

— Pomysłem?...

— Jakimkolwiek pomysłem na kontynuację śledztwa.

— Pan chce odnaleźć panią Flowenol?

— Bardzo chcę, panie Hornlin.

— Tak, wiem... Czy pan rozmawiał z dyrektorem szkoły, w której żona Fryderyka uczyła rysunku?

— Nie.

— Powinien pan to zrobić.

— Dlaczego?

— Dlatego, że gdy widziałem go na urodzinach Fryderyka, dostrzegłem, że ten człowiek i pani Flowenol są związani czymś więcej niż tylko wspólnym miejscem pracy.

— Romansem?

— Nie mam pojęcia, nie wiem o tym nic. Ale wiem, że ten człowiek to dziwny człowiek, komisarzu. W jego oczach było coś dziwnego, intrygującego i zarazem odpychającego. Przy stole mówił, mówił i mówił, a kiedy nie mówił, świdrował tym swoim dziwnym wzrokiem panią domu, i później znowu mówił, był tak zwaną duszą towarzystwa. Lecz ja nie przepadam za towarzystwem podobnych ludzi, odbierałem go źle.

— Chce pan powiedzieć, że to człowiek zły?

— Komisarzu — żachnął się filozof — nie powiedziałem, że to zły człowiek! Mówić o kimś: to zły człowiek!, znaczy: ja jestem dobry, lub przynajmniej lepszy. Czy ktokolwiek z nas ma prawo być takim sędzią drugiego człowieka? Zwłaszcza gdy nie ma boskiej wszechwiedzy i boskiego poczucia sprawiedliwości? Nie ubliżę sobie czymś takim, panie komisarzu. Nie wiem. Mógłbym co najwyżej stwierdzić, że ten pedagog to człowiek, który nosi w sobie nadmiar, ma za dużo o ten plus przy piątce. Jest zbyt elokwentny, zbyt błyskotliwy, zbyt przystojny, zbyt ambitny, zbyt pewny swoich sądów, przesadnie afektowany i za bardzo zmysłowy. Ergo: ma zbyt dużo zalet, by mógł kiedykolwiek zbliżyć się do ideału człowieka. Tyle mogę twierdzić po jednym spotkaniu, widziałem go wtedy i nigdy więcej.

— Żałuję, panie Hornlin, iż nie będę mógł wysłuchać jaką cenzurkę da pan w rozmowie z kimś trzecim pewnemu gliniarzowi, też po jednym tylko spotkaniu...

Rozbawiło go to:

— Ależ proszę, mogę to panu zdradzić... Pan, na pierwszy rzut oka, jest przeciwieństwem tamtego, w tym sensie, że pan sobie odejmuje plus od prawidłowej oceny, jakąkolwiek by nie była, komisarzu. Udaje pan przede mną mniej inteligentnego niż pan jest, chce pan być uczniem-prostaczkiem, żeby nauczyciel bardziej się wysilił.

Wszystkie te „dlaczego?", to pilne słuchanie zbyt długich, uczonych wykładów... Domyślam się, że to rutynowy spryt policjanta. Gdy ktoś tak się zachowuje rozmawiając ze mną, to mnie drażni, ale pan mnie nie drażni, bo u policjanta ten rodzaj mimikry jest zawodowym obowiązkiem i przyzwyczajeniem. Nie mogę się gniewać na wilka, że ma kły, i na aktora, że nosi wieczną maskę, w teatrze i w życiu... No i jest pan dużo młodszy od tamtego, ma pan kompleks szczeniackiego wyglądu, stąd zapuszczenie brody, podczas gdy on wyraźnie się odmładzał, strojem, fryzurą, campusową grypserą...

Gdy skończył, wstałem i podszedłem do okna. Za szybą wiatr hulał między ścianami i krawężnikami, unosił z asfaltu liście, śmiecie i papierowe opakowania rzucone przez niechlujów, łamał karki ludziom, darł ich parasole i wyginał strużki wątłego deszczu w łuk. Chciało mi się krzyczeć tak głośno, żeby zagłuszyć i ten wiatr, i to milczenie, które nastąpiło, kiedy Hornlin umilkł. Zerwałem wąsy i brodę, odwróciłem się i pokazałem mu swoją twarz:

— Jestem Nurni Flowenol.

To uniosło go z fotela, jakby eksplodowały tapicerskie sprężyny. Podszedł, stanął obok mnie i przyglądał się milcząc. Aż zapytał:

— Więc nie jesteś policjantem?

— Jestem. Zostałem nim po powrocie z Afryki, i tylko w jednym celu. W tym celu.

— A w jakim celu potrzebna była ta maska?

— Bałem się, że przed synem ukryje pan więcej niż przed gliną, panie Hornlin.

Odwrócił się od szyby, którą wiatr smagał deszczem, i powiedział tak cicho, że ledwie usłyszałem te słowa:

— Czegoś, co sam chciałeś ukryć, nie ukryłeś, młody człowieku...

— Co chciałem ukryć?

— Że przerabiasz na własnym organizmie autodestrukcyjny kurs z Junga, Freuda i Fromma, lekcję „libida", i każdą inną psycholekcję, łącznie z „ucieczką od" i „ucieczką do"... Jesteś chory. Nie wiem jak bardzo, ale im dłużej będziesz trwał w tym pościgu, tym bardziej będziesz chory. Żyj normalnie, nie zadręczaj się, nie stwarzaj dodatkowych problemów. To była dewiza mojego ojca: „Żyj i nie stwarzaj problemów. Problemy same się stworzą”... Skończ z tym, bo inaczej...

Zamilkł.

— Tak? — spytałem, chcąc go zmusić do powiedzenia mi tego.

— Bo inaczej umrzesz samobójczą śmiercią nie popełniając samobójstwa.

— A to możliwe, panie Hornlin?

— Możliwe. Można się zabić nie dokonując żadnego zamachu przeciw sobie, bez żadnych gwałtownych targnięć na własny żywot. Medycyna zna ludzi, którzy wymuszają własną śmierć jakąś obsesyjną „idée fixe”. Filozof to nie psychiatra, nie znam się na tym dokładnie, wiem tylko, że chodzi tu o wpływ nastroju psychicznego na system samosterowania organizmu i na układ immunologiczny. Stres podobno może zwiększyć krzepliwość krwi aż do stopnia śmiertelnego. Oto czemu radzę ci: przestań, czas zdrowieć!... Jeśli nie chcesz słuchać filozofa, posłuchaj kapitalistów amerykańskich, oni mają taką zdrową zasadę mobilizującą: „Wstań i idź!”. Jest to najlepsza recepta na życie, jaką znam, wszystkie recepty filozofów są przy niej nie warte chwili uwagi.

— Szkoda, że mój ojciec jej nie posłuchał...

— Tak, wielka szkoda. Ale jemu było trudniej, bo on musiałby zrezygnować z pamięci, a ty tylko z mrzonki... Zrezygnuj!

Sam Pan Bóg nie mógłby mnie do tego namówić, i sam diabeł nie mógłby mnie odwieść od poszukiwania Miriam, gdyby zmienił front i odwodził zamiast pchać mnie ku niej. Wiedziałem, że któregoś dnia będę u celu. Hornlin, jakby dosłyszał tę myśl, szepnął:

— Żal mi cię, chłopcze... Lecz jeśli twój upór zwycięży, będzie mi bardziej żal...

Mój wzrok odpowiedział, że gada do ściany, ale to go nie zatrzymało:

— ... Żal mi tych, którzy zrealizowali swoje marzenia. Odtąd tylko staczają się w dół.

Nie pamiętałem, czy „staczać się w dół" to tautologia, pleonazm bądź inne maślane masło, lecz byłem zaskoczony, że filozof robi ów błąd. Z tym zdumieniem, o wiele mniejszym niż jego zdumienie, pożegnałem Hornlina. Małżonkę Hornlina pożegnałem uprzejmą odmową, gdyż ubiór miałem czysty.

Enbeckie informacje na temat dyrektora szkoły dano mi w kilkadziesiąt minut. Hank Faron, czterdzieści osiem lat, za czasów generała Tolda konfident NB, dwukrotny rozwodnik, wielbiciel nocnych knajp i ciężkiego alkoholu, krytyk literacki i teatralny, pedagog i playboy.

— Ma stałą kochankę, czy poluje co wieczór? — zapytałem Matakersa.

— I to, i to — odparł Cliff. — Czasami rwie z doskoku, ale ma stałą dupę, Sabinę Lang.

— Lang?... Identyczne nazwisko nosi zastępca szefa sztabu generalnego, pułkownik Lang. To chyba nie rodzina?

— Rodzina, panie poruczniku.

— Jak blisko są spokrewnieni?

— Najbliżej. Ona jest żoną.

— Żoną pułkownika Langa?!

— Żoną tego pułkownika Langa.

Zagwizdałem z podziwu:

— Odważny, skurwysyn!

— Też tak uważam, szefie. I to się kiedyś wyda, bo enbecy wiedzą. Wtedy pułkownik obetnie mu jeden i drugi łeb. Ten górny zasuszy, a ten drugi każe jej połknąć na surowo, Lang to bestia!

Dostałem gwiazdkę z kosmosu, Faron był już ustrzelony i upieczony jak zając, tylko jeść! Ale z jedzeniem mogłem zaczekać, bo marzył mi się dużo większy cud. Kazałem go śledzić dzień i noc, i założyłem podsłuch na jego telefonach. Dzwonił do kilku kobiet i spotykał się z nimi; otrzymywałem zdjęcie każdej, Miriam wśród nich nie było. Czekałem tydzień, miesiąc, dwa, moi ludzie klęli w deszczu i w słońcu, przylepieni do jego sylwetki, a cud nie następował. Zanim zdecydowałem się go przycisnąć, wykręciłem numer telefonu:

— Dzień dobry, panie Hornlin, to ja, Flowenol.

— Dzień dobry, panie komisarzu, co za niespodzianka! Czyżby się pan namyślił i zmienił zdanie?

— Wobec czego?

— Wobec prania garderoby u praczki z tytułem książęcym. Myślę o mojej Lilian. Chce pan, żeby uprała panu coś?

— Kilka brudnych pomysłów.

— Lilian będzie niepocieszona...

— Proszę się nisko ukłonić jej wysokości księżnej.

— ...ale ja cieszę się bardzo, że pan zadzwonił, bo mam kaca po naszym dialogu. Chcę pana o coś prosić, Flowenol.

— Tak?

— Niech pan nie przywiązuje zbyt wielkiej wagi do tego wszystkiego, co panu mówiłem. Papla się różne rzeczy, lecz najmądrzejsze paplanie, potwierdzone wiedzą książkową, laboratoryjną i nawet tak zwaną życiową, nie wyjaśnia wszystkich zagadek życia, nie musi być sensowne w odniesieniu do jednostkowych przypadków i tragedii. Wobec danego osobnika może być zupełnie bez sensu...

— Zrozumiałem to sam, panie Hornlin. I też mam prośbę. Pan powiedział, że Faron bardzo dużo...

— Kto taki, komisarzu?

— Nie jestem komisarzem, jestem porucznikiem. A chodzi o tego dyrektora szkoły, w której uczyła moja macocha. Powiedział pan, że on bardzo dużo mówił. Chciałbym, aby mi pan spisał możliwie najdokładniej wszystko, co pan zapamiętał z jego słowotoku.

— Obawiam się, że będzie to mało dokładne i z wielkimi brakami, bo moja pamięć różni się od magnetofonu nie tylko obudową...

— Proszę to zrobić, błagam pana!

— Na co pan liczy? — spytał po krótkiej przerwie.

— Na cud.

— Jeśli tak, to czuję się w obowiązku, zawsze chciałem być cudotwórcą. Dam to panu za kilka dni, kilka dni będę sobie przypominał i spisywał. Teraz pamiętam tylko, że wymądrzanie się tego... no!...

— Farona.

— ... tego Farona zaczęło się od rozmowy na temat barbarzyńców.

— Jakich barbarzyńców?

— Rozmawialiśmy o imigracyjnym najeździe kolorowych na zachodni świat. Że to jest przyczyną wzrostu narkomanii, przestępczości, terroryzmu i tak dalej. Że Zachód, wpuszczając do siebie ów tłum z Trzeciego i Czwartego Świata, popełnia harakiri, że jest zbyt permisywny, że sterroryzowane strachem władze wielu państw próbują kupić sobie pokój społeczny za cenę nadmiernych przywilejów dla kolorowych, że to, co się dzieje w Ameryce, to już aberracja, gdyż tam kolorowych pcha się na wyższe uczelnie i na stopnie naukowe prawie bez egzaminów, a oni wrzeszczą, iż czarna rasa stworzyła całą ludzką kulturę, bo od Mojżesza, Dawida i Chrystusa wszyscy byli Murzynami, ci zaś, co nie byli Murzynami, byli złodziejami, na przykład Sokrates, który ukradł wszystkie myśli afrykańskim filozofom...

— A co Faron mówił?

— Faron wygłosił „naukową" przemowę. Zaczął od Spenglera. Że zgodnie z teorią Spenglera, wyłożoną w „Upadku Zachodu", krzywa Zachodu nieustannie zjeżdża w dół, i że to, co obserwujemy, jest sytuacją...

— Nie można zjeżdżać w górę, panie profesorze!

— Co?... Aha!... Nie można być pedantem, panie poruczniku!

— Więc jak mówił o dzisiejszej sytuacji?

— Że jest sytuacją analogiczną do schyłkowej fazy cywilizacji grecko-rzymskiej. Wie pan, teraz jest moda na wskrzeszanie Spenglera...

— Wiem, jeden z moich przyjaciół, dziennikarz, odmienia Spenglera w każdej deklinacji. I co dalej mówił Faron?

— Mądrzył się, jakby miał przed sobą szkolną dziatwę. Wymienił agresywny materializm, rozpasany permisywizm obyczajowy, upadek kultury i tradycji, agonię komórki rodzinnej czyli „cementu społecznego”, kres wszelkiej ideowości, mnogość wyznań religijnych czyniących religijność „rodzajem wyścigów, w których obstawia się różne konie”, właśnie tak, pamiętam ten jego „bon-mot”... Dodał jeszcze politykę, która jest funkcją kapitału zamiast na odwrót, korupcję i szalejącą zbrodnię, przeludnienie metropolii i obumieranie wsi, naprawdę, nie pamiętam wszystkiego! Pamiętam, że za analogię najgroźniejszą uznał „oblężenie Zachodu”. Przypomniał, że imperium rzymskie czyli starożytny Zachód było otoczone ludami barbarzyńskimi i że parcie tych plemion zgangrenowało, a w końcu zmiażdżyło Rzym, i stwierdził, że dzisiejszy Zachód jest pod identycznym naporem ludów Trzeciego Świata, obcych naszej cywilizacji, wrogich naszej cywilizacji i pragnących zawładnąć naszym światem. Straszył, że grozi nam to samo, co stało się kresem Rzymu, i że ta barbarzyńska inwazja jest dlatego niebezpieczna, bo od Arabów różni nas nie tylko to, że my siusiamy stojąc, a oni klęcząc, zaś od Azjatów nie tylko to, że oni jedzą patykami. Popisywał się furą takich „aforyzmów”, panie były tym zachwycone, zwłaszcza pańska macocha.

— Dobrze, proszę sobie przypomnieć jak najwięcej i spisać mi to wszystko, panie Hornlin.

Spisał, ale nie okazał się cudotwórcą. W tym, co mówił Faron przy biesiadnym stole, nie znalazłem żadnego punktu zaczepienia (same dyrdymały, gazetowe mądrości, struganie wysokich lotów, plus rzeczywiście kupa „aforyzmów”, takich jak to, że pęd kolorowych imigrantów do Europy to lustrzana zemsta za kolonizację, bo teraz oni Europę kolonizują). Obserwacja była wciąż jałowa, więc uznałem, że czas na wizytę.

Mieszkał w małym domku niedaleko szkoły. Furtkę i drzwi otwarli moi ludzie, wszedłem jak kot, chciałem go zaskoczyć. Ujrzałem faceta otulonego bajecznie kolorowym szlafrokiem i cuchnącego alkoholem — skacowanego sułtana po przebudzeniu. Patrzył mi w twarz, mocując się z pamięcią, jakby już gdzieś mnie widział, ale sztuczna broda i sztuczne wąsy okazały się dobrym kamuflażem.

Miał solidny wzrost, zmysłowe wargi i kręcone kudły. W ogóle był przystojny niczym szatan, co sfrunął na ziemię i tu kusi zwycięsko oraz uwodzi bez podrywania, bo kobiety patrząc w jego wielkie czarne ślepia uwodzą się same, jak pod wpływem hipnozy lub narkotyku, którego nie trzeba podawać, gdyż jest we krwi, uśpiony i tylko czeka na przebudzenie. Sięgnął ręką do szuflady, ale blefował, bo gdyby miał tam broń, to by ją wyciągnął. Zawyżył tembr głosu:

— Jesteś włamywaczem czy komornikiem?

— Policjantem, panie Faron.

— Legitymacja!

Okazałem mu. Przyjrzał się jej i spytał:

— Kryminalna czy polityczna?

— Ta druga.

— No to fru za drzwi! Ja jestem zwykłym kryminalistą, fałszerzem, ustnie podrabiam obietnice małżeństwa i tym zaliczam drugą płeć, gliniarzu! Z polityką nie spałem, ona mnie gówno obchodzi! Władza, opozycja, konspiracja i wojna — wszystko to gówno mnie obchodzi!

— Nawet wojna przeciw czarnuchom i żółtkom, którzy cisną się na Zachód, żeby go połknąć jak ostrygę i tym udowodnić tezy Spenglera?

Wytrzeszczył wzrok:

— Co takiego?...

— Przypomniałem jedną z twoich lekcji, nauczycielu. Było w niej też coś o rozpasanym permisywizmie obyczajowym, fałszerzu małżeńskich przysiąg. Ale to bezpieki nie interesuje...

— A mnie nie interesuje bezpieka! Mówiłem już! Polityka gówno mnie obchodzi! Enbecja również gówno mnie obchodzi! I twoja legitymacja! I ty sam, glino! Wszystko to mam w dupie! Wiesz czemu? Bo to jest wyłącznie męska gra! Spektakl lepszych! Bój! Nienawiść przeciw nienawiści! Heroizm przeciw heroizmowi! Wyszczerzone zęby przeciw wyszczerzonym zębom! Mózgi w bicepsach przeciw mózgom w bicepsach! Krew za krew, podstęp za podstęp, spryt za spryt! Wojna, dyplomacja i policja, które wciąż budują nowy świat!

Tak jakby można było budować na krowim łajnie, na szczynach i na wymiotach, jakby można było wznosić fundamenty na wysypiskach sadzy, jakby można było tańczyć na bagnie! Czysty uśmiech pozostawiamy dzieciom, a miłość kobietom, zamykając im usta na klucz! Ale dopóki nie można zamknąć im macic, jest nadzieja. Wciąż się kołacze, od tylu wieków zmarnowanych przez nasze triumfy...

Przerwałem ten pompatyczny wrzask:

— Panie Faron, nie jesteśmy na lekcji szkolnej. Przyszedłem do pana, bo...

— Mówiłem już, to mnie gówno obchodzi, polityka gówno mnie obchodzi, gliniarzu!

— Panie Faron, rak prawie każdego gówno obchodzi, bo to inni mają raka, ale gdy ktoś z tych niezainteresowanych dostanie raka, wówczas rak zaczyna go bardziej obchodzić niż cokolwiek innego.

— To groźba, gliniarzu?

— Nie, to tylko przypomnienie, iż nie można być ateistą. Człowiek może sobie mówić: Bóg mnie nie interesuje, ale to nie odstręczy Boga od jego obowiązków względem istoty, którą stworzył, Bóg będzie dalej zainteresowany człowiekiem i nie odbierze mu Anioła Stróża. Wielu ludzi nie interesuje się polityką, lecz polityka, spełniając swój obowiązek, interesuje się nimi, i tym przejawia swój humanitaryzm, gdyby bowiem była obojętną i nieczułą wobec ludzi, nie zasługiwałaby na miano humanitarnej. Prawda?

— Gówno prawda! Czego ode mnie chcecie, gliniarzu?

— Kilku informacji.

— Jakich informacji?! Dlaczego akurat ode mnie?!

— Bo wiemy, że jest pan posiadaczem tych informacji. I że nie ma pan mózgu w bicepsie, panie Faron. I że był pan konfidentem Narodowego Bezpieczeństwa...

— To było tysiąc lat temu, glino! Byłem wówczas goły jak wyruchany leszcz, bez centa... i kupiono mnie za ogromne honorarium...

— Teraz będzie tysiąc razy większe, panie Faron.

Znowu wytrzeszczył oczy:

— Tysiąc razy większe?! Zgłupiałeś, glino... Wiesz ile wtedy dostałem?

— Wiem.

— I mówisz, że tysiąc razy? Musiałeś być na wagarach jak była matematyka...

— Ale byłem w szkole, gdy mówiono o życiu seksualnym i rodzinnym, panie Faron. Zepchnął pan pułkownika Langa na drugie miejsce, a w tej konkurencji za drugie miejsca nie dają wawrzynów. Pułkownik Lang to ambitny człowiek, więc to go może zaboleć i wkurwić, gdy ktoś ujawni mu, że pan się opiekował jego żoną. Pod tym względem ma on coś z kwakra, rozumie pan, chodzi o monopol na zaślubione podbrzusze, a że jest lekko zwichrowany w kierunku sadystycznym, więc jeśli nawet nie zdejmie rywalowi łba z karku, to przynajmniej odetnie mu ten drugi łeb, tak aby eunuch musiał wydalać mocz przez sztuczną cewkę... Spróbujmy policzyć teraz, panie Faron. Będzie tysiąc razy?... I niech mnie pan nie pyta znowu czy to groźba, bo to nie jest groźba, to obietnica.

Już po raz drugi Krimm okazał się prawdomówcą. Po raz pierwszy miał rację, gdy twierdził, że niewinnie rządzić nie sposób. A teraz przypomniałem sobie jak powiedział, że nie bije przesłuchiwanych. Powiedział: „Jestem jeszcze gorszy, używam słów. Są takie słowa, Flowenol, które potrafią otworzyć każdy pysk, słowa boleśniejsze od kopnięcia w brzuch, trzeba tylko wiedzieć jakie to słowa...”. Upodabniałem się do niego... Widziałem to w twarzy Farona, niczym w lustrze — zbladł, spuścił wzrok, powietrze uchodziło zeń wszystkimi otworami, a jego ryk zamienił się w szept:

— Co... co mam...

— Wszystko, nauczycielu.

— Wszystko?...

— Wszystko. Zacznij od żony Fryderyka Flowenola, która współpracowała z NB tak jak ty. Współpracowała również z tobą, i rżnęła się z tobą, i ty mi to opowiesz.

Jego pysk zrobił się całkiem blady, jakby wyciekła zeń krew; szepnął:

— Ja... ja nie spałem z nią nigdy!... Ona wolała brudasów, jakichś górali, chłopów, śmierdzących rybaków, to ją rajcowało, ale ja... ja...

— Nie łżyj, byłeś jej kochankiem!

— Ale tylko raz, słowo honoru, panie władzo!... Chcę się napić.

— Później. Teraz mów.

Drżącymi rękami wyjął kopertę z biurka.

— Tu mam list... list od Miriam Flowenol, panie pułkowniku.

— Komisarzu.

— Panie komisarzu. Mam jeszcze dwa lub trzy, panie komisarzu... Przynieść?

— Tak.

Siłą woli powstrzymałem drżenie rąk, biorąc z jego drżących rąk kopertę i prostując list. Wyszedł do sąsiedniego pokoju, aby odszukać resztę korespondencji z Miriam, a ja zacząłem lekturę. Rozczarowała mnie data — był to list sprzed roku. I rozczarowała mnie treść — był poświęcony jakimś nieudanym wierszom. Aż zajechałem do fragmentu: „Twierdzisz, że ludziom piszącym wydaje się, iż tworzą słowa, i że według ciebie jest na odwrót, że to słowa tworzą ludzi. Nie pojmuję tego. W tym, co ja tworzę...". Zrozumiałem, że mówi o swoich wierszach! Wstałem i krzyknąłem:

— Faron!

W sąsiednim pokoju nic się nie ruszyło. Skoczyłem tam i ujrzałem firankę wydymaną przez wiatr do wnętrza. Za oknem był trawnik, dalej trochę chaszczów i płot; Faron wykołował mnie jak chciał. Wezwałem moich ludzi, nakazując rewizję i poszukiwania zbiegłego. Matakersa uczyniłem odpowiedzialnym:

— Każdy cal tego domu! Rozmontuj meble, podłogę i parapety, wypruj poduszki, przewierć ściany, przekop ogród, rozbierz wszystko na elementy pierwsze, Cliff! Jeśli tu jest jakaś skrytka, to ma być znaleziona!

Idąc do wozu pomyślałem, że chałupę mojego starego należy identycznie prześwietlić, że trzeba było to zrobić już dawno, bo Miriam mogła tam zostawić coś, co ukryła i o czym zapomniała. Długo nie odwiedzałem tego domu. Klucze leżały pod deską rozdzielczą, na samochodowej półce.

Jadąc widziałem twarz ojca w kabinie awionetki, z początku całą, a potem tylko jego wzrok, jakby patrzył na mnie przez szczelinę obserwacyjną bunkra, i chociaż nie otwierał ust, słyszałem jego głos: — Nie można mieć wszystkiego, Nurni. Miałem dużo więcej niż miliony facetów, miałem Tadż Mahal uwielbienia i sławy, który okazał się lepianką, bo ofiarowałem to wszystko nie tej kobiecie... Wtedy już tylko jedno możesz zrobić — przeżyć chwilę bajecznego szczęścia, odfrunąć do Hilo! Lecisz jak ptak, wysoko jak ptak! Pod tobą ocean, horyzont dookoła ciebie, i jesteś sam jak Bóg, ponad wszystkim, daleko od zgiełku i od płaczu, wolny i piękny, a kiedy kończy się paliwo, dostrzegasz żaglowiec w promieniach stu słońc, i wiesz, że nie dolecisz, ale to nie ma znaczenia...

Czułem jak moja nienawiść rośnie, jak przeradza się w złość bliską furii, w dziki gniew wobec tej kobiety, która rzuciła szmaragd na dno oceanu. Trwało to chwilę, aż zrozumiałem, że moja nienawiść nic nie zmieni, bo tak jak oczekiwanie na miłość to już miłość, i tak jak żal za miłością to miłość — tak i nienawiść to miłość.

Dlatego nie zazdrościłem ojcu, że jest już wolny od tego uczucia, które dręczyło go przez kilka tygodni, ostatnich na jego drodze. Jego ból był zupełnie inny, gdyż on żył z tą kobietą w inny sposób, a później żył ze swoją nienawiścią w inny sposób, wówczas, kiedy sam dla siebie był już martwy, był jak odbicie w lustrze, które nie ma ciężaru, ani własnych marzeń, ani niczego własnego, a wszelkie wspomnienia były dlań jak szum muszli już nie bezmyślnej, bo przestała obiecywać i kłamać, lecz tylko pustoszący serce aż do krańca każdego horyzontu.

Zajechałem pod dom i oczy starego zniknęły. Przebiegłem parter, nie zwracając uwagi na całe uśpione bogactwo wystroju, które kiedyś cieszyło każdego kto nie rozumiał (a nikt nie rozumiał), że prawdziwej wartości bogactwo nabiera nie wtedy, gdy jest pomnażane, lecz dopiero gdy zostaje utracone; przefrunąłem schody; i wdarłem się do sypialni, jak w dniu przyjazdu z piekła langijskiego. Ujrzałem ten sam nieład po wyprowadzce, zwiększyła się tylko liczba pajęczyn. Otwarta szafa zachowała wspomnienie boskiej elegancji, dzięki wieszakom ściśniętym jak żołnierze w szeregu. Patrzyłem na pustą szafę, a widziałem secesyjną linię ciała Miriam, pełną cudownie miękkich krzywizn. Jej głównym zajęciem było podkreślanie urody modą; odziewała się z fenomenalnym gustem, przewyższającym zwykłą elegancję i budzącym bezsilną zazdrość innych kobiet. Nikt jej nie nauczył, robiła to instynktownie, tak jak sarna instynktownie boi się wilka widząc go po raz pierwszy — Darwin całkowicie się tu sprawdzał. I Marks też — do takich triumfów bytu zwyciężającego świadomość potrzeba dużej gotówki.

Na łóżku, w którym uwielbiała jeść, walał się stos klamotów i ciuchów pogardzonych przez nią przy wyprowadzce. Obcego w domu stary znosił do kilku dni (później był gotów strzelać), więc nie mieli służby i on kochał kłaść jej śniadanie na prześcieradło. A potem zdejmował tacę z prześcieradła...

Szarpnąłem głowę w bok i zbliżyłem się do toaletki z wielkim okrągłym lustrem. Blat był zawalony furą drobiazgów. Dwa pierroty o szachownicowych kostiumach, mosiężny dzwonek, milczące puzderko, guziki, lokówki, stary kalendarzyk, igła z nawleczoną nitką, porcelanowa przykrywka do czegoś, czego nie pamiętałem, i papierowa lalka, której ktoś oderwał kapelusz. „Wszystko to wyglądało prześlicznie, ale najpiękniejsza była maleńka pani stojąca pośrodku i wyciągająca obie ręce przed siebie, gdyż była tancerką. «To byłaby w sam raz żona dla mnie!» — pomyślał cynowy żołnierzyk... Ona unosiła się na palcach jednej nóżki, a on stał i nie odrywał od niej oczu...”.

Przyklejona broda coraz bardziej drażniła mi skórę. Spojrzałem w lustro toaletki i ujrzałem obcego człowieka. Odkleiłem wąs. Potem zacząłem odklejać imitację brody, sycząc z bólu i patrząc jak tamten człowiek przemienia się w mojego sobowtóra, jak powraca do swoich fizjonomicznych źródeł. Nawet nos, wargi i czoło wydawały się mieć inny, bliższy sercu kształt. Tylko oczy pozostały te same. A więc wzrok jest zwierciadłem duszy, a jedyną prawdę można wyczytać w oczach. „Panie! — pomyślałem — daj mi jeszcze raz zajrzeć w głąb jej oczu!".

Przechyliłem głowę. Nad toaletką wisiał uczepiony kinkietu łańcuszek, którego zakończeniem był maleńki krucyfiks. Stanowił jej własność, pamiątkę po matce, nigdy go nie zdejmowała. Ale przed opuszczeniem tego domu zdjęła go z szyi, żeby się uwolnić lub zadrwić, i rzuciła na kinkiet, jakby mówiąc, że łaska i alibi nie są jej już potrzebne w życiu.

Wziąłem krucyfiks między palce i ścisnąłem misternie rzeźbiony tors. „Spraw, by się odnalazła, cała, z tym grzechem, który ja jej wybaczę gdy tylko ujrzę jej łzy, bo one roztopią moją dumę, i moją wściekłość, i pozwolą mi wyzbyć się bólu! Niech nie będzie jak tamta, żona Mateusza, co niczym dzikie zwierzątko do końca pokazywała zęby i pazury, broniąc się przed niesprawiedliwym dla niej światem i nie znajdując innego oręża jak potwarz i kłamstwo. Szukam jej łez, Panie! A Ty nie sądź mnie za to i nie karaj, zostań tam jako Bóg, lecz tutaj myśl o nas jako człowiek, bo czyż po to jesteś, żeby rozumieć bogów, a nie ludzi?".

Zdjąłem Go i założyłem na kark, wpuszczając pod koszulę. Z parteru wykręciłem numer Farona. Słuchawkę podniósł Kray.

— I co, Lon?

— Jak dotąd nic, panie poruczniku.

— Szukajcie dalej. Gdy skończycie, zrobisz to samo u mojego ojca.

W mieszkaniu znalazłem się przed północą. Nie chciało mi się spać, jeść, czytać, ani dzwonić do kochanki. Obserwowałem miasto z lotu ptaka, stojąc na balkonie. Wielka plama Nolibabu, igrzysko nieruchomych i ruchomych świateł, rozlewała się przede mną. Każde światło oznaczało czyjeś życie, a wszystkie oznaczały anonimowość obojętną patrzącemu tak, jak kłębowisko świętojańskich robaczków jest obojętne księżycowi. Dalej, na wprost, od portu, zaczynało się morze lśniące nocną aurą. W górze było niebo pełne gwiazd, a z tyłu puste mieszkanie i łóżko pełne snów.

RZYM PRZECIW GALILEJCZYKOWI — Akt III.

— Odpocznijmy! Nie wytrzymuję tego skwaru, panie!
— Kłamca! Twoje pośladki nie wytrzymują siodła, Hilosie, bo nie umiesz jeździć na koniu. Czy musisz kłamać?
— A co można robić innego, kiedy droga się tak dłuży? Zresztą przyzwoiciej jest kłamać na gościńcu niźli we własnym domu, jako ty robisz, szlachetny trybunie!
— Czym cię ołgałem, niecnoto?
— Tym, że legat wyznaczył twoją kohortę do Jerozolimy, bo ona umie bić Żydów. Cały dwunasty legion umie bić Żydów. Mniemam, iż sam zabiegałeś, aby cię posłano.
— To prawda.
— Chcesz ubić z zazdrości Galilejczyka, panie?!...
— Pragnę ją zobaczyć, bo ona tam przybędzie razem z całą tą hołotą, która tworzy dwór Galilejczyka.
— A jego nie chcesz zobaczyć?
— Chcę go i zobaczyć, i usłyszeć. Czy ty słyszałeś go?
— Raz.
— I uwierzyłeś mu?

— Uwierzyłem.

— Co mówisz!

— Mówię, że uwierzyłem. Jechałem wtedy ze świtą prokuratora do Nazaretu. Galilejczyk przechodził drogą i poprosił o wodę, mówiąc, że jest spragniony.

— I co jeszcze?

— Nic. Ruszył dalej.

— Jak to ruszył dalej? Nic więcej nie mówił?

— Nie, Kajusie Antoniuszu.

— Więc w co uwierzyłeś?

— W to, co powiedział, że jest spragniony. Wypił kubek do dna.

— Hilosie!...

— Tak, panie?

— Przydałyby ci się rózgi!

— Ulżyj sobie, panie.

— Idź do Hadesu!... Myślałem, żeś słuchał jego mowy! Ciekawe, czy... Ty zresztą w nic nie wierzysz, więc tym bardziej nie dałbyś się zbałamucić jemu.

— To nie jest takie pewne, panie. Nie wiesz nawet jak łatwo jest obałamucić mędrca, któremu się zdaje, że wypalił w sobie wszelką zdolność do zaufania komuś lub uwierzenia w coś. Kobietom udaje się to ciągle.

— Tak, ale to co innego, bo one mówią o miłości.

— On też mówi o miłości, panie.

— Lecz o innej miłości.

— Nie ma innej. Jest tylko jedna, ta, która z serca wychodzi, albo nie ma jej wcale. O miłości mówi wielu. Rzecz w tym, by rozpoznać kłamstwo. Są usta, które kłamią, i są takie, które nie kłamią.

— Czemu więc, jak mówiłeś, kobietom tak łatwo bałamucić mędrców gadaniem o miłości?

— Bo wielu mędrców zapomina stare porzekadło: „Bacz, abyś nie zgłupiał od mądrości swojej!". Prorokom wychwalającym bo-

gów trudniej niż kobietom zawracać w głowach ludziom mądrym, choć myślę, iż każdy mądry posiada swego boga. Jedni szukają boga w Marsie, inni w Bachusie, jeszcze inni w Amorze, klęczą przed cnotą lub podłością, pieszczą dotykiem księgę lub monety, korzą się gdy smaga ich bat lub własne sumienie, każdy po swojemu, jak mu wygodnie lub jak mu przypisano, więc cóż dziwnego, że i ja mam swojego boga? Mój bóg to bóg drwiny, bo dla mnie świat to komedia, z której należy się wyśmiewać, niczego nie biorąc serio.

— Złośliwy jeszcze nie znaczy mądry, błaźnie! Prawdziwie mądrzy powiadają, że w sobie trzeba szukać boga...

— Nic innego jak słuchanie mądrych ludzi uczyniło świat takim, jakim go widzisz, Kajusie Antoniuszu.

— Nie mają racji?

— Może i mają, lecz ludzie mądrzejsi od owych mędrców powiedzieliby ci, iż nie należy boga szukać w sobie.

— Dlaczego?

— Bo czasami można znaleźć.

— To źle?

— To byłoby dobrze, gdyby można było żyć pośród aniołów. Lecz nosić w sobie boga i żyć wśród ludzi strasznie jest trudno. Więc po co szukać, zbyt niebezpieczna to rzecz. Ci, którzy trwają w przymierzu ze swym demonem i nie wypędzają go dla zrobienia miejsca bogu, mniej ciernistą mają drogę, o czym wiesz równie dobrze jak ja, a gdybyś nie wiedział, rzekłbym: rozejrzyj się naokoło!

— Czasami rozglądam się naokoło. I widzę wówczas setki bogów, którym ludzie oddają cześć. Nie trzeba szukać, tak wielki jest już ten marmurowy Olimp, że niedługo będzie po jednym bóstwie dla każdego obywatela Rzymu!

— Wizerunki bogów potrzebne są tylko głupcom i kobietom. Mądrzy wiedzą, gdzie szukać świętości lub gdzie ją budować, tak jak mężczyźni wiedzą, gdzie szukać cierpliwości i mocy. Tylko w sobie!

— Dopiero co mówiłeś, że nie należy w sobie!

— Tak mówiłem, Kajusie Antoniuszu?... Nie pamiętam już niczego, zabija mnie ten skwar! Ale nawet jak ci ktoś mówi, że nie należy włazić w ogień, to czy nie należy wbiec do płonącego domu po dziecko, które tam zostało?... O czym to mówiliśmy, trybunie?

— O tym, że mężczyzna winien w sobie szukać cierpliwości i mocy, krętaczu.

— Tak, tylko mężczyzna, Kajusie Antoniuszu. Dla niewiast to wskazówka nazbyt filozoficznie chłodna, one rozumują przez dotyk.

— Mówisz tak, bo już żaden ich dotyk nie może rozpalić krwi w twoich żyłach i przez to wzbudzić trochę więcej wyrozumiałości dla kobiecego stanu?

— Mówię tak, bo już żaden ich dotyk nie może mnie ogłupić i uczynić niewolnikiem na postronku z własnych żył!

— Gdy mówisz, żeś wyzdrowiał, to znaczy, że kiedyś było inaczej.

— Zawsze kiedyś jest inaczej. I zawsze kiedyś przychodzi czas, by wyjść z obory. Tylko nie wszyscy znajdują drogę do wyjścia, a już na otwarcie drzwi stać bardzo niewielu.

— To prawda, wszyscy w twoim wieku, których znam, gonią za coraz bieglejszymi heterami i kupują coraz młodsze niewolnice. Ale czy to znaczy, że wszyscy dają się tym młódkom ogłupiać?

— To znaczy, że sami się ogłupiają, wystawiając na obmowę i prześmiewisko. Bo ta młoda niewolnica, podrażniona tylko niedołężnymi pieszczotami, uśpiwszy starucha biegnie do masażysty lub odźwiernego po resztę, a nazajutrz niewolnicy biorą niewolniczą zemstę na panu, kpiąc z niego. Śmiech bardziej zabija niż miecz, chociaż nie utacza krwi. Wolę się śmiać.

— Tylko z innych się śmiejesz?

— Z siebie obśmiałem się już tak dawno i tak gruntownie, że nic nie zostało do obśmiania prócz mojej nędzy. Wolę się z innych śmiać.

— Śmiech to śmiech, lecz ty z kobiet się nie śmiejesz, ty je nienawidzisz.

— A ty to co?

— Ja tylko jedną, a ty wszystkie, staruchu!

— Wszystkie, które gdy byłem młody umknęły spod mojego noża!

— Wszystkie, gaduło z Koryntu! Powiedz dlaczego.

— Bo czasy są parszywe, Kajusie Antoniuszu.

— Co mają do tego czasy?

— Czasy zawsze są takie, jakie są kobiety i ich moralność. To nie mężczyźni kształtują świat. To matki wychowują dzieci, a mężczyzn nałożnice i żony. Zdechnę w tym upale, o bogowie!

Rozdział 6.

Mijały miesiące, a bilans wynosił zero — nie znalazłem ani jej, ani jej siostry, ani Krimma, i na domiar Faron mi uciekł. Stryj Hubert zdiagnozował moje nieudacznictwo w bezbłędny sposób:

— Przyczyną jest powołanie, Nurni. Ty masz duszę gladiatora, a nie psa o czułym węchu. Prócz tego nosa brakuje ci jeszcze czegoś — policyjnej rutyny, której uczy wieloletnia praktyka. To wszystko. Taerg ma specjalistów, niech ci jednego wypożyczy.

Dopiero gdy to powiedział, przypomniałem sobie, że znam najlepszego tropiciela w tym kraju, człowieka, który był niegdyś żywą legendą, zwaną „biczem na przestępców", i którego lubiłem, bo był podobny do stryja Huberta. Nazywał się Ker Galton. Jako wieloletni szef wydziału śledczego policji kryminalnej kolekcjonował laury, gdyż miał podobno siódmy zmysł urodzonego detektywa. Gdy przyszła starość, nie odesłano go na emeryturę, lecz do Harvesu, by tam uczył młode psy czym jest trop. I tam go poznałem, chodząc na prowadzony przez niego kurs „Problematyki metod śledczych", który składał się z kilku przedmiotów („Metodyka zeznań", „Oględziny śledcze", „Badania materiału dowodowego", itd.).

Polubiłem go od pierwszego spojrzenia, nie wiedząc czemu — zrazu było to lubienie bez racjonalnych uzasadnień, dość chyba częste w kontaktach między ludźmi; kapitan Galton był człowiekiem, jakiego chce się mieć wśród przyjaciół lub krewniaków. Gdy kończyłem Harves, moja sympatia do profesora Galtona miała już kilka uzasadnień racjonalnych — bo mnie wyróżniał, bo podobnie jak stryj Hubert mówił do mnie „synku", i może jeszcze z tej przyczyny, że Galton, tak jak stryj Hubert, był ateistą, którego Pan Bóg chętniej wziąłby do siebie niż kanonizowanego dewota. Dużo później, gdy zaprzyjaźniłem jednego z drugim, stryj Hubert uznał, że mimo wszystko się różnią:

— Ja należę do ateistów, bo zawsze chciałem należeć do bogaczy, ale nie cierpię pchać się przez igielne ucha, podczas gdy jego ateizm ma bardziej filozoficzny rodowód.

Galton nurzał się w Nietzschem, Feuerbachu, Jaspersie, Schopenhauerze, Pascalu i Spinozie, znał przeszłość każdej religii i potrafił zapędzić w kozi róg niejednego faryzeusza, przy czym sam wysławiał się jak mnich, chyba że coś go rozwścieczyło — wtedy nie używał słownictwa mnichów. Jego zatwardziały ateizm był mało groźny pod rządami generała Tolda. Ale gdy następca Tolda wyniósł Kościół do roli współrządzącego, ateizm Kera Galtona zamienił się w skrzynkę trotylu, przez co on i ja pożegnaliśmy Harves równocześnie. On nie dlatego, że był ateistą (trotyl sam nie wybucha, trzeba go odpalić), lecz dlatego, że był wojującym ateistą i nie umiał trzymać buzi na kłódkę. Jak wiecznie głodna pirania szukał ofiar, wierzących rozmówców, z góry skazanych na posiekanie ateistycznymi zębami. Stryj umiał to samo i czasami bawił się tak samo, lecz z większym poczuciem humoru i do tego trzeba go było sprowokować.

Mój rocznik żegnał Harves fetą dyplomową, którą zwieńczyła msza dla absolwentów i kadry profesorskiej. Celebrował biskup na placu sportowym. Gdy przystąpił do kazania, powiedział tylko kilkanaście wyrazów:

— Spotkaliśmy się tu, bracia moi, dlatego, że wszyscy wierzymy w Przenajświętszą Trójcę, co pozwala nam wznosić modły...

— Nie dlatego — przerwał mu Galton — tylko dlatego, że taki był rozkaz! I nie wszyscy. Ja nie wierzę i nie wznoszę żadnych modłów!

Bomba neutronowa nie wywołałaby większej ciszy. Wszystkie twarze odwróciły się ku staremu. Biskup powiedział łagodnie:

— Jeśli łaska wiary nie spłynęła jeszcze na twój..

— Nie spłynęła i nie ma widoków na to, żeby kiedykolwiek mogła to uczynić! — zareplikował kapitan. — Ja nie tylko nie wierzę, ekscelencjo, lecz kwestionuję sens wiary, gdyż Boga nie ma.

— Kapitanie Galton! — ryknął dyrektor szkoły, pułkownik Hurz.

Książę Kościoła dał mu znak ręką, że wszystko jest w porządku i że ma ochotę na dialog z siwowłosym heretykiem. Okazało się jednak, że nie na bezpośredni dialog, gdyż spoczął w barokowym fotelu, a zza fotela wyłonił się młody ksiądz o ascetycznej gębie i oczach półprzymkniętych, lecz świecących niby dwa laserowe punkciki. Zrozumiałem, że szykuje się pokazówka.

— Mówisz, że Bóg nie istnieje, stary człowieku? — szepnął ów kleryk. — Skąd wiesz o tym?

— Z myślenia — odparł Galton. — Bardzo łatwo jest dowieść, że twój Bóg nie istnieje.

— Łatwo, mówisz? Więc dowiedź nam.

— Może kiedy indziej i gdzie indziej, nie tu... — stropił się Galton.

— Ależ tu, nie my zaczęliśmy tę wojnę! Broń swoich racji. Powiedz nam dlaczego według ciebie nie ma Boga.

— Dobrze, powiem. Bo nie ma na świecie miłosierdzia, to jest padół samych krzywd. Nie ma miłosierdzia w przyrodzie, w życiu, wśród ludzi, nigdzie! Niektórzy popisują się filantropią, która zazwyczaj jest hipokryzją, to wszystko. Czemuż twój Bóg, który rzekomo jest wszechmocny, nie ingeruje? Czyż nie jest On ideologiem miłosierdzia? Tą doktryną twój zakon począł opanowywać świat, a skończył mieczem i płonącym stosem, co już stanowi sprzeczność. Proste jak szkolna matematyka: twój Bóg to wcielone miłosierdzie, a miłosierdzia nie ma nigdzie na tej Ziemi, którą stworzył, nie ma go wśród żyjątek ulepionych z mułu! Jaki jest wynik tego równania? Azaliż trzeba lepszego dowodu, młodzieńcze?

Rozczarowało mnie to. Uświadomiłem sobie, że retoryka wojujących ateistów jest uboga jak zupa gotowana na brukwi. Argument ziemskiego zła, wiecznego cierpienia, braku miłosierdzia i karygodnej obojętności Boga wobec tego wszystkiego, był ich pierwszym i jedynym orężem, jakby każdy miał pod ręką ten sam egzemplarz wojennego regulaminu. Nawet stryj nie znalazł czegoś lepszego i tylko „bon-motami" wykpiwającymi jakiś dogmat okraszał agnostyczną polewkę.

Kleryk zbliżył usta do mikrofonu, który stał przy bocznej ścianie ołtarza. Jego szept wypływał z głośników i frunął daleko, niesiony wiatrem tarmoszącym siwą czuprynę ateisty:

— Bardzo to inteligentny wywód, panie profesorze! Biedna szkoła, w której nauka z takich mózgów sączy się do młodych mózgów. Jesteś pan jak ten, któremu nie chce się zapalić lampy, woli siedzieć w ciemnościach i dowodzić, że ponieważ jest ciemno, to elektryczność nie istnieje, jest blagą, a Volta i Edison to krasnoludki wymyślone przez hochsztaplerów, aby tumanić ludzkość mitem żarówek. Takich leniuchów i głupców jest wielu, dlatego w tylu miejscach jest wciąż tak ciemno. Ale nie jest to wina użytkowników i wynalazców elektryczności. Mimo że wielu jest takich głupców i leniuchów jak pan, elektryczność istnieje!

— Bez wątpienia! — odciął się zaatakowany. — Jeśli tylu jest elektryków takich jak ty, klecho, nie dziw, że tyle jest ofiar porażonych prądem! Niesiecie światło kłamstwa i oślepiacie, by człowiek mógł przełknąć każde cierpienie mówiąc: „Wola Pana naszego"! Zaświeć swą demagogią w oczy każdej matce z tych, których dzieci płonęły onegdaj żywcem w przedszkolu, gdy wybuchł gaz! Gdzie był twój Bóg, kiedy te maleńkie dzieci płonęły jak pochodnie?! „Wola Pana naszego arcymiłosiernego", tak?

— Baczność, kapitanie, do cholery!! — ryknął pułkownik Hurz. — W tył zwrot i odmaszerować! I czekać w przedpokoju mojego gabinetu aż tam wejdę!

Godzinę później rozkazał Galtonowi pomaszerować ku emeryturze „od dzisiaj!", karnie zmniejszając jej wysokość finansową za „skandaliczny akt niesubordynacji".

— Wpisz go na moją listę płac — rzekł stryj. — Tylko przedtem trzeba sprawdzić, czy ten dziadek nie siedzi na inwalidzkim wózku.

— To twardy gliniarz, tacy szybko się nie łamią. Bardziej się boję, że odmówi...

— Tego akurat się nie bój. Każdy twardy, gdy znajdzie się w odstawce, umiera. Umiera długo i marzy tylko o jednym. Właśnie o tym, z czym do niego pojedziesz. Jeśli nie przytępiło mu słuchu i ruchu, to skarb! Rutyna, talent, nos oraz wieloletnie znajomości w świecie przestępców i w świecie policjantów. Tam, gdzie on przegra, tam każdy przegra, więc jeśli on przegra, to koniec zabawy, chłopcze, będziesz musiał odpuścić!

Wybrałem się na północ kraju. Galton mieszkał u owdowiałej bratowej; zajmował się hodowlą pszczół i zbierał zioła. W pasiece był drewniany stolik, przy którym zjedliśmy, co podano, a gdy gospodyni zostawiła nas z butelką białego wina i z parą glinianych czarek, przeszedłem do tematu:

— Moja wizyta, panie kapitanie, jest wizytą...

— Ker!

— ...?

— Możesz mi tak mówić.

— Dziękuję, panie kapi... dziękuję, Ker.

— No to teraz mów, co u ciebie słychać?

— Ma pan... masz pozdrowienia od chłopców, tych z Harvesu.

— Tak mnie lubiono?

— Niektórych świerzbiały ręce przy kolbach, kiedy patrzyli na tego młodego w sutannie.

— Ciebie też świerzbiała ręka?

— Nie. On wykonywał swój zawód, a ty zrobiłeś antykościelną grandę bez żadnej potrzeby.

— Prawdę uważasz za grandę?

— Tej prawdy nikt nie może udowodnić ani obalić. I wolałbym nie dyskutować z panem na ten temat... przepraszam, z tobą.

— Boisz się?... Ucieczka od najprostszych pytań jest kiepskim biletem do raju.

Nie bałem się tego, tylko nie chciałem o tym rozmawiać. Nic nie było mi bardziej potrzebne jak odpowiedź na jedno z pytań najprostszych, i nadzieja, choćby z tych obłąkanych, że jeszcze mogę wstąpić do raju, ale tak moje pytanie, jak i mój pożądany Eden, należały do zupełnie innego świata. Przez chwilę siedziałem w milczeniu, aż powtórzył:

— No to co u ciebie słychać? Majora już załapałeś, czy dopiero ci obiecują?

— Nawet kapitana nie załapałem. Sam wielki biały wódz chciał mi dać, ale ja...

— Ale ty im powiedziałeś, żeby sobie to wsadzili.

— Że porucznik to dość.

— Gdzie robisz? U enbeków?

— Nie, u Taerga.

— No to u enbeków!

— Nie, mam własną grupę, jego prywatne komando.

Uniósł srebrne, krzaczaste brwi, wielkie jak rogi łosia, i milczał wpatrując się w moje oczy. Potem wychylił kubek, strząsnął i rzekł:

— No to reszty już nie mów, synku.

— Ker, źle myślisz! — zaprotestowałem. — Mokra robota to nie moja działka.

— Na pewno?

— Na pewno. Moja to operacje specjalne, te delikatne. Są rzadkie, jak dotąd dwa razy. Porwałem „Starca" i wywiozłem do kangurów. A miesiąc temu likwidowałem spisek oficerski w garnizonie Hran. Aresztowaliśmy kilku generałów i pułkowników, którym już sprzykrzył się Rabon.

— A na co dzień?

— Na co dzień moje sokoły pilnują Taerga, a ja robię to, czego sam zrobić nie umiem, dlatego pragnę, żebyś mi pomógł.

Wysłuchał spowiedzi, chłodno, nie zadając pytań. Na końcu rzuciłem przynętę:

— Mój stryj będzie ci płacił. Będzie ci płacił co miesiąc tak dużo, że ja nie dostaję tyle w ciągu roku.

— To od twojego stryja. A od ciebie?

— Ode mnie moi chłopcy, będziesz ich równorzędnym dowódcą, jeśli mnie nie będzie w pobliżu.

— Masz na to zgodę Taerga?

— Na prawie wszystko, czego zechcę, uzyskam zgodę Taerga.

— To się nazywa wdzięczność! Nie zapomniał, że zdobyłeś gmach enbecji.

— To coś innego, Ker. Afrykański dług.

Pokiwał głową i rozejrzał się dookoła. Z łąk szedł ciężki zapach mokrej trawy, a blat stołu roił się od pszczół pragnących chlać nasze wino. Bałem się, że któraś użądli.

— Nie odganiaj, synku! — pouczył mnie Galton. — Są dobre, póki się im nie przeszkadza, tak jak baby. Pragną robić to, co lubią i co muszą, czyli to, co im nakazuje biologia, więc jeśli ktoś postawi im barierę, to ten ktoś działa wbrew naturze i to jest krzywdzące dla nich.

— Dla pszczół czy dla bab?

— Dla pszczół, tym się one różnią od kobiet. Pszczoła, której nic nie zakłóca codziennego rytmu, jest szczęśliwa. Dla kobiety to mało, kobieta zawsze jest nie dość szczęśliwa, a współczesna kobieta, dzięki radiu, kinu i telewizji, cierpi mocniej niż dawna. Twoja macocha należy do tych nowoczesnych, które równie mocno pragną być szczęśliwsze, co piękniejsze i ładniej ubrane.

— Piękniejsze i ładniej ubrane?... Z jej urodą i elegancją nie mogła być już ładniejsza, więc po co miałaby myśleć o tym?

— Każda o tym myśli, synku.

— Nie zauważyłem u niej tego.

— To drobiazg. Gorzej, iż twój stary nie zauważał tego. Gdy się śpi, mało się zauważa, a właściwie niczego się nie zauważa prócz własnych snów. Ktoś może płakać obok, a ty nie widzisz i nie słyszysz.

— Ker, ona nie była nieszczęśliwą, ojciec traktował ją dobrze!

— Daj spokój, synku, nie do mnie ta mowa. Traktował ją kiepsko.

— Człowieku, przysięgam ci, że to nieprawda!

— Synku, nie twierdzę, że ją bił. Mówię, że spał. Przespał to, co należało dostrzec. Tak jak śpiący strażnik na murach jest awangardą nieprzyjaciół, tak śpiący mąż jest kowalem własnego nieszczęścia. Ale tak to już jest w małżeństwie, małżeństwo usypia tych, którzy naprawdę kochają, bo się im wydaje, że są tak samo kochani, stąd potem ten ból, gdy pojawia się zdrada. A pojawia się w każdym małżeńskim związku. Małżeństwo nie jest czymś przeciw naturze, przeciw naturze jest małżeńska wierność. Choć może gdyby twój papa lepiej traktował...

— Ker, ty chyba pomyliłeś numery!

— Jakie numery?

— Uliczne. Zapisałeś się nie do wojujących ateistów, tylko do wojujących feministów!

— Do starych lisów. Starcy, nim rąbnie ich skleroza, to mędrcy! Wszystkie kobiety są źle traktowane, skoro tak twierdzą. A twierdzą tak, czy są, czy nie. No więc gdy są źle traktowane, to muszą być nieszczęśliwe. I są nieszczęśliwe, tylko nie jednakowo, w trojaki sposób.

— Jak to w trojaki sposób?

— Tak, że są tylko trzy warianty nieszczęścia źle traktowanych kobiet. Wariant dziewiczy, wariant miłosny i wariant małżeński. Facet podrywa i rozdziewicza młodą różyczkę, po czym zwiewa — to jest faworyzowany przez literaturę i poezję staroświecką wariant uwiedzionej i porzuconej, której delikatna zmysłowość, brutalnie zraniona, zasklepia się w bólu i kończy ulicą, samobójstwem, klasztorem lub czterema ścianami szpitala psychiatrycznego. Wariant drugi to pani już doświadczona i jej niestały kochanek czyli facio, który zwiewa i wraca, aż za którymś razem nie wraca, bo ma powyżej uszu; efektem jest ocean łez i szukanie nowego żigolo. Wreszcie trzeci wariant: facet nie zwiewa, tylko się z nią żeni, by praktykować miłość i familijność de iure dozgonną, a ona po kilku lub kilkunastu latach, w poczuciu nieszczęścia, to jest tłamszenia jej delikatnej zmysłowości przez nudę małżeńskiej taśmy fabrycznej, daje swemu chłopu i swemu przyrzeczeniu solidnego kopa, i wbija małżonkowi rogi z częstotliwością wzrastającą w miarę wzrastania rutyny w cudzołożeniu.

Kpił ładnie, Hornlinowi, Robertowi i stryjowi bardzo by się to podobało. Ale mnie wkurzyła myśl, że dziwnym zrządzeniem trafiam na samych genialnych ekspertów od kobiecości, bo filozof, stryj Hubert i Grant mówili rzeczy podobne, i to z identyczną pewnością, pewnością tych, którym mikroskop odsłonił wszystkie tajemnice wirusa, dzięki czemu mogą ze swej katedry uczyć profanów. Tak jakby za pomocą tej wszechwiedzy i tej retoryki można było ukryć lub wymazać spustoszenia chorobowe, klęski terapeutyczne i kompleksy, które wirus wlepił panom wykładowcom nim wzięli się do nauczania innych, żeby i ci stali się mądrzy po szkodzie. Ojciec tłumaczył Miriam, że stryj kupił burdel, gdy jego pierwsza wielka miłość nad ślubne obrączki przedłożyła banknoty innych facetów; podsłuchałem ten dialog, ale byłem wtedy żółtodziobem i nie kojarzyłem przyczynowego związku. Zapytać stryja, ile w tym prawdy, byłoby w złym guście. Lecz myśleć było mi wolno, ciszej się wówczas grzeszy. Więc teraz przyszło mi do głowy, że odwiecznym źródłem antybabskich szyderstw nie jest siła, tylko siła upokorzona i jej córka, bezradność.

— O czym myślisz, synku?

— O twoich bliznach, Ker.

— Cóż... dwa razy byłem żonaty, prawie trzy razy, bo z trzecią byłem już zaręczony... No i żonatych przyjaciół miałem kilku, oni też noszą dziurawą skórę. Trafiliśmy na czas, kiedy seks wylazł spod kołdry i zapisał się do ekshibicjonistów...

Pomyślałem, że to dobrze, iż ma tyle blizn, bo będzie szukał Miriam z większą pasją. Ale nie doceniłem węchu starego psa. Musiało być coś we mnie, w mojej mimice, w twarzy, we wzroku, że najpierw Hornlin, później stryj, lub może najpierw stryj, a później Hornlin, i teraz on, domyślili się wszystkiego. Powiedział:

— Więc mówisz, że mam ją znaleźć, bo chcesz ją zapytać czy to zrobiła i dlaczego to zrobiła...

— Mówiłem ci, że nie tylko po to. Bez niej nie mogę uporządkować spraw majątkowych, takich jak własność domu i całego spadku...

Uśmiechnął się:

— Tak mówisz?...

Czułem, że czerwienieje mi gęba, jak sztubakowi przyłapanemu na łganiu.

— O co ci chodzi, Ker?!

Wstał. Patrzył ku łąkom, które też czerwieniały, malowane słońcem zmierzchu. Pszczoły-pijaczki poszły spać lub robić bachusowy miód. Było mi coraz zimniej, choć wypiłem dużo wina. Usłyszałem głos starego:

— Gdyby wszystkie zakochane kobiety i wszyscy zadurzeni mężczyźni tak gonili znikające obiekty swoich uczuć, świat wyglądałby bardzo zabawnie. Byłby domem biegających wariatów. Prawda, poruczniku Flowenol?

Wino eksplodowało mi w mózgu:

— Mogę na ciebie liczyć, czy mam poszukać gliniarza zamiast filozofa? Filozofa już miałem, ale do czegoś innego, i to był dyplomowany filozof, a teraz potrzebny mi pies gończy, kapitanie! Bierzesz ten etat?!

Odwrócił się i wsparł rękami na krawędzi stołu.

— Wezmę, gdy jeden gość wyjdzie spod celi! Załatw to u Taerga, synku. Ma dożywocie i wabi się Darlok. Kiedyś był najlepszym wśród młodych prokuratorów. Kilka lat z nim pracowałem, a potem sam go aresztowałem, bo ukatrupił swojego szefa. Chcę, żeby znowu pracował ze mną.

— Dlaczego zabił?

— Bo jego żona była sekretarką jego szefa.

— A jak Taerg się sprzeciwi, to...

— To niech twój bogaty stryjo jemu da pensję.

Darlok siedział w pierdlu nolibabskim, a ja pamiętałem, że stryj zna „klawisza głównego". Stryj zmrużył stalowobłękitne oczy naszych przodków i rzekł:

— Do Taerga nie chodź z tym, synku, bo wdzięczność, jak każda guma, posiada swój limit rozciągłości. Lepiej, żeby on nie musiał tego załatwiać.

— Sam tego nie załatwię.

Westchnął ciężko:

— Wpędzasz mnie w koszty, synku, ale to był mój brat... Ten dożywotni ma już zmniejszone, amnestia, którą Rabon uczcił swój triumf, objęła każdego zapuszkowanego, więc tamtemu została jakaś dziesiątka do odsiedzenia, może ósemka... Pogadam z Rieglem.

W wyniku rozmowy stryja z dyrektorem Rieglem (oraz na pewno z kimś jeszcze, nie znam szczegółów), eks-prokuratorowi nic nie zostało do odsiedzenia — wyszedł „za dobre sprawowanie". A ponieważ był bezdomny (Galton też nie miał mieszkania choćby blisko Nolibabu), wypożyczyłem im dom starego. Dawało mi to drugą korzyść, bo pusty dom jest magnesem włamywacza, królestwem pająka i zżera go rdza oraz brud. Główną korzyść miałem mieć z tropicieli. Po kilkunastu dniach Galton złożył pierwszy meldunek:

— Jedna panienka przygarnęła Farona, tylko że już się stamtąd wyniósł. To nic, dorwiemy go. O paniach też coś jest, nigdy nie jest tak, żeby ktoś się rozpłynął jak dym. Może to zabrać trochę czasu, ale się znajdą, chyba że na wyspie już ich nie ma. Synku, trzeba szybko coś załatwić. Straż graniczna musi mieć ich fotografie, bo jeśli wciąż są, to mogą nam prysnąć. Szkoda, że nie zrobiłeś tego kilka miesięcy temu.

— Załatwię to jeszcze dziś, ale dobrych przebierańców nikt na granicy nie rozpozna.

— Źle ci się wydaje, wielu tak wpadało.

— Dobrze, co masz o niej?

— O jednej i o drugiej trochę informacji religijnych. Jedna siostrzyczka nie zdradziła katolicyzmu, za to druga nabawiła się hinduizmu.

— Która?

— Żona twojego ojca.

— Co ty pieprzysz, Galton! To jakiś idiotyzm!

— Też tak myślę, ja bym z żadną Sziwą nie flirtował, synku.

— Ktoś cię wrobił, Ker!

— Nie tak łatwo mnie wrobić. To jest pewna wiadomość.

— Od kogo?

— Od Darloka, ten ślad sprawdza Darlok. Drugi jest już sprawdzony. Żonę twojego stryja Mateusza widziano kilkakrotnie w hospicjum benedyktynów, tam gdzie on wynosił się z tego padołu cierpień.

— To znaczy, że go odwiedzała przed śmiercią?

— I po śmierci. Widziano ją w klasztorze, gdy jej mąż leżał już na cmentarzu.

— Co to znaczy?

— To znaczy, że odwiedzała swego spowiednika, wielebnego ojca Knitsa, który bardzo mocno podtrzymał ją na duchu kiedy wojowała z mężem. Ten miłosierny kapłan nie tylko rozgrzeszył całe jej kurewstwo, ale nawet chwalił ją za bój przeciw czerwonemu politykowi! Dzięki temu ta dobra żona odzyskała niebo i mogła przysięgać komu chciała, z Biblią w ręku, że nawet Kościół jest po jej stronie. A ten świątobliwy to nie byle kto, cały klasztor mu podlega.

— Jest przeorem u benedyktynów?

— Jest czymś więcej...

— Ja go znam! Widziałem go, kiedy stryj Hubert się z nim pokłócił!

— Twój stryj to odważny człowiek, bo ten miłosierny łobuz był dość długo sekretarzem kardynała Jonsa i wciąż ma z kurią bardzo dobre układy.

— Mów dalej.

— Dalej to ja myślę, synku, że on może wiedzieć gdzie jest ta pani, którą wyspowiadał i której rozgrzeszył wszystko, a ona może wiedzieć gdzie jest ta druga pani. Problem w tym, jak przesłuchać gościa, który jest blisko z kardynałem Jonsem?

— A gdyby na razie tylko go śledzić?

— Jako młody psiarczyk masz dużo czasu, ale twój stary pies mógłby nie dożyć wyśledzenia. Nie wiadomo kiedy się znowu spotkają.

— Co radzisz?

— Odpada wezwanie, trzeba tam pójść, lecz towarzyski dialog nic nie da, bo to szczwany łotr. Alkohol by tu pomógł, rozwiązuje języki, tylko że on nie pije nic prócz mszalnego wina, więc trzeba mu odebrać rozum innym sposobem. Trzeba go podpuścić, zdenerwować czymś tak, żeby w gniewie coś chlapnął.

Nagły błysk — wiedziałem już, czym należało wkurzyć przeora benedyktynów! Galton czekał, co powiem. Zerknąłem na niego z miną antropologa, który właśnie wydobył spod piasku czaszkę brakującą do zamknięcia łańcucha Darwinowskiego. Wtedy Galton zrozumiał:

— O nie, synku, co to, to nie! Nie ma mowy!

— Ker, sam sobie nie poradzę, tu trzeba heretyka bardzo rutynowanego...

— Nie ma mowy!

— Kiedyś to lubiłeś...

— I dostałem za to po tyłku! A jak teraz wywołam awanturę, to ten gnój naskarży, kardynał Jons podniesie wrzask i...

— Spokojnie, Galton, pójdziemy tam we dwóch.

— Ale to nie ciebie, tylko mnie Taerg rzuci na ołtarz jak asyryjskiego barana z poderżniętą grdyką!

— Mylisz się. Ty pójdziesz przebrany, nie będziesz Kerem Galtonem, będziesz anonimowym torreadorem ateizmu. Posłuchaj, gwarantuję ci...

Słuchał, a ja gwarantowałem, bajerowałem i naciskałem go, aż zmusiłem, żeby zrobił z siebie „czarną maskę" tych zapasów, wulgarną i jednocześnie błyskotliwą ateistyczną bestię, która rozszarpie system nerwowy przeora Knitsa, żeby ten mógł „chlapnąć" coś, co da nam szansę uchwycenia tropu.

Ze sztuczną brodą i peruką Galton wyglądał na bardzo dostojnego mężczyznę — jak prowincjonalny rabin. Zajechaliśmy przed front klasztoru gdy świtało, wiedząc, iż zwierzyna budzi się jeszcze wcześniej. Młody kleryk poinformował nas, że ojca Knitsa znajdziemy w ogrodzie klasztornym. I tam go dopadliśmy. Był w krużganku, spacerował, miał brewiarz pod pachą. Galton zbliżył się do niego i zagadnął uprzejmym tonem:

— Ksiądz Knits, prawda?

Ksiądz poprawił sobie okulary, przyjrzał się pytającemu i rzekł:

— Hummilimus servus*.

— To po łacinie? — spytał Galton.

— Tak, synu.

— Nie jestem twoim synem, klecho! — zaatakował mój towarzysz. — Dla ciebie jestem raczej synem szatana!

— Maledicatur autem Satanas, creatura Gehennae** — padło w odpowiedzi.

— Skończ z tą łaciną, mnichu, na cholerę mi tym brechasz?

— Bo łaciny diabeł najbardziej nie lubi, choć ją zna świetnie, przybłędo... Fora z klasztoru!

Wyszedłem zza kolumny i spytałem:

— Co on mówi?

— On praktykuje miłość bliźniego swego! — wyjaśnił mi Galton. — Przepędza nas. Wprawdzie jego Pan wyrzucił ze świątyni kup-

* — Uniżony sługa.

** — Zelżony niech będzie szatan, pomiot piekielny.

ców, ale my nie należymy do kupców, a ty nawet nie należysz do ateistów.

— I co teraz? — spytałem. — Zachciało ci się klasztoru katolickiego! Trzeba było wybrać buddyjski...

— Identyczny trąd! U buddystów też bym wypadł fatalnie, oni mają sto trzydzieści sześć piekieł, po jednym na każdy z grzechów. Główne piekło dla takich jak ja, co szydzą z religii.

Ku mojemu rozczarowaniu Galton, miast zdenerwować księdza, rozbawił go już na wstępie. Knits zapytał:

— Jesteś wrogiem wszystkich religii, marudo?

— Wszystkich, klecho. Najgorsze rzeczy w historii działy się z powodów religijnych, cóż gorszego nad religie? Chwała Bogu, wciąż pozostaję ateistą!

Tym już zupełnie rozśmieszył Knitsa:

— Chwała jakiemu bogu, ateisto?

— Mojemu, którego wyznawcą jestem tylko ja! Nie twój interes!

— Widać kiepskie było dzieło twego boga, jeśli ma tak wielu wyznawców! — zadrwił ksiądz.

— Jego wyższość polega na tym, iż nie ma on takich łże-kapłanów jak ty, klecho! — odszczeknął Ker.

— Skończ już bredzić, synu szatana — westchnął Knits. — Czego tu szukacie i kim jesteście?

— Ja jestem krewnym Mateusza Flowenola — wyjaśniłem mu. — Tego polityka...

Ksiądz przyjrzał mi się badawczo.

— Pan tu już był, ze swoim stryjem, tym właścicielem burdelu?

— Tak.

— I teraz przyszedł pan z drugim satanistą. Ma pan szczególne upodobanie do nich.

— Ależ skąd! Ten typ — wskazałem Kera — to mój młodszy brat. Z satanizmem się nie zadaje, to zgrywus.

Ksiądz spojrzał na Galtona.

— Co takiego? — zdziwił się. — Pan nie może być od niego starszy!

— Ale jestem. Tylko że modlę się bez ustanku. Te modlitwy działają cuda, jak wszystkie modlitwy, ksiądz o tym nie wie?... To może ksiądz wie przynajmniej, czemu to skutkuje jedynie wtedy, gdy samce się modlą?

— Że jak?

— Że ta pani była wzorem pobożności, a Bóg jej nie wysłuchał i odebrał jej ukochanego mężczyznę.

— Jaka pani?

— Pani Flowenol. Przyszedłem księdza zapytać, dlaczego jej modlitwy nie sprawiły cudu, kiedy on zdychał tutaj na enbecką chorobę?

— Przyszedłeś tylko po to?

— I jeszcze, żeby zapytać, czemu ksiądz uszczuplił Bogu dekalog o jedno przykazanie?

Źrenice Knitsa ściemniały.

— Pan chyba też uciekł z zakładu dla upośledzonych mózgowo, tak jak pański „młodszy brat”...

— Ależ skąd! W naszej rodzinie nie ma rodzinnych chorób, proszę księdza. Proszę księdza, doczekam się odpowiedzi?

— Jakiej odpowiedzi?

— Pytałem o to przykazanie...

— Jakie przykazanie?

Galton się włączył:

— To, które amputowałeś ze świętej dychy! Szóste, „Nie cudzołóż”! Kto ci pozwolił robić takie numery swemu Panu, klecho?

— Jakie numery?

— Przychodzi do ciebie skurwione babsko, mnichu, i łże o swoim nieszczęściu w małżeństwie, i o tym, że zły małżonek był taki zły, iż nie pozostawało jej nic innego jak zacząć się puszczać, żeby dogonić własne szczęście. Numer stary jak świat, grany od prawieków, tym usprawiedliwiają sucze instynkty i ekscesy, a ty dajesz się na to nabrać, lub raczej udajesz, że dałeś się nabrać, bo jesteś za cwany, żeby dać się tak rolować babie. I co robisz? Chwalisz ją! Mówisz, że dobrze zrobiła, bo jeśli mąż był takim złym człowiekiem, to mu się należało! A sprawdziłeś jakim był człowiekiem? Nie, ale rajcował cię intymny dialog z damą, chciałeś się popisać, chciałeś pokazać jaki to z ciebie nie tylko wyrozumiały humanista, lecz i mężczyzna, chociaż kapłan! Chwaląc jej grzech, wydałeś sąd. Zgrzeszyłeś więc i jako kapłan, i jako sędzia. Jako sędzia, bo nie wysłuchałeś drugiej strony. A jeśli nie wysłuchałeś, to jak możesz być sprawiedliwym sędzią? Zresztą nawet gdyby on był złym człowiekiem, to tyś postąpił niczym renegat. Jako kapłan sprzeniewierzyłeś się własnej religii, Kościołowi i papieżowi, bo pochwaliłeś akt cudzołóstwa, a dekalog mówi: „Nie cudzołóż!". Udowodnij mi, klecho, że Chrystus nauczał: „Nie cudzołóż, chyba że masz złego męża". Tak nauczał?

— Nie nauczał tak, ale wybaczył jawnogrzesznicy...

— Czyli prostytutce, a nie zdradzającej żonie! Tobie się wszystko pieprzy, mnichu, czas poczytać święte pismo, tam wszystko jest, a nie tylko przewracać kartki na pokaz! — rzekł Galton, muskając wzrokiem brewiarz atakowanego. — No i wybaczyć, to jeszcze nie to samo, co pochwalić! Twój Chrystus nie bił braw jawnogrzesznicy!

Księdza zatkało, a Galton zwrócił się do mnie:

— Mówiłem ci? Renegat i nieuk! Zupełny głąb! Mniejsza o to, że nie zna poganina Hezjoda, który twierdził: „Kobieta jest plagą, z jaką mężczyźni muszą żyć, jest straszliwą pokusą o mózgu suki i o naturze złodziejskiej". Ale on nie zna nawet kościelnych tekstów! Nie zna Tertuliana głoszącego: „Kobieta to bezbożne furie chuci". Nie zna biskupa Maksimusa z Turynu, który rzekł: „Przyczyną wszelkiego zła jest niewiasta". Ani Tomasza z Akwinu, nauczającego: „Kobieta to zwierzęca niedoskonałość". Co powie kardynał, gdy otrzyma cynk, że maoista mu się wkradł do klasztoru?

— To straszne! — jęknąłem. — Jak wpadłeś na to?

— Mao mówił: „Kobiety dźwigają połowę nieba".

— A drugą połowę?

— Tego nie mówił.

— A według ciebie kto?

— Kler. Nie wiem, gdzie we wszechświecie diabeł musi tyrać jak wół, ale na Ziemi nie musi się przemęczać w celu wykazania boskiej bezradności — ma od tego kupę kobiet i takich kapłanów jak on.

Spostrzegłem, że to świrowanie przynosi rezultat. Knits rozejrzał się wokół, szukając kogoś, kto pomógłby mu wyrzucić nas stąd, ale krużganek był pusty. Odezwał się zmęczonym głosem:

— Dość tych nędznych żartów!

Galton był tego samego zdania:

— Zaiste, dosyć.

— Czego żądacie?

— Niewiele. Ten młody człowiek chce tylko zrozumieć, co się takiego stało u państwa Flowenolów, że oboje trafili do państwa benedyktynów.

— Chce zrozumieć... — powtórzył Knits. — Czego ty szukasz, młody człowieku, to już tak dawno... Cóż zrozumiecie patrząc przez pryzmat tej próby miłości i nienawiści, które już przeminęły z wiatrem, cóż was nauczy prawda, której już nie ma, bo zgasła niczym ognisko? Jaką wyniesiecie korzyść z bólu, który jest już zamarłym echem?

— To chyba Żyd — powiedział do mnie Galton. — On dopiero czeka na Mesjasza, a to, co już było, ten Zbawiciel, który odmieniał świat, nic go nie obchodzi, bo przeszłość nie ma znaczenia! Przeszłość należy wykreślić, zapomnieć, nie tykać. Należy ją lekceważyć, bo ona nikogo niczego nie nauczy, nic nam nie daje!... Trzeba zawiadomić kurię biskupią, że w tej świątyni pracuje antykatolicki dywersant!

Knits zwrócił się do mnie:

— O co chodzi, młody człowieku? Udzieliłem rozgrzeszenia, tak było. To jest mój fach, rozgrzeszać i nakłaniać do pokuty. Widzisz w tym coś złego? Zło jest w nieprzebaczaniu. Czy jej mąż umiał wybaczyć?

Odpowiedziałem:

— Nie prosiła, żeby wybaczył, gryzła jak oszalałe zwierzę!

— Gryzła z bólu, i ze wstydu, i ze złości, to jej grzech. Ja pytam o niego, czy umiał wybaczyć?

— Nie umiał, ale to był człowiek, który małżeństwo traktował jak coś, co jest sacrum, a ona zrobiła mu z tego coś, co było bardzo profanum. Tacy ludzie, gdy wybierają kobietę, to jest ona dla nich jak Madonna. Jemu zawalił się na łeb Kościół, hostia mu zgniła, czy ksiądz może to pojąć? To nie był zły człowiek...

— Wiem jaki był to człowiek — kiwnął głową Knits. — Są tacy ludzie, rzadcy, ale są, którzy nie kłamią, nie kradną, nie krzywdzą i nie zginają karków przed bałwanami. Inni patrząc na to, i wiedząc o tym, i mając to potwierdzone, uważają takiego człowieka za sprawiedliwego, za niedościgniony etyczny wzór. Robią wielki błąd. Człowieka takiego sprawdza krzywda. Czy potrafi przebaczyć i czy potrafi, jak nauczał Chrystus, „miłować nieprzyjacioły swoje". Jeśli nie potrafi — nie zrobił nawet kroku do człowieczeństwa, i na nic jego nie kłamanie, nie kradzenie i nie zginanie karku przed siłą. Człowiek taki modli się całe lata: „I odpuść nam nasze winy, jako i my odpuszczamy naszym winowajcom", a gdy trzeba odpuścić, serce zamienia mu się w kamień. Nie usprawiedliwia go fakt, że ów kamień płacze z bólu!

— On to mówi jako teoretyk — wtrącił się Galton. — „Miłujcie nieprzyjacioły swoje"! Sam nigdy nie kochał, nigdy nie zrobiono mu takiej krzywdy, nigdy się nie dowiedział, że przez kilka lat całował usta wymazane spermą, moczem i potem z kutasów innych facetów, a to kwestia elementarnej higieny, czyż nie? On widocznie nie lubi higieny, więc łatwo mu gadać o miłości do krzywdzących i do wrogów!

— Mówię o miłości własnej, która nie pozwala wybaczać! — skorygował go Knits.

— Tak, tak, klecho! Miłość własna jest grzechem, jest zaprzeczeniem miłości! Nie umiał wybaczyć, bo zbyt wiele było w nim miłości własnej, to zły człowiek! Natomiast dobry człowiek, to kaznodzieja, który głosi, że miłosierdzie najdoskonalej realizuje się w przebaczaniu, i że przebaczanie jest główną z cnót na drodze do pokonywania człowieczej złości!... Wiesz kim jest taki kaznodzieja? Powiem ci, klecho. To jest prorok kultu krzywd i przeniewierstw, piewca cierpień niezbędnych do praktykowania miłości, tak jak rana i wewnętrzny ból są niezbędne do praktykowania chirurgii. Czyż ów prorok nie buduje taką gadaniną ołtarzy dla krzywdziciela, przed którymi skrzywdzony winien modlić się słowami przebaczeń i czuć rozpierającą go wdzięczność za to, iż dostał, dzięki wyrządzonej mu krzywdzie, szansę okazania się dobrym?... Posłuchaj mnie uważnie, klecho! Być może umiejętność przebaczania jest wielkim krokiem na drodze ku doskonałości, lecz, zaiste, brak owego talentu nie może być hańbą istoty ulepionej z gliny, bo zarzucać glinie, że stwardniała od ognia, to jak piętnować wodę, że zamieniła się w lód pod wpływem mrozu!

Knits, udając, że już nie słucha Galtona, dotknął mnie ręką. Mówił wolno, głosem namaszczonym, zdaniami jakby przeznaczonymi do druku:

— To nie miłość rodzi cierpienie, lecz żądza posiadania, którą wielu myli z miłością. Taki pragnie być wszechwładnym panem niewiasty, ale to mu się nie uda. Nie urodził się bowiem mężczyzna, któryby posiadł kobietę na własność. I taki, który tego żąda, jest szaleńcem, a taki, który wierzy, iż posiadł, jest głupcem. Możesz zmusić wiatr, aby latami obracał skrzydła i z tej jego pracy smakujesz codzienną bułkę, ale czy możesz posiąść wiatr na własność? Uczyniłeś ocean nosicielem twoich okrętów, ale czy posiadłeś ocean na własność? Gdybyś potrafił sprawić taki cud, uderzenie wichru nie obaliłoby twoich wiatraków, a twój statek nie poszedłby na dno jak zabawka. Rozumiesz więc, że warto być szaleńcem i głupcem.

Nie powstrzymałem zdumienia:

— Co mówisz?

— Mówię, że warto rozniecać w sobie chęć posiadania kobiety na własność, i warto wierzyć, że to już się stało naprawdę, gdyż tym i tym człowiek robi wielki krok ku cierpieniu i daje sobie szansę narodzin, może stać się człowiekiem. Albowiem jest prawdą, że człowiek rodzi się w bólu, lecz nie jest prawdą, że rodzi się przez dziewięć miesięcy. Nie w bólu matek i nawet nie przez tyle lat aż konstytucja ofiaruje mu dorosłość. Człowiek rodzi się w sobie i trwa to bardzo długo — człowiek rodzi się powoli. Trzeba wielu klęsk i wielu cierpień, lub jednego ogromnego nieszczęścia, by wreszcie narodził się człowiek. Niejedno długie życie jest zbyt krótkie, aby to mogło się dokonać. Lecz życie tego, który uwierzył, że posiadł ukochaną kobietę na własność, wystarczy.

Miałem ochotę go kopnąć, tak jawna była dla mnie w tym, co mówił, kuglarska rutyna kłamliwych apostołów. Z precyzją kartografa kreślił jednym tchem długi linearny wątek, pozornie prosty i szczery, lecz w gramatyce tego wykładu wił się fałsz; każde ze słów kryło zasadzkę: intencja każdego z nich była przeciwna ich słyszalnemu znaczeniu, a świątobliwy ton budził lęk. Brzydził mnie ten człowiek, jak handlarka słodyczami oferująca ciastko w brudnych dłoniach. I wiedziałem, że niczego nie uzyskam prośbą. A jednak zniżyłem się do prośby, karmiony irracjonalną nadzieją, bo trzymał rękę na moim ramieniu:

— Proszę księdza, ja chciałbym jej wybaczyć, ale muszę z nią porozmawiać. Proszę o adres...

— Adres?

— O kontakt. O jej adres lub inny adres, gdzie mógłbym się spotkać z nią.

— Młody człowieku, skąd mam wiedzieć gdzie ona może być?

Usunąłem jego dłoń z mojego ramienia.

— Spowiedniku, wiesz, że była enbecką dziwką?...

— Jaką?

— Enbecką. Uprawiała seks w samochodach służbowych.

— Nic o tym nie wiem, młody człowieku.

— Współpracowała z NB za czasów Tolda! Wróg generała Tolda, kardynał Jons, bardzo się zmartwi, że jego były sekretarz udzielał pani Flowenol wsparcia duchowego. Może nawet pomyśli, że służbowo, dobry pasterzu...

Galton zbladł, a ksiądz przeszył mnie wzrokiem, jakby chciał zabić. Jego spróchniałe zęby rozklekotały się we wściekłym staccato:

— Jeszcze dziś powiadomię o tym szantażu kardynała Jonsa, co go ucieszy, bo akurat, kilka dni temu, zdecydował się zrobić porządek z pańskim stryjem! A dokładniej z jego statkiem, który jest jak wrzód Nolibabu! Ten bezwstydny okręt pójdzie na dno! Wynocha!

Pokazał nam plecy, a my wynieśliśmy się z klasztoru czując niesmak, bo nasza gra była tanim cyrkiem, i do tego przegraliśmy ją; każda przegrana budzi niesmak. Jedyny zysk odniósł Hubert, gdyż przeor, zamiast „chlapnąć" coś o żonie Mateusza, „chlapnął" o statku i Hubert został uprzedzony.

Obudziłem go tą informacją. Nim skończył ziewać, zaczął filozofować:

— Widzisz, chłopcze, jak złośliwy bywa los. Szekspirowskie fatum, Hamlet dowodził królowej matce: „Bo w tym zabawa, aby machinator od własnej zginął machiny"... Sfinansowałem przewrót, za którym stał kler, a teraz kler chce mi złamać kark. Kupiłem sobie kłopot za własne pieniądze!

— Sfinansowałeś Rabona i Taerga, stryju! Oni nie zezwolą kardynałowi...

Pod kołdrą obok stryja coś się ruszyło, fuknęło jak Disneyowska myszka i ukazało zmierzwioną blond-fryzurę. Stryj się zerwał, narzucił szlafrok i uciekliśmy do jego gabinetu.

— Nurni, jej ekscelencja generałowa Rabonowa to królowa dewotek, a konfesjonał jego eminencji to jej drugi dom. Więc ona zrobi wszystko, co Jons jej każe, generał zrobi to, co każe mu ona, a Taerg zrobi to, co każe mu Rabon.

— Czyli jesteś bez szans?

— Zobaczymy. W tym zabawa, żeby odwrócić fatum. Będę cię potrzebował, drogi chłopcze.

— Ja w tej sprawie zrobię wszystko, stryju, co mi każe stryj.

— Czy możesz jeszcze dzisiaj zdobyć nazwiska konfidentów, których Taerg zwerbował w kurii i w otoczeniu kardynała?

— Mogę, mam kogoś w wydziale ewidencji konfidentów.

— Czy pułkownik wie, że masz tam kogoś?

— Zapomniałem mu powiedzieć, stryju...

— Wyrastasz na świetnego glinę, cofam to, co mówiłem, że brak ci powołania... Ale to może być koniec twojej kariery, bo o tym, co ja zrobię u Jonsa, Taerg dostanie cynk.

— Zaryzykuję, lubię spłacać długi, stryju.

— Będziemy kwita, chłopcze.

Nie wiem w jaki sposób załatwił sobie audiencję u kardynała. Nazajutrz wziął mnie ze sobą i pojechaliśmy do pałacu jego eminencji. Czterech spośród licznych mieszkańców tego przybytku zdradziło swego wodza, szpiegując dla NB.

Jakiś obrzękły prałat powitał nas i zaprowadził korytarzami do gabinetu kardynalskiego. Była to barokowa sala, niewiele mniejsza od boiska koszykówki i nafaszerowana Orientem, japońszczyzną i chińszczyzną europejską, których wyuczyli artystów Rokoka dwaj niemieccy jezuici, Kircher i Schal, a także oryginalnymi produktami Wschodu, zwożonymi niegdyś do Europy przez kompanie holenderskie i brytyjskie; pełna była orientalnych rycin, waz, statuetek, wachlarzy i półmisków z arabeskami do reszty łamiącymi barokowy smak i klasyczną symetrię ściennych ornamentów.

Jons siedział za imponującym biurkiem i genialnie nie pasował do tego wszystkiego. Był chudy, gotycki i poważny niczym profil na medalu. Tylko do jednego pasował — takie same kardynalskie twarze, twarze prymasów, których był następcą, patrzyły ze złotych ram między pilastrami. Uniósł wzrok, aby się nam przyjrzeć, odwzajemnił nasze „dzień dobry", wskazał nam kanapę pod ścianą i znieruchomiał. Wydawało się, że ten człowiek bezustannie pozuje do oficjalnego portretu.

Jons oczekiwał, że stryj Hubert wyłoży karty. Ale stryj Hubert usiadł i milczał, więc zrobiło się paskudne milczenie. Nie wiedząc, o co tu chodzi, a czując się głupio w tej ciszy, zaczepiłem wzrok na esach floresach dywanu. Im dłużej stryj milczał, tym bardziej głupio się czułem i tym bardziej podziwiałem jego odporność. Jons nie wytrzymał:

— Słucham panów... Czemu zawdzięczam tę wizytę?

Wydawał się suchy i przemądrzały, a miał ciepły głos człowieka mądrego. Powtórzył:

— Co panów sprowadza?

— Tak zwana życiowa konieczność, proszę waszej eminencji — odparł stryj Hubert. — Inaczej mówiąc: zagrożenie bytu. A ponieważ jest to zagrożenie ze strony państwowej władzy, do niej pukam.

Jons zdziwił się:

— Kościół nie dysponuje taką władzą, synu. Nigdy tego nie robił.

— Tylko formalnie nie robił, eminencjo. Praktycznie rządził całymi epokami, od upadku Rzymu, poprzez Canossę i Torquemadę, aż do wieku świateł, gdy kazał ciało Voltaire'a rzucić na śmietnik. Gdyby nie Kościół, ze swą apologią oddawania cesarzowi tego, co cesarskie i pokornego znoszenia cierpień w tym życiu, z obietnicą na nagrodę w pozagrobowym, trudniej byłoby cesarzom trzymać za pysk niejeden naród. Wielokrotnie było to partnerstwo dwóch tronów, dwóch siodełek w tandemie, którym jechały dwa totalizmy, lecz Kościół miał władzę wyższą, nawet jeśli pedałował na tylnym siodełku. Kościół i dziś dysponuje taką władzą.

— Owszem, synu, duchową.

— Nie, eminencjo, propagandową i finansową, czyli stricte polityczną. Dokładnie tak jest w naszym kraju dzisiaj.

— Finansową?... Synu, Kościół utrzymuje się dzisiaj z tacki kościelnej.

— Nie, eminencjo, Kościół utrzymuje się z przemysłu, a ściślej z dwóch dużych przemysłów, nie licząc drobniejszych. Pierwszym z tych dużych jest libido plus narzucona przez Kościół tradycja obrączkowania, co w sumie daje bardzo dochodowy przemysł kościelnych ślubów. Sektor jeszcze efektywniejszy stanowią kliniki położnicze i cmentarze. Beciki i trumny, czyli chrzty i pogrzeby. Zwłaszcza te drugie, eminencjo. Jest to sektor w waszej ekonomice najbardziej rozwojowy. Kto nim włada, ten włada milionami poległych wyborców, a więc ma za sobą większość. Jest to wprawdzie milcząca większość, ale tak zwana milcząca większość, co rozumie każdy polityk, to gigantyczna siła. Wasza większość jest jedyną większością o krzywej nieprzerwanie wznoszącej się i zapewnia źródło dochodów, które jest jedynym źródłem dochodów nigdy nie zagrożonym bessą. Czyż pieniądz nie rządzi światem?... Ale to wszystko drobiazg. Wasza autentyczna wyższość nad politykami cywilnymi leży w tym, że oni mają wizje wąskie jak pasmo tunelu, a wasza wizja polityczna jest zawsze dużo szersza, przez co rozumiem globalność i dalekowzroczność.

Jons słuchał cierpliwie, a skomentował bez emocji:

— Ta wizja, synu, to dobro każdego człowieka, to dekalog królujący w każdym z serc.

— Eminencjo, ta wizja to wieczna władza. A gra we władzę to gra instrumentów całkowicie pragmatycznych, odartych ze skrupułów i z sentymentalizmu, czyli z moralności, gdyż jedynym jej celem jest skuteczność. Wielki Niccolo o tym pisał.

Myślałem, że stryj będzie wobec kardynała potulny i uniżony, że będzie mu przytakiwał i odda mu każdą słuszność, byle tylko wyrok na okręt uległ zmianie, ale Hubert nie umiał, czy raczej nie chciał zmienić stylu. To, że pragnął amnestii, dyspensy czy czegoś podobnego, że tutaj, tym dialogiem, zamierzał rozstrzygnąć swoje pytanie Hamleta, nie nakłoniło go do łagodności; był drapieżnikiem, który nawet gdy zagraża mu śmiertelny głód, nie poniży się do jedzenia traw. Miał w sobie coś, co mieli wszyscy nasi przodkowie, od Fulka O'Wenola począwszy — chromosom zimnej odwagi w niebezpieczeństwie, jak również chromosom fantazji silniejszej od strachu i od doktrynerstwa. Im bardziej sytuacja zwracała się przeciwko niemu, tym stawał się pewniejszy, spokojniejszy i bardziej waleczny. Był jak zen-buddysta, który ma poczucie, że jego siły wewnętrzne przewyższają siły jego wrogów zewnętrznych, gdyż to on jest bliższy ukrytym mocom tego świata. To pozwalało mu iść własną drogą bez nadmiernych kompromisów, a gdy trzeba było walczyć — walczył ze spokojem cynika, mistyka i czarodzieja stepującego beztrosko na bitewnym polu lub na wysypisku śmieci.

Jons musiał odczuwać podobne zdumienie, bo rzekł:

— Nikt dotąd nie ośmielił się tak ze mną mówić, zademonstrować przede mną takiej wrogości do Kościoła! Podziwiam twą odwagę i szczerość, synu. Jesteś wielkim wrogiem.

Co zabrzmiało jak: tym większy będzie honor mojego zwycięstwa, gdy twój okręt pójdzie na dno. Stryj znowu się nie zgodził:

— Powiedziałbym raczej, eminencjo, że jestem wielkim tragarzem.

— Tragarzem? — zdziwił się Jons.

— Według słów Monteskiusza, który mówił: „Prawda jest ciężkim ładunkiem, kiedy trzeba zanieść ją książętom".

— A jakaż to potrzeba zmusiła cię do tego, synu?

— Na to pytanie, eminencjo, udzieliłem już odpowiedzi. Konieczność życiowa. Mój tu obecny bratanek miał wczoraj wątpliwą przyjemność zamienienia kilku słów z przeorem Knitsem, któremu, kiedy poniosły go nerwy, wyrwało się coś na mój temat i na temat głębokiego zainteresowania Kościoła moją skromną osobą.

Jons chyba wiedział o tym, ale spytał tak, jakby nie wiedział:

— A cóż sprawiło, że ten młody człowiek był tak zainteresowany księdzem przeorem, iż wyprowadził go z nerwów?

— Sprawił to nasz dramat rodzinny, eminencjo. Chodziło o pewną kobietę przyszytą do naszej rodziny sakramentem ślubu i niestety podobną do większości kobiet.

— To znaczy?

— To znaczy mającą kłopot z wyuczeniem się na pamięć całego dekalogu, eminencjo.

Jons uśmiechnął się oczami i powiedział:

— Więc to prawda, co mi mówiono. Słyszałem, synu, że jesteś wrogiem kobiet...

— Eminencjo, to nieprawda, jest dokładnie na odwrót! Mimo że dobrze je znam, nie czuję do nich wrogości, uwielbiam je. Ale traktuję je wszystkie z przymrużeniem oka i dzięki temu żadna nie może mnie zranić. Gdyby moja mentalność w tej kwestii była powszechna, termin „złamane serce" nie odnosiłby się do żadnego mężczyzny na

Ziemi, eminencjo, i dzięki temu więcej byłoby szczęścia w ludzkim stadzie, czyli właśnie tego, o co zabiega Kościół.

— Kościół zabiega o miłość ludzi do Boga i o prawdziwą miłość między ludźmi, synu.

— Eminencja daruje, ale miłość między ludźmi... Krótko mówiąc, jeśli chodzi o ten rodzaj wzajemnych uczuć, to jestem wyznawcą zasady, którą sformułuję po angielsku, żeby uszy eminencji nie zostały obrażone: one hour and half, it's good enough!*

Jons był jednak poliglotą; chociaż wciąż nie unosił głosu, jakby się bał, że zniesmaczy wszystkie te wpatrzone w niego postacie na ścianach, skarcił Huberta:

— To wulgarne, synu, wulgarne... Czy dlatego nie poślubiłeś kobiety?

— Nie, nie dlatego.

— A dlaczego?

— Dlatego, że w małżeństwie trzeba tańczyć na różne sposoby od rana do wieczora i od wieczora do rana, i nie ma się przy tym pełnego wpływu na orkiestrę, ani na dobór repertuaru i fakturę parkietu, eminencjo, a ja lubię tańczyć tylko we własnych rytmach, kiedy chcę, gdzie chcę i z kim chcę, i w ogóle nie cierpię pajacować, małżeństwo to cyrk.

— Małżeństwo, synu, to uprawniona ślubem miłość między mężczyzną a kobietą, lecz w tobie nie ma wiary...

— Ależ jest! Wierzę, eminencjo, w mądrość pańskiego Boga. Jezus nie poślubił żadnej z kobiet, choć jako rabin mógł, a nawet winien był to zrobić.

Odczuwałem coraz większy niepokój; stryj szarżował i posuwał się za daleko. Jons wciąż odpowiadał mu ciepłym, ojcowskim tonem:

— Jezus był rabbim, ale był też synem Boga i sam jest Bogiem w Przenajświętszej Trójcy. I nigdy nie rzucił złego słowa na kobietę.

— Bo żył między nami bardzo krótko, więc może za mało widział — odrzekł stryj. — Ja mam dużo więcej lat, eminencjo.

---

* — Półtorej godziny to wystarczająco dużo czasu.

— Ile masz tych lat, synu?
— Sam nie wiem ile, kilka tysięcy lat, eminencjo. W każdym razie urodziłem się dużo wcześniej niż biblijna przypowieść o jawnogrzesznicy.
— Ale urodziłeś się z matki, synu. Czy już o tym nie pamiętasz?
— Pamiętam, eminencjo, śmierć mojej matki. Moja matka bardzo kochała mojego ojca, może nie zawsze, ale przez wiele lat. Byłem obok niej, gdy przy jej łóżku czekała już ta z kosą. Ksiądz zdążył wyspowiadać i namaścić moją matkę. Mój brat odprowadził go do przedpokoju, a wówczas moja matka szepnęła: „Wiesz, synku, tylko dwóch rzeczy żałuję... Że nigdy nie poszłam na wagary i że nigdy nie zdradziłam twojego ojca". Była wspaniałą kobietą, przypadkiem bardzo osobliwym. Przeciętna żona, by zachować dobre samopoczucie i zdrowie, potrzebuje tylko trzech facetów: męża, którego mogłaby zdradzać z kochankiem, i jakiegoś nastolatka, którego mogłaby wyuczać, przyprawiając rogi tamtym dwóm.
— Co?!
— To, co mówię. Dla kobiety być dziwką, eminencjo, to łatwizna, cóż łatwiejszego jak częste i nieskrępowane zdejmowanie fig. Ale nie być dziwką, to już pewien wysiłek, dlatego te, które są zdolne postawić swemu instynktowi szlaban, słusznie uchodzą za ozdobę gatunku. Takich kobiet jest dzisiaj bardzo mało, to żeńskie albinosy i właściwie kaleki...
Jons opuścił brodę na pierś i zapatrzył się w blat biurka. Po chwili szepnął:
— Jakże dziwnie oceniasz grzech, synu...
— Oceniam go bardzo prosto. Uważam, że grzech jest grzechem. I że jest on takim samym fragmentem życia, jak każdy inny fragment życia, to jest takim, od którego nie można uciec, eminencjo.
— Właśnie o to mi chodzi. Jeśli tak uważasz, to czemu piętnujesz tę kobietę, przez którą twój bratanek zdenerwował ojca superiora benedyktynów? Wyznała swą słabość i uzyskała rozgrzeszenie...
— Mam do niej tylko jeden żal, eminencjo. Ta kobieta, którą mój brat, a jej mąż, przegonił z domu, odchodząc zabrała mu wszystkie

skarpetki. Uważam to za nieludzkie i niedopuszczalne! Zaś to, że była również oszczerczynią, dziwką i konfidentką NB, uważam za drobne przestępstwa, to są grzechy wybaczalne w moim pojęciu. Owszem, można mi zarzucić niesprawiedliwość, bo inaczej oceniam u mężczyzn i u kobiet tak zwany grzech lubieżności i owo „Nie cudzołóż!" Mojżesza, nie ukrywam tego, eminencjo. Ale moim zdaniem różnica tkwi w tym, co każdy prostak określa soczyście powiedzonkiem: „Pies nie weźmie, jeśli suka mu nie da", i co jest prawdą, a to znaczy, że rozpasanie erotyczne, całe seksualne wolnomyślicielstwo i permisywność naszego gatunku wobec tych spraw, zostały zbudowane przez kobiety. I tu eminencja powinien być zgodny ze mną, bo czyż Kościół nie uważa Ewy za narzędzie Lucyfera?

— Nie uważa, synu.

— A jabłko, a Lilith, a „Młot na czarownice"?

— Jabłko to symbol ludzkiej, grzesznej słabości, a „Młot" to symbol starych kościelnych błędów. Dla Kościoła niewiasta to przede wszystkim matka, macierzyństwo, matczyna miłość, która...

— Kościół fetyszyzuje tym biologię, eminencjo! Uświęcając biologiczny akt porodu, Kościół uświęca kobietę w sposób aberracyjny! A macierzyństwo? Czy eminencja wie, jak dzisiejsze wyzwolone matki praktykują macierzyństwo, gdy już zbyt późno na skrobankę lub gdy pragnęły dziecka? Matkują swym pociechom w przelocie między uprawianiem zawodu a oglądaniem telewizji, ściganiem mody, „towarzyskim obowiązkiem" balowo-przyjęciowym i testowaniem seksualnych katechizmów. I czy eminencja ma pojęcie, jak dzisiejsze kobiety uprawiają tę miłość, której efektem powinno być tak pożądane przez Kościół święto macierzyństwa?

— Identycznie jak od wieków — mruknął lekko speszony Jons.

— Nie, eminencjo, moda się zmieniła, to, co było niegdyś elitarne i wyuzdane, stało się zwyczajne i zalecane, czyli obowiązkowe. Jest wielkim szczęściem gatunku ludzkiego, że mimo skłonności tak powszechnej u współczesnych dam, dzieci nie wychodzą na świat z przełyku, bo ciężko by się raniły o górną siódemkę i dolną trójkę, chyba że wszystkim matkom wyrywano by przed porodem wszystkie zęby.

Miałem wrażenie, że stryj jest już za tą granicą, do której nie powinien się był nawet zbliżyć. Obserwowałem twarz Jonsa i wciąż nie widziałem gniewu. Lecz znowu zamilkł i znowu to milczenie zdawało mi się lufą wymierzoną we mnie i w stryja. Jednak trwało tylko chwilę. Gdy się odezwał, usłyszałem nutkę sarkazmu:

— I po tym wszystkim dalej twierdzisz, że nie jesteś wrogiem kobiet?

— Tak, eminencjo. Dalej twierdzę, że jest na odwrót, to Kościół jest wrogiem drugiej płci, chociaż liczba kanonizowanych kobiet zawsze przewyższała liczbę świętych mężów. Tę wrogość widać gdzie indziej — negliżuje ją praktyka stosowana przez dział kadr waszej firmy. Ja daję kobietom zatrudnienie i możliwość samorealizacji w czymś, co lubią, a Kościół uprawia dyskryminację — nie chce ich zatrudniać. Jest trochę kobiet, które pragną być kapłankami, lecz Rzym od wieków się nie zgadza i broni tego zakazu twardo. Wolę nie pytać dlaczego, bo eminencja musiałby albo skłamać, albo pożyczyć ode mnie kilka argumentów, które już tu padły. I jedno, i drugie nie byłoby waszej eminencji miłe, jak mniemam.

Nagle przypomniał sobie coś:

— Eminencjo, uwierzy pan, że wszystkie kobiety, które dla mnie pracują, a zatrudniam tylko takie, które kochają swój zawód, że wszystkie one, bez żadnego wyjątku, eminencjo, wierzą w Boga i regularnie się modlą? Procent wierzących i praktykujących kobiet w Nolibabie jest dość mizerny, u mnie zaś procent ateistek jest zerowy! To ciekawe, prawda? Gdybym trzymał kapelana na statku, miałby on podczas każdej mszy stuprocentową frekwencję, jak żaden inny kapłan należący do pańskiej stajni.

We wzroku Jonsa zagościła ciekawość.

— Stuprocentową frekwencję? Przecież pan nie wierzy.

— Ja...

— Wierzy pan czy nie?

— Nie wierzę w Kościół — przyznał się stryj. — Choć wierzę w jego potęgę i niezniszczalność.

— Pytam nie o Kościół, tylko o Boga, synu!

— O Boga?... No cóż, eminencjo...

— Proszę odpowiedzieć, tak czy nie?

— Wie pan, eminencjo, zawsze mnie dręczył pewien problem teologiczny. Jeżeli rodzice zginą w wypadku, mając po około czterdzieści lat, a ich dzieci dożyją osiemdziesięciu i spotkają swoich rodziców w niebie...

— To co?

— To dzieci będą dwa razy starsze od rodziców i wszystkim będzie głupio jak cholera... Ale wracając do tematu: czy zdaniem waszej eminencji mógłbym mieć kapelana na mojej jednostce żaglowej?

— Na pokładzie domu publicznego?!

— Eminencjo, w kategoriach wieczności dwa tysiące lat pańskiego Kościoła to niezbyt długi okres czasu, świątynia Wenery jest starsza... A ja przyszedłem tu właśnie z tym, porozmawiać o możliwości zatrudnienia kapelana na pokładzie i pod pokładem.

— Przyszedłeś tu, synu, bo dowiedziałeś się, że chcę zlikwidować twoje przedsiębiorstwo!

— Jak również dlatego, by wasza eminencja dowiedziała się, że to nie nastąpi.

— A co mogłoby mnie powstrzymać, synu?

— Może najpierw kto. Mógłbym wymienić kilku stałych klientów mojego przedsiębiorstwa, dygnitarzy, których nazwiska wprawiłyby waszą eminencję w stan określany szokiem. A później szok zamieniłby się w strach.

— Kościół się nie boi i nie przestraszy się nikogo, synu!

— To brzmi bardzo heroicznie. Ale najdzielniejsza wiara boi się jednego: kompromitacji. Zawsze mówię, że śmieszność hańbi bardziej niż hańba. Będzie gromki ubaw, jeśli lud się dowie, że przewrót, dzięki któremu Kościół odzyskał w naszym państwie rolę dominującą, był finansowany przez właściciela lupanaru!

Twarz dostojnika skurczyła się, jakby mroźny wiatr owionął mu policzki. Chciał coś powiedzieć, lecz stryj uprzedził go:

— Nie pragnę wojować z waszą eminencją, pragnę paktu o nieagresji, rozejmu, pokoju! Skandal by mi zaszkodził, ale Kościołowi też by zaszkodził, czy panu to potrzebne, eminencjo? Wyjaśnijmy sobie kilka spraw. Mój statek formalnie nie jest domem publicznym. Jest kompleksem rozrywkowym. Kasyno, kino, sauna, restauracja, dyskoteka oraz, nazwijmy to: salon cielesnej regeneracji, sport, masaż i tak dalej. Praktycznie jest to, jak obaj wiemy, największy lupanar w tym kraju. Czy wasza eminencja ma zamiar zlikwidować również wszystkie inne? Sam Nolibab roi się od tanich burdelików, gdzie eksploatuje się seksualnie nieletnich obojga płci. Patronów tych nor z pedofilstwem ja skazywałbym na karę główną! U mnie takie rzeczy nie mają miejsca, nie ma też u mnie pedałów, transwestytów i sodomitów. Jeśli Kościół zechce mnie zniszczyć, będę krzyczał, że ten akt wrogości to jest popieranie przez Kościół tamtego bagna!

— Kościół zażąda od najwyższych władz zlikwidowania wszystkich domów rozpusty! — powiedział Jons.

— Sam Pan Bóg, eminencjo, nie był aż tak restrykcyjny!

— Pan Bóg nie zajmuje się domami rozpusty, synu, i nigdy tego nie robił, lecz Kościół...

— A Lizbona?

— Co Lizbona?

— W połowie osiemnastego wieku trzęsienie ziemi zniszczyło Lizbonę, eminencjo, o czym mówiono i pisano później, że była to ręka Boża, gniew Boży, et cetera. Wszystkie lizbońskie kościoły uległy wówczas zburzeniu, tak jak i całe miasto, a ocalała ulica z domami publicznymi!

— Więc to nie był gniew Boży, tylko ręka Szatana! — rzekł twardo Jons. — I nie zmieniajmy tematu. Powtarzam: Kościół zażąda od władz likwidacji wszystkich ognisk płatnego seksu w Nolibabie, wszystkich, panie Flowenol!

— To jest niewykonalne, wasza eminencja, podobnie jak każda władza, dobrze wie o tym. A co z prostytucją uliczną, hotelową i knajpianą? Czy Kościół zażąda likwidacji ulic, placów, dworców oraz bram i mieszkań? To jest równie niewykonalne. Istnieje tylko jeden skuteczny sposób, eminencjo: rozstrzelać wszystkie dziewczyny i kobiety, a potem wykastrować wszystkich mężczyzn! U mnie przynajmniej nikomu nie grozi choroba, mam nowoczesny gabinet ze znakomitą obsługą lekarską, więc może Kościół winien na mnie zakończyć, a nie zaczynać eksterminację od mojego przybytku?

Wziął głęboki oddech i spuentował swój atak:

— Wasza eminencja, jako homo politicus, winien sobie zdawać sprawę z tego wszystkiego. Jak również z tego, że pod tym względem my dwaj niewiele się różnimy, mamy jedną wspólną rzecz: zawód. Wasza eminencja jest politykiem, a polityka jest zawsze nierządnicą! Zajmujemy się tym samym! To dlatego wdałem się w rozważania na temat polityki, gdy tylko ujrzałem waszą eminencję.

Skończył i czekał. Jons zaplótł wychudłe palce jak do modlitwy, opuścił je na blat, a później pod biurko, tak iż zniknęły mi z pola widzenia, i ciszę skaleczył trzask wykręcanych stawów. Brakowało tylko zgrzytu dostojnych zębów, aby symfonia wściekłości prymasa rozbrzmiała pełną gamą. Twarz odwrócił do okna, lecz okno miało szyby z ciętego matowego kryształu, więc jeśli szukał czegoś na zewnątrz, to był to zły pomysł, natchnienia musiał szukać tutaj. Widzieliśmy tył jego głowy, kaskadę siwych włosów, z pozoru martwą jak peruka wisząca w teatralnej garderobie, lecz od tych pleców mózgu promieniowała ku nam elektryczność rozpaczliwej walki. Urażona duma walczyła z rozsądkiem, gniew z doświadczeniem, pycha z pragmatyzmem, w nierównym pojedynku, w którym mądrość musiała wygrać, co było dlań wiadome od pierwszej chwili. Walcząc, owa mądrość zyskiwała czas, pozwalający później prezentować klęskę jako rozsądną decyzję — jako efekt tak zwanego głębokiego zastanowienia. Odwrócił się:

— Zmienisz mu nazwę, synu!

— Dlaczego, eminencjo? — zapytał stryj.

— Dobrze wiesz dlaczego! Nie przystoi, aby nazwę Trójcy Świętej nosiła jaskinia nierządu!

— Ta nazwa pasuje, eminencjo. Trzy wśród wszystkich grzechów człowieka stanowią od Genezis triumwirat wiodący — to władza, pieniądze i seks. U mnie bywają członkowie rządu, miłośnicy hazardu i wielbiciele erotyzmu; władza, pieniądze i seks królują we wnętrzu „Santissima Trinidad", co usprawiedliwia nazwę jednostki. Poza tym ten okręt zawsze się tak nazywał, tak go ochrzczono, i ja zachowałem tę historyczną nazwę. Nie zamierzam jej zmieniać. Zamierzam kupić zgodę waszej eminencji na zostawienie wszystkiego po staremu.

— Kupić?

— Wśród bliskich współpracowników waszej eminencji jest konfident, który informuje Narodowe Bezpieczeństwo o każdym kroku waszej eminencji. Mój bratanek ma przy sobie papiery ujawniające działalność tego agenta, jak również jego dossier.

Jons wstał.

— Kto to taki?!

— Czy mamy już układ, eminencjo?

— Pod warunkiem, że wycofasz swój okręt dalej od brzegu i załatwisz mu status jednostki obcej, lub bezpaństwowej, lub eksterytorialnej, wszystko mi jedno, byleś to zrobił!

Stryj uśmiechnął się:

— Nie mam słów zachwytu dla pomysłowości waszej eminencji. Dwa tysiące lat, to jednak dwa tysiące lat!... Zrobię to, co święte doświadczenie znalazło jako modus. Nurni, wręcz prymasowi dokumenty prałata, który zbłądził w boskiej służbie.

Od pałacowego portyku szliśmy do bramy ogrodzenia aleją flankowaną klombami i fontannami. Misternie profilowane pyski marmurowych delfinów pluły wysoko strumieniami wody, która opadała mokrym pyłem, łagodzącym skwar. Hubert gwizdał cichutko arię Cavaradossiego z „Toski". Nagle przestał, wszedł na trawnik, zbliżył się do delfina i obmył sobie z potu twarz oraz szyję. Wycierając je chustką, mówił:

— W każdym dobrym triku jest prostota jaja, tylko trzeba ją znać. W azjatyckim burdelu widziałem striptizerkę, która wywlekała ze swojej pochwy żyletkowy łańcuch. Tak, łańcuch tworzyły żyletki sczepione ze sobą! Trzymała w palcach pierwszą żyletkę i wydłużała łańcuch ciągnąc go bez pośpiechu, niczym przez metalowy srom, bo nie pociekła jej ani jedna kropla krwi. Widzowie bili brawo, lecz nikt nie rozumiał jak to możliwe. A ona wyciągała ten groźny łańcuszek z pudełka po zapałkach!... Miała bardzo silne nerwy, więc chociaż to był długi łańcuch, a najniebezpieczniejsza dla sromu jest ostatnia żyletka, wszystko się dobrze skończyło.

RZYM PRZECIW FLORENTYŃCZYKOWI — Akt III.

— Cezare, który to już twój kielich dzisiaj?

— Nie wiem który, ojcze, ale wiem, iż nie ma nad burgunda, kiedy trza damę wychędożyć zmęczonym będąc. Co i wam radzę.

— Mnie ta rada niepotrzebna, synu! Jestem jako małpa, która im więcej razy tę rzecz czyni, tym więcej jeszcze chce czynić, i jak pies, co im starszy, tym bardziej członek u niego gruby, i jako jeleń, co gdy sędziwy jest, najbieglej to wykonuje, a łanie chutniej ku niemu idą niż ku młodemu!

— Ostatnio, słyszałem, nie idą, jeno się płoszą.

— Kogo masz na myśli, Cezare?!

— Giovanna, mówią, już nie przychodzi do Watykanu.

— Odprawiłem ją, Cezare! Szalona kobieta! Wyimaginuj sobie, zawsze chciała być na wierzchu, bo powiada, serca jest tak pysznego, iż nigdy nie ścierpi, by prócz męża jej, inny chłop ją dosiadał i podścielał nią brzuch swój, ona musi być górą! Na to ja, że z każdym może być na wierzchu, ale nie z ojcem świętym, bo nade mną Bóg tylko, któremu przysięgałem. Na to ona, że jej bliższe własne przysięgi, bo gdy mąż pyta ją od czasu do czasu,

czy ją kto prócz niego dosiadał, może mu przysiąc z krzyżem w ręku i szczera to wtedy prawda jest, nie zaś krzywoprzysięstwo i bluźnierstwo.

— A Claudia Forligna? Mówią, żeście nic nie wskórali u niej.

— A znasz kogoś, kto wskórał u niej? Sam popróbuj, tedy obaczysz!

— Załóżmy się, co? Dziesięć tysięcy dukatów!

— Załóżmy się, lecz o sto tysięcy dukatów!

— Wielceście pewni...

— Bo ją znam! Nadęta, głupia i strzemięźliwa, gorsze są takie od kurew! A to po temu, że się nadymają czystością swoją butliwą ponad wszystko, ponad ziemię i niebo, i zdaje im się, jako przez to, iż taka w nich waruje cnota, iż wygadzają tylko mężowi, sam Pan Bóg jest ich dłużnikiem! Pycha to największy wśród grzechów!

— A czyż ona z mężem się pokłada?

— I tak, i nie, synu. Mówi o tym: „Ja się z małżonkiem moim nie parzyłam, tylko on się parzył ze mną”!

— Łebskie babsko!

— Takowa może przez żywot cały dnia każdego pokładać się z małżonkiem i zrodzić mu pięcioro bachorów, a ni razu w żywocie mu się nie oddać!

— Co druga tak czyni!

— Tfu! Gorsza od kurew, powiadam, i Bogu niemiła, żadnego z niej pożytku w niebiesiech!

— Tu już chybaście przesadzili, wasza świątobliwość...

— Nic a nic! Jezus nasz Pan, jako Pismo zaświadcza, bardziej miłuje Magdaleny, które żałują grzechu, niźli bezgrzeszne, harde i wyniosłe sowy! Tedy i ja Mu niejaką radość sprawiam, bom już z niejednej pani kurwiszcze uczynił, a przeto, gdy one będą pokutować i zmiłowania żebrać u bram Piotrowych, zasługa moja bezsporna i policzona mi będzie, synu!

— Palców Bogu i świętemu Piotrowi do liczenia waszych zasług zbraknie, wasza świątobliwość...

— Tobie już zbrakło, Cezare! Grzeszysz brakiem pokory wobec ojca swego, miarkuj się w szyderstwach! Czcij ojca swego, Pismo naucza!

— O matce żeście zapomnieli, o niej też naucza. Rosa jej było, czy jak tam... Trudno i mnie spamiętać, więc się wam nie dziwię.

— Precz idź i pomódl się za swą grzeszną duszę, synu!

— Dzięki wam, ojcze święty, że nie mówicie: skurwysynu, choć mielibyście prawo. A co do grzechów, to nie wiem, któremu z nas diabli policzą ich więcej!

— Ja nie zabiłem własnego brata i...

— Jenoście ukatrupili wielu braci swoich w Chrystusie!

— Ale niby Kain nie zabiłem, nie zabiłem brata krwi własnej, jakoś ty uczynił!

— Ojcze mój, dość mi było cierpieć waszą bytność w łóżku mojej siostry, a córki waszej, lecz jego moja duma już nie ścierpiała!... À propos, Lukrecja jest w ciąży, nie wiecie, czy z wami, czy ze mną? Pytam, bo gdy godzina spowiedzi nadejdzie... Czy wasza świątobliwość w ogóle się spowiada?

— Tak!

— Komu?

— Bogu Najwyższemu!

— A tu na ziemi nikomu?

— Bartolomeo jest księdzem.

— Jest waszym lokajem!

— Ale i duchownym jest, ma święcenia! Co rano pyta: „Jakie wasza świątobliwość grzechy przeciw Panu naszemu popełnić raczył?”.

— Ha, ha, ha, ha, ha, ha, ha, ha, ha, ha, ha, ha, ha, ha!

— Z czego się śmiejesz, synu?

— Bom wyobraził sobie, że spowiadacie się u Florentyńczyka, wasza świątobliwość.

— U Savonaroli? Jemu już spowiadać nie wolno, rzuciłem nań klątwę!

— A ileż klątw on rzucił na was, dziw, że jeszcze żyjecie, ojcze mój!

— To głupiec, Cezare! W jednym pomógł nam, obalił i wygnał Medicich z Florencji, lecz przeholował, Kościół atakując. Na dużą odległość bohatera gra ten tchórz! U nich teraz taki pomór się sroży w mieście, że trumien im zbrakło i w szafach chowają zdechlaków, a co dobroczyńca ludzkości robi, gdy przyszedł czas owej próby? Miast bliźnich salwować, ukrył się za murami klasztoru i obszczekuje mury Rzymu!

— Cała ta komedia poczyna mnie nudzić, wasza świątobliwość. Jeśli chcecie, wyślę kilku bravich, których sztylety przymkną mu gębę na spust!

— Ośle drogi, chcesz go wynieść do nieba? Zrobiłbyś go męczennikiem i lud czciłby go jak świętego, a trupa już nie można zabić. Spraw, żeby go ten lud ukamienował.

— Lud go wielbi!

— No to spraw, żeby zatłukli go ci, co go wielbią najczulej.

— Nie moja moc.

— Nie twoja, dlatego ty mnie służysz, a nie na odwrót. Znam człowieka, który ma takową moc. Ten człowiek mieszka we Florencji, trzeba więc kilku bravich wysłać tam, niech porwą go cichcem do Rzymu.

— Kiedy panuje tam zaraza?!

— Kiedy minie zaraza.

— Któż to taki, ojcze?

— Lichy filozof, nadziany sieczką grecką. Jeden z tych platoników od Ficina. „Święty Sokratesie módl się za nami!", „Ukochani w Platonie!", i tak dalej. Ale ów stary kretyn ma brylantowy ozór. Gdy przemówi do tłumu florenckiego, tłum będzie nasz!

Rozdział 7.

Stałem przed nim w postawie na baczność. Piorunował mnie wzrokiem, ale gdzieś w głębi jego źrenic błyszczały iskierki śmiechu, więc nic mi nie groziło. Wargi miał ściągnięte jak obrażona kobieta, a gdy je otworzył, upewniłem się, że nie mam powodów do strachu. Powiedział:

— Chętnie bym cię zabił, Flowenol. Ale uczynię to dopiero wówczas, gdy wyznaczą cenę na twój łeb, jestem człowiekiem interesu.

— To tak jak mój stryj, panie komendancie.

— Też chce cię zabić?

— Też jest człowiekiem interesu. Jedyna różnica między nim a panem, to że on nie robiłby interesu na mojej szyi. On do mnie dokłada.

— Ja też do ciebie dokładam, sam nie wiem dlaczego! Właśnie dołożyłem nie zaznajomienie cię z plutonem egzekucyjnym!

— On kiedyś dołożył na fundusz przewrotu, panie komendancie. Każdy dokłada do czegoś...

— Ty mi nie wypominaj, że on pomógł w usunięciu Toldowskiej bandy, bo to był jego szmal, nie twój! I ten szmal nie znaczy, że wolno mu robić co tylko zechce!... Pieprzony heteroseksualny atleta! Właśnie powiedziałem mu, że jest takim samym łobuzem jak ty, Flowenol!

— Wiem, panie pułkowniku, mój stryj nie jest człowiekiem doskonałym, co zresztą sprawia, że można z nim wytrzymać, a nawet współpracować. Pańska komitywa z moim stryjem to najlepszy dowód.

— Flowenol — rzekł Taerg poważnie — ta komitywa cię nie ochroni, jeśli zrobisz jeszcze raz to samo. Spaliłeś mi agenta!

— Ale tylko jednego, panie pułkowniku. Dzięki temu jednemu kardynał jest przekonany, że już ma czysto wokół siebie.

— Powinienem czuć wdzięczność, do tego zmierzasz?... Gdyby Jons wykazał trochę więcej uporu, twój stryj przehandlowałby wszystkich moich agentów w kurii! Ale on nie jest funkcjonariuszem państwa. To, co ty zrobiłeś, nazywa się zdradą!... Flowenol, dlaczego nie przyszedłeś z tym do mnie, czy myślisz, że bym wam nie pomógł?

— Nic nie myślę; w tej sprawie, panie pułkowniku, myślał za mnie stryj, a ja mam dług wobec niego.

— Twój stryj, co mu już powiedziałem kilka godzin temu, też nie był taki łebski w tej sprawie! Gdyby ze mną wcześniej porozmawiał, to by się dowiedział, że przeor Knits ma jeszcze jakieś układy z kurią, ale nie ma już dobrych układów z kardynałem Jonsem. Jons go wyrzucił ze stanowiska sekretarza i odtąd nie za bardzo się kochają. Co zaś do prostytucji, to Jons, owszem, chce ją zlikwidować, bo tak ustalił z pierwszą damą kraju, i ja będę musiał robić tę kretyńską deburdelizację, ale statku twojego stryja nie ruszyłbym.

— Dlaczego?

— Dlaczego?... Powiedzmy, że dlatego, iż za bardzo lubię twojego stryja i że obaj jesteśmy ludźmi interesu, pewnego wspólnego interesu, który na razie nie jest twoją sprawą... Co zaś do statku, to większe niebezpieczeństwo niż ze strony pani prezydentowej i Kościoła grozi mu z innej strony. Pierwsza dama kraju jest dewotką, za to druga jest feministką...

— Druga?

— Żona brata jego ekscelencji. Chociaż formalnie nie należy do KKD-U, bo szanowny małżonek zabronił jej, ale przyjaźni się z panią Tigran, zaś pani Tigran chętniej niż Jons posłałaby statek na dno.

„Szanowny małżonek" zostało wysylabizowane z takim przekąsem, iż zrozumiałem, że pułkownik oraz brat prezydenta nie pałają do siebie uczuciem romantycznym. Widocznie prawdą była plotka, że szef żandarmerii, Rufus Rabon, utrącił awans Taerga na generała tuż po zwycięskim zamachu. Zrozumiałem również, że i do pani Tigran Taerg nie pała tkliwym uczuciem, gdy warknął:

— Krzyk, który sieją te kakadowskie kurwy, to fatalna reklama dla statku.

— Miło, że należy pan do załogi, panie komendancie.

— I cóż z tego? Mogę ich nie cierpieć, jak większość mężczyzn, Flowenol, ale jestem bezradny. Ich wrzasku przeciw „Santissima Trinidad" nie można policyjnie przymknąć.

— Czemu? Ze względu na drugą damę?

— Nie chodzi tylko o to. Jego ekscelencja prezydent Rabon demonstruje światu twarz liberała, bo potrzebne nam są nowe kredyty. Rzeź azjatyckich sekciarzy dobrze usposobiła papiestwo, lecz zrobiła nam zły image w wielu punktach globu, demonstrują przeciw nam studenci, lewicowcy, wszelacy pieprznięci mistycy, hinduiści i inna hołota. Brakuje tylko, żeby feministki wszystkich krajów połączyły się i zaczęły urządzać marsze przeciwko naszemu rządowi. Dlatego jego ekscelencja ich nie ruszy, tak jak nie ruszy pacyfistów, ekologów, pedałów et consortes, nie ruszy nikogo, kto mu fizycznie nie zagraża.

Stryj Hubert musiał znowu powalczyć. Nie wyglądał na zmartwionego, kiedy przystępował do kontrataku — walka leżała w jego naturze, gdyż on sam był wszystkim, tylko nie defetystą. A kiedy walczył — walczył jak lew skrzyżowany z lisem, i jak czołg skrzyżowany z mennicą oraz ze wszystkimi słownikami świata. I cel uświęcał mu wszystkie środki. Jego orężem były słowa i pieniądze. Pieniądze według francuskiego powiedzenia: „*tout s'achète*" (można kupić wszystko), zaś słowa według chińskiego: „*Język to ostry miecz, który nie utacza krwi, ale może zabić*".

Konfederacja Kobiet Dumnych-ULTRA zwalczała „Trójcę Przenajświętszą" na łamach swych periodyków. Ultra znaczy: ponad. Hubert, gdy dopiekły mu już nadmiernie, ogłosił stan wojenny rzymskim: „*Nec plus ultra!*" („*Ani kroku dalej!*"). Wypowiedział im wojnę totalną.

Najpierw ogromną łapówką przekupił drukarzy tłoczących kakadowski „Poradnik kobiety dumnej", którego autorką była Eleonora Tigran. Pierwszy rzut tej książki (dwa tysiące) ukazał się bez zgrzytów i został rozsprzedany bardzo szybko, więc ULTRA zarządziła dodruk, a ponieważ był to dodruk z gotowych klisz pierwszego wydania, nikt już nie robił korekt, nie sprawdzał treści, wszystko szło automatycznie i dziesięciotysięczny nakład wprost z drukarni trafił do sklepów. Ale wówczas się okazało, że między pierwszym wydaniem a drugim są pewne różnice — w drugim tekst pióra szefowej KKD-U był poprzetykany cytatami z klasyka Brantôme'a. I tak, rozdział pt. „Inteligencja a płeć", rozsławiający mądrość córek żebra Adamowego, otrzymał na zakończenie przypis: „Nie trzeba zaraz tyle ie wychwalać póki się nie przezna wszystkiego ich życia, a potem, wedle tego, co się odkryło, trzeba ie chwalić abo hańbić; bowiem biała głowa, kiedy to weźmie się na rozum, iest straszliwie przebiegła... Owo będąc tak przebiegłą, umie tak dobrze oczarować y oczy y myśli męskie, iż nieiedną weźmie się za niewiastę stateczną a zakamieniałą w cnocie, a to będzie szczyra kurwa, y będzie prowadzić swą grę tak bystro a tak kryiomo, iż nikt nic nie uzna". Rozdział pt. „Być uczciwą wobec siebie", dostał motto nie za bardzo pasujące do treści rozdziału: „Zwyczainie białe głowy cudzołożnego rzemiosła są wielgie kłamczynie y nie rzeką słowa prawdy, bowiem tak się przyuczyły a wzwyczaiły do kłamania y przysięgania, iż potem ustawnie ieno kłamią y nie lza im iest w czym dawać wiary". Zaś w środku rozdziału pt. „Sekrety płci dumnej" ni stąd ni zowąd wykwitł cytat: „Przedsię ona, barzo wieldze chytra, przeczyła y wyparła się aże na swoie zbawienie y potępienie swoiey duszy, iako iest w zwyczaju białych głów, kiedy się im obiawi rzeczy o ich p...ach, których nie chcą aby wiedziano, mimo że się ich iest barzo upewnionym y że są barzo prawdziwe"*.

Cała książka była posiekana cytatami, których źródło stanowił Brantôme, nie licząc dwóch wyjątków. Pierwszym był cytat z Konfucjusza („Nie ma na świecie niczego, co psuje innych bardziej od zepsutej kobiety"), drugim zaś cytat z Proudhona („Sumienie kobiety jest tym słabsze, im mniej rozwinięty jest jej umysł. Jej moralność jest szczególnego rodzaju, a wyobrażenie o kategoriach dobra i zła na tyle różni się od analogicznego pojmowania ich przez mężczyznę, że w porównaniu kobieta jawi się żyjątkiem amoralnym").

ULTRA dostała szału, próbowała wycofać owe dziesięć tysięcy z księgarń, ale jak mogła to zrobić, kiedy księgarze robili majątki na książce, której czarnorynkowa cena wielokrotnie przekroczyła normalną? Jeden zero dla stryja, chociaż one nie mogły udowodnić, że to stryj.

„Poradnik kobiety dumnej" był pierwszą książką z wydawniczej serii KKD-U; nadruk głosił: „Biblioteczka Konfederacji Kobiet Dumnych — numer 1". Z numerem drugim miało się ukazać kolejne arcydzieło szefowej, odsłaniające jej namiętność astrologiczną: „Kobieta i znaki Zodiaku". Tym razem pilnowano drukarzy dzień i noc, lecz to opóźniło edycję, co wykorzystał stryj, rzucając na rynek trzy fałszywki — reprinty trzech przedwojennych prac naukowych: „Kobieta jako zbrodniarka i prostytutka" włoskich uczonych Lombrosa i Ferrera („Biblioteczka Konfederacji Kobiet Dumnych — nu-

* — Tłum. Tadeusz Żeleński (Boy).

mer 2"), „O fizjologicznej tępocie kobiet" głośnego psychiatry, doktora Möbiusa („Biblioteczka Konfederacji Kobiet Dumnych — numer 3") i „O moralnym niedorozwoju kobiety" niemieckiej autorki, pani von Rosen („Biblioteczka Konfederacji Kobiet Dumnych — numer 4"). KKD-U zażądała śledztwa policyjnego i policja natychmiast wszczęła dochodzenie, ale nie mogła znaleźć edytora i drukarza, którzy wypuścili tę fałszywą serię „Biblioteczki", może dlatego, że każdy policjant sikał ze śmiechu. Było dwa zero dla stryja.

Jeśli chodzi o fałszywki, które stryj konspiracyjnie wyprodukował, to absolutnym rynkowym hitem okazała się kaseta wideo, zatytułowana: „Poradnik seksualny pani Tigran dla kobiet dumnych". Na taśmie znajdowała się tylko jedna, krótka, genialna scena z francuskiego filmu „Opętanie", lecz zmultiplikowana montażem w ciąg powtarzający ten sam akt, co dało sekwencję trwającą sześćdziesiąt minut: kobieta (Isabelle Adjani) leży pod kopulującym ją cierpliwie diabłem o kształcie galaretowatego monstrum i jęczy ze słabnącą nadzieją: „Prawie!... prawie!... prawie!...". Było trzy zero dla stryja, a policja znowu nie odnalazła winowajcy.

Dzieło pt. „Kobieta i znaki Zodiaku", autorstwa pani Tigran, stało się bestsellerem, lecz jeszcze większym bestsellerem okazała się książeczka pt. „Zodiak i znaki kobiety", która wyszła wkrótce potem. Jako autor figurował: „E. Tigran, mąż Eleonory Tigran". W pamflecie tym ustosunkował się on do jednego tylko rozdziału książki, którą napisała jego „żona" — do tego rozdziału, gdzie dowodziła, że odwiecznym symbolem kobiet i kobiecości jest według astrologów księżyc. Pan „E. Tigran" zgadzał się z tym twierdzeniem, ale zwrócił uwagę, że jego „małżonka" zapomniała o czymś i sprzedała czytelnikom półprawdę, gdyż w astrologii księżyc był zawsze symbolem dwóch rzeczy: kobiecości i głupoty. Po czym rozwinął myśl ową, zaczynając od słów Eklezjastyka, że kobieta jest durna, „bo odmienia się jako księżyc", kończąc zaś na czterowyrazowej opinii à propos zainteresowania dam kosmosem: „Szczekanie suczek do księżyca". Ponieważ Eleonora T. nie była mężatką, aparat ścigania tym razem szukał „oszczercy", lecz bezskutecznie. Zrobiło się cztery zero dla stryja.

Pan „E. Tigran, mąż Eleonory Tigran" opublikował jeszcze jedną pracę, „Poradnik dumnego mężczyzny", w której radził mężczyznom, aby wobec dam przejawiali mimo wszystko odrobinę zdrowego rozsądku, to jest godności i wyrozumiałości. Swój apel na rzecz wyrozumiałości uzasadnił tezą, że „kobieta myśli spodem", trzeba więc być pobłażliwym. Dodał do tego apelu kilka cytatów, zaczynając od słów człowieka mocno sponiewieranego przez kobiety, Vincenta van Gogha: „Kobietę mało obchodzi to, co nazywamy rozumem, postępuje ona zawsze wbrew rozumowi". Ale najmocniejszy był ostatni cytat, słowa jednej z nielicznych kobiet „myślących także górą", głośnej Marleny Dietrich, która w wywiadzie dla niemieckiej gazety „*Die Zeit*" klęła feministki bez pardonu: „Nienawidzę feministek, nie cierpię tego, co one robią, nie chcę mieć z nimi nic wspólnego! Zamiast cieszyć się tym, że są kobietami, gryzą się tym, że nie są mężczyznami. To jest zazdrość o penisa. One go nie mają i to jest całe ich nieszczęście, stąd się bierze ta cała frustracja w ich łebkach i nie tylko w łebkach. To straszne, one nie myślą jasno...".

Stryj Hubert bardzo ciekawie wybrnął w owym poradniku z kłopotliwej dlań zbieżności poglądów jego i Konfederacji Kobiet Dumnych na temat instytucji małżeństwa. Pani Tigran w swoim poradniku gorąco przekonywała, iż: „Obowiązkiem kobiety nowoczesnej i w pełni świadomej jest zrywanie kajdan nałożonych przez męską dominację, przeciwstawianie się tyranii mężczyzn, walka z ich dyktaturą, której najbrutalniejszym przejawem jest zależność małżeńska kobiety". Wobec tego pan „E. Tigran" oddał hołd rodzinie i małżeństwu, argumentując tak: „Nie bez przyczyny w starożytnym chińskim piśmiennictwie słowo zdrada kaligrafowane było potrójnym znakiem wyobrażającym figurkę kobiecą. Zdradzony będzie każdy mąż, legalny i konkubinacki; do wyjątków będą należeć ci, którzy zostaną zdradzeni przez żonę (konkubinę) tylko w jej myślach i marzeniach, reszta zostanie zrogacona cieleśnie. Spośród tej reszty mniej niż połowa dowie się o tym. Żenić się jednak i zakładać konkubinaty należy, gdyż ród ludzki nie powinien wyginąć, a dzieci powinny mieć matkę i ojca (biologicznego lub zastępczego) stale przy sobie".

Tytuł „Poradnik dumnego mężczyzny" nie kłamał — treścią były rady dla mężczyzn jak zachować honor w najgłupszych i najdramatyczniejszych sytuacjach destabilizujących tak zwane współżycie. Niech za przykład posłuży rozdzialik, któremu stryj dał tytuł: „Muszę się uporać sama ze sobą":

„Prędzej czy później, na którymś etapie stałego związku, usłyszysz: «Kochanie, muszę z tobą poważnie porozmawiać». Sądząc, że chodzi o comiesięczną poważną rozmowę na temat braku kobiecych ubrań w domu, przestraszysz się umiarkowanie, gdyż bywają w życiu gorsze rzeczy niż bezwstydna zachłanność dyktatorów mody i właścicieli magazynów. Jednak tym razem będzie to właśnie coś gorszego niż tekstylia, biżuteria i wyspy Bahama na urlop. Ona zacznie mówić, że ma okropny kryzys psychiczny, z którym musi się uporać, bo inaczej do reszty zwariuje. Jest znerwicowana, zmęczona, zagubiona, przytłoczona, wykończona, rozbita i pod kreską, nie rozumie samej siebie oraz sensu życia, etc., etc., w związku z czym chce się pozbierać, odnaleźć, dojść do psychicznej równowagi, wyprostować, uporać sama ze sobą, etc., etc. W tym celu, mimo że bardzo cię kocha, pragnie na jakiś czas cię opuścić i pomieszkać gdzieś sama samiuteńka, co pomoże jej odpocząć, przemyśleć wszystko, zregenerować nerwy i wyjść na prostą wiodącą do waszego wspólnego szczęścia. Całe to gadanie o potrzebie chwilowej samotności, dzięki której będzie mogła uładzić się sama ze sobą i podreperować swą psychikę czyli przejść ożywcze autokatharsis, znaczy jedno: ma dość ukradkowego spotykania swego gacha i chce z nim jakiś czas pomieszkać na stałe. Będzie truła swoje pierdoły bardzo długo, bardzo przekonywująco i bardzo szczerze, gdyż bardzo solidnie przygotowała się do tego. Tobie zaś nie wolno przerywać, zadawać pytań, dziwić się, robić min, protestować, perswadować itp. — słuchaj w milczeniu, jak święty na obrazie, gdyż bez względu na to, co powiesz, nie będzie to miało żadnego znaczenia, ona już podjęła decyzję; nie warto robić z siebie durnia. Przyjdzie jednak moment taki, iż twoje zadziwiające milczenie przestraszy ją. Wstrzyma grad swoich słów i popatrzy na ciebie pytającym wzrokiem. Wówczas spokojnie zapytaj: «Kim on jest?», lub: «Jak on się nazywa?», lub: «Czy on też pali camele?», lub cokolwiek w tym rodzaju. Nie dlatego, byś był ciekaw kim on jest lub czy pali te same papierosy, co ty, lecz dlatego, by ona zrozumiała, że ty nie jesteś kretynem. Reakcją będzie atak furii (wówczas zapoznasz się z kompletnym rejestrem swoich wrednych cech i przewin), dalej kaskada nadzwyczajnie rzeczowych zaprzeczeń wobec haniebnego pomówienia, które wysunąłeś, i wreszcie repetycja wykładu pt. «Muszę się uporać sama ze sobą». Ty jednak już tego przed chwilą wysłuchałeś, więc powtórka cię nudzi. Wstajesz bez słowa, narzucasz kurtkę i wychodzisz z domu, biorąc psa na spacer wieczorny, co pozwoli jej zadzwonić do ukochanego, tobie zaś da trochę ciszy, tlenu i głębszego zrozumienia faktu, iż dama tym się różni od człowieka, że myśli wyłącznie spodem".

„Poradnik" ten narobił mniej szumu niż mógł narobić, akurat bowiem wybuchła wojna Zachodu przeciw irackim najeźdźcom Kuwejtu i media przestały się interesować czymkolwiek poza wojną. Grant wyjechał na front jako korespondent wojenny, a kilka tygodni wcześniej poznał Biankę...

Grant był już wówczas wielką gwiazdą naszych mediów. Jego reportaże określano jako arcydzieła gatunku, jego cotygodniowy felieton, z abstrakcyjnym nadtytułem „Jazz", przedrukowywało kilkanaście pism, zaś lektura tego felietonu była intelektualnym obowiązkiem, rodzajem kultu, źródłem popisów konwersacyjnych, namiętnych sporów i uczonych komentarzy. Płacono mu złotem za każde słowo, ale też wiele z owych słów (cięte powiedzonka, złośliwości, kpiny) z miejsca wchodziło do arsenału rodzimych żartów i aforyzmów, a nawet zamieniało się w przysłowia. Kpił i z samego siebie, gdy mu gratulowano tej weny. Mówił:

— Zwykłe jazzowe gówno!

Wtedy oczywiście zaprzeczano, rzucając komplementami, a on dodawał:

— Wiem, co mówię! Stały felieton w gazecie jest jak regularny stolec na rozkaz!

Tuż przed Bożym Narodzeniem były jego urodziny. Zrobił męską popijawę, z udziałem moim, stryja Huberta, Galtona, Kindocka i paru swych kolesiów. Miało ich być więcej, ale kilku się przestraszyło i nie przyszło, bo Grant obraził Kościół, publikując dokładnie w Wigilię reportaż z Brazylii, z której wrócił na początku grudnia. Był to reportaż o brazylijskiej nędzy i o bezradności Boga, jak również o obojętności władz (w tym i kościelnych władz) wobec tej nędzy. Grant napisał:

„Chata w Porto Allegre tonie, zalewa ją błoto. Rodziców nie ma w domu, szukają czegoś do zjedzenia na wysypiskach śmieci. Pięcioro dzieciaków. Najstarsze ma osiem lat. Czy ostatnio coś jadły? «Tak, proszę pana, wczoraj mama zrobiła nam małe placuszki z papieru». — «Z czego?!». — «Z papieru. Mama bierze płachtę gazety, moczy ją w wodzie, a gdy już jest miękka, zgniata ją i robi małe placki. Jemy je, popijamy wodą i czujemy się syte»...". Konkluzja Roberta: „Szczęśliwe dzieci, Bóg o nich nie zapomniał! W afrykańskich krajach dzieci mrą z głodu, bo na tamtejszych wysypiskach nie ma gazet. Nawet gazet kościelnych, z których placki są najsmaczniejsze, więc, chwała Bogu Najwyższemu, dają większą sytość". I ten tytuł: „Opłatek z gazety"! Nic dziwnego, że Jons się wściekł.

— Nie musiałeś w tak głupi sposób — powiedziałem do Roberta.

— A jak?

— Wystarczyłyby same fakty, bez tanich szyderstw. I bez tego tytułu!

Grant odwrócił się w stronę Galtona i rzekł:

— Namówił mnie ten głupi goj!

Mogłem się domyślić! A „głupi goj" w ustach Granta nie było obelgą, lecz serdeczną ksywką. Ci dwaj tak się już pokochali, iż doszli do najwyższego stopnia werbalnych pieszczot — Ker przezywał Roberta: „głupim Żydem", „marranem", „pismakiem" i „synem lichwiarza", a Robert jego: „głupim gojem", „poganinem", „enbecką mumią" i „nałożnicą prałata".

Stryj Hubert, fundator wielkiego tortu z tyloma świeczkami, ile lat Robertowi stuknęło, zakomenderował:

— Gaś!

— Jednym dmuchem! — rzekł Galton.

— Ale przedtem pomyśl sobie jakieś życzenie! — dodał Kindock.

— W jakim celu?

— To ci się spełni. Wszystko, co sobie wymarzysz przed zdmuchnięciem.

Robert zastanowił się, ale zrezygnował:

— Żaden jazz nie przychodzi mi do głowy.

— Pomyśl sobie życzenie! — nalegał Kindock. — Masz jedną taką okazję w roku!

Grant wzruszył ramionami i począł dmuchać. Skończył dopiero za trzecim dmuchem, a co do życzenia, to przyznał, że nie wymyślił niczego.

Wymyślił dwa dni później, na balu sylwestrowym. W tego Sylwestra miałem trudny wybór — bal u stryja i bal u dziennikarzy, gdzie ciągnął mnie Grant. Wybrałem to drugie, bo u stryja miał być Taerg i dygnitarski tłum. Moja przyjaciółka bawiła się jak w raju, podniecał ją ten wielki prestiżowy bal, jeden z owych spędów sławnych ludzi, gdzie tłoczą się mężczyźni z nazwiskami i gdzie żony mogą wreszcie przedstawić swoim kochankom swoich mężów. Robert, który zjawił się sam, aby podrywać — miast podrywać siedział przy stoliku i milczał jakby łyknął gips. Zauważyłem, że ma wzrok wbity w nienaganną figurę o włosach blond. Zauważyłem też, że i ona rzuca mu w tańcu spojrzenia nad ramieniem swojego mężczyzny.

— Grant — szepnąłem — o co biega?

— O nic, Nurni... Właśnie pomyślałem sobie to życzenie.

— Już się spełniło, ona filuje w twoim kierunku.

— Jeszcze się nie spełniło, on wciąż jest żywy!

— Ona go już pogrzebała. Tylko dlaczego ona?... Widzę kilka lepszych i są wolne...

— Każdy widzi swój jazz. Jak ci się podobają, to sobie z nimi zagraj!

Nad ranem, gdy staliśmy w kolejce do szatni, partner tego dziewczęcia pobiegł zrobić siusiu, z czego skorzystał pijany Robert. Ukłonił się szarmancko i wyartykułował:

— Przepraszam panią, ale moja mama nie pozwala mi chodzić w nocy samemu po mieście... Czy mogłaby pani odprowadzić mnie do domu?

I wyciągnął dłoń ku niej, robiąc minę urwisa. Spojrzała zimno i odezwała się zimno:

— Jest tu kilku lokajów, niech pan poprosi któregoś z nich. Albo dam panu na taksówkę.

— Nie umiem prosić kelnerów i nie umiem spacerować z taksówką!

— Podrywać też pan nie umie. Proszę powiedzieć mamusi, żeby pana tego wyuczyła. Życzę sukcesów.

Został sam, czerwony na gębie, jakby dostał w pysk. Nigdy nie widziałem go tak smętnego, musiał być zdrowo zadurzony. Siedemnaście dni później wybuchła wojna z Irakiem, więc pacyfiści cywilizowanych krajów poczęli demonstrować. I wówczas Grant doświadczył cudu, według zapowiedzi Kindockowej, że trzeba pomyśleć życzenie, a ono się spełni. Dziewczyna zadzwoniła do redakcji, przypomniała Grantowi, że pragnął spacerować, i umówiła się z nim na spacer główną aleją podczas niedzielnej demonstracji pacyfistów (przeciwko pomocy wojskowej, jakiej nasz rząd udzielił antyirackim siłom sojuszniczym).

— Pacyfistka! — prychnął stryj, gdy dowiedział się o tym. — To brzmi jak feministka! Jedna cholera!

— Dlaczego? — obruszył się Grant.

— Bo i to, i to, brzmi jak kretynka!

— I jak lesbijka, satanistka, sadystka i masochistka! Taka sama cholera jak złodziejka i kurwa, panie Flowenol?...

— Jest czy nie jest pacyfistką, Grant?

— Nie wiem, czy do nich należy! Wiem, że należy do ruchu ekologów.

— No to wszystko się zgadza, ekologia jest również sportem ludzi głupich. Ludzi, którzy wściekle bronią wielorybów twierdząc, że zabijanie wielorybów jest złe. A dlaczego zabijanie tuńczyków i dorszów nie jest złe, powiedz mi Grant?!

— Bo nie grozi im zagłada, panie Flowenol!

— Fokom nigdy nie groziła zagłada, nigdy nie były gatunkiem rzadkim, nigdy ich populacja nie była zagrożona, ale World Wildlife Fund wszczęła wściekłą kampanię przeciwko ich zabijaniu. Wiesz dlaczego? Bo foki mają sympatyczne, niewinne buzie! W istocie jest to pod względem biologicznym najbardziej drapieżny gatunek morski tej wielkości. Wygrana przez WWF bitwa o ochronę fok doprowadziła do ich nadmiernego rozmnożenia, przetrzebienia wielu gatunków ryb, zniszczenia rybołówstwa, i nieomal do zagłodzenia Indian kanadyjskich oraz Eskimosów. Cała, cholernie selektywna, sympatia ludzi do zwierząt, opiera się wyłącznie na cechach antropomorficznych i nie ma nic wspólnego z kryteriami obiektywnymi. Futerkowe się kocha, bo są takie śliczne, puszyste, a te pokryte łuskami już mniej, bo czasami są takie wstrętne, oślizgłe, a fuj! I ta sentymentalna głupota jest umacniana przez ekologów! Wcale się nie dziwię, że ekolodzy wspomagają pacyfistów, na tym polega wzajemne przyciąganie się głupoty. Ta panienka prawdopodobnie jest i ekolożką, i pacyfistką!

— To jej jazz, a nie pańska sprawa!

— To również moja sprawa, bo chcesz się związać z kimś o takim ilorazie i o takich morderczych instynktach, głupku!

— Jakich morderczych instynktach?! Panie Flowenol, pańskie jazzowanie to świrowanie!

— Świrowanie jest udziałem pacyfistów, Grant, nie moim! Demonstrując przeciwko tej wojnie, demonstrują na rzecz irackiej bestii, za przemocą, agresją, niewolą, niesprawiedliwością i zbrodnią, Grant!

— Dla pacyfistów każda wojna była i jest...

— Przestań pieprzyć! Wszyscy oni zawsze byli bandą matołów zmatolonych przez prymitywną lewicową propagandę. Nie rozumieją, że słaby nigdy nie obroni się przed silnym, że tylko muskuły chronią kulturę przed barbarzyńcą. Nie można im wpoić najprostszej z prawd, że pacyfizm jest najzwyklejszym podżeganiem do wojny lub do uznania niewoli. Taki głupek natyka się w zaułku na pijanego chuligana, próbuje bezskutecznie argumentować, dostaje po mordzie, wychodzi ze szpitala i podpisuje kolejną petycję do swego rządu, by ten się rozbroił. A jak cudownie umie przeprowadzać dowód, że zwycięskie jest to, co małe, słabe i prawie bezbronne! Przypomni ci, że mały Dawid nalał wielkiego Goliata, czego nikt nie widział. Albo że korsarze brytyjscy na swych łupinkach obronili Królestwo, bijąc hiszpańską Wielką Armadę, co jest jednym z historiograficznych mitów Europy, bo flota brytyjska prawie nie ustępowała Armadzie pod względem tonażu, dysponowała natomiast, i to było decydujące, większą siłą ogniową, gdyż jej armaty miały większy zasięg. Zresztą bogactwo historii jest tak wielkie, że dowodzić czegoś na bazie historycznych wypadków to zabawa absurdalna, bo przy pewnym poziomie erudycji można zawsze znaleźć dowolną liczbę precedensów dla poparcia każdej z tez, choćby były przeciwstawne. Pacyfista wybiera sobie gołych Dawidów, dołącza do takich samych wielbicieli jednostronnego rozbrojenia i widząc, że jest ich dużo, zostaje raz na zawsze upewniony, że się nie pomylił. Odtąd jest zdolny do każdego gwałtu na swoim rozumie i do zaparcia się zdrowego rozsądku w jego najmniejszych rozmiarach! Co gorsza, jest także zdolny do fizycznego gwałtu, tłum i agresja lubią spacerować w parze.

Grant nie ustąpił na krok:

— Czy ktoś panu znany oberwał kamieniem rzuconym przez tych jazzmenów? To nie są ludzie agresywni, mister Flowenol!

— To jest tłum, a ja nie lubię wrzeszczącego tłumu, mój drogi! I zaręczam ci, że kamienie, którymi pacyfiści miotają w mury fabryk sprzętu wojskowego, nie są ani symboliczne, ani gumowe!

— Tam nie będzie żadnych kamieni, będzie tylko demonstracja...

— Demonstracja, której prasową reklamę ma zrobić sam Robert Grant, dlatego ta pani kręci przed nim dupą! Nie jestem wrogiem każdej demonstracji. Czasami winno się demonstrować, choćby na rzecz przywrócenia dobrych manier, bo one są wartością kulturową, która wszędzie jest w zaniku. Ale nie na rzecz rozbrojenia, gdy światu wciąż grożą Husajny i podobne im rzezimieszki! — zawyrokował stryj i zwrócił się do mnie: — Pójdziesz z nim na ten spacer, synku, ty masz trochę rozumu również w mięśniach, a to może się okazać potrzebne.

Niedziela była tak piękna, jak prawdziwa niedziela — czyste niebo, bez duszącego skwaru i bez silnego wiatru, wszystko w sam raz. Robert wyglądał niczym model z okładki żurnala mód, ja byłem na luzie. Nolibabską „main-street", Aleją Bohaterów, maszerował w stronę gmachu Zgromadzenia Narodowego tłum niezbyt okazały (tysiąc, może trochę więcej), za to rozkrzyczany i rozśpiewany, barwny jak tęcza (od transparentów) i kompletnie uniemożliwiający ruch samochodom. Skandowane okrzyki i napisy, które frunęły nad tą procesją, były złośliwe i dowcipne; niektóre godziły w konkretnych ministrów i generałów, po nazwisku. Demonstranci na jezdni i przechodnie na chodnikach doskonale się bawili, tylko kierowcy klęli głośno za pomocą klaksonów.

Takie demonstracje nie były zakazane. Transparenty krytykujące członków rządu lub parlamentu też nie były zakazane — prezydent Rabon miał swoją uciechę z tego, że ktoś wyzywa posłów i ministrów od najgorszych, to czyniło tych panów miększymi. Tylko prezydentowi nikt z demonstrantów nie ośmielał się dokładać, choć i tego prawo nie zabraniało, ale ci, którzy wychodzili na ulicę, by machać tablicami pełnymi gniewu i skandować: „Żądamy!", „Chcemy!", „Potępiamy!", „Precz z...!" etc., mieli zdrowy instynkt samozachowawczy — nazwisko prezydenta Rabona nigdy nie zjawiało się podczas protestacyjnych marszów, w żadnej formie, nawet aluzyjnej. Grant zakpił w jednym ze swych felietonów, że owe demonstracje: „mają coś z «Macbetha» wystawianego w wiejskim teatrzyku z pominięciem, «na specjalne żądanie publiczności», roli Macbetha". Zostało to puszczone przez cenzurę i dobrze zrozumiane przez wszystkich, rozbawiło cały kraj, myślę, że Rabona też. Cenzura puszczała Robertowi wiele takich dowcipów — pamiętam inne zdanko: „Polityk myśli rozsądnie tylko wówczas, kiedy obetrze z ust pianę polityki". Robert był reżimowym pieszczochem, żywym dowodem panującej u nas „wolności słowa", lecz dowodem jedynym (on sam nazywał siebie: „koronnym świadkiem tego jazzu, również zakneblowanym, lecz z nie przewiązanymi oczami, więc mogącym puszczać perskie oka"), a zatem tylko potwierdzał regułę, bo tuzinkowym dziennikarzom cięto bez litości każdy polityczny żart.

Tłum szedł jezdnią, Grant i ja na chodniku. Wypatrywałem damy jego serca wśród demonstrantów śpiewających song Lennona „*Give peace a chance!*". Było tam dużo pięknych dziewczyn.

— Skąd ci durnie werbują takie dziewczyny? — zapytałem, ale mój głos utonął w zbiorowym ryku.

Przy placu Zwycięstwa tłum odprawił krótki wiec przed gmachem parlamentu, po czym skręcił w stronę siedziby sztabu generalnego i ujrzał zaporę — zwarte szeregi w hełmach i maskach gazowych, z plastikowymi tarczami i pałkami białymi jak laski ślepców. Nie była to enbecja, ani policja kryminalna, lecz żandarmeria wojskowa, która nie podlegała Taergowi; dowodził nią generał Rufus Rabon, brat prezydenta, wróg szefa NB (w ramach prezydenckiego „dziel i rządź"). Oficer stojący przed zaporą miał nagłaśniacz. Usłyszeliśmy jego krzyk:

— Obywatele, proszę się rozejść! Proszę się rozejść i nie tamować ruchu! Powtarzam: proszę się rozejść! Termin zakończenia manifestacji, na którą mieliście zgodę władz, minął pół godziny temu! Przekroczyliście również dozwoloną strefę manifestacji! Powtarzam: czas minął! Proszę się rozejść!

Ale nikt z demonstrantów nie chciał się rozejść. Zapadła cisza. Stali tak naprzeciwko siebie, jak dwie drużyny rugby gotowe wznowić młyn. Właśnie wtedy ją dostrzegłem i zrozumiałem czemu wcześniej się nie udało — bo zamiast długich włosów na plecach miała kok na czubku głowy, a w zielonej spódnicy i białej bluzce wyglądała zupełnie inaczej niż w balowej sukni. Trzymała na długim drzewcu tablicę, którą wypełniało czerwonoliterowe hasło: „PRZESADŹCIE CZOŁGISTÓW ZA FORTEPIANY!". Szarpnąłem Roberta.

— Hej, ślepy jazzmanie, Amor sprzyja ci znowu! Popatrz tam, w lewo!

Zaczął biec i wpadł na jej uśmiech z takim impetem, że o mało jej nie wywrócił. Gdy ja dobiegłem, spytała:

— To goryl dany przez mamusię?

Odpowiedziałem za niego:

— Tylko kibic, proszę pani. Ja nie należę do pacyfistów.

— Pan Grant też nie należy.

— Ale pan Grant chce się do was zapisać, tak mu się spodobał wasz pochód, zwłaszcza jeden składnik waszego pochodu.

— Świetnie!... Pan też winien to zrobić!

Spojrzałem do góry, na jej hasło.

— Nie, dziękuję.

— Dlaczego nie?

— Zbyt lubię Chopina, droga pani.

Od przodu rozległ się pojedynczy krzyk, któremu zawtórował wściekły wielogłos. Jeden z pacyfistów cisnął jajkiem w stronę żandarmerii — jajko rozbiło się na przezroczystej tarczy funkcjonariusza. O tarcze, hełmy i mundury uderzył grad pomidorów i jaj. Ripostą były gejzery wody z armatek na samochodach i gazy łzawiące, a później szarża przeciw tłumowi. Tłum zawył i runął do tyłu. Porwał nas i rozdzielił ten płochliwy nurt, natychmiast straciłem z oczu dziewczynę i Granta. Uskoczyłem do pierwszej bramy, wbiegłem na piętro i przez okno klatki schodowej spojrzałem w dół. Gaz wciąż mnie szczypał i wyciskał łzy. Ulica była już prawie pusta, nisko nad jezdnią płynął opar mgły gazowej, do suk pakowano aresztowanych rycerzy białego gołąbka i fortepianów na gąsienicach. Młodą kobietę, która nie chciała iść, dwóch mundurowych wlokło po chodniku. Miała zieloną spódnicę...

Wybiegłem i zamiast pomyśleć, co mi wolno, a czego nie należy robić, udowodniłem, że jestem dobrym karateką: dwaj, którzy ją wlekli, stracili przytomność od moich ciosów. Pomogłem jej wstać. Była brudna i miała kolano we krwi. Przyskoczył do nas oficer. Mierzył z gnata, rycząc:

— Łapy na kark, suczysynu!

Chciałem sięgnąć po legitymację, ale to byłby ostatni mój ruch, więc położyłem dłonie na tył głowy. Jakiś żandarm krzyknął:

— Panie majorze, to jeden z nich, widziałem jak uciekał do tamtego domu!

— Już nie ucieknie do żadnego domu! — zazgrzytał oficer. — Bruce Lee dla ubogich! Zrobimy mu „wejście smoka", zobaczymy jak mu się spodoba nasze kung-fu! Tylko nie tutaj, chłopcy, ktoś może nas zdjąć teleobiektywem. Sprawdźcie czempiona!

Skuli mnie i obmacali całego.

— Ma spluwę!

— I legitymację — powiedziałem. — W górnej kieszeni.

Macacz sięgnął, wyjął i zagwizdał:

— Uau, szefie!... On jest jakimś gliną! Tu jest napisane... Służba Kontrolna Policji Miejskiej Nolibabu. I jeszcze dwie litery, BS!

— Co to znaczy? — zapytał major.

— Biuro Statystyczne — wyjaśniłem.

— Biuro Statystyczne?... No to wszystko w porządku. Nasz generał ma rację mówiąc, że ich wszystkich należałoby rozstrzelać, bo to śmiecie, sabotażyści i zdrajcy!... A panienka też ma legitymację? Nie widzę żadnej kieszeni, może tutaj...

Sięgnął w stronę jej dekoltu. Miałem skute na plecach ręce, ale wolne nogi, a on stał zbyt blisko. Szpic mojego buta rąbnął go pod brzuch i zamienił w jęczący kłębek na chodniku. Coś twardego grzmotnęło mnie w czaszkę i straciłem zmysły.

Ocknąłem się wewnątrz jakiegoś pomieszczenia, będącego posterunkiem lub wartownią. Krew wypływała mi spomiędzy włosów, ciekła po oczach i wargach, kapała na ubranie. Widziałem nogi stołków, buty żandarmów i cokołową listwę ścian. Dźwignąłem się na kolana i uniosłem wzrok. Ten sam oficer stał obok dziewczyny, mordę wykrzywiał mu ni to uśmiech, ni lubieżny grymas.

— Zrewidujemy cię, dzidziu! — oznajmił. — Rozbieraj się!

Nie zareagowała. Uderzył na odlew, z wprawą.

— Zdejmuj te szmaty!

Cofnęła się pod ścianę. Skoczył za nią, chwycił jej bluzkę obydwiema dłońmi, rozerwał na pół i zdarł. Potem chwycił biustonosz. Próbowała się bronić. Przyskoczył jeszcze jeden i zaczęli z niej zdzierać resztę ciuchów. Rzuciłem się ku nim z nisko pochyloną głową, jak taran, lecz o coś zawadziłem lub ktoś podstawił mi but, bo straciłem równowagę, taranując krzesło. W tej samej chwili rozległ się huk wystrzałów. Kakafonia krzyków, jęków i przekleństw, jazgot bijących seriami maszynek, drzazgi z mebli i okruchy tynku niczym odłamki granatów — wszystko to trwało bardzo krótko. Potem usłyszałem rozkaz Weltera: „Dobij!", huk pojedynczego wystrzału, a obok mnie klęknął Chris Altan i krzyknął:

— Żyje!... Chłopaki, żyje!!

Podbiegł Lon Kray.

— Może pan mówić?

— Mogę.

— Gdzie pan dostał, poruczniku?

— Tylko w łeb... ale nie kulą. Jak dziewczyna?

— Dziewczyna?... Jest... o tam, nic się jej nie stało, poruczniku.

Siedziała skulona pod ścianą, zasłaniając rękami nagie piersi i trzęsła się jak w febrze. Obok leżał trup majora.

— Daj jej coś... koszulę, marynarkę, cokolwiek! No już!

Lon pobiegł do dziewczyny, a przy mnie ukląkł Matakers i spytał:

— Można pana wziąć, poruczniku?

— Wstanę sam. Kto was zawiadomił?

— Pański koleś.

— Grant?

— Uhmm.

— Ilu kropnęliście?

— Wszystkich tutaj.

— Co?!

— A co mieliśmy robić? Wskakujemy, widzimy pana we krwi na podłodze, a oni przy spluwach i grzeją! No to pokazaliśmy im kto jest lepszy w te klocki, szefie... Mamy dwóch rannych!

— Zawiadom Taerga, szybko!

Oparłem się na łokciu, żeby wstać, i poczułem błogą wirówkę, jakby niósł mnie do góry korkociąg wiatru. Usłyszałem krzyk: „O kurwa!... Rok, dawaj karetkę! Karetkęęęę...” i ciemność zgasiła wszystko.

Podobnej „osobliwości tego jazzu” (jak powiedział Robert) ten kraj jeszcze nie widział. I nie zobaczył — zakneblowano media, więc o strzelaninie między policją a żandarmerią śpiewały tylko plotki. Taerg natychmiast zdusił sprawę, Rufus Rabon wolał się nie sprzeciwiać, a prezydent Rabon się ucieszył, bo lubił „dziel i rządź”. Mnie Taerg opieprzył jak gnoja, lecz gdy spytał, co mam na usprawiedliwienie, a ja odparłem, że nie wolno żandarmom traktować Flowenola w ten sposób, zmiękł:

— Posłuchaj... chodzi mi przede wszystkim o to, że ty mogłeś zginąć w tej kretyńskiej awanturze, po co mi zmartwienia? Z jednej strony pan oberżandarm nadmiernie urósł i potrzebny był mu prysznic, nie ukrywam, że mam satysfakcję, ale z drugiej strony — ta satysfakcja byłaby gówno warta, gdybym musiał odprowadzić cię do grobu! I przez co? Przez jedną dupę!

Przez tę kobietę Grant, cynik uważający, że cynizm jest obowiązkową deską ratunku, gdy trzeba żyć na kuli ziemskiej, zamienił się w romantyka, trubadura, ukwieconego skauta, i w ogóle nie można go było traktować serio. Gruchali niczym gołąbki przez tydzień; potem wyjechał do Rijadu jako sprawozdawca wojenny, miał relacjonować mecz między cywilizacją zachodnią a Islamem. Ja i ona (Bianka) odwieźliśmy go na lotnisko. Tam mi powiedział:

— Nurni, masz się nią opiekować, ale bez jazzu!

— To znaczy?

— To znaczy, że wolno ci się do niej zbliżać na odległość trzech metrów, dalej ani kroku, bo cię przeklnę lub zabiję kiedy wrócę! Co wolisz?

— Wolę, żebyś zrobił to, co radziła żona Hioba.

— A co radziła?

— „Przeklnij lub umrzyj!".

— A skąd ty znasz ten biblijny jazz?

— Erudycja, Grant, to się nazywa erudycja, przyjacielu.

— O lojalności względem przyjaciół ta pani też coś mówiła, przyjacielu?

— Nie mówiła, nie chorowała na naiwność i zazdrość.

— Mógłbyś być bardziej ludzki!

— Ludzki? Nie znam takiego uczucia... No to, połam obiektyw i wracaj zdrów!

— Czołem, erudyto!

To nie była erudycja, tylko pamięć (Galton rzucił ów cytat w mojej obecności), lecz po co miałem się przyznawać? Odwiozłem piękną do jej domu. Gdy żegnałem ją, zapytała jak mam na imię.

— Słyszała pani, kiedy Robert do mnie mówił.

— Mówił: Nurni, ale...

— Jestem Nurni Flowenol.

— ... ale Nurni to chyba zdrobnienie, prawda?

— To nie jest zdrobnienie.

— Co?

— Tak to może wygląda, ale to nie zdrobnienie. Mama nazwała mnie Noram, żeby sobie osłodzić zawód, bo chciała mieć córkę, a tu chłopak się urodził. Mój stryj się w tym połapał przeglądając słownik biblijny Prospera de Aquila i powiedział ojcu...

— Przecież Noram to męskie imię!

— To nazwa miejscowości. Noram w pobliżu Jordanu. Noram znaczy dziewczynka, dzieweczka. Ojciec, gdy stryj uświadomił mu matczyny podstęp, zaczął mnie nazywać Nurni, zapisał mnie do szkoły jako Nurniego Flowenola i tak już zostało.

Klasnęła w dłonie:

— To jest jak bajka! Uwielbiam bajki!

Uwielbiała też muzykę. Zadzwoniła po tygodniu:

— Dzień dobry, panie Flowenol!

— Dzień dobry pani. Czemu zawdzięczam?

— Miał się pan opiekować mną, Robert o to prosił!

— Prosił nie tylko o to...

— Na pewno by nie chciał, żebym sama włóczyła się wieczorem!

— To proszę zostać w domu.

— Zwariuję w domu! Chcę Fryderyka!

— Fryderyka?

— Fryderyka Chopina. Podobno lubi pan Chopina...

— Ale nie granego przez czołgistów.

— Rubinstein nie jest czołgistą. Jutro daje koncert. Mam dwa zaproszenia do Filharmonii.

— Przykro mi, ale na jutrzejszy wieczór jestem już umówiony i nie mogę tego odwołać.

Palnąłem bez namysłu (zgodnie z prawdą) i od razu tego pożałowałem — należało wybić jej to ze łba, a nie zasłaniać się spotkaniem z kimś innym. Wykorzystała ten błąd:

— To może w przyszłym tygodniu? Będzie koncert skrzypcowy. Proszę nie odmawiać, chcę dobrą muzyką podziękować panu za pańskie poświęcenie.

— Naprawdę nie ma za co.

— Jest za co! Proszę się zgodzić...

— Proszę mi przysiąc, że fotele w Filharmonii dzieli odległość co najmniej trzech metrów.

— Przysięgam!

Grała młoda Japonka Midori. Miała technikę fenomenalną. Jak wicher pędziła przez partytury koncertów Bartoka, zaś kaprysy Paganiniego wykonywała z szybkością światła, ale nie miała cudownej precyzji Heifetza i aksamitnego ciepła gry Elmana, ani pełnej blasku subtelności Nathana Milsteina. Dostała Niagarę braw, ludzie kochają zręczność.

Gdy odwiozłem Biankę do jej domu, zaprosiła mnie na drinka. Nie wymawiałem się, chciałem sprawdzić, o co chodzi, mimo że w takich przypadkach chodzi zawsze o to samo odkąd wymyślono drinki i wieczorne powroty do domu. Ale gdy już byłem w jej domu, zaskoczyła mnie tym, czym Midori na estradzie — szybkością. Otwierając drzwi spytała:

— Gdyby zgubił się klucz, to pan jako policjant umiałby otworzyć te zamki?... No, czymkolwiek, spinką, agrafką?...

— Tylko kopniakiem.

— To marny z pana gliniarz!... Dlaczego pan wstąpił do policji?

— Bo myślałem, że oni noszą pióropusze i strzelają z łuków.

— Czy to czasem nie Indianie robią te rzeczy, panie Noram?

— Właśnie. Wprowadzono mnie w błąd.

Zatrzasnęła drzwi, przylgnęła do mnie całym ciałem i zaczęła targać mi czupryny, szepcząc:

— Uwielbiam cię, draniu!

Pozwoliłem się uwielbiać, gdyż postanowiłem uwolnić Granta od dziwki. Do łóżka było dla niej zbyt daleko — raptownie znalazłem się na kolanach, potem na plecach, wreszcie na łokciach, i jej szorstki dywan zapłonął jak purytanin biorący mimowolnie udział w cudzym grzechu.

Wstała pierwsza, milcząc. Zebrała swoje ciuchy, założyła peniuar, coś otwarła, coś przesunęła, i wyrzuciła z ust trzy słowa, od których zgłupiałem:

— Wynoś się stąd!

Zgłupiałem tak, że odebrało mi mowę. Powtórzyła:

— Wynoś się stąd, draniu!... Słyszysz?!... Precz!

Jej oczy płonęły furią, a jej głos urósł do krzyku rozdzierającego bębenki:

— Precz stąd, łajdaku, wynoś się natychmiast!!!... O wszystkim powiem Robertowi, będziesz miał za swoje!

— Powiesz Robertowi?...

Już chciałem się przyznać, że pragnąłem zrobić to samo, i że dlatego pozwoliłem się uwieść, by Robert miał dowód ile jest warta, ale nie dopuściła mnie do głosu:

— Robert ufał ci, miał cię za przyjaciela, a ty jesteś tylko świnią, złodziejem, draniem, który okrada przyjaciół za ich plecami! Wynoś się stąd, już!

— Kobieto, przestań, bo...

— Bo co?! Bo znowu mnie uderzysz, damski bokserze?!... Wychodź, albo zawołam na pomoc sąsiadów!

Chwyciła doniczkę, celując w okno. Ubrałem się bez słowa i wybiegłem półprzytomny z gniewu.

Stryj Hubert wpadł do mnie następnego dnia. Przyniósł taśmę magnetofonową i kazał mi ją puścić. Z głośnika popłynęło: „Wynoś się stąd!... Wynoś się stąd, draniu!... Słyszysz?!... Precz!... Precz stąd, łajdaku, wynoś się natychmiast!!!", i tak dalej.

Nie musiałem pytać o nic, wyjaśnił mi sam:

— Taerg ma takich gliniarzy, co otwierają każdy zamek agrafką. I takich, którzy instalują podsłuch w otwartym agrafką mieszkaniu. Ma również swoje agentki u pani Tigran. Madame Tigran postanowiła skłócić Granta z Flowenolami, mój chłopcze, a Bianka Iteros, w której ślepkach Grant utonął na sylwestrowym balu, wykonuje tę misję specjalną. Zarejestrowała swoje święte oburzenie, bo próbowałeś ją zmusić do spółkowania, i odtworzy taśmę Grantowi, żeby cię znienawidził.

— Po co?

— Madame Tigran chce włączyć do swej stajni pierwsze pióro kraju, a słabość Granta przejrzała na wylot od pierwszego spojrzenia w jego dziecinne gały! Ona wie, że to jest taki cholernie inteligentny i cholernie cyniczny wróg tych okropnych współczesnych kobiet, z którego współczesna kobieta może bez najmniejszego trudu zrobić romantyka, płaczka i feministę walczącego w obronie kobiecości uciśnionej przez tych okropnych „machos"!

— A znasz faceta, z którym miłość nie może tego zrobić, stryju?

— Znam, myję mu zęby wieczorem, w południe i rano.

— O co tu chodzi?

— Chodzi nie tylko o walkę przeciwko mnie. W tym roku są wybory do Zgromadzenia Narodowego. Pani Tigran kandyduje, a jeśli sam Robert Grant stanie się jej giermkiem w mass-mediach, jeśli będzie jej przedwyborczą tubą i jeśli ujawni kto sfałszował jej „Biblioteczkę"...

— Od początku wiedziałeś jaka jest rola tej Iteros?

— Tak, Nurni. Odkąd jej szefowa wymyśliła swój chytry plan, ja pomagam realizować ten plan paniom feministkom.

— W jakim celu?

— Zobaczysz w jakim. Czekaj na Granta, niech wróci i niech się wścieknie.

Grant wrócił szybciej niż można było przypuszczać. Nie trafiła go rakieta SCUD, krew zalała go samoistnie po przeczytaniu listu od Bianki. W liście stało, że chciałem dokonać na niej gwałtu. Ze złości upił się alkoholem wytrzaśniętym nie wiadomo skąd. W Rijadzie alkohol to zbrodnia, prawo koraniczne nie pobłaża nawet dyplomatom obcych krajów. Ale jest czułe na szelest banknotów i brzęk monet. Saudyjscy policjanci wzięli duży haracz za wypuszczenie Granta bez rozgłosu, i dowództwo wojsk alianckich odesłało go natychmiast tam, skąd przybył.

Do Granta pojechałem ze stryjem. Otworzył nam i z miejsca chciał wpakować swój but w mój brzuch, ale zrobiłem unik.

— Grant! — warknął stryj. — Nie zachowuj się jak gówniarz! Przyjechaliśmy posłuchać nagrania magnetofonowego!

— Już je znacie, sukinsyny?... Ah, prawda, zapomniałem, że to gliniarski jazz!

— Nie chodzi o to nagranie, które wręczyła ci twoja damulka, lecz o inne, wcześniejsze, po wysłuchaniu którego będziesz miał możność wrócić do rozumu. Na tej taśmie jest dialog dwóch pań.

I stryj podał mu taśmę, na której była rozmowa między panią Tigran a Bianką Iteros. Grant wziął taśmę i zatrzasnął drzwi. Otworzył je znowu po kilku minutach.

— Wejdźcie — mruknął. — Trzeba to opić.

— Nie będziemy pić — rzekł Hubert. — Będziemy rozmawiać.

— O czym tu rozmawiać? — zakwilił Grant, już lekko wstawiony. — Gdy brak kłopotów, zdaj się na przyjaciół, oni to załatwią!... Tak to jest, jazz nie zna litości... Twoja dziewczyna cię uwielbia, a potem jakiś fircyk ją rozbawi lub podnieci, i dzidzia zapomina o tobie. Czy tak nie jest w tym zasranym życiu, panie Flowenol?

— Często tak bywa — zgodził się stryj — ale nie w tym przypadku, bo ciebie namierzono jak kuropatwę.

Przekonywanie Roberta, by wszedł do tej gry (miast skląć pannę Iteros i wszystko popsuć), nie zabrało stryjowi kwadransa. Później zgodził się to opić.

Dziewczyna pracowała nad moim przyjacielem planowo, używając powabów swej anatomii jako argumentów. W końcu zwyciężyła i oboje we wszystkim się zgadzali. Byli solidarni w nienawiści do Flowenolów i w miłości do pani Tigran, i w tym, że się kochają na zawsze, i że nie opuszczą się nigdy, i że będą żyli szczęśliwie i długo. Robert pewnego razu wyciął numer, który był już nieomal przegięciem pały. Nastawili telewizor, by obejrzeć wywiad z szefową KKD-U w programie pt. „Kryzys małżeństwa". Dziennikarka będąca gospodynią programu zaczęła z wysokiego C:

„ — Para małżeńska to gatunek wymierający! Coraz częściej słyszymy i czytamy, że małżeństwo jako sposób na życie się nie sprawdza. Że jest niezdrowe i stresujące, że zabija namiętności, psuje więź między kobietą a mężczyzną. Rośnie liczba szczęśliwych bezżennych kobiet i matek, które nie ukrywają zadowolenia ze swego statusu. Czyżby tradycja związana z papierkiem i ołtarzem, z wieczystą wspólnotą cielesną, duchową i majątkową, a przede wszystkim z obowiązkową lojalnością seksualną, odchodziła do lamusa? W dzisiejszym programie wypowie się na te tematy ktoś, kto od lat bada ów problem. Mamy zaszczyt gościć w naszym studiu przewodniczącą Konfederacji Kobiet Dumnych, naczelną redaktorkę «Nowej Kobiety» i «Kobiety Współczesnej», znakomitą, niezrównaną Eleonorę Tigran!".

Pani Tigran była kobietą telegeniczną i to był jej duży atut. Chociaż daleko jej było do piękności, to i od brzydoty trzymała się na bezpieczną odległość. Jeśli ktoś myślał, że caryca feministek musi wyglądać jak stara panna, to ten ktoś się mylił. Wyglądała na trochę oschłą, ale bardzo dobrze utrzymaną sędzinę, lub panią prokurator, lub inną urzędową damę z tych, które lubią rozkazywać i nie tyle być pieprzone, ile pieprzyć samców niższego stanu, osobistych szoferów lub mechaników samochodowych, takich, co nie podskakują, natomiast podniecają obmywaniem łap ze smaru, kąpaniem się i perfumowaniem przed randkami, podczas których stosunek dupy i kija jest zawsze constans w antytradycyjnym kierunku. Pytana przez redaktorkę, trajlowała ze swadą o prawach kobiecych do samodzielności, postępowości, genialności i niewierności:

„ — To sztuczne i biologicznie absurdalne oczekiwać od ludzi, by byli skończenie monogamiczni! Nie uważam, by małżeństwo stanowiło filar społeczeństwa. Może to zabrzmi cynicznie, ale nie bójmy się prawdy, nigdy nie widziałam szczęśliwego małżeństwa. Kobiety mają teraz swobodę seksualną i nie widzę powodu, dlaczego miałyby się czuć skrępowane ograniczeniami, jakie narzuca małżeństwo. Wierzę w wolność, w wolność myśli i działania człowieka, a więc i w wolną miłość!...".

Słuchając taśmy z owym tekstem, stryj w tym miejscu nie wytrzymał:

— Cholera, wierzy w wolność, seksualną i każdą, i odrzuca skrępowanie kobiet ograniczeniami, a czepia się mojego burdelu, w którym kobiety robią to, na co mają ochotę, bez żadnego przymusu i za ciężki, płacony im przeze mnie grosz! Gdzie tu sens i logika?!

Flekująca małżeństwo pani Tigran zakończyła wzniosłym apelem:

„ — Przestańmy podpierać niehumanitarne konstrukcje rodem z zamierzchłych czasów!".

W tym momencie Grant padł na kolana i spytał pannę Iteros:

„ — Wyjdziesz za mnie?

— Co?!

— Pytam, czy zagrasz ze mną jazz obrączkowany?

— Bardzo bym chciała, kochanie, ale... ale boję się małżeństwa... słyszałeś, małżeństwo jest wrogiem miłości...

— Ja tak nie uważam. Wierzę w niehumanitarne konstrukcje rodem z zamierzchłych czasów!

Przesłuchując ten fragment taśmy stryj klął Robbiego:

— Błazen, cholera, bawi się scenariuszem jak dziecko zapałkami!

Scenariusz przewidywał galowy występ króla felietonistów na uroczystym obiedzie inaugurującym kampanię wyborczą Eleonory Tigran. Areną fety była siedziba KKD-U. Zaproszono wiele głośnych nazwisk. Przemówienia, toasty, popisy aktorskie i deklamacje patriotyczne ciągnęły się w nieskończoność. Punktem szczytowym było oficjalne zgłoszenie kandydatury szefowej KKD-U do wyścigu o fotel senatorski. Na estradzie pojawił się wyfraczony retor, trzymając mikrofon tak blisko warg, jakby pragnął go ugryźć. Plótł, że społeczeństwo chce widzieć panią Tigran w Narodowym Zgromadzeniu, beatyfikował jej anielskie cnoty, wreszcie zapytał:

— Kto z obecnych głosuje na Nią?

Uniosły się ręce wszystkich obecnych, prócz ręki Roberta zajętego łososiem. Konferansjer, nie przypuszczając na jaką minę wchodzi (zaproszono wyłącznie sympatyków pani Tigran), pozwolił sobie błysnąć:

— Pan w kremowym garniturze, przy trzecim stoliku, chyba mnie nie dosłyszał, tak go opętały rozkosze podniebienia!

— Zejdź, maestro! — warknął Robbie.

— Zaraz z pana zejdę, ale przedtem...

— Ze mnie nie możesz zejść, bo na mnie nie wszedłbyś, nie jesteś himalaistą! Zejdź z estrady, bo jazzujesz jak połamany bambus!

— Więc pan jest przeciwko kandydaturze pani Eleonory Tigran?

— Tak, jestem przeciwko. Przeciwko czynnemu, jak i biernemu, prawu wyborczemu dam, i przeciwko głosowaniu na damy też!

Bubek z mikrofonem w ustach wykrztusił:

— Dlaczego?!...

— Dlatego, jeśli chodzi o pierwsze, że kobiety na jazzie politycznym, ekonomicznym i wojskowym się nie znają, mają zaś nieprzepartą skłonność do wybierania przystojnych lub eleganckich facetów, jest to ich jedyne kryterium oceny kandydującego. To dzięki kobietom Kennedy wygrał z Nixonem, mimo że Nixon był politykiem sto razy lepszym. Ale taki numer grozi tylko krajom, gdzie wybory są autentyczne. W drugim przypadku...

Bubek, gdy to usłyszał, odzyskał rezon i zagrzmiał, mrużąc złośliwie powieki:

— A pańskim zdaniem u nas ich nie ma?...

— Moim zdaniem, przyjacielu, u nas jest wszystko, a nawet więcej. Mamy jazz nadkompletny, tak! I nie mów mi, że więcej niż wszystko to absurd, identyczny jak mniej niż nic. Pomyśl o talii kart z piątym asem, który nie podlega biciu. Absurd to także wyborcza talia kart z damami. Dlatego nie będę głosował na panią Tigran, będę głosował przeciwko niej.

— Zapewniam pana — huknął „maestro" — że pani Eleonora Tigran zna się i na polityce, i na ekonomii, i na wojskowości równie dobrze...

— Ale pomimo takich wysiłków nie udało się jej jak dotąd zmienić płci! Wciąż jest kobietą!

— A według pana żadna kobieta nie może zająć miejsca w parlamencie?

— Według mnie miejsce kobiety jest w kuchni i w łóżku.

— Czyli tylko w domu? A poza domem wara?

— Dlaczego? Poza domem też. W tejże tu Konfederacji, w sklepie, w klasztorze i w burdelu.

Salą zatrzęsło. O ściany uderzył gniew, jak pomruk burzy. Bianka Iteros dostała drgawek bliższych zemdleniu niż zdziwieniu, a wzrok pani Tigran uzyskał charakter kwadratowy i próbował eksterminować zdrajcę. Lecz jej nie wypadało otworzyć ust. Siedząca przy tym samym stole, co Grant, dama prawie dwumetrowa, wyglądająca na koszykarza zawodowej ligi, który zmienił płeć, zerwała się, krzycząc:

— Jak pan śmie demonstrować taki stosunek do kobiety?!

— Jaki?

— Powszechny u chłopów! Dla was kobieta to tylko seksualny obiekt, towar kopulacyjny, robicie z nas...

Przerwał jej:

— Nie, madame, jest dokładnie na odwrót. To wy robicie z siebie towar do dupczenia, to wy się degradujecie, rozdając swoje ciała na prawo i lewo, bez umiaru i bez żadnego dla siebie szacunku, a całe to kurewstwo nazywacie wyzwalaniem się spod męskiej dominacji. Ja wiem, że ten jazz to właściwie nie wasza wina, tylko wina zaprogramowania biologicznego, w porządku, tylko po co mydlić oczy i zwalać winę na płeć przeciwną? Nazywajmy rzeczy po imieniu... Ja przepraszam za brzydkie słowa, takie jak kurewstwo, ale trudno ten jazz lepiej określić. Chodzi o wrodzone kurewstwo rodzaju żeńskiego.

— Pan jest zwierzę!

— Nie da się ukryć, szanowna pani, moje konkubiny cenią to sobie nad wyraz.

— Powiedziano mi, że pan jest tym głośnym dziennikarzem, więc myślałam, że jest pan człowiekiem kulturalnym! Ale widzę, że pan jest skończonym nędznikiem i zakałą!

— Łaskawa pani — rzekł Robert, nie przerywając krojenia łososia — w przyrodzie potrzebne jest wszystko, święci i nędznicy, mężczyźni i frajerzy, dziewice i kurwy, każdy rodzaj jazzu. Nawet, z całym dla pani szacunkiem, kobiety tak apetyczne jak wypchana żyrafa. Jest kwestią tolerancji godzić się z tym, więc ja się z tym godzę, bo rozumiem, że przyroda to też kobieta — robi dziwolągi, chociaż sama nie wie po co. Być może brak mi wychowania, ale brak tolerancji, który pani demonstruje, to cięższy gatunek grzechu.

Prawie dwumetrowa, ogarnięta szałem, zdobyła się już tylko na jednowyrazowe przekleństwo:

— Skurwysyny!

Grant rozejrzał się i spytał:

— Myśli pani o każdym z obecnych? Czy o całym naszym rodzaju? Sądzę, że o całym rodzaju, dla feministek wszyscy mężczyźni są skurwysynami. I to jest święta prawda — są! Macie rację, gdy tak myślicie i mówicie, i gdy w ten sposób same przyznajecie kim są wszystkie rodzicielki.

Nie dokończył łososia. Przeszkodził mu w tym człowiek, który wziął go za ramię, uniósł jak piórko, spoliczkował i kazał się wynosić:

— Get out, bastard, and don't you come back!*

Rycerzem, który to zrobił, był amerykański milioner, James Oldham, przybyły niedawno z Teksasu do Nolibabu, żeby założyć tu filię imperium bankowego, o czym szeroko rozpisywały się gazety. Z takim dobrze umięśnionym kowbojem Robert nie miał żadnych szans. Powlókł się do hallu, lecz zanim wyszedł, przekrzyknął brawa bite Oldhamowi, ciskając na salę jak przekleństwo:

— Spengler miał rację, tylko przyczynę źle wskazał. Nie rozumiał, że to przez baby!

Oldham, na fali aplauzu, podszedł do pani Tigran i ucałował ją w dłoń, a dwoma palcami drugiej ręki zrobił zwycięskie V, i wszystkie feministki były wniebowzięte.

Po tygodniu cały kraj mógł przeczytać wielki tekst Robbiego zatytułowany: „Imperium pani Tigran". Jej imperium składało się z trzech części: z KKD-U, z kobiecych pism i z wytwórni kosmetyków dla kobiet. Grant uderzył kolejno w każdy człon. Nazwał Konfederację Kobiet Dumnych-ULTRA organizacją dywersyjną, rozkładającą społeczeństwo niszczeniem podstawowej komórki czyli rodziny, depczącą autorytet ojców niezbędny dla prawidłowego wychowania młodych pokoleń, wreszcie dezawuującą Kościół przez negację instytucji małżeństwa. Fragment:

„To dzięki takim piątym kolumnom jak KKD-U emancypacja kobiet poszła o wiele za daleko i w kierunku niewłaściwym, z czego feministki wybornie zdają sobie sprawę, gdyż rolę diabła w degradowaniu ludzkości pełnią z premedytacją. Cel publicznych ataków tych amazonek jest starannie wybrany: to mąż-prymityw, alkoholik-brutal-obibok, którego prostactwo, tyraństwo i nieodpowiedzialność one

---

* — Wynoś się, bękarcie, i nie wracaj!

przedstawiają jako typowe cechy prawie wszystkich samców; prawie, bo amnestionują, to jest wyłączają spod nagonki, swego faworyta — żigolaka z trwałą opalenizną (mieszkańca hotelowego baru, weekendowego stoku, urlopowej plaży i sal, na których odbywają się rewie sukienek)".

Jako przykład terroru feministycznego podał nagminną praktykę sądów opanowanych przez sędziny — zrelacjonował kilka rażąco niesprawiedliwych wyroków w procesach o opiekę nad dziećmi z rozbitych przez żony małżeństw, i zacytował opinie adwokatów o nieobiektywnym, dyskryminacyjnym dla mężczyzn interpretowaniu prawa przez panie w sędziowskich togach, plus twierdzenia psychologów, że istotnym mankamentem charakteru kobiecego jest brak poczucia sprawiedliwości. Następnie przeszedł do magazynów dla kobiet i tu przywołał na pomoc lekarza-psychologa, cenioną w świecie dr Luizę Eickkoff; oddał jej głos:

„Głównym kryterium tych pism kształtujących współczesną kobietę jest tzw. «wyzwolony seks», który prowadzi kobiety prostą drogą do granicy pornografii i patologii lub do przekroczenia owej granicy. Redaktorki tych gazet nie mają pojęcia czym jest i czym powinna być miłość (a tym bardziej wierność), zaś swoje niebezpieczne nauki wspierają statystyką, która przez nie same jest podkręcana (...) W okresie dojrzewania kobiety przechodzą fazę braku poczucia bezpieczeństwa i fazę narcyzmu, ale z czasem powinny z tego wyrastać. Te pisma nie dopuszczają do tego, utrwalając w swych czytelniczkach głupotę, agresję i egoizm czyli niedojrzałość (...) Dojrzałe kobiety z natury są strażniczkami życia. Czytelniczki tych gazet nimi nie będą — nigdy nie będą prawdziwymi kobietami, zawsze będą się czuły zagrożone (to jest źródło agresji), nigdy nie osiągną samospełnienia, właśnie dlatego, iż ktoś im wmówił, że ich prawdziwość i samospełnienie polega na czymś zupełnie innym. Te kobiety okradziono za pomocą druku i zdjęć, za pomocą propagandy destrukcyjnej. A okradając kobiety, okrada się cały świat".

Na końcu przywalił w fabrykę kosmetyczną pani T., a zwłaszcza w jej „cudowne kremy" i „cudowną witaminowo-kalogenową maseczkę regenerującą". Przedstawił opinie najwybitniejszych dermatologów, takich sław jak Jeffrey D. Bernhard z Uniwersytetu Massachusetts czy Wilhelm Schneider z niemieckiego uniwersytetu; zacytował najgłośniejsze pisma medyczne i chemiczne („*Journal of American Medical Association*", „*Chemical Week*" i in.) — wszystkie te źródła nie zostawiały suchej nitki na jakimkolwiek kremie czy maseczce do twarzy, albowiem wszystkie prowadzone w naukowych laboratoriach badania dawały pewność, że nie ma żadnego kremu i żadnej maseczki, które odmładzają lub choćby czasowo regenerują („biologicznie zero"), nie ma mowy o likwidowaniu czy choćby zmniejszaniu przez nie zmarszczek („nawet pół zmarszczki"), ich działanie jest tylko handlowe i psychologiczne, a bardzo często szkodliwe, zaś łudząca jędrność i gładkość skóry tuż po zabiegu to tylko chwilowy efekt nasączenia tkanki powierzchniowej tłustą wodą zawartą w kosmetykach.

Grant zredagował również przedwyborcze hasło szefowej KKD-U, które pojawiło się na dziesiątkach tysięcy ulotek w każdym punkcie stolicy: „Jak zrobić fenomenalny interes? Kupić panią Tigran za tyle, ile jest warta, a potem sprzedać ją za tyle, na ile sama siebie ocenia". Torpedował każdą inicjatywę Konfederacji. Gdy feministki ściągnęły swą towarzyszkę ze Stanów, Priscillę Presley, na promocję jej filmu „Elvis i ja", zatarł dłonie i rzekł:

— Piękny przypadek rasowej kurwy! Najpierw wykończyła zakochanego w niej męża zdradą, i to wykończyła na śmierć, a potem zaczęła robić o nim jazzowe książki i filmy, w których jego przedstawia jako Draculę, a siebie jako dziewczynkę z Armii Zbawienia!

Tuż przed premierą filmu Grant wydrukował esej. Esej był dwuczęściowy. Pierwsza część zawierała biografię Presleya i kończyła się opisem przyczyn jego śmierci oraz morderczym komentarzem króla mass-mediów: „Faceci, dla których miłość oznacza hydraulikę, i kobiety, u których vagina jest trzecią pazerną łapą — są szczęśliwymi zwierzętami, nie grożą im samobójstwa ani śmiertelne stresy złamanych serc. Priscilla należy do kobiet szczęśliwych". Druga część eseju recenzowała film wykazując, iż jest on workiem antyelvisowskich kłamstw. Fani Presleya zdemolowali kino, nie dopuszczając do premiery filmu.

— Jeśli on ma rację, to ja mam z głowy zawał, bo jestem patentowanym hydraulikiem, Nurni — rzekł stryj, czytając artykuł Robbiego. — Co za gość! Dziecinny jak maluch, lecz kiedy zraniony i dobrze napuszczony, zmienia się w rekina o tak błyszczącym mózgu i tak ciętym języku, że biada tym, przeciw którym skieruje swój długopis!

Był zachwycony efektami kampanii, którą Robert prowadził w mediach przeciw KKD-U. Pani Tigran, aby odwrócić zły wiatr i zdobyć głosy elektorskie, potrzebowała dużych kont. Rzucić na wyborczy hazard własne konto było ryzykiem zbyt wielkim — szukała sponsorów. A tych, zamiast przybywać, ubywało, bo miała coraz gorszą prasę i nikt nie chciał włazić pod nóż Grantowi; poza tym rozgniewała Kościół swoją kampanią antymałżeńską i proaborcyjną. Jedynym wyjściem stał się zakochany w niej Amerykanin, pan Oldham, gotów dać jej cały swój majątek — w dniu ślubu! Nolens volens powiedziała „tak", z warunkiem, że ślub będzie sekretny. To mu nie przeszkadzało. Sekretna ceremonia ślubna i weselna, z udziałem kapłana, państwa młodych i pary zaufanych świadków, odbyła się na prowincji. Świadkiem pana młodego był jego starszy brat, człowiek odznaczający się dużym poczuciem humoru. Złożył on młodej parze „wyrazy szczerego współczucia", dodając:

— Czynię to w tym najgłębszym przekonaniu, iż żaden los nie jest aż tak zły, by nie mógł być jeszcze gorszy na skutek stałej obecności człowieka płci odmiennej. Niech żyje młoda para!

Tym „bratem" był eks-kapitan Ker Galton.

Dwadzieścia cztery godziny później telewizja odtworzyła kilka najostrzejszych wystąpień pani Tigran przeciw małżeństwu, po czym wyemitowała reportaż z tajnego ślubu zrobiony ukrytą kamerą wideo. Mister James Oldham był rzeczywiście Jamesem Oldhamem, ale z bankami i milionami miał tyle wspólnego, co stryj Hubert z robótkami ręcznymi na drutach. Tylko z prowincją mister Oldham był solidnie zaprzyjaźniony — był prowincjonalnym aktorem z Teksasu, którego stryj Hubert wynajął. Pan Oldham wkrótce zażądał rozwodu, ze względu na „nieznośny charakter małżonki", i otrzymał rozwód plus połowę jej mienia, co było zgodne z rozwodowym prawem „*fifty-fifty*", które KKD-U wywalczyła dla podziału majątkowego, żeby damy mogły robić majątki w sądach. Konfederacja Kobiet Dumnych zmieniła przewodniczącą, a potem się rozpadła na kilka stowarzyszeń, i tak (już po raz drugi z rzędu) ciałem się stało Szekspirowskie marzenie stryja Huberta „aby machinator od własnej zginął machiny".

Kiedyś, gdy byłem chłopcem, stryj Hubert dokończył partię ping-ponga, chociaż uderzywszy o stół złamał sobie trzy palce prawej ręki. Mój stary wówczas rzekł:

— Nie poddajesz się łatwo...

A stryj Hubert odpowiedział:

— W ogóle się nie poddaję!

I to utkwiło mi w pamięci, lub może nawet w sercu.

RZYM PRZECIW GALILEJCZYKOWI — Akt IV.

— Skąd mogę wiedzieć gdzie staniemy, Hilosie? Wpierw muszę się zameldować u prefekta garnizonu, Publiusza Kwintyliusza. Mam nadzieję, że to człowiek hojny i że da nam godne lokum.

— Wróbel upiłby się za jego hojność!

— Znasz go, błaźnie?

— Znam go, a jego hojność znają bardzo liczni. Ta świnia tak kocha wino, że nawet w rocznicę śmierci swego ojca, gdy niesie amforę do jego grobu, aby go uraczyć zgodnie z obyczajem, nie donosi niczego, wszystko wychlewa sam po drodze! Tak jest ze wszystkimi jego przodkami. Żołądki wyschły już na wiór tym drogim jego sercu cieniom, nie wlał w nie ani kropli od lat!

— Widać, że to praktyczny człowiek.

— Oby go Pluton pochłonął!

— Za co go tak nienawidzisz?

— To on przysłał prokuratorowi w prezencie nowego błazna, przez co mnie wyrzucono na bruk.

— Więc to jednak hojny człowiek. Od kiedy go znasz?

— Jeszcze z Rzymu.

— A tam co ci zrobił?

— Tam mi nic nie zrobił. Zapamiętałem go, bo brylował na każdej uczcie, wszędzie się pokazywał, małpując dostojniejszych, choć więcej w tym było złota niż gustu. Nuworyszowskim zwyczajem rozpowiadał, że rano siedmiu niewolników pracuje nad nim: jeden go obuwa, drugi goli ręce z włosów, trzeci fryzuje głowę, czwarty naciera olejkami, piąty przymierza bransolety na ramiona, szósty czeka z gotową tuniką, siódmy zaś obraca zwierciadłem w ramie ze słoniowej kości. Potem zbankrutował, więc...

— Jak zbrankrutował?

— Zwyczajnie. Przepuścił wszystko na histrionki, śpiewaczki greckie, wschodnie tancerki, biesiady i igrzyska. Więc postanowił się ożenić z mamoną. Był brany za najsprytniejszego człowieka w Rzymie, dlatego wszyscy sądzili, że nie będzie miał kłopotów. No i nie miał, ożenił się z bardzo bogatą wdową. Dopiero ona sprawiła mu kłopoty, pierwsze rogi nad Tybrem, oddawała się każdemu. To go wykończyło, bo chcąc zrobić karierę w senacie udawał, że ma powołanie do spiżu, że jest ciosany niczym wielcy obywatele Rzymu drewnianego i że ma domostwo równie święte.

— Na Herkulesa, Greku, jak człowiek najsprytniejszy w Rzymie mógł się tak omylić?

— Znowu zwyczajnie, Kajusie Antoniuszu. Im większa kurwa, tym lepiej potrafi zagrać przyszłą matronę chcąc się wydać za mąż. Nie byłaby kobietą, gdyby nie miała tego we krwi. W całym domu poustawia mnóstwo kołowrotków i krosien, roznieci nie jedno, lecz dwa święte domowe ogniska, greckie romanse i malowidła lubieżne schowa głęboko, będzie się wysławiać mową dziewic i umartwieńców, wciąż będzie rozprawiać o obowiązkach patrycjuszki, o posłannictwie żony, matki i gospodyni, będzie biegać do świątyń jak nawiedzona i zachwycać się bełkotem kapłanów. I tak przebiegłego lisa rzuci do stóp swoich, a później to już zrobi z nim, co zechce. Z niego zrobiła pośmiewisko, więc nagabywał Sejana o urząd gdzieś daleko od Rzymu, i Sejan wysłał go do Palestyny. Tutaj znowu zgrywa wielmożę, jeszcze jak zgrywa, bez

Hilosa nie rozpoznałbyś w nim nowobogackiego! Będzie z tobą rozmawiał uprzejmie, ale będzie to ta chłodna grzeczność wielkich panów, która odpycha miast ośmielać. Tylko wzrokiem da ci poznać, że tobą gardzi, bo jesteś barbarzyńcą, Kajusie Antoniuszu.

— Coś rzekł, Hilosie?

— A czyż nie jesteś Germaninem, panie? Dla takich jak on kohorty z gminu dzikich plemion północnego pogranicza zawsze będą godne wzgardy.

— Jestem półgermaninem, moja matka była Germanką! Była germańską księżniczką!

— Półgermanin to też barbarzyńca. Mocniej do niego przemawiają głosy duchów spod kurhanów w markomańskich lasach niźli głosy rzymskich bogów.

— Więc i ty tak uważasz, grecki błaźnie?!

— Panie, my, Grecy, nawet dawnych Rzymian uważamy za barbarzyńców. Oni potęgę imperialną sami zbudowali, ale kulturę ukradli Grekom!

— Dlatego właśnie taka jest ich kultura! Kultura greckich histrionów i błaznów!

— Widzę, że za teatrem nie przepadasz, panie...

— Gardzę histrionami, teatrami i całą twoją profesją! Nawet bogów swoich nie macie w poszanowaniu, kpicie z nich w teatrach gestami mimów, gdy ja na wojnie karzę drobne choćby bluźnierstwo, bo wiem, iż żołnierzowi lżej umierać kiedy poleca się komuś wyższemu, kogo szanuje! Cóż warci są wasi bogowie, jeśli pierwszy lepszy histrion może drwić z całego Olimpu!

— Może sięgać Olimpu na scenach, Kajusie Antoniuszu! Nie pojmujesz sztuki, mężczyźni twego rodzaju kochają pospolitość. Zwą ją cnotą.

— Błaźnie, tęsknisz do Charona?!

— Do wina, panie! Ta amfora, którą opróżniliśmy, była jedną z mniejszych, jakie w życiu swoim widziałem.

— Podły Greku! Wytykasz mi markomańskie lasy? W tych barbarzyńskich lasach mego dziada bezwstyd kobiety i podłość

mężczyzny są hańbą, i jeśli zdarzy się plugawy czyn, a zdarza się jak wszędzie, wówczas osada lub ród czynią, co można, by zatrzeć to karą i nie dopuścić, aby wieść o tym rozeszła się szeroko. Tu zaś zdradę, złodziejstwo i cudzołóstwo, każdą nikczemność wystawia się na teatrach gwoli zabawienia! Spójrz po galerii dla kobiet — nic z rzeczy odgrywanych przez histrionów na scenie nie bawi je tak bardzo, jak zdrada małżonki, jak rogi mężów, widząc to cieszą się i klaszczą niczym oszalałe! Spójrz zaś, co najbardziej cieszy mężczyzn w grywanych komediach. Gdy kto udanie okpi drugiego, wyprowadzi w pole, sztuczką chytrą unieszczęśliwi. Biją brawo sprytnemu! Kochacie chlubić się i napawać tym, co cuchnie!

— Czemuż więc wy, cnotliwi mieszkańcy lasów, tak rączo pędzicie do tego wychodka? Czemuż to tak tłumnie napływacie do Rzymu? Czemu wolicie tu służyć, niż tam być wolnymi? Powiem ci dlaczego! Bo tam są tylko grząskie bagna i ciemne puszcze! A tu są bazaltowe chodniki ulic, po których pędzą dwukołowe faetony, płyną lektyki i kłusują jeźdźcy, są tu ogrody, łaźnie, domy gimnastyczne, sale fechtunkowe, sklepy jubilerskie i wysokie kamienice z głazów gabińskich, a także stadiony, teatry, sofy, fotele, krzesła, łoża, szkatuły, igrzyska i pawie pióra, togi, tuniki i sandały, ufryzowane włosy i suknie kobiece z miękkiej wełny syryjskiej, tu piekarze buły roznoszą, dzieci do szkół chodzą, a pachołkowie miejscy porządku pilnują, tu do obiadów podaje się kadzidła, tu się gra w kości i są tu lubieżne tańce wschodnie oraz kuglarze, hecarze i grajkowie, że nie wspomnę o lupanariach z dziwkami wszystkich ras i kolorów, i o jarmarkach, na których jest kość słoniowa, wełna z Hiszpanii, jedwab z Chin, pachnidła koczowniczych afrykańskich plemion, helweckie sery, aleksandryjskie płótna i barwione szkła, greckie wino, zioła znad Nilu i Gangesu, szmaragdy z gór Uralu, ryby z Morza Czarnego, pot i trud całej Ziemi! Tego wszystkiego w germańskich lasach nie ma!

— Połowy tego wszystkiego, co ma Rzym, w ogóle być nie powinno!

— Patrzaj, zupełnie tak jak on mówisz, Kajusie Antoniuszu!

— Jak kto, Greku?

— Ten Jeszua, którego za takie właśnie dzielenie na pół Rzym pragnie zgnoić. Judejscy kapłani też pragną go uciszyć, tylko z innego powodu — Galilejczyk w miejsce ich boga pcha nowego boga, swojego ojca. Jedni i drudzy mają rację, co to za bóg, pod którym zdradzać i kraść i uprawiać lichwy nie wolno! To byłby koniec świata, Kajusie Antoniuszu!

Rozdział 8.

Odkąd generał Rabon przebrał się w mundur marszałka-generalissimusa i dostał tytuł honorowego przewodniczącego Akademii Nauk, republiką rządził demokratyczny triumwirat: prezydent Romuald Rabon, marszałek-generalissimus Romuald Rabon i profesor Romuald Rabon.

— Santissima trinidad! — zakpił stryj Hubert.

Stryj Hubert był częścią establishmentu wspierającego tę „najświętszą trójcę" — establishment składał się z prominentów wojskowych, policyjnych, cywilnych, kościelnych, kulturowych i prasowych (radiowych, telewizyjnych itp.) oraz z Huberta Flowenola. Ich życie, jak życie każdej oligarchii w dobrze wybetonowanych systemach, miało coś z kołyszących melodii ery swingu — było lekkie, łatwe i przyjemne — dopóki Krimm nie zaczął podkładać materiałów wybuchowych. Pierwszy zginął dyrektor Banku Centralnego, jako drugi wyleciał w powietrze osobisty sekretarz Rabona, a z wielkich gmachów pierwsza uległa częściowej destrukcji (na skutek wybuchu) elektrownia w Nolibabie. Zawód osobistego goryla stał się profesją lepiej płatną niż zawód luksusowej manikiurzystki najczulszego palca, zaś producenci opancerzonych samochodów stali się królami notowań na giełdzie. Myślą byłem daleko od tego wszystkiego, lecz doścignął mnie i przebudził telefon Taerga...

Spędzałem wtedy urlop na południu wyspy, w maleńkim kurorcie, który był rybacką mieściną bardziej podobną do wioski niż do miasteczka. Chciałem odpocząć z dala od wszystkich znajomych ludzi. Wynająłem pokój na najwyższym piętrze opustoszałego pensjonatu, z balkonem i z widokiem fal liżących plażę. Zrywałem się bardzo rano i w samych szortach biegłem między wydmy, by czuć wilgotny chłód pod stopą, a na karku lekką bryzę od morza. Dziurawiłem gładki jak lustro blat plaży na krawędzi przypływu, lub kładłem się na zboczach wydm, pośród traw, których cudowna, krystaliczna rosa zapowiadała piękny dzień. Lub płynąłem daleko w morze. Pewnego razu postanowiłem płynąć aż do krańcowego zmęczenia, tak, bym już nie mógł wrócić, lecz gdy przekręciłem głowę, by zobaczyć jak daleko jestem od brzegu, ujrzałem, iż ktoś porusza się na plaży i cała moja determinacja straciła moc, zawróciłem. Na plaży była dwójka dzieciaków z matką. Przeszedłem obok nich, czując dziwny niepokój, jakiś irracjonalny strach lub wstyd golasa wśród ubranych ludzi. Nie rozumiałem tego, lecz bałem się odwrócić głowę, i nawet bałem się odwrócić wzrok, aby się im przyjrzeć. Stawiałem wolne, sztucznie naturalne kroki; dopiero za drzwiami ruszyłem pędem po schodach i zdyszany wbiegłem na balkon.

Pogoda się psuła, ciężkie chmury mroczyły niebo między plażą a horyzontem. Przez chwilę doszukiwałem się w ich kształtach ciał zwierząt i ludzkich twarzy, nie patrząc w dół, jakby dla ukarania siebie samego. Potem opuściłem wzrok na pasmo piachu. Siedziała w kucki, tyłem do mnie, daleka i zgarbiona niczym szachowy konik. Widziałem fryzurę jasnego koloru i kolor swetra, a obok dziewczynkę. Dopiero później spostrzegłem chłopca, który kilkadziesiąt kroków od nich budował piramidę z piasku. Klęczał przy niej jak mały skulony sfinks, ręce były mu spychaczem i łopatą. Matka i siostra (nie wiedziałem, czy matka i siostra, lecz kimże innym mogłyby być?) czasami odwracały ku niemu wzrok, jakby pragnąc skontrolować postępy budowli. Kiedy przebrałem się i znowu wyszedłem na balkon — ich już nie było. Był zachód słońca w czerwieniejącym morzu.

Rano stara kobieta, właścicielka pensjonatu, weszła nie pukając, ze śniadaniem. Postawiła je przede mną bez słowa. Zapytałem, czy nie ma lornetki. Spojrzała w dziwny sposób, trochę impertynencko, i przyniosła wielkiego Zeissa z żółtawymi wytarciami na czarnej obudowie. Była to lornetka z wojennego okrętu, wszystkie kapitańskie i bosmańskie wdowy mają taki sprzęt.

Teraz mój wzrok uzyskał dalekosiężność, moje oczy stały się oczami sokoła, ale widziałem tylko to, co istniało, więc kiedy kobiety z dziećmi nie było na plaży, szkła pozostawały puste. Zamiast czekać, ubrałem się i wyszedłem. Mieścina przypominała rybę przekrojoną wzdłuż — po obu stronach jedynej ulicy pełno ścian białych od wapna, słońca i wiatru morskiego. Gotycka świątynka, poczta, sklepiki, kilka pensjonatów pamiętających secesję, i zbiorowisko chałup rybackich, obraz sielskiego życia, marzenie niewolników wielkomiejskiego betonu.

Skręciłem w kierunku mola. Wiatr zginął gdzieś i morze było gładkie jak piach między skarpami wydm a falą. Na krańcu drewnianego pomostu, który wbijał się daleko w wodę, siedziała mewa. Oprócz nas nie było nikogo. Kiedy podszedłem, zerwała się i rozpostarła skrzydła do lotu. Śledziłem ów lot, lecz szybko zgubiła mi się w kołującym stadzie i nie miałem pewności, czy obserwuję tę samą. Od dołu usłyszałem dziecięce pokrzykiwania. Zamarłem — bałem się ruszyć, by deski mola nie skrzypnęły. Chłopiec wybiegł spomiędzy omszałych słupów i pędził przed siebie wrzeszcząc; za nim wyszła siostra, w końcu ona. Znowu nie widziałem jej rysów, tylko włosy związane kolorową gumką. Pragnąłem, by odwróciła twarz, lecz nie uczyniła tego, a ja nie krzyknąłem. Szła wolno, podrzucając w dłoni kamyk.

Zatrzymała się daleko od mola, vis a vis mojego balkonu, tam, gdzie ujrzałem ją pierwszy raz. Musiała lubić to miejsce. Sprint do pensjonatu, schody brane po kilka stopni; w przelocie zerwałem ze ściany lornetkę i wbiłem oczy w szkła, dysząc ciężko. Kilka chwil zabrało mi regulowanie ostrości i w końcu miałem jej twarz, bladą, pociągłą, z dwoma łukami cienkich czerwonych warg i dwoma wachlarzami wielkich czarnych rzęs — twarz bardzo podobną do twarzy Miriam! Ale to nie mogła być Miriam, Miriam nie miała dzieci. Spojrzałem na dziewczynkę. Była kopią matki — nie zachodziło tu zjawisko podobieństwa, lecz identyczność reprintu. Znowu przesunąłem szkła na matkę. Siedziała z kolanami pod brodą, trzymając dłońmi palce nóg, tyłem do morza, zapatrzona w coś nieobecnego, coś z przeszłości lub przyszłości, ze wspomnień lub marzeń, z rzeczy dobrych lub niedobrych, ale wiadomych tylko temu, kto posiada drugi wzrok. Wszystko to miało koloryt wyblakłych fresków i razem z płochliwą orkiestrą ryku syren, popiskiwania mew, skrzypienia wiązań balkonu, szumu fal i wiatru tak wesołego, jakby się bawił spódnicami, tworzyło muzyczny podkład napięcia, w którym się znajdowałem. Długo trwało, nim spostrzegłem, że wskroś jej policzków płyną łzy.

A chłopiec wciąż powiększał swoją piramidę, umacniał i uklepywał, lecz bez szacunku, więc z pewnością miała być tylko fundamentem i półfabrykatem — sposobił się do pracy rzeźbiarza. Gdy byłem mały i jeździłem z rodzicami nad morze, robiłem tak samo.

Z bezruchu wyrwała mnie gospodyni, przyniosła obiad. Przesunąłem stół, by widzieć ten fragment plaży. Jadłem nie myśląc o tym, co spożywam, podnosiłem łyżkę do ust na oślep.

W nocy męczyły mnie majaki. Obudziłem się późno. Musiała to być niedziela, gdyż obok pensjonatu przeciągnęły procesje z wizerunkami świętych. Małe dziewczynki w bieli rzucały na bruk zasuszone płatki kwiecia, czterech staruszków dźwigało baldachim, pod którym kroczył kapłan z monstrancją, kobiety w ozdobnych czepcach śpiewały litanie. Tego dnia nie pojawiła się na plaży. Było zimno, mżyło. Czułem się okradziony i nie mogłem doczekać zmierzchu.

Następnego dnia powróciło słońce i ona przyszła wraz z dziećmi, a ja, uzbrojony w lornetkę, wyszedłem na balkon. Powtarzało się to każdego kolejnego dnia. Zaglądałem w jej oczy, mierząc krzyżem z podziałką w nasadę nosa, niczym snajper, który pragnie przestrzelić cudzy mózg ideą własnych myśli.

W gasnące popołudnia, gdy jej i dzieci już nie było, wychodziłem na plażę i szukałem śladów, a także przedmiotów, czegoś, co zostawili i co będę mógł im oddać. Nie jestem strachliwy, wstydliwy i nieśmiały, ale wobec niej czułem dziwny strach i potrzebowałem pretekstu.

A piramida chłopca rosła w oczach. Po upływie kilku dób stała się większa od niego i musiał wspinać się z kubełkiem na szczyt, by wysypywać piasek. Był niezmordowany, niczym mrówka, która raz po raz zdobywa mrowisko.

W przedostatnim dniu wybrałem się na długi spacer i ujrzałem moją piękną bez dzieciaków, daleko od mola. Pod ruinami morskiej latarni leżały tam łodzie do połowów, a sieci suszyły się na kijach wbitych w plażę. Stała obok łodzi i wydawało mi się, że rozmawia z grupą rybaków. Podszedłem do nich, kiedy odeszła. W krypie łuszczącej się zieloną farbą siedziało czterech „wilków morskich". Męczyli talię kart, żuli tytoń i pluli nim na piasek. Spytałem grzecznie kim jest ta kobieta. Trzech nie zareagowało, jakby nawalał im słuch. Czwarty przyjrzał mi się spode łba i burknął ochrypłym basem:

— Jaka kobita, człowieku?

— No... ta, która była tu przed chwilą.

Splunął mi pod nogi i dał dobrą radę:

— Te, wariat, spieprzaj stąd, ale już!... No już, bo oberwiesz po skrzelach!

Słyszałem za plecami ich złośliwy rechot.

Następnego dnia (był to ostatni dzień) usiadła w koszu, gdyż wiatr od morza nikczemniał i stawał się dokuczliwy. Piaskowe wzgórze tak już urosło, że chłopiec zezwolił sobie na odpoczynek przed startem do rzeźbiarskiego trudu — pobiegł z dziewczynką na wydmy. Chwilę później piękna opuściła kosz i zaczęła rzeźbić sama w piramidzie piachu. Widziałem szybkie ruchy jej rąk i na przemian tył lub przód jej głowy, gdy obchodziła strukturę dookoła, ale najczęściej widziałem ją z profilu, nieco drapieżnego, tak jak drapieżne są wszystkie udane rzeźby. W gładkim stożku zaczęły się pojawiać wysokie wieże, połacie dachów, okienka i blankowania upodobniające go do zamków rodem ze snów Viollet-le-Duca i z bajki o średniowiecznej królewnie uwięzionej przez okrutnego ojca i może czekającej na ratunek, a może tylko na zalotników. Zostawiłem jej rysy, przylepiając podziałkę do jej rąk. Wygładzała krawędzie swego kasztelu nie tak, jak się modeluje, lecz tak, jak się pieści, i była w tym głaskaniu cała beznadziejność daremnych pieszczot — jej ręce rozsiewały piasek jak szczęście, które przecieka między palcami i nie wraca, bo nie można go zmusić.

Uwieszony lornetką na jej dłoniach, nie zauważyłem wysokiej fali, która staranowała plażę, przewróciła kosz, liznęła cokół zamkowej góry i porwawszy torebkę kobiety, cofnęła się do morza. Widziałem jak kobieta biegnie za zgubą. Brodziła w wodzie, najpierw po kostki, później po kolana, wciąż bez sukcesu. Raptownie obraz się zaciemnił. Spostrzegłem, że od horyzontu nadciąga druga fala, gigantyczna biała chmura, olbrzymi bałwan sięgający niebios. Krzyknąłem. Chłopiec i dziewczynka biegli z wydm, drąc się, machając, próbując zwrócić jej uwagę, lecz ona tego nie dostrzegała, tak jak nie usłyszała mojego krzyku. I ów kolos, ten bękart boga powietrznych trąb i tajfunów, runął na brzeg, zatapiając wszystko, połykając kosze, wodorosty, buty, i było to tak, jakby ktoś nagle zdjął ze sztalug i odwrócił tyłem to stare malowidło, które widniało w szkłach mojej lornetki: rewers w postaci brudnego płótna zastąpił złoty pejzaż; albo inaczej: jakby szalony strażak strzelił na ów pejzaż żółtą pianą z gaśnicy i brudną wodą ze szlaucha przeciwpożarowego. Tylko szczyt zamku wydostał się ponad zalew i uratował dzieci, które zdążyły się tam wspiąć. Kiedy fala odeszła, na plaży nie było już nikogo prócz nich.

Krzyczałem dalej jak wariat, ściągając tym krzykiem gospodynię.

— Co panu?!

— Tam... tam! — wydusiłem z bolącej krtani. — Fala porwała tę kobietę!

— Jaką kobietę?

— Tę, która tu codziennie przychodziła! Jej dzieci są tam, na górze piachu!

— Na górze piachu?... Nic nie widzę.

— Tam!... Nie widzi pani?

— Nie, proszę pana.

— Jak to nie?!... O, tam!

Wytrzeszczyła wzrok w kierunku plaży, a potem spojrzała na mnie, bez gniewu, i szybko odeszła, jakby wstydząc się i uciekając. Zbiegłem ze schodów i popędziłem nad morze. Lecz nie było tam już dzieci. Ślady stóp odciśnięte w mokrym piasku prowadziły do wydm. Wokół panowała cisza, nawet chór mew zamilkł i ucichł wiatr. Podniosłem kosz. Z oparcia zwisał zerwany przez wiklinę kosmyk włosów. Owinąłem go dookoła palca i przejechałem nim po policzku, po brodzie i niżej nozdrzy, wdychając zapach. Później wędrowałem plażą, szukając zwłok lub fragmentu odzieży. Gdy zaczęło zmierzchać, wróciłem do pensjonatu. Gospodyni zatrzymała mnie, mówiąc:

— Ma pan gościa.

— Gdzie?

— Czeka w pańskim pokoju.

Udałem się na górę. W moim pokoju nie było nikogo, lecz deski balkonu zaskrzypiały. Stał tam Faron i spoglądał na morze. Słyszał moje kroki, lecz nie drgnął i nie odwrócił się, gdy stanąłem obok. Szukałem słów, ale wszystkie wydawały mi się głupie, więc milczeliśmy. Raptownie spytał:

— O co ci chodzi, gliniarzu? Czemu ma służyć ten śledczy wysiłek, ten twój pościg, cały ten amok gończego psa, gliniarzu?

— Zemście, belferku.
— Kogo chcesz mścić?
— Ojca!
Przymknął drwiąco jedną powiekę:
— Ojca?...
— Tak.
— Łżesz, ty nie masz dzieci! Zresztą wszystko jedno, czy chcesz się odkuć za swego papcia, czy za siebie, czy hurtem za was dwóch. Tak lub inaczej, to idiotyzm!... Wiesz jak powinien się mścić idiota, żeby forma była zgodna z treścią? Zrób mi to samo, co zdradzony mąż zrobił Gille'owi de Cabestaing!
— Komu?
— Nie wiesz, gliniarzu? Doprawdy! A mówią, że policja wie wszystko!... Gille de Cabestaing był trubadurem, kochankiem żony rogacza. Mąż wyrwał mu serduszko, upiekł i kazał niewiernej żonie spożyć. Pasuje ci to, gliniarzu?
Zazgrzytałem zębami:
— Faron, strzeż się!
— Przed czym, Flowenol, przed czym? Strzec się można tylko przed kobietą i przed głupotą, a ty się nie ustrzegłeś. Kochasz jak wariat i cierpisz jak wszyscy opętani! Zobacz, co zrobiła z tobą ta miłość, ta zazdrość i ta wściekłość, co zrobiła z twoją męskością, z twoim charakterem, z twoim poczuciem...
— Oszczędź mi tych pieprzeń, Faron!
— Uważasz, że to bzdury?
— Nieważne, co uważam! Mów, gdzie ona jest!
— A skąd ja mam wiedzieć gdzie ona jest?
— Nie zniknęła sama, ktoś jej w tym pomógł!
— I ty myślisz, że to ja? Nawet gdybym to był ja, to byłbym tylko skutkiem, a nie przyczyną. Przyczyna tkwi nie w złodzieju, lecz w przedmiocie, który ukradł, i we właścicielu, którego okradziono, pomyśl o tym! I pomyśl jeszcze o czymś ważniejszym: że może deifikowałeś kogoś, kto wcale nie zasługuje na boski kult, i że dzięki temu wstąpiłeś do baraniego stowarzyszenia, które założono w raju.

Członkowie tego nieszczęsnego bractwa zawsze uważali się za natchnionych, za wyższych duchem, za twórców kamienia filozoficznego miłości, i zawsze były tam wielkie nazwiska, a wielkie nazwiska uprawdopodobniają największe idiotyzmy, gdyż tłum ma naiwną pewność, że wielcy ludzie nie mogą bredzić. Weź Platona, który w swojej „Uczcie" zapytał mędrców, z Sokratesem włącznie, czym jest Eros. Możesz tam przeczytać, że ponad miłość nie ma nic, że nawet Bóg i kosmos to mniej niż Eros, że to jest byt idealny, najwyższe dobro i najwyższa prawda. A przecież Eros to nie onanizm, lecz głód kobiet, a u celu seks, konsumpcja fizjologiczna, talerz z kobietą, czyli że wszystko to ogniskuje się w kobiecie, kończy się i zaczyna w kobiecie, od pragnienia po akt cielesny i da capo. No więc jeśli to ma walor idealnego bytu, prawdy najwyższej, arcyreligii, to znaczy, że kobieta jest największym z bogów! Oto jak za pomocą tezy i jej logicznego rozwinięcia można dojść do absurdu, Flowenol. Do deifikacji organu, który cuchnie zepsutą rybą!

— Faron, jesteś bydlę!

— Powiedz to, gliniarzu, pani profesor Kamilii Paglia, wykładowczyni filadelfijskiego University of Arts. Jej naukowe dzieło „Sexual Personae" robi właśnie furorę u jankesów. Ona tam cytuje z innego dzieła, „Thalassa — Teoria Płodności", że substancja powstająca z psujących się ryb istnieje także w wydzielinie kobiecych narządów płciowych, stąd identyczny zapach, i ona tam wysuwa hipotezę, że to ma coś wspólnego z naszymi prapoczątkami w morzu. A ty na mnie warczysz! Odpierdol się!

— Po coś przylazł?

— Właśnie po to. Żeby zapytać cię: kogo ty ścigasz, gliniarzu? Kobietę czy ideał? Bo może ty nie ścigasz swojej macochy? Może ścigasz widmo, które stworzyłeś sam, i nawet o tym nie wiesz? Wielka, prawdziwa miłość, to nie kobieta z krwi i kości, to nasze uczucie do naszego wyobrażenia o niej, to projekcja naszych pożądań i marzeń, stworzona przez nas samych wartość intelektualno-estetyczna, mistyczna, boska! To tylko twór wyobraźni! Ma on niewiele wspólnego z osobą, której widok wywołuje ów stan i nakręca maszynkę w mózgu zwaną sercem. Nasz ogień to dziecko zwierzęcego pożądania, które sączy się z lędźwi, a może do lędźwi, lecz nasz portret ukochanej jest tylko portretem naszego zachwytu, a nie rzeczywistym portretem tej, do której mówimy: „kocham".

— To już mi Hornlin wyłuszczył.

— Ale czy coś z tego wynikło? Czy wytłumaczył ci, że nie powinieneś jej ścigać, bo im bliżej, tym gorzej? Chcesz wszystko popsuć?... Ktoś, kto nie chce zawodu w miłości, winien...

— Faron!

— Zamknij pysk i słuchaj, co do ciebie mówię, głupku! Mówię, że taki ktoś winien się trzymać daleko od obiektu pożądania. Rżnąć można wszędzie, ale kochać trzeba na odległość, bo zbliżenie i czas zdzierają łuski z oczu lub wystawiają na ciosy, w każdym razie psują wielkie uczucia przez ich odidealizowanie. Dulcyneę trzeba chcieć, a nie mieć, bo może się okazać kobietą. Wcielony ideał kobiety, Jej Kobieca Doskonałość, kobieta-królowa, która nie traci swej charyzmy, ma tylko jeden adres: mieszka w naszym mózgu. Gdy zamelduje się w naszym łóżku, już zrobiła pierwszy krok na niższy szczebel drabiny. Aby zachować naszą wielką miłość musi być zachwycająca, ale niedostępna, jak istoty pozaziemskie, kusząca, ale nieobecna, jak anioł, pożądana, ale niekonsumowana, jak piękny posąg. Ideałem są tylko boginie z dalekich lądów; nasze żony i kochanki to nasze darmowe dziwki. Możemy śpiewać im wiersze, ale to fałsz — poezja miłosna to liryczne sublimowanie chuci samców. Prawdziwą poezją miłosną był tylko skowyt prowansalskich trubadurów do nieosiągalnych dam, do kobiet zmarłych, zbyt wysoko urodzonych lub zbyt oddalonych, tych z wyobraźni i z pacierzy, a nie z łóżek, łazienek i krzaków!

Słuchałem, lecz im bardziej oczywiste było to, co mówił, im większą precyzję i logikę w to wkładał, tym mocniej uświadamiałem sobie, że on nie ma racji. Tak jak jego szczerość nie była szczera, gdyż pragnął tylko zawrócić mnie ze szlaku, tak logika jego twierdzeń nie była prawdą. Odkąd zrozumiałem, że logika jest zaledwie kaleką siostrą matematyki, nikomu nie dałbym się przekonać tylko dlatego, że w tym, co mówi, jest słuszność, gdyż względność słuszności stała się dla mnie oczywista. Czy gdyby mnie zapewnił, że miłością marynarza jest morze, miłością myśliwego polowanie, miłością dyplomaty polityka, a miłością bogacza bogactwo — mógłbym coś zarzucić logice jego wywodu? Nic. Lecz mógłbym go zapytać, czy miłością grabarza są trupy, a miłością strażnika kraty, lub też przyprowadzić mu marynarza i bogacza, żeby ten pierwszy mu powiedział, iż co noc śnią mu się góry, a ten drugi, że całe swoje bogactwo by oddał za uśmiech na twarzy kobiety śpiącej obok jego dziecka. Z tego, że ludzie piszą, malują i rzeźbią, by osiągnąć sławę, gdyż ona wieńczy twórczość, wcale nie rodzi się reguła, bo czyż to, że śmierć wieńczy życie, oznacza, iż ludzie żyją pragnąc śmierci? W niczym innym, tylko w rozumowaniu tkwi klęska logików, którzy układają łańcuch pozornych zależności, nie widząc cieni tańczących na murze. Faron, kiedy wywodził, iż „wielkie nazwiska uprawdopodobniają największe idiotyzmy, gdyż tłum ma naiwną pewność, że wielcy ludzie bredzić nie mogą", mówił o sobie, a mnie uważał za małego człowieka, jednego z tych, co sądzą, iż język wielkich ludzi jest oczywisty niczym pejzaż i przyjmują go jako prawdę. Lecz moją jedyną prawdą był cień tańczący w moim mózgu, więc ten łotr nie mógłby mnie powstrzymać i zawrócić w żaden sposób. Nikt nie mógłby tego zrobić, byłem odporny na każdą perswazję. Kobieta, dla której mężczyzna gotowy jest zabijać, to coś silniejszego niż logika perswazji, która jest jak pusty dzban o nienagannym owalu. Zresztą — nawet gdybym był podatny na logiczną perswazję, a nie na jej wroga, na irracjonalną, nieokiełznaną skłonność uczuć ludzkich, to Faron byłby ostatnim człowiekiem, który mógłby mnie przekonać do czegoś.

— Koniec tych popisów, Faron, aresztuję cię, idziemy!

Wyciągnąłem rękę ku jego ramieniu, lecz Faron znalazł się już po drugiej stronie balustrady i zaczął oddalać w ciemność, robił się coraz mniejszy i mniejszy, aż zniknął wśród gwiazd.

Usłyszałem dzwonek telefonu tuż obok siebie. W moim pokoju telefonu nie było, a ja stałem na balkonie przeklinając gwiazdy, tymczasem telefon brzęczał mi przy uchu! Nie mogłem tego zrozumieć.

Rozejrzałem się dookoła i w tym momencie światło dnia oślepiło mnie — zostałem przebudzony. Sięgnąłem po słuchawkę. Na zegarku była piąta rano.

— Flowenol!

— Tak, panie pułkowniku.

— Przyjedź zaraz do swojego stryja.

— Do jego domu?

— Na okręt.

— Coś się stało?

— Nic się nie stało. Za godzinę masz być na miejscu.

Odłożyłem słuchawkę, schowałem się pod kołdrą i przymknąłem oczy. I natychmiast cały mój dziwny sen wrócił do mnie w niezwykły sposób, w jednym błysku — wszystkie sekwencje (plaża, kobieta, lornetka, rybacy i właścicielka pensjonatu) nałożyły się na siebie, jakby kilka projektorów wyświetlało kilka filmów na jednym ekranie. Słyszałem każde słowo Farona, lecz równocześnie słyszałem głos starej kobiety, skrzypienie wiązań mola, szwargot mew, warkliwe głosy rybaków i śpiewy ludzi idących z monstrancją. Nagle poczułem, że jasiek, kołdra i prześcieradło kleją się do mnie — były tak mokre, jakbym spał w deszczu, lub jakby fala, która zatopiła kobietę, dosięgnęła mojego łóżka. Zerwałem się i wskoczyłem pod prysznic, by obmyć ten pot.

Taerg był na „Santissima Trinidad", ale już się żegnał ze stryjem. Wsiadł do tej samej łodzi, którą przypłynąłem z portu, i rzucił mi tylko dwa zdania:

— Twój stryj ma prośbę do ciebie. Traktuj tę prośbę jako mój rozkaz, Flowenol!

Stryj przywitał mnie uśmiechem nazbyt szelmowskim, bym mógł nie poczuć lekkiego strachu, i zamknął się ze mną w swoim gabinecie. Jego gabinet był biblioteką — ani skrawka ścian — od perskiego dywanu aż po sufit grzbiety skrzące się złotymi tłoczeniami liter i ornamentów. Tylko u Hornlina widziałem równie dużo pięknych książek.

— Hornlin też ma cudowny księgozbiór, stryju. Powiedział mi, że, tak jak Borges i Diderot, wyobraża sobie raj jako bibliotekę.

— Z chęcią spotkałbym się z nim w jego raju. Pod warunkiem, że byłoby tam tyle pięknych bibliotekarek ile książek. Te, które tu widzisz, to część księgozbioru pewnego edytora, którego córkę... którego córkę znałem, gdy byłem bardzo młody.

— I co?

— Odkupiłem je.

— I co z tą córką, stryju!

— Z córką?... Chciał mnie z nią ożenić, abym przejął po nim jego interes, bo nie miał męskiego potomka. Był wielkim edytorem...

— Więc dlaczego nie dałeś się złowić? Taki posag i taka dziewczyna!

— Skąd wiesz, że była ładna?

— Brzydkiej byś nie tknął, stryju!

Popatrzył na książki i wyszeptał dziwnym, ni to drżącym, ni to zachrypniętym głosem:

— Tak, była bardzo piękna...

Odchrząknął i nalał sobie alkoholu, a potem, by zagadać chwilową słabość, rzekł pospiesznie:

— On zbankrutował i ten księgozbiór kupiłem na wyprzedaży. Mogłem też kupić jego wydawnictwo, lecz wolałem wznosić imperium Erosa zamiast imperium Gutenberga. Jako wydawca musiałbym się zmagać z wahaniami księgarskiego rynku, to interes niepewny, kultura wideo-komiksowa zabija czytelnictwo. Chociaż wszyscy potrafią czytać, lecz ta umiejętność jest już czymś równie szczątkowym jak jelitowy wyrostek, kość ogonowa i sutki u facetów. Większość ludzi czyta szyldy i cyfry na banknotach, inne lektury ich nie obchodzą. Zaś wokół genitaliów świat nigdy obracać się nie przestanie, burdelom bessa nie grozi. À propos czytelnictwa. Przeczytaj to.

Podał mi ulotkę, której brzeg był nadpalony i której antypornograficzny tekst zaczynał się od słów: „Gazety z gołymi kobietami w lubieżnych pozach, wyprowadzając erotykę na ulice — zrobiły z niej ulicznicę, taką, która odpowiada autokratycznej kulturze mężczyzn.

Kiedyś była jednym z dań na bankiecie życia. One zredukowały ją do systemu «fast-food»...", itd.

— Czujesz uperfumowaną rączkę pani Tigran? — zapytał stryj.

— Typowa retoryka hipokrytek z KKD-U. Znaleziono to obok szczątków klubu „Playboya" i redakcji, w której przygotowywano nolibabską mutację „Playboya". Wysadzono ów gmach cztery godziny temu, musiałeś słyszeć, w całym mieście słychać było huk eksplozji.

Uświadomiłem sobie, że ten huk dotarł do mnie jako grzmot monstrualnej fali taranującej plażę na wprost pensjonatu i dlatego nie przerwał mi sennej halucynacji o urlopie z wielką lornetką, z tą tajemniczą kobietą i z widmem Farona.

— Tak, stryju, słyszałem.

— Ten akt terroru to ewidentna łapa pani Tigran, Taerg nie ma co do tego wątpliwości.

— Przecież KKD-U nie istnieje, wykończyłeś ją!

— Nie istnieje na powierzchni, ale frakcja pani Tigran zeszła do podziemia i zainicjowała odwet.

— Stryju, żeby mścić się w ten sposób, trzeba mieć środki, trzeba mieć siatkę strukturalną i logistyczną. Meliny, transport, łączność, materiały wybuchowe et cetera!

— Krimm ma to już. Taerg wysunął hipotezę, że Tigran i Krimm skumali się ze sobą, i że to dzięki jego pomocy...

— A na jaką cholerę Krimm miałby się wiązać ze skompromitowaną feministką, stryju?

— Żeby zyskać grono damskich aktywistek terroru, chłopcze! Żadna konspiracja nie może się obejść bez „cór rewolucji", tego nas uczy historia. Wiesz, że tam, gdzie nawet diabeł ma kłopot z otwarciem wrót, dziewczyna prześliźnie się jak wąż.

— Krimm gotów jest wysadzić każdy gmach Nolibabu, działa na oślep, więc...

— Ale Krimm nie pisze takich szurniętych tekstów w stylu tej baby.

— Stryju, ten tekst wcale nie jest szurnięty, on tak wygląda, jakby pisał go Galton, Grant lub nawet ty sam, bo wszyscy uważacie, że upubliczniona pornografia zabija erotykę.

— Nie erotykę, tylko skromność, pruderyjność i tradycyjną wstydliwą miłość, to są różne rzeczy!

— A po drugie, Krimm mógł spłodzić ów tekst, żeby wybuch poszedł na konto pani Tigran.

— Krimm nie dba o mylenie śladów, on chce, żeby to wszystko szło na jego konto.

— Czy macie jakikolwiek dowód ich współpracy?

— Mamy logiczne myślenie, synku.

— Logiczne myślenie?

— Być może zresztą Taerg wie o czymś, czego mi nie powiedział. On jest przekonany, że pani Tigran i Krimm skumali się ze sobą.

— No dobrze, a co ja mogę dla ciebie zrobić?

— Możesz zabezpieczyć „Santissima Trinidad".

— W jaki sposób?

— Słuchaj, Nurni! Mam tu kilkunastoosobową grupę ochroniarzy strzegących porządku, ale to amatorszczyzna, teraz „Santissima Trinidad" musi być pilnowany i kontrolowany fachowo, tak jak obiekty strategiczne.

Wstrzymałem się od śmiechu, chociaż chciało mi się śmiać.

— A kto go uznał za obiekt strategiczny?

— Komendant Taerg.

— Widzę, że nie doceniałem jego poczucia humoru!

— Nie doceniasz skali zagrożeń, Nurni! Krimm i pani T. zrobią wszystko, by unicestwić „Santissima Trinidad"! Pragnę, żebyś mi zwerbował i wyszkolił dużą grupę ochroniarzy, którzy będą strzegli statku i sprawdzali jego personel oraz każdą osobę tu przybywającą. Dopóki tego nie zrobisz, twoi chłopcy będą tutaj mieszkać i pilnować bezpieczeństwa statku. Nadto trzeba założyć wewnętrzne podsłuchy i ukryte kamery...

— Myślałem, że już tu są...

— Są tylko dziurki w niektórych ścianach, jak w każdym burdelu od czasów starożytnych. To za mało. Wszędzie muszą być ukryte mikrofony i kamery, w każdym kącie, tak, żeby wszystko było pod kontrolą, synku!

— Ten pokój też?

— Też. Zainstalujecie tu wyłącznik, którym będę wyłączał podsłuch i kamerę, gdy sam będę spędzał tu czas. A wychodząc stąd będę ją włączał. Trzeba zbudować na statku centralkę podsłuchowo-podglądową, w której operatorzy będą mogli śledzić na monitorach i na nasłuchu wszystko, co się dzieje.

— Sam bym w niej chętnie pracował! Uwielbiam patrzeć, jak ludzie spółkują!

— Nie żartuj, Nurni. To wszystko jest konieczne, aby uchronić „Santissima Trinidad" od wielkiego bum!... Więc jak, chłopcze, zrobisz to?

Wyprężyłem się w postawie na baczność, strzeliłem obcasem o obcas i szczeknąłem:

— Ku chwale ojczyzny!

— Czemu się zgrywasz?

— Nie zgrywam się, stryju. Taerg powiedział mi, że to rozkaz, a rozkaz to rozkaz, z rozkazami się nie dyskutuje, rozkazy się wypełnia „ku chwale ojczyzny".

— Czort z tobą, twój stary nigdy nie wydoroślał i ty tak samo nigdy nie wydoroślejesz! Chodź, pokażę ci moje imperium.

Jego gabinet znajdował się w narożniku rufy. Obok, w dawnym salonie kapitana połączonym z dawną jadalnią kapitana, było kasyno. Miało wielkie witrażowe okna i kasetonowy plafon obciążony żyrandolem. Duży stół rulety królował na środku, a po bokach zieleniało kilkanaście stolików karcianych. Plus dwa barki i kasy do wymiany pieniędzy lub żetonów.

— Wszystkie boazerie są ognioodporne — powiedział stryj.

— To mnie cieszy, nie będę musiał przebudowywać całego okrętu.

Kasyno było puste, lecz w sąsiadującej z nim restauracji kilku skacowanych facetów piło „klina", jadło lub gapiło się tępym wzrokiem na ściany. Zrozumiałem, że to ci, którzy dopiero wstali po nocnych szaleństwach i jeszcze nie odpłynęli do domu.

— Dziewczyny też się tutaj stołują?

— Dziewczyny towarzyszą tutaj gościom w nocy, chłopcze. Po przebudzeniu otrzymują śniadanie do łóżka, a obiad mogą zjeść w dwóch barach, które urządziłem w mesach średnich międzypokładów.

— Jak często opuszczają statek?

— Tak często, jak chcą. Niewolnictwo i wszelaki przymus są w złym guście, nie uprawiam tego, Nurni.

Kuchnia i chłodnia mieściły się pod restauracją, natomiast pod kasynem (w dawnym salonie admiralskim i w dawnej jadalni admiralskiej, czyli w rufowej części górnego międzypokładu) była sala balowa. Gdy stryj otworzył drzwi do niej, rąbnął mnie w uszy głośny dźwięk saksofonu. Na parkiecie leżały serpentyny i śnieg konfetti, na estradzie facet w białej koszuli z czarną muszką dmuchał „Mały kwiatek" Becheta, a raczej improwizował jazzowo wokół motywów tej melodii, tylko dla siebie, gdyż sala była pusta. Spojrzałem w kierunku stryja pytająco.

— To Engelbert. Świrus — rzekł stryj. — Czasami mu odbija i wtedy samotnie klezmeruje jakimś tam swoim szajbom czy wspomnieniom, i nie trzeba mu przeszkadzać, sprzątaczki czekają aż skończy mu się ten „feeling". Ale to najlepszy saksofonista Nolibabu. Dziewczęta uwielbiają go, klienci również.

— Jest fantastyczny, lecz nie to mnie zdziwiło, tylko to, że spoza drzwi go nie słyszałem, stryju.

— Wszystkie drzwi i ściany na „Santissima Trinidad" są dźwiękoszczelne.

Wszystkie ściany sali balowej ozdobione były wielkimi malowidłami z tematyką mitologiczną, a ich treść wyjaśniały napisy, których archaiczna stylistyka tak mnie rozbawiła, że zacząłem czytać jeden po drugim niby uczniak czytający plugawe graffiti w sraczu: „Wenus wychodząca z kąpieli przypatruje się z ukontentowaniem wchodzącemu tamże nieśmiałemu młodzieńcowi. Amorki zatrudniają się zapaleniem miłości"; „Wenus zapalona miłością natarczywie naciera na niewinnego młodzieńca"; „Satyr z nimfą w akcji lubieżności"; „Apollin obłapia hożą pastereczkę, by ją...". Tę lekturę przerwał mi stryj, prowadząc do korytarza dzielącego środkową część górnego międzypokładu na pół. Po lewej stronie korytarza była sauna, natryski, pokoje do masażu oraz gabinety fryzjerskie dla mężczyzn i dla dam. Po prawej solarium, trzy gabinety lekarskie (internistyczny, dentystyczny i ginekologiczny) oraz pomieszczenie, które stryj nazwał akademią.

— Co to za akademia, stryju?

— Tu się odbywają lekcje dla dziewcząt, które chcą pracować na „Santissima Trinidad". Kiedyś był w tym miejscu lazaret okrętowy.

— Dużo jest kandydatek?

— Dużo. Dlatego selekcja jest bardzo ostra, synku.

— Jak dużo?

— Nie prowadzę statystyk. Powiem ci tylko, że w końcu roku 1990 dziennik „Moskowskij Komsomolec" ogłosił wyniki ankiety, według której sześćdziesiąt pięć procent radzieckich dziewcząt w wieku od dwunastu do osiemnastu lat marzy o tym, by zostać prostytutką.

— Tam jest bieda.

— Bieda nie ma tu nic do rzeczy. Bieda jako rajfurka to dziewiętnastowieczny przesąd uświecony literaturą dla kucharek. Tej akurat świadomości nie określa byt, drogi chłopcze, tylko instynkt, który jest dzieckiem kobiecych genów. Z niego na całym świecie biorą się prostytutki, aktorki, tancerki, hostessy, porno-modelki i wszelakie inne dziwki, w tym także kandydatki na te studia.

— I czego one się tu uczą?

— Wszystkiego. Każdej techniki seksu, techniki erotycznego masażu, ale również języków obcych, wyższych form kultury osobistej i towarzyskiej, metod samoobrony, sposobów antykoncepcji, tańca klasycznego i współczesnego, nadto mają zajęcia z estetyki, higieny, gimnastyki i epidemiologii, oraz lektorat obejmujący literaturę erotyczną od starożytności do dzisiaj. Ta ostatnia katedra jest moim poletkiem, prowadzę wykłady i egzaminuję z lektur...

— Z „Romea i Julii"...?

— Powiedziałem: erotyczną, a nie romantyczną! Nie z „Romea i Julii", lecz z „Kamasutry", Aretina i Brantôme'a! Nawiasem mówiąc — jak można myśleć romantycznie o wielkich miłościach dawnych epok, jeśli Julia i Romeo potwornie cuchnęli, bo wtedy nie myto się częściej niż kilka razy do roku?... Tak, tak, nadmiar wiedzy może utytłać niejedno. Czasami lepiej nie wiedzieć, wtedy można się wzruszać. Patrząc na damy mdlejące w ramionach sławnych filmowych amantów, takich jak Jean Marais, Rock Hudson czy Richard Chamberlain, lepiej nie wiedzieć, że ci panowie są pederastami, bo gdy się wie, to czar pryska i cały melodramat śmieszy człowieka lub budzi wstręt. Wśród tych wielkich filmowych adonisów zawsze było więcej pedałów niż prawdziwych mężczyzn! Ale pedały dobrze wypadają na celuloidzie. No i kobiety czują do nich zadziwiającą słabość. Spostrzegłem to już dawno temu i nigdy nie mogłem tego do końca zrozumieć, Nurni. Nie wiem, może ta dziwna duchowa wspólnota ma związek z obopólnym umiłowaniem oralnego seksu? A może to tylko wrodzony u kobiet głód nowości, dziwności, inności, zmienności i perwersji? I może ci genialni Żydzi z Hollywoodu wybierając amantów wiedzieli, co robią? Oni zawsze genialnie wiedzieli, jak się robi duży szmal. Ale nie wiem, czy i w tym przypadku działali z premedytacją...

— Galton wytłumaczyłby to pedalsko-żydowską sitwą, stryju, bo według niego tylko Żydzi i pedały są geniuszami w prawdziwym sensie tego słowa. Żartował tak à propos Robbiego...

— Wcale nie jestem pewien, czy to żart, synku. Należy podziwiać wszystkich tych, którzy nie będąc Żydami lub pederastami stworzyli dzieło, tak jak choćby twój ojciec. Z jakiego źródła zaczerpnęli swoją kroplę geniuszu? Być może ktoś z ich dalekich przodków był Żydem lub pederastą, i ten gen, uśpiony, lecz wędrujący przez wiele pokoleń jak maleńka kapsułka we krwi, otworzył się pod wpływem tajemniczego impulsu, by powstało dzieło. A może jest zupełnie inaczej? Lecz jeśli tak, to znaczy, że musi istnieć jakiś trzeci rodzaj skurwysyństwa owocujący schizofrenią twórczą, warunkujący geniusz i prowadzący do dzieł. Podejrzewam, iż ma to związek ze średnicą, długością i kondycją chuja, ale żeby to sprawdzić, trzeba byłoby mierzyć i śledzić — rzecz w praktyce niewykonalna, a szkoda, bo byłoby o jedną zagadkę mniej na tym świecie pełnym pasjonujących sekretów. Ten świat jest tak cudownie pojebany, że nie wszystko można zrozumieć, i to stanowi o jego urodzie, Nurni.

Spojrzał na zegarek.

— Tempo, Nurni, tempo, goni mnie czas!

Minęliśmy hall, którego centrum przebijał potężny korpus masztu (były tam również wejścia do wind). Dalej biegł znowu korytarz. Po jego lewej stronie znajdował się salon bilardowy, po prawej salka, którą Hubert określił jako multifunkcyjną (klubową, kawiarnianą, służącą „do spotkań w większym gronie zaufanych osób").

— Loża masońska! — uśmiechnąłem się.

— Coś w tym rodzaju, Nurni.

— Tu też chcesz mieć podsłuch i podgląd?

— Tak, ale również z blokadą, z wyłącznikiem, żebym mógł wyłączać wizję i nasłuch kiedy tak mi się spodoba.

Ściany tego pokoju obwieszone były malowidłami, których treść nie pasowała do siebie zbytnio. Były tam sceny religijne obok „Kobiet okazujących z pijaństwa skutki nieprzyzwoitości".

— Ciekawy zestaw... — zauważyłem.

— Jak to w życiu — odparł i ruszył dalej, gdyż się spieszył.

Dziobowa część górnego międzypokładu została przerobiona na salę widowiskowo-kinową o amfiteatralnym kształcie, do czego dziób okrętu nadawał się w idealny sposób.

Zeszliśmy niżej. Dwa tak zwane średnie międzypokłady działowe były królestwem płatnej miłości — miały wiele „kajut" przeznaczonych do tego i bary w dawnych mesach (w mesie oficerskiej i w mesie artylerzystów). Nad schodami prowadzącymi ku owym pokładom widniał gigantyczny portret admirała Nelsona, wzbogacony komiksowym „dymkiem" wypływającym admirałowi spomiędzy warg. Tekst w „dymku" był nieomal kopią sławnego rozkazu, jaki Nelson rzucił swoim załogom przed bitwą pod Trafalgarem; stryj zamienił tylko słowo „England" (Anglia) na słowo „Eros": „EROS EXPECTS THAT EVERY MAN WILL DO HIS DUTY!"*.

— Pięknie to wykombinowałeś, stryju!

— Co?

— Użycie tego cytatu jako hasła. To genialne!

— Twoi dziadkowie mieli same genialne dzieci, synku. Szkoda, że za malarstwo, politykierstwo i rajfurstwo Nobli się nie przyznaje, bo miałbyś w rodzinie trzech noblistów-Flowenolów. To wielki błąd pana Nobla, że nie uwzględnił kilku dziedzin geniuszu ludzkiego...

Przypomniał mi się Hornlin.

— Hornlin też tak uważa, tylko że według Hornlina pan Nobel pominął matematyków.

— A czemuż to pan filozof tak ceni panów matematyków?

— Bo matematyka jest kluczem do zagadki wszechświata, według niego.

— Nie według niego! To stare twierdzenie Pitagorasa, Cusanusa Krebsa i Galileusza — że wszechświat jest napisany w języku matematycznym. A czy ten twój filozof powiedział ci również dlaczego Nobel nie uhonorował matematyków? Dlatego, że kobieta, którą kochał, wyszła za matematyka i pan Nobel znienawidził matematyków. Ten świat, chłopcze, jest napisany spermą!... Zejdźmy jeszcze niżej.

— A co jest niżej?

— Post scriptum.

— Co?!

— Najbardziej istotną część listu miłosnego należy zamieszczać u dołu, Nurni, w post scriptum, to stara zasada.

Zeszliśmy na dolny międzypokład działowy. Ujrzałem dużą salę, pełną stolików, krzeseł i sof. Był tam również bar, a pod ścianami roiło się od „jednorękich bandytów". Całość wyglądała obskurnie jak dziewiętnastowieczny szynk i tym kontrastowała rażąco z luksusem

---

* — „Eros oczekuje, że każdy mężczyzna wypełni swą powinność!".

reszty wnętrz „Santissima Trinidad". Dziurawa tapicerka, meble reperowane drutem, nieheblowane deski podłogi, zardzewiałe lampy, klatka z wypchaną papugą i ściany z farfoclami tapet, których nikt nie zmieniał od wieków. W powietrzu unosił się zapach złych papierosów, mocnego alkoholu i kwaśnego potu, jakby każdy kąt przesiąknął tym wszystkim nadmiernie i teraz parował owym stęchłym bukietem, charakterystycznym dla dolnych warstw społeczeństwa.

— To najniższy poziom usługowy, niżej są tylko maszynownie okrętu — rzekł stryj. — W tej sali można pić, tańczyć, śpiewać, grać na automatach, zabijać czas każdą metodą, i wybierać.

— Co wybierać?

— Partnera lub partnerkę. Ten zamtuz jest nietypowy, tu również samice wybierają, pełna emancypacja! Poza tym jest odcięty od reszty statku, ma osobne wejścia i...

— Gdzie?

— W burtach, tuż nad wodą. Kilkustopniowe drabinki sięgają z łodzi do wejściowych otworów. W lewej burcie dla mężczyzn, w prawej dla dam. Tym gościom zabroniony jest wstęp na górne kondygnacje, Nurni, straż pilnuje schodów, a...

— Dziewczynom, które tu pracują, też nie wolno?!

— Tu nie pracują żadne etatowe dziewczyny, synku. Tu przyjeżdżają eleganckie damy, na godzinę lub na kilka godzin, tylko wieczorem, i tej samej nocy odjeżdżają. Tak jak i klienci tego burdelu, brać marynarska. To jest burdel dla marynarzy cudzoziemskich statków kotwiczących w Nolibabie i dla dam z Nolibabu. Jeśli jakiś wilk morski chce przeżyć chwilę wzruszeń nie z prostytutką, lecz z prawdziwą damą, to zgłasza się tutaj.

— A one?

— Jeśli jakaś mężatka lub panna z Nolibabu pragnie, aby ją przerżnął nie mąż i nie kochanek, którego ma na codzień, lecz marynarz z dalekich portów, najlepiej egzotyczny, czarny, żółty lub brązowy, to pod pierwszym lepszym pozorem urywa się z domu i przyjeżdża tutaj, w maseczce, woalce, czasami w peruce lub w ciemnych szkłach, różnie się maskują...

Oniemiałem.

— Stryju...

— Co?

— To żarty?

— Nie, synku, to prawda. Zjeżdża ich dużo, coraz więcej. Jeszcze dzisiaj będziesz mógł przyjrzeć się temu.

— I ty pozwalasz, żeby...

— Żeby co?

— Żeby tak się...

— Synku, to nie ja wymodelowałem z żebra istotę ludzką! — warknął wkurzony. — Ja tylko pozwalam, żeby realizowali tu swoje marzenia przedsenne, oni marzenie o prawdziwych damach z prawdziwych salonów, zaś one marzenia o brudnych, prymitywnych, wulgarnych troglodytach, których tatuowane mięśnie rozpychają pasiaste koszulki, błyszczą w półmroku i gniotą aż do słodkiego bólu. Mam tu podwójny zysk, bo obie strony płacą za wstęp!

Czułem w gardle drażniącą suchość. Odwróciłem się do ściany, przy której stał rząd „jednorękich bandytów". Podszedłem i chwyciłem wajchę pierwszego z brzegu, lecz gdy szarpnąłem, ani drgnęła.

— Żeton! — przypomniał mi stryj. — Bez tego nie funkcjonuje.

— Nie mam żetonu!

— Ja też nie mam żetonu, i nie mam klucza do kasy. Ale możesz wrzucić monetę, piątaka.

Nie miałem pięciu rangów. On miał przy sobie portmonetkę; znalazł dwie monety i wręczył mi tak, jak daje się bilon żebrakom. Szarpnąłem wajchę automatu i przegrałem. Szarpnąłem drugi raz i przegrałem drugi raz.

— Z nimi jest tak samo jak z babami, synku. Są tak zaprogramowane, że nie można z nimi wygrać. Czasem trafisz mały łup, ale na dłuższą metę nie wygrasz nigdy.

Zrobiła się cisza. Stryj milczał wpatrzony w moje plecy, a ja milczałem wpatrzony w długi rząd automatów, które wyglądały jak kurwy stojące obok siebie pod murem na ulicy płatnych ciągot. Głowę świdrował mi pulsujący rytmicznie szum, niczym fala przypływu bijąca z uporem o brzeg. Myśli jak sztylety, które głęboko ranią, jak korkociągi wdzierające się w świadomość ze spiralną perfidią i wyrywające kawałki mięsa duchowi. Czy i ona tu przyjeżdżała?

— Czy?...

— Co, synku?

— Czy... czy te drzwi... — wskazałem na drzwi w krótszych ścianach salonu, chociaż gówno mnie to obchodziło.

— Tak. Z obu stron są korytarze i pełno kajut, w których jest taki sam syf jak tutaj, bo damy nie przyjeżdżają tu po luksusy, tylko po ich przeciwieństwo. One uwielbiają ten zapach pierwotnego legowiska, którym tak mocno się brzydzą, że szybciej dostają orgazmu.

Na framudze każdych drzwi wisiał kosz. Podszedłem i ujrzałem, że kosz jest pełen prezerwatyw.

— One nie boją się niczego — rzekł Hubert. — Niczego za wyjątkiem aidsa i zdemaskowania. To im tu nie grozi, tak jak nie grozi im wieczne potępienie, gdyż adorują Boga, którego zawodem jest wybaczanie grzesznikom. To nie ja ułatwiam grzech, synku, lecz spowiednicy. Piekło jest puste, bo konkurencja prowadzi świetną kampanię reklamową i sprzedaje w konfesjonałach bilety do raju. Tryliony skruszonych Magdalen oraz każdy zbój, co zdążył ucałować krzyż, będziesz miał frapujące towarzystwo, jeśli się tam wybierasz.

— W rozmowie z przeorem Knitsem mówiłeś na odwrót — że to szatan wygrywa ów mecz.

— Ale tylko na Ziemi, tylko na Ziemi, synku. A potem traci prawie wszystko, bo konkurencja kradnie mu jego łupy, dając każdemu proszącemu odpuszczenie. Genialny trik, w efekcie piekło to bankrut, totalna plajta!

Zadarł rękaw, odsłonił zegarek i mruknął:

— Muszę biec, Nurni. Mam ważne spotkanie na nadbrzeżu. Jedziesz ze mną, czy chcesz...

— Zostanę. Porozglądam się póki nie ma gości.

— Przedstaw mi jak najszybciej kosztorys robót i bierz się do prac, a swoich chłopców sprowadź już dziś na okręt.

Zostawił mnie samego. Rozejrzałem się wokół i spróbowałem otworzyć w burcie drzwi, którymi nolibabskie damy oraz marynarze „z dalekich portów" wślizgiwali się tutaj. Ale były zamknięte na klucz. Wziąłem z barowej półki butelkę rumu (innego alkoholu tam nie było) i łyknąłem przez „gwint". Później zapaliłem papierosa. Sztachnąłem się ledwie dwa razy i kiszki powiedziały mi ostro, że chcą wypróżnić kał. Wpadłem w panikę, szukając ubikacji. Znalazłem ją na korytarzu. Siedząc, paląc i myśląc zrobiłem wielką, miękką kupę, nieregularny stożek, który cholernie śmierdział. Zwykle zapach cudzego gówna budzi w nas wstręt, gdy zapach własnego jest do zniesienia, ale ta piramida cuchnęła nieznośnie. Popatrzyłem na nią zapinając suwak błyskawiczny i pomyślałem: „Oto cały świat! Taki jest świat, i takie jest życie, i takie jest wszystko! Amen!". I od razu poczułem się lepiej na duchu; ta gówniana filozofia (gówniana dubeltowo — ze względu na jej proweniencję i jej głębię intelektualną) przywróciła mi psychiczną równowagę w stopniu nieoczekiwanie bliskim dobremu humorowi.

Zacząłem stąpać korytarzem ku rufie okrętu. Nie paliła się żadna lampa, korytarz wyglądał niczym ciemny tunel. Miał na krańcu — jak każdy klasyczny tunel — małe światełko. Im bliżej tego światła byłem, tym bardziej ono przybierało konkretny, prostokątny kształt, a tunel robił się coraz jaśniejszy i nie musiałem już macać rękami w obawie przed uderzeniem głową o flankujące korytarz drzwi kajut. Ktoś tam stał — widziałem czarną sylwetkę na tle okna rufowego, lecz pod światło nie mogłem się zorientować, czy stoi do mnie tyłem, czy przodem. Dopiero z bliska ujrzałem wszystko jak należy. Stary obrazek, coś dawnego i smutnego, echo kresu dzieciństwa — coś melancholijnie „*déjà vu*"...

Pamiętam, że wtedy ojciec był w swoim atelier i malował, a ja wszedłem do jego gabinetu, aby popatrzeć na zdjęcie matki, które wisiało tam zawsze. Lecz ono już nie wisiało — w tym samym miejscu wisiał jakiś sztych. Matka umarła rok wcześniej, gdy miałem jedenaście lat. Spojrzałem na biurko, gdzie pod szkłem trzymał moje zdjęcie, buźkę w przedszkolnym wieku. Wciąż tam leżało. Popatrzyłem na przedszkolaka, a później na leżącą obok książkę. Zawierała dużo barwnych, pełnostronicowych reprodukcji dzieł dawnych mistrzów. Kartkowałem ją i czytałem tytuły pod ilustracjami. Dwie z nich, figurujące obok siebie, miały taki sam tytuł: „Kobieta przy oknie". Wnętrze pokoiku, kobieta stojąca tyłem, wsparta łokciami na parapecie okna i wyglądająca przez to okno, za oknem woda. Słychać było głęboką ciszę tego pokoju i milczenie tej kobiety, chociaż nie było widać jej twarzy ani łez. Patrząc na tamte dwie reprodukcje miałem ochotę wejść do owego pokoiku, zamknąć drzwi i przytulić się do tej kobiety, żeby mnie pogłaskała. Wszedłem, i już byłem blisko, gdy raptownie kroki ojca idącego od strony pracowni wyrwały mnie na zewnątrz pokoju z milczącą damą; znowu znalazłem się w świecie realnym, przy biurku, za które schowałem się nim ojciec stanął w drzwiach. A potem kilka razy ten widok wracał do mnie podczas snu.

Teraz ujrzałem go na jawie. Przy oknie rufowym stała kobieta, patrząc ku brzegom, lub nie patrząc, tylko marząc. Widziałem jej plecy i długie lśniące włosy spadające w dół jak czarna kaskada. Słyszałem melodię wydmuchiwaną przez Engelberta z saksofonu — musiała tu płynąć kanałem wentylacyjnym lub jakąś inną szczeliną wewnątrzokrętową. Melodia była stłumiona, głucha, ale kłuła serce — było to „*Summertime*" Gershwina, które Engelbert parafrazował na swój sposób. Stałem dwa kroki za plecami kobiety i nie bardzo wiedziałem, co mam teraz zrobić, żeby nie wyszło głupio.

Wtem kobieta odwróciła się i wbiła we mnie wzrok. Miała jeszcze młodą twarz (czterdzieści plus minus), bladą, odlaną z perłowego stopu, i wszystko delikatne niczym cienka porcelana — wąskie wargi, nos, podbródek i małżowiny uszne, natomiast oczy były źle widoczne za szkłami okularów, lekko przyciemnionymi. Wyglądała w tych okularach jak ksiądz z papierosem w zębach — dziwacznie. Szpeciły ją.

— Kto cię tu wpuścił?! — zapytała tonem strażników, wartowników i policjantów.

— Mój krewniak.

— Jaki krewniak?! Którędy tu wszedłeś?! I jakim prawem?!
— Rodzinnym.
— Wynoś się stąd, bo zawołam straż, cwaniaczku!
— Od dzisiaj ja jestem tutaj strażą.
— Co?
— Jestem bratankiem pani szefa, mam tu zorganizować lepszą ochronę.
— Bratankiem szefa?...
— Tak, nazywam się Flowenol. Nurni Flowenol.
— Więc to ty jesteś tym gliniarzem, tym porucznikiem...
— Tak.
— Nie lubię enbeków!
— No to mamy coś wspólnego, ja też nie lubię enbeków.
— Gówno, nie mamy nic wspólnego, odwal się frajerze!
— Nie mogę, bo właśnie zacząłem tu pracować. A ta praca polega między innymi na wścibstwie, bardzo mi przykro, madame... Pani zna mnie już, teraz ja chciałbym poznać panią...
— Mam się przedstawić?
— Od tego zaczniemy, madame.
— A jak nie...
— To wysadzę panią na ląd bez prawa powrotu. Mogę zwolnić każdego prócz stryja. No więc, madame?... Jest pani tutaj „dziewczynką"?
— Byłam kiedyś.
— A teraz?
— Teraz opiekuję się dziewczynkami w tym przedszkolu.
— Powie mi pani wreszcie jak brzmi nazwisko przedszkolanki w tym przedszkolu?
— Tu nie nosi się nazwisk, panie Flowenol-junior. Mam ksywkę „Bogart".
— „Bogart"?... Jak Humphrey Bogart?... Dlaczego?
— A dlaczego nie?
— A dlaczego tak?

— Junior, posłuchaj. Kiedy już zdecydujesz się wysadzić mnie na ląd bez prawa powrotu, to zapytaj stryja, czy on się na to godzi. Chwilowo odpieprz się!

I zniknęła w korytarzu, zostawiając zapach jakiejś wody kolońskiej, który łagodnie drażnił mi nozdrza do wtóru saksofonowych impresji.

Jeszcze tego samego dnia wezwałem na okręt kilkunastu moich zuchów. Była to środa. W czwartek stryj przedstawił mnie wszystkim „dyrektorom", od kierownika kuchni i naczelnego lekarza, do szefowej sprzątaczek i przełożonego krupierów, łącznie dwudziestu kilku fagasom uważającym, że są lepsi od innych fagasów, bo sprawują funkcje kierownicze i biorą wyższe uposażenia. Powiedział im, że mają wykonywać moje rozkazy tak, jakby to były rozkazy dane osobiście przez niego. Wszyscy oni uśmiechali się do mnie w lizusowski sposób, tylko „Bogart" uśmiechała się do mnie w sposób taki, w jaki uśmiechamy się do kogoś, kto budzi jedynie nasz śmiech.

Kierownikiem robót mianowałem dowódcę sekcji technicznej mojej brygady, Tima Weltera. Kosztorys, który zrobił Welter, postawił mi włosy na głowie:

— Czyś ty zwariował, Timo?

— Nie, jestem zdrowy, ale umiem liczyć. Nowe łodzie dla pracowników i klientów, nowe pomosty na nadbrzeżu z bramkami wykrywającymi metal, nowy sprzęt strażacki, nowy system wentylacyjny, system alarmowy, system ratunkowy, psy wyuczone do wykrywania materiałów eksplodujących i narkotyków, podsłuch i podgląd, radar podwodny, centralka na statku, podwodne sieci wokół statku zabezpieczające przed nurkami, którzy mogą przykleić do burty minę, zwiększony personel i wyszkolenie tego personelu, a także grodzie wodoszczelne na dwóch najniższych poziomach...

— Grodzie wodoszczelne?

— Można się zabezpieczyć sto razy, a wróg znajdzie sto pierwszy sposób, zrobi nam u dołu dużą dziurkę, i statek pocałuje dno. Grodzie wodoszczelne przeciwdziałają temu, odcinając dziurawą część jednostki.

— Cholera, stryj takiej sumy nie zaakceptuje...

— A to już jego sprawa, panie poruczniku. Na jego miejscu kupiłbym też radar z systemem antyrakietowym, gdybym się tak bał, jak on.

— Welter!...

— To nie żart, panie poruczniku. Gdybym ja sam chciał rozwalić tę balię, to wcale nie próbowałbym przechytrzać wszystkich tych środków zabezpieczających, które będą tu instalowane, tylko odpaliłbym nocą z portu rakietę ziemia-woda. Jeden strzał i po krzyku! Proponuję, żeby pan to powtórzył swemu stryjowi.

Powtórzyłem to stryjowi. Nawet nie mrugnął okiem — zaakceptował cały kosztorys i od razu zdecydował się na jeszcze większy wydatek dla zdobycia laserowego systemu obrony przeciw rakietom. Łącznie ta suma powodowała zawrót mózgu i wyrwała mi uwagę:

— Wiedziałem, że jesteś bogaty, ale nie wiedziałem, że aż tak bogaty!

Odpowiedział pytaniem, które mnie zdziwiło:

— Znasz „Moll Flanders" Defoe'a?

— Czytałem to kiedyś, dawno temu...

— Pamiętasz jej maksymę tyczącą rozpusty?

— Nie pamiętam.

— Na starość, tuż przed kompletnym zgłupieniem, ludzie mądrzeją, co u niektórych objawia się erupcją aforyzmów. Ta stara, rutynowana kurwa mówi tam: „Jeśli cokolwiek pozwala wybaczyć rozpustę, to tylko korzyści, jakie ona przynosi"...

Taerg pomógł nam zdobyć jedno antyrakietowe cacko. Mnie przy tej operacji reprezentował Cliff Matakers, bo akurat wówczas Galton namierzył mojego zbiega, moją zwierzynę łowną, więc ja sam do żadnych rakiet nie miałem głowy.

Ker wyniuchał Farona w maleńkiej rybackiej dziurze. Kiedy tam przyjechałem, stwierdziłem zdumiony, że to jest mieścina z mojego snu! Odnalazłem mój pensjonat, i próchniejące molo, i rybaków, którzy potraktowali mnie nieuprzejmie. Kryjówką Farona był rybacki domek na samym skraju owej mieściny. Tym razem nie popełniłem błędu — zanim wszedłem do środka, moi chłopcy szczelnie obstawili dom.

Drzwi zgwałcił cichutko Chris Altan, wytrychem. I został przy nich, a ja wśliznąłem się jak kot, trzymając gnata. Z sieni, przez uchylone odrzwia pokoju, spostrzegłem Farona siedzącego przy stole i żonglującego kartami, większymi niż zwykłe karty do gry. Pod ręką miał szklankę i butelkę alkoholu, a na skraju stołu leżała peruka, którą ubierał, gdy wychodził stąd.

Dostrzegł mnie odchylając łeb, żeby wlać w gardło zawartość szklanki. Rozszerzył wzrok, ale nie wykonał żadnego gwałtownego ruchu, tylko rzucił pytanie:

— Postawić ci pasjansa, glino?

— Może kiedy indziej, mistrzu.

— Nie jesteś ciekaw swej przyszłości? Osobliwa wstrzemięźliwość, na ogół wszystkich bardzo interesuje to, co ich spotka...

— U nas dowiadują się o tym precyzyjniej niż z pasjansów, Faron. Ty już wiesz, co cię spotka, czy też karty nic ci nie powiedziały?

— Powiedziały mi, że przyjdzie glina. Widzisz jakie są prawdomówne, glino?... No to jak, pasjansik?... Nie?... Więc wybierz choć jedną kartę tarota z dwudziestu dwóch Dużych Arkanów.

Uśmiechnął się kusząco. Miał zmysłowy pysk, ale jego uśmiech psuł mu wargi w drażniący sposób, tak jak wąsiki psują usta niektórych kobiet. Brak odpowiedzi wziął za przyzwolenie. Potasował dwadzieścia dwie karty i rozsypał na blacie obrazkami do spodu.

— Ciągnij! — rozkazał.

Dotknąłem palcem jedną, a Faron ją odwrócił. Był to szkielet z kosą i z napisem: DEATH.

— Znasz się na tym? — zapytał.

— Tak — mruknąłem, wymierzając w niego magnum.

— Pytam o tarota, glino, nie o uśmiercanie człowieka! — powiedział zmienionym głosem, wolno i surowo, niczym ten, kto mówiąc w obcym języku pilnuje każdego słowa, żeby akcent był dobry. — Wyciągnąłeś ŚMIERĆ, ale to wcale nie wróżba, to wizerunek nowego stanu, obraz tego etapu życia, na którym człowiek znalazł się niedawno. Ta karta nosi nazwę: Władca Bramy Śmierci, lecz nie idzie tu o fizyczny zgon, tylko o wielką zmianę, gdyż druga nazwa tej karty to: Dziecko Wielkich Przemian, lub: Wielka Transformacja. Symbolizuje nagłą katastrofę, zakończenie spraw dotychczasowych, głębokie zmiany w psychice i w poglądzie na rzeczywistość, obumieranie dawnego ja dla formowania nowego, głębszego, choć nieznanego jeszcze. Taka zmiana sytuacji powoduje zmianę w patrzeniu na świat, zmianę w sposobie życia, zmianę wzorców myślenia i zachowań, zmianę wszystkiego... Wyjaw mi, przeżywasz coś w tym rodzaju?

Napełnił sobie szklankę ręką pewną jak ręka barmana i nie zrażony brakiem odpowiedzi perorował dalej tonem sędziego, który czyta treść wyroku, lekarza, który stawia diagnozę, i belfra, który tłumaczy uczniowi regułę matematyczną:

— W mitologii ta karta wiąże się z bogami wojen, a to twój zawód, gliniarzu. W Zodiaku to Skorpion — zabija sam siebie. W alfabecie hebrajskim...

Nie jestem spod znaku Skorpiona. Spod tego znaku był ojciec, wspomniał o tym kiedyś, gdy drwił, że matka krzepi się astrologią. Już chciałem Faronowi przerwać i wziąć go na inne spytki, lecz teraz zaczęło mnie interesować, co jeszcze wytarotuje.

— ... W alfabecie hebrajskim to: Nun. Te trzy litery muszą być w twoim imieniu, glino. Zgadłem, prawda?

— Nie.

— Jakie imię nosisz?

— Noram.

— Takie nosisz, czy takie ci dano?

— Takie mi dano.

— A ja pytałem o to, które nosisz!

— Nurni.

Pokiwał głową, jakby chciał rzec: karty tarota nie kłamią, gliniarzu!

— Sprawdź to sobie, weź jeszcze jedną!

— A jaką winienem wziąć, żeby uwiarygodnić tarota?

— Tę, którą również władają bogowie wojny, Odyn, Ares i Mars. I która również oznacza wielką zmianę, zniszczenie starego układu na skutek działania sił zewnętrznych, raptowne obalenie dotychczasowego porządku w czyimś życiu. Jest już tylko jedna taka wśród dwudziestu jeden, które tu leżą, to znak WIEŻY.

Odwróciłem pierwszą lepszą wśród tych kart i zobaczyłem gotycką wieżę, rozbijaną przez piorun z niebios. Napis pod obrazkiem brzmiał: TOWER.

— Druga jej nazwa, gliniarzu, to: Pan Wszechmocnej Armii. Piorun to strzała Jowisza lub norweski młot Thora, a ów proces zniszczenia, którego dokonują, to proces rozpadu świata iluzji poprzez oświecenie. To dar Lucyfera — dar niszczycielski i prowadzący ku zmianom, ale nie dobrowolnym, lecz wymuszonym, to zburzenie przez zewnętrzną siłę ostatniego bloku między starym „ego" a nową jaźnią, gliniarzu...

Sięgnął po drugą grupę kart.

— Są i Mniejsze Arkany, możesz spróbować i tu, glino. Jest ich pięćdziesiąt sześć, Buławy, Kielichy, Miecze oraz Talerze, po czternaście, ty musiałbyś ciągnąć z czternastu Kielichów.

— Dlaczego z Kielichów?

— Bo tylko wśród nich jest karta, która interpretacją pasuje do Wielkich Arkanów ŚMIERCI i WIEŻY. Symbol Kielichów to symbol trzech znaków Zodiaku: Ryb, Raka i Skorpiona. Czy urodziłeś się pod jednym z nich?

— Tak.

— A widzisz, znowu zgadłem!... Wiesz co zrobimy, glino, żeby cię upewnić? Nie będziesz ciągnął z samych Kielichów, pociągniesz ze wszystkich pięćdziesięciu sześciu! Jeden Mały Arkan!

Rozsypał je rewersami do góry. Wskazałem jedną. Odwrócił. Zobaczyłem Kielichy i zadrżałem.

— Kielichy! — powiedział. — Osiem Kielichów! Tylko ósemkę mogłeś wyjąć, to właśnie ta karta, twój los, gliniarzu! Symbolizuje zmianę, zwrotny punkt w życiu emocjonalnym, zmiany w układach z ludźmi i w sytuacji rodzinnej, nowe zaangażowanie emocjonalne...

— Czy ta karta też ma swój tytuł?

— Ma. Nosi nazwę: Pan Opuszczonego Sukcesu, glino!

— Jestem więc Władcą Bramy Śmierci, Panem Wszechmocnej Armii i Panem Opuszczonego Sukcesu?

— Tak, tylko w odwrotnej kolejności, glino!

Znowu napełnił sobie szklankę i jednym haustem wlał płyn do żołądka. Nie przeszkadzałem mu w tym. „Niech się upije! — myślałem. — Będzie szczerzej gadał, szczerzej niż ci, którzy uprawiają szczerość, gdyż w każdej trzeźwej szczerości jest zbyt dużo szczerych kłamstw, zaś wódka rozwiązuje mężczyznom języki równie skutecznie jak czyni z kobiet rozwydrzone, bezwstydne ochłapy mięsa...".

— Napijesz się, glino?

— Nie przyszedłem tu, żeby pić.

— Więc dlaczego przyszedłeś?

— Żeby cię spytać czemu się chowasz jak szczur! I dlaczego zwiałeś, gdy przyszedłem do ciebie po raz pierwszy!

— Odruch warunkowy, glino. W tym kraju na widok tajniaka trzeba dymać galopem... A po co przyszedłeś pierwszy raz?

— Zamienić kilka słów.

— Po co wy to robicie?

— Bo z tobą się tak przyjemnie rozmawia, Faron...

— Do cholery! Pytam: po co to robicie?! Jaki jest cel tego śledztwa? Tego ożywiania trupów! O co tu chodzi?!

— O nic szczególnego. Robimy to w ramach rutynowych ćwiczeń policyjnych na zadane tematy. Temat, który ja dostałem od zwierzchnika, to związki międzyludzkie kobiet i mężczyzn, te duchowe i te sanitarno-epidemiologiczne. Zacznijmy od tych pierwszych, Faron. Żona Fryderyka Flowenola była „prowadzona" przez ciebie jako konfidentka bezpieki...

— Taki temat ja dostałem od mojego zwierzchnika, gliniarzu.

— Od kogo?

— Od majora Pargisa.

— Dlaczego właśnie ty? Dlatego, że była twoją podwładną i że byłeś znanym kopulantem?

— Dlatego, że była moją podwładną i że byłem znanym krytykiem. Od wierszy do łóżka, a nie na odwrót.

— Kiedy zaczęła pisać te swoje wierszyki?

— To nie jest ważne kiedy zaczęła pisać, glino. Ważne dlaczego zaczęła pisać. Pisać zaczęła od momentu, kiedy jej mąż zdobył sławę. Wtedy narodziła się w niej zawiść.

— Tak ci powiedziała?

— Nie, tak się domyśliłem.

— Opowiedz mi o tym, Faron.

Najpierw wypił kolejną szklankę, a później zaczął opowiadać, i w miarę jak mówił, rozgrzewał się, zmieniał w krytyka literackiego, przepełnionego pasją właściwą dla tej profesji:

— ... Twórczość Flowenola miała entuzjastów i wrogów, obojętny był mało kto. Miriam z pozoru była obojętna zupełnie, nie chciała patrzeć na jego obrazy, nie miała pojęcia co, gdzie, kiedy i czemu namalował, i tylko gdy potrzebowała dla kogoś prezentu, przychodziła prosić go o któreś z płócien. Flowenol jako lekarstwo na swój ból wmówił sobie i innym, że ten jej brak zainteresowania to dowód na to, iż ma żonę kochającą go nie dla sławy, lecz dla niego samego... Ale to nie była obojętność, gliniarzu, to była zawiść. Doścignąć lub prześcignąć męża! Być wielką poetką i uprawiać wielką sławę! Obłożyła się tomikami wierszy i nuże kompilować, epigonić i wydziwiać własne metafory, a gdy już natłukła tego, zaczęła rozsyłać na konkursy poezji, stołeczne i regionalne, do radia, do telewizji, do gazet i miesięczników. Było to straszliwe grafomaństwo...

— W tobie miała osobistego recenzenta?

— Tak, gliniarzu.

— A ty, jako uczciwy krytyk, powiedziałeś jej prawdę?

— Nie, gliniarzu. Płodziła zbyt wielkie grafomaństwo, nic się nie dało zrobić! Poematy i sonety, od których można było dostać pierdolca, zabijały śmiechem! A ja musiałem być wzruszony, czytając. Pamiętam jej odę pod tytułem: „Byłam z tobą na morzu". Zaraz, jak to leciało?... „Woda, woda, woda, morski wiatr serce targa, słone krople na naszych wargach"!... Majestatyczne grafomaństwo, więc nie opadł na jej fryzurę ani jeden laurowy liść. Stąd gniew, motor kolejnych zdrad, czyli rekompensat za klęskę twórczą, tylko jako kobieta mogła odnieść sukces... Nigdy nie przebaczyła Flowenolowi tego, iż Bóg nie podarował jej geniuszu czy choćby rzemieślniczego talentu, i nie wiem, glino, czy kiedykolwiek uświadomiła sobie, że sama również ponosi część winy. Myślę, że nawet talent by jej nie pomógł, bo jeśli od dzieciństwa nie lubi się książek jak nieszczęść, jeśli zdobywanie choćby elementarnych podstaw wiedzy traktuje się jako stratę czasu, jeśli nigdy się nie słyszało nazwisk Petrarki, Byrona, Rimbauda, Audena, Yeatsa i Dylana Thomasa, wówczas obłożenie się kilkoma przypadkowo zdobytymi tomikami rodzimych wierszokletów dla zmajstrowania własnego wiersza, nie może być uwieńczone sukcesem... Była rozczulająco prymitywna, w życiu nie przeczytała jednej książki. I jak każda z takich idiotek miała pewność, że pisanie wierszy uszlachetnia. Wszystkie tak myślą.

— Znasz wszystkie?

— Miałem dużo cudzych żon, gliniarzu. Połowa kobiet pisze wierszyki, a wśród zdradzających prawie każda. I każda kiedyś rezygnuje. Wszystkie te, które znałem, da capo al fine śpiewały o swych wielokrotnie złamanych sercach, o smutkach i krzywdach, co dotykają kobiety przez mężczyzn, o męskiej nicości, i o poszukiwaniu takich facetów, przy pomocy których będzie się można zameldować w raju na stałe. Bogiem a prawdą to, co drukują u nas, niewiele odbiega poziomem od tej amatorszczyzny. Mamy pierwszorzędnych policjantów i drugorzędnych wieszczów. Są tacy, co twierdzą, iż tych drugich mamy dlatego, że mamy tych pierwszych.

— Sam to wymyśliłeś?

— Co?

— Ten dowcip, krytyku.

— Tak, gliniarzu, ale nie podzielam tej opinii. Inkwizytor nie przeszkodził Camõesowi w stworzeniu „Luzyad". I nie myśl, że ja lekceważę poezję drugorzędną. To znaczy lekceważę ją, lecz doceniam jej terapeutyczną rolę, zbyt wielu ludzi potrzebuje azylu dla nieczystego sumienia, po to ją wymyślono. W heroicznym rymie mężczyźni odnajdują sens jałowego bohaterstwa, któremu powierzyli swą zwierzęcość, a kobiety w tkliwym rymie miłosnym usprawiedliwienie sekretnych rui, którym nie potrafiły się oprzeć. Spiżowe fanfary i zasuszone kwiaty, brawurowe ataki i czułe westchnienia, poświęcenie dla męskich spraw i ukojenie dla żeńskich migren, ostatni nabój i ostatni pocałunek — ofiarna krew samców i księżycowa krew samic w modlitwach rozpisanych pionowo przez amatorów i zawodowców! Tchórz ucieka do tyłu, reszta, która czuje identyczny strach, zwiewa do przodu po miano nieśmiertelnych, lecz wyśmiej ich, a nazwą cię jak tamtego — zdrajcą. Dziwki kupują prezerwatywę prosząc o nią głośno i bez rumieńca, a cnotliwe nabywają tomik wierszy, gdzie jest tęsknota za prawdziwym mężczyzną, na którego ramieniu można się wesprzeć jedną ręką i stojąc na jednej nodze zdjąć pantofelek, by wylać zeń ocean smutku niczym nadmiar grzesznej spermy, lecz tylko cham bez serca posłuży się tą plugawą złośliwością, gdyż nie kapuje czym jest kobieca miłość, tak jak tchórz nie wie, co to męska dzielność! Cham i tchórz wyznają wredną prozę! Tchórz na ten przykład wie, że obok urn z prochami bohaterów ci, którym dane było przeżyć, ściskają się z wrogiem dopiero co nienawidzonym, lecz bardzo bogatym, uświęcając Pokój i żebrząc o pożyczkę, a dusze nieśmiertelnych klną, bo zostały im tylko dytyramby, które nie przywrócą im życia. Zaś prostak wie, że lalki, co żyły bez hamulców, cieszą się blaskiem koron, jakie ofiarowuje im świat, podczas gdy cnotliwe, co serio wzięły przykazania liryków i łyknąwszy truciznę romantycznych poezji toczyły heroiczny bój z biologią, uprawiając wierność, macierzyństwo oraz pelargonie w doniczkach — na starość klną niczym szewc, bo dociera do nich, że okradły się z raju, i to raju jedynego, przez co nie mają żadnych olimpijskich diademów i żadnych wspomnień prócz rymowanych dyrdymał, liniejących w miarę upływu czasu jak każda fałszywa wzniosłość! Lecz spójrz, gliniarzu, orkiestra zaczyna już grać nowy kawałek i parkiet zaludnia to samo towarzystwo, gdyż głupota jest nieuleczalna, niepoprawność jest cechą złudzeń, a wstyd jest tylko antraktem w cyklu zawiedzionych tęsknot do bycia prawdziwym mężczyzną i do ramion prawdziwego mężczyzny. Nieśmiertelny żer wierszokletów, którzy płodzą uśmierzające tabletki dla chorych! Tchórze i dziwki rymopisa nie wzywają. Czasami tylko przyjdzie nieproszony gliniarz...

Zamilkł, patrząc jak odebrałem to arcydzieło wieczoru; wszystko było jasne — przeszedł samego siebie. I wstał, tak jak się wstaje wypraszając gościa, gdyż po takim finale dodatkowe akty mogły być już tylko profanacją.

— Coś jeszcze, gliniarzu?

— Obecny adres żony Flowenola.

— A skąd mam wiedzieć? Nawet nie wiem, czy ta kobieta jest wśród żywych!

— Jeśli nie jest wśród żywych, to znaczy, że masz co najmniej dwa trupy na sumieniu.

— O czym ty gadasz, glino?

— O samobójstwie jej męża.

— Bzdury! To był wariat, szaleniec! Gdyby każdy zdradzony facet popełniał samobójstwo, wówczas mali chłopcy byliby jedynymi mężczyznami, którzy umierają na raka! Jakiś geniusz, nie pamiętam kto, powiedział słusznie: „Nikt nie ma szczęścia u kobiet. Nie trzeba tylko robić z tego dramatu"! A ten kretyn, ten dureń, ten romantyczny stary osioł, wlazł do awionetki...

Bardzo łatwo się zabija. Wyjąłem broń i zrobiłem mu w ciele pięć otworów. Kiedy upadł, szóstą kulą przestrzeliłem mu dla pewności łeb.

RZYM PRZECIW FLORENTYŃCZYKOWI — Akt IV.

— Naprawdę jesteś papieżem?
— Czemu w to wątpisz?
— Myślałem, że jesteś porywaczem i dręczycielem starców.
— Bardzo cię dręczono?
— Przez cały dzień leżałem na wozie jak bela sukna. Ni posiłku, ni trunku, zlałem się w gacie i słowa nie mogłem rzec, bo mi gębę zatkali.
— Trwożono się widać, byś nie użył języka swego. Wszyscy boją się twego języka. Tylko ja się ciebie nie boję.
— Słusznie czynisz. Nie bój się mnie, bój się tylko mojego języka.
— Mógłbyś za jego pomocą obedrzeć mnie z papieskiej szaty?
— Mógłbym za pomocą jednego sylogizmu ubrać cię w szatę barana.
— Zrób to.
— Każdy papież jest nieomylny, a każdy, kto uważa się za nieomylnego, jest baranem, więc ty jesteś baran.

— Sprytnie. A teraz zdejmij ze mnie te kudły.

— Baran pije tylko wtedy, kiedy ma pragnienie, a ty pijesz na umór, więc nie jesteś baran. Bydlę, słuchając jedynie wrodzonych popędów, nigdy nie przebiera miary.

— Dzięki, że mi tego dowiodłeś. Dowiodłeś mi, że prawdziwa władza nie leży w moich rękach, tylko w rękach takich jak ty, wielkich mędrców. Macie nad wszystkim władzę absolutną. Bogów mordujecie jak szczenięta, rozpruwacie wnętrzności sekretów bytu, niewolicie gwiazdy i roztaczacie królestwo ducha.

— Jesteś tego pewien?

— Tak, ale boję się, że moi ludzie mogą mieć wątpliwość, mają umysły jeszcze ciaśniejsze niż ja. Dlatego każę wziąć cię na męki, abyś mógł im dowieść na łożu tortur wyższości ducha i nauczył ich pokory wobec rozumu, który góruje nad materią. Dasz im wejrzeć w istotę rzeczy.

— Nie osiągniesz tym celu, panie. Tam przemówi tylko moje ciało, które się niczym nie różni od baraniego ciała.

— Tam przemówią twoje usta, które się różnią od baranich, bo są fontanną twojego rozumu.

— Usta to też ciało. Oddaj mój rozum na pastwę mąk!

— Jak mógłbym to zrobić?

— Skazując mnie na mnie samego.

— Kpisz?

— Ani bym śmiał. Cisza pracowni jest największą torturą dla człowieka próbującego rozumem przeniknąć istotę i sens. A ostateczna dla niego kaźń to zrozumienie, że umieramy tak samo głupi jak się rodzimy. Chcesz mi skrócić cierpień, to mnie zabij!

— Nie ma we mnie tyle miłosierdzia. Wrócisz do domu...

— Amen, wasza świątobliwość!

— ... żeby podburzyć tłum przeciw Savonaroli, co dla twego języka igraszką będzie. Gdyby ci się to nie udało, moi ludzie przyjdą jeszcze raz do twego domu, ale już nie po twój język...

— Odmawiam!

— Zatem wylądujesz w lochu, gdzie bez kawałka strawy i bez kropli wody będziesz mógł modlić się do świętych Platona i Sokratesa, by zwrócili ci rozsądek!

Rozdział 9.

Taerg stawał na głowie, by udowodnić, że pani Tigran prowadzi działalność terrorystyczną, ale jakoś nie znajdował dowodów. Kapowałem gdzie tu jest pies pogrzebany. Taerg nienawidził prezydenckiego brata, generała Rufusa Rabona (szefa żandarmów), a pani Rufusowa, „druga dama kraju", przyjaźniła się kiedyś z „wielką Eleonorą", więc gdyby Taerg dowiódł, że pani Tigran zamieniła berło królowej feministek na maczugę królowej terrorystek, szef żandarmerii, generał Rufus Rabon, mógłby utracić sympatię swego brata.

Nie pojmowałem innej gry. Dowodzony przez Krimma Front Wyzwolenia Narodu z każdym dniem wzmagał aktywność, detonując bomby i rozstrzeliwując dygnitarzy, a NB jakoś nie umiało temu przeciwdziałać. Nie umiało lub nie chciało, obstawiałem raczej to drugie. I powiedziałem to Taergowi wprost, a on mi rzekł w odpowiedzi:

— Każdy złupiony bank, każdy rozstrzelany zakładnik, każdy wysadzony samochód, każdy skąpany we krwi gliniarz i żołnierz, oznacza punkt dla jego ekscelencji prezydenta Rabona! To jest prawo fizyczne, Flowenol, jak prawa Archimedesa, Newtona, Galileusza i innych. Prawo Rabona mówi, że akceptacja władz przez społeczeństwo rośnie w stopniu proporcjonalnym do wzrostu niechęci społeczeństwa wobec terrorystów. Co nie znaczy, że nie chcemy Krimma ująć. Chcemy, i ja to zrobię, i zgodnie z obietnicą przekażę ci go do rąk własnych, poruczniku. Cierpliwości, Flowenol!

Cierpliwości! Cóż za parszywe słowo! Gdy byłem szczeniakiem, stary odmówił udzielenia wywiadu jakiemuś pismu (a może radiu), co zezłościło Mateusza. Klarował ojcu, że dzięki takim wywiadom lub audycjom zdobywa się rozgłos publiczny, a to ważniejsze niż być cenionym tylko przez koneserów i krytyków.

— Wiesz czym jest cierpliwość? — zapytał go wówczas stary. — To marzyć, by nas podziwiano, a przy tym unikać chwalenia się. Tak mówił mój profesor w Akademii Sztuk. Będę o sobie gadał pędzlem, a jeśli mam kiepski pędzel, to żadne słowa i żadna reklama nie zrobią ze mnie gwiazdy.

Moja cierpliwość należała do zupełnie innego rodzaju — była dzieckiem posłuchu. Im mniej mi jej zostawało, tym mniej ufałem dwóm facetom, których musiałem słuchać, szefowi NB i stryjowi. Ta wylewna szczerość, gdy komendant tłumaczył mi „prawo Rabona"! Wylewna szczerość jest jak zupa z oczkami tłuszczu — pływa w niej tyle fałszu...

„Prawo Rabona" było mądrym prawem — we wszystkich zachodnich krajach pobudki i hasła terrorystów przegrywały z ich metodami, terror w odpowiedzi na terroryzm dostawał społeczne przyzwolenie, i o to chodziło. Ale w głosie Taerga był fałsz, więc jakieś drugie dno musiało być w jego odpowiedzi. Gdybym miał wówczas głowę wolną od koszmarów, zastanowiłbym się głębiej nad tym, co mi powiedział. Lecz miałem własne kłopoty, już nie tylko z mózgiem, również z anatomią.

W czasach Huberta, Taerga, Galtona czy moich chłopców, byłem absolutnie zdrowy i sprawny. Mylili się jednak sądząc, że wciąż jestem okazem zdrowia. Zrozumiałem, że tak nie jest, odkąd zacząłem czuć swoje ciało. Nie było już tak swobodne jak w przeszłości, gdy mięśnie, ścięgna i cały szkielet nie dawały żadnych znaków, a zmęczenie po długim biegu czy wspinaczce było tylko zwycięską radością maratończyka — gdy organizm nie kazał o sobie myśleć. Być może spowodowane to zostało śmiercią ojca, zniknięciem Miriam i wywołaną przez te fakty burzą w moim mózgu; być może gdyby nie to, ów okres bezmyślnych członków trwałby dłużej. Ale nie trwałby w nieskończoność, każdemu ciało się zużywa. I to jest chyba ów moment pożegnania młodości, który nie dokonuje się metryką, lecz myślą o ciele. U kogoś tak zdrowego jak ja, na zewnątrz wszystko jest w porządku. Moja pięść wciąż mogła rozbić cegłę z szybkością pioruna, zęby mógłby gryźć orzech w łupinie, przeskoczyłbym bez rozbiegu półtorametrowy płot, zmierzyłbym się z każdym na liczbę pompek i przebiegłbym od centrum Nolibabu do portu nie zwalniając. Lecz już nie ten sam, co kiedyś — teraz biegnąc, skacząc i pompkując myślałbym przez cały czas czy dam radę. Z zewnątrz naczynie było bez zarzutu, nie miało żadnych pęknięć na powierzchni. Korodowało od wewnątrz, a korozją była myśl o nim. Tak jak gangreną mojej duszy była myśl o Miriam. Coraz bardziej czułem w sobie kogoś innego. Byłem we władaniu demona moich pragnień i moich snów. Oto czemu potrafiłem już zabić bezbronnego człowieka jak kurę.

Nie dziwiłem się moim snom; wiedziałem, iż są jednym z symptomów mojego szaleństwa, któremu też nie dziwiłem się nic a nic. Wśród moich przodków była wystarczająca liczba szaleńców (o czym wiedziałem z kroniki dziadka Leonarda), aby ich geny, skumulowane w moim mózgu, mogły zatańczyć każdą melodię graną przez zły los.

Co drugi z tych snów był gościnnym salonem — odwiedziali mnie Galton, Faron, Hornlin, Taerg i Krimm, matka i stryj Mateusz, moi chłopcy z Biura Statystycznego i moje kobiety z dawnych lat. Widywałem również ojca i Miriam, lecz z nimi nie mogłem nawiązać kontaktu. Miriam patrzyła ponad moim ramieniem na coś za moimi plecami, a gdy się odwracałem, ta sama twarz (jej twarz lub twarz jej siostry-bliźniaczki, żony Mateusza) wyrastała przede mną i patrzyła ponad moim ramieniem w głąb mojego snu. Krzyczałem do niej, lecz nie słyszała niczego, jak gdyby była głucha lub jakby szklana przegroda zatrzymywała dźwięk. Byłem bezradny, bo ktoś, kogo chce się osiągnąć za pomocą słów, musi usłyszeć, by mógł słuchać, i musi słuchać, by mógł zrozumieć, i musi zrozumieć, by mógł się zgodzić. Również ojciec nie reagował, gdy zwracałem się do niego. Widziałem go zawsze z profilu; przypominał Fryderyka Montefeltro, księcia Urbino, na znanym portrecie Piera della Francesca — miał kamienne, jakby rzeźbione oblicze, a jego milczenie zdawało się pełne pogardy wobec wszystkiego, co robię i co chcę zrobić.

Okrętowy saksofonista, ulubiony świr wszystkich okrętowych dziewcząt, „Puszdum" Engelbert, zapytał mnie któregoś dnia ni stąd, ni zowąd:

— Czy pomyślałeś kiedyś, że wszystko, co robisz w życiu, jest bez znaczenia, chłopie?

— Dlaczego o to pytasz?

— Dlatego, że wszystko jest bez sensu. Ile nam zostało? Dwadzieścia, trzydzieści lat?

I pstryknął palcami.

Miał rację. Umrze się za miesiąc, rok, dekadę, lub jeśli nawet za kilka dekad — to też mgnienie oczu. Lub dziś, niespodziewanie, tak jak Faron. Na jedno wychodzi. Więc w jakim celu cała ta szarpanina? Po nas i tak nie będzie niczego, śladu, pyłu, zapachu ani żadnych wspomnień. Nikogo nigdy nie było, nawet gdy zostają jakieś hasła, godła i daty. Istnieje tylko chwila bieżąca, zbyt krótka, żeby ją zmierzyć — taka sama ważna w sraczu, w łóżku z kobietą i na każdym podium — zaś całe życie to dziwny sen, który się składa z takich chwil, które nie istnieją, one tylko mijają. Nim zdążysz pomyśleć, już minęła, a ta, podczas której myślisz, też już mija, więc ta następna... Jest tylko wieczność pełna trylionów nas nieobecnych, czarna jak bezgwiezdna noc, również nieistniejąca, bo wyzuta z nas.

Myślę w ten sposób dziś — wówczas nie zaprzątałem sobie głowy analizowaniem istoty bytu. Nawet wtedy, gdy śmierć musnęła mnie swą ciężką dłonią i przez dwa tygodnie szpital był moim domem, moje myśli obracały się wokół innych spraw.

Wylądowałem w szpitalu kilkanaście godzin po zabiciu Farona, mając rozbitą głowę i wstrząs mózgu. Znaleziono mnie na ulicy...

Z miejsca zbrodni, z tego rybackiego miasteczka, wracałem do Nolibabu milcząc i nie reagując, bo nie słysząc, co mówią moi ludzie, Altan i reszta zespołu. Myślałem o tym, że Faron potwierdził mi istnienie piekła, dał mi swoim przyznaniem się dowód wystarczający. Że teraz powinienem już tylko gardzić nią, by osiągnąć stan zobojętnienia i zapomnienia. I że jestem królem łajdaków, gdyż mimo wszystko pożądam jej. Moja czaszka była jak zamknięty kocioł, w którym ogień podsyca parę nie dbając o wybuch, co rozerwie żelazo.

W Nolibabie zwolniłem chłopców, a sam — miast do domu — udałem się do kościoła, gdzie lubiła się modlić przed ołtarzem, na którym wisiał stary krucyfiks w gablocie za szkłem chroniącym wota, różne serduszka, rączki, łańcuszki, krzyżyki, bransoletki i tabliczki dziękczynne bądź proszalne. Kościół był pusty, ale ja nie zauważałem, czy jest pusty, czy jest w nim ktoś. Stanąłem przed tym ołtarzem pijany z gniewu i rzucałem Chrystusowi w twarz:

— Na czym polega Twoja wszechmoc, do cholery, na czym?! Jaki robisz z niej użytek?! Czemu wszyscy, którzy Cię błagają o pomoc, cierpią i wyją z bólu?! Czy jesteś głuchy?! Czy jesteś ślepy?! Czy jesteś bezwolny?! Nie, Ty jesteś wszechmocny, tylko że masz nas wszystkich w dupie! Dlaczego... no, na przykład, dlaczego tyle dzieci cierpi?! I tylu mężczyzn?! I tyle kobiet?! Miliony i miliony, od tysięcy lat! Galton i Hubert mają rację! Czy pomogłeś chociaż jednemu konającemu dziecku?! A jeśli nawet pomogłeś jednemu, to dlaczego nie pomogłeś drugiemu?! I dziesiątemu?! I każdemu?!!! Na czym polega ta gra? Dlaczego one cierpią, za co, za jakie grzechy?! I dlaczego cierpiał mój ojciec, co takiego zrobił, że Twoja wszechmoc go olała?! Co?!...

Pastwiłem się nad ciszą tej nawy, a mój wrzask zagłuszał moją hipokryzję, gdyż krzycząc o cierpiących dzieciach i o moim ojcu, nie miałem ich na myśli, tylko siebie samego. Ale ta świadomość, że jestem wredny jak każdy faryzeusz, nie powstrzymała mnie od jeszcze gwałtowniejszej profanacji: chwyciłem grubą, ciężką świecę stojącą na ołtarzu i miotnąłem nią, celując w Chrystusa. Szkło gabloty rozprysnęło się iskrzącym gradem, a ja wybiegłem ze świątyni i ruszyłem ulicą, by za chwilę poczuć kołowrotek w mózgu, ciemność we wzroku i przestać być. Ocknąłem się na łóżku szpitalnym.

Lał wtedy deszcz, i on mi pomógł. Nie ocucił mnie, lecz obmył kant latarni, w który walnąłem głową upadając, dlatego mogłem powiedzieć Matakersowi, że ktoś trzasnął mnie z tyłu, ktoś, kto za mną szedł, jakiś mężczyzna. Moi ludzie skojarzyli ten zamach z rozbitym szkłem ołtarzowej gabloty w kościele niedaleko miejsca, gdzie mnie znaleziono, i zdjęli ze świecy odciski palców. Na szczęście żadnemu z nich nie przyszło do łba, żeby porównać te odciski z odciskami moich palców. Znalazł się jednak ktoś, kto odgadł prawdę, może dzięki temu, że był dobrym diagnostą, a może mówiłem coś przez sen i ten lekarz to usłyszał. Był ordynatorem enbeckiej kliniki. Usiadł przy moim łóżku i zapytał wprost:

— Zechce mi się pan zwierzyć, co pana do tego skłoniło, poruczniku?

— Do czego?

— Do rozbicia kościelnego ołtarza.

— Czyli przyznać się do tego? Mógłbym. Lecz zaraz potem musiałbym pana zabić.

— Ludzie tak starzy jak ja śmierci się raczej nie boją. A pan nie powinien się bać donosu, nie jestem donosicielem, poruczniku, jestem lekarzem, chcę tylko zrozumieć dlaczego pan to uczynił. Przestał pan wierzyć w Boga?

— Gdybym przestał — przestałbym mieć pretensje do Niego. Myślę, że ateiści nie tłuką krucyfiksów, gdyż krucyfiksy są im obojętne.

— A ta pretensja, to...?

— Panie doktorze, codziennie na tym świecie tysiące dzieci umierają z głodu. Z głodu! Wystarczy? — skłamałem.

— Nie, nie wystarczy. Bo to nieprawda, pan to zrobił nie dlatego.

— Czemu pan uważa to za niemożliwe?

— Nie powiedziałem, że uważam to za niemożliwe. Świat jest pełen działań, rytuałów i reakcji, które, na zdrowy rozum, mają charakter niemożliwych. Jak można spędzić choćby minutę przy konającym dziecku i zachować wiarę w Boga? Jak można znać obrazy Chagalla i pozostać antysemitą? Jak można nie przestać być mięsożercą, gdy się raz było w rzeźni? Człowiek jest zadziwiającym zwierzęciem. Ale to, co pan zrobił, zrobił pan z jakiegoś osobistego powodu, z prywatnego bólu, możliwe, iż śmiesznego w obiektywnych kategoriach. Jestem prawie pewny...

— A istnienia Boga też jest pan pewny? Czy pan wierzy w Boga, doktorze?

— Nie, poruczniku. Natomiast wierzę w Kościół, który lansuje tego Boga. Oto jeszcze jedna z rzekomych niemożliwości, o których panu wspomniałem, poruczniku.

— To istotnie osobliwość — przytaknąłem, ciesząc się, że zmieniamy temat. — Niech mi ją pan wytłumaczy.

— A potem pan mi wytłumaczy, zgoda, poruczniku?... Coś za coś.

— Okey.

— W przeciwieństwie do tych, którzy wierzą w Boga, ale parskają na Jego delegaturę ziemską, na Kościół, ja nie wierzę w Boga, ale wierzę w Kościół, gdyż propaguje on prawa i zasady oparte na miłości, wierności i samarytanizmie, i zwalcza wszelaką zbrodnię, od tej, której matka dokonuje na swym płodzie, po każdą inną. Teraz pan, poruczniku.

— Kobieta. I to musi panu wystarczyć.

— To mi wystarcza. Domyślałem się tego, ale nie byłem całkowicie pewien, gdyż pan zdawał mi się być człowiekiem inteligentnym, poruczniku... Okazuje się jednak, że inteligencja może bronić przed każdym samozniszczeniem prócz szaleństwa miłosnego. Pan mnie zrozumiał, poruczniku? Nie mówię o zwykłym zakochaniu, lecz o patologii czyli o miłosnym szaleństwie, które jest chorobą.

— U mnie dziedziczną — zakpiłem ostentacyjnie. — Mam to po przodkach.

— Co masz po przodkach? — spytał Hubert, stając w drzwiach separatki.

Ordynator podniósł się i rzekł:

— Po przodkach pański krewny ma organizm z żelaza, więc wkrótce będzie zdrów jak koń.

I wyszedł, a stryj wrócił do tematu:

— Coś ty mu gadał o naszych przodkach?

— Że mam po nich wybitną urodę.

— Pytam serio!

— Że mam zakichany fart po przodkach, stryju!

— Skąd to wiesz?

— Ze świętej rodzinnej księgi.

— Z kroniki dziadka Leonarda?

— A mamy inną kronikę?

— Chłopcze, tam jest opisana tylko jedna gałąź naszego rodu! A wiesz ile ich było? To się cofa w postępie geometrycznym! Każdy ma czworo dziadków, ośmioro pradziadków, szesnaścioro prapradziadków, i tak dalej! A więc każdy ma za sobą nie jeden długi ogon przodków, lecz niezmierzony genealogiczny welon o niewyobrażalnej liczbie gałęzi! I to jest dopiero twoja święta księga pokoleń! Tak, zgadzam się, jest w niej coś świętego — bezkresna procesja ciał i dusz, majestatyczne sacrum wielu dróg prowadzących do jednego celu, do stworzenia twojego ciała, Nurni! Podobnie jest zresztą u królików i owiec.

— Bardzo ładna puenta, stryju, brawo!

— Chciałem przez nią powiedzieć wyłącznie to, Nurni, że podobnie jak u królików i u baranów, każdy ma tylko jedno życie, krótkie i zasrane niczym koszulka niechcianego dziecka. Więc po co zasrywać ją jeszcze bardziej wystawianiem łba na niebezpieczeństwo? Teraz, gdy Krimm poluje, nie wolno ci chodzić bez obstawy!

— A ty przyszedłeś tu z obstawą, stryju?

— Tak.

— Prywatni goryle?

— Okrętowi. Byłbym zapomniał! Mam dla ciebie trochę delikatesów...

— Bóg zapłać, ale nie brakuje mi tu niczego.

— Prócz damskiego ciała, to kłopot pacjentów marnych szpitali. Zauważyłem, że pielęgniarki są tu do luftu...

— Przeciwnie, są świetne!

— Są urodziwe jak jagody jesienią, chyba że trafiłem na gorszą zmianę, Nurni! À propos. Pewna dama, ku mojemu zdziwieniu, zapytała czemu od kilku dni nie bywasz na okręcie, a gdy ją poinformowałem, że leżysz w szpitalu, zrobiła minę jakby markotną...

— Kto taki?

— Miss „Bogart", synku!

Opowiedział mi o pannie „Bogart", o postępach prac przy zabezpieczaniu jednostki (bardzo chwalił Matakersa), a mówienie najwyraźniej sprawiało mu radość, gdyż był wygłodniały po kilkudniowym samozakneblowaniu. Te kilka dni to były typowe dla niego dni milczenia, które go nawiedzało od czasu do czasu tak, jak innych nawiedzają ataki migreny lub przeziębienia. Bo tak samo jak zawsze był zdolny wygłosić mowę pełną cyzelowanych efektów retoryki w tradycyjnym stylu, głosem to wzbierającym ku szczytom patosu, to opadającym na kręte ścieżki konfidencjonalnego szeptu, wibrującym zmysłową delikatnością lub uderzającym z siłą młota — tak samo stale był gotów zamknąć się w sobie niczym szczery mruk i milczeć przez jakiś czas z talentem niemowy, a dokładniej z uporem człowieka obrażonego na cały świat, głuchego na bliźnich, zatopionego w raju własnej osobowości, własnej skorupy, w bezdennej studni własnego mózgu, przewyższającego wszystkie inne szare komórki stada. Później musiał odreagować to językiem mielącym wszystko z siłą młyńskich kół, i właśnie teraz to robił, siedząc obok łóżka szpitalnego. Mówił z rozkoszą o głupstwach i o rzeczach poważnych, by na końcu wrócić do początku:

— Widzę, że miałeś z tym lekarzem ciekawy dialog...

— Po czym to widzisz?

— Po tym, co usłyszałem.

— A co usłyszałeś?

— Że mówisz o swoich przodkach, synku. Kiedy rozmawia się z kimś o przodkach, to nie jest zwykłe bicie językiem piany. O co mu chodziło?

— Rozmawialiśmy o Bogu.

— O Bogu?!... Kapitalne! Wieczny temat! Tylko że to jest wieczny temat przymusowych dyletantów, Nurni, bo tu prawda jest nieosiągalna tak samo jak granica kosmosu. Wiara i mistyka przeciw logice i empiryce, czyli kaleki przeciw kalekom! Jedyny sensowny dialog w kwestii Boga, jaki znam, to graffiti, które wykonało dwóch facetów na ścianie knajpy „Camarillo" w Berlinie. Pierwszy z tych napisów brzmi: „Nietzsche: Bóg umarł". A pod tym ktoś dał odpowiedź temu pierwszemu: „Bóg: Nietzsche umarł". Ten drugi facet był genialny, żaden teolog nie dokopał celniej wywodom wojujących ateistów.

— Opowiedziałeś ten numer Galtonowi?

— To on mi go opowiedział! Ker jest wojującym bogożercą, ale do osłów nie należy. Być może nie należy i do ateistów. To, rzecz prosta, brzmi jak głupi dowcip, biorąc pod uwagę rzeczy, które on wygaduje, ale czy stałe zwalczanie Boga nie jest najoczywistszym przejawem wiary w Niego?... To tak, jak z wielkimi twórcami, synku. Większość pisarzy czy malarzy to ateiści. Ale spójrz. Każda ich powieść to modlitwa do Boga. Wszystkie te wspaniałe pogańskie obrazy... W każdym dziele wielkich heretyków jest prośba, jest rozpaczliwe wycie o istnienie Boga! I być może tak jest z Kerem i z całą tą jego bluźnierczą gadaniną... Wiesz co, synku, czasami podejrzewam Galtona, że on się regularnie modli, chociaż to wydaje się niemożliwe...

— Cały świat jest pełen rzeczy niemożliwych, człowiek to dziwny stwór — zacytowałem ordynatora.

Co się potwierdziło już kilka godzin później, gdy wizytę złożyła mi para fijołów, którzy kiedyś zawarli znajomość dzięki mnie, a przyjaźń dzięki temu, że „skrajności się łączą". Grant wręczył mi nową kasetę mojego ulubionego piosenkarza, Chrisa Rea.

— Masz tu „Oberżę" — powiedział. — Fenomenalny jazz, brachu! Tylko nie puszczaj przy nim, bo on na wszystko, co ma trochę urody, jest głuchy jak pień!

Mówiąc to zmierzył Galtona wzrokiem snajpera trzymającego palec w osłonie spustu. Ale Galton nie przejął się tym; rozpakował swój prezent, mrucząc:

— Ode mnie masz wyższą formę kultury, książkę.

Była to „Spuścizna" Singera. Na jej widok Grant zrobił taki ruch butem, jakby chciał bezzwłocznie wyjść z pokoju. Usiadł jednak, zaciskając wargi, a ja zrozumiałem, że przyszli do mnie nie Robert Grant i nie Ker Galton, tylko „głupi Żyd" (vel „marran", vel „pismak", vel „syn lichwiarza") i „głupi goj" (vel „poganin", vel „enbecka mumia", vel „nałożnica prałata"), skłóceni ze sobą wściekle z jakiegoś powodu i w tandem skojarzeni doraźnie wizytą u chorego kumpla. Ker, nie zważając na gniew Granta, otwarł dzieło noblisty:

— Przeczytam ci kilka zdań, dla smaku, żebyś wiedział, co jest w tej książce. Singer zasłużył na Nobla jak mało kto. Słuchasz?... Zaczynam!... „Kobiety to pijawki... istoty o słabym charakterze, pełne przebiegłości, podstępne, zawsze gotowe wziąć górę nad mężczyzną, by go potem zdradzić"... Albo to: ...

Miał zagięte strony, i zdania oznaczone krzyżykami na marginesach, był świetnie przygotowany do tego występu:

— ... „We wszystkich kobietach tkwi instynkt pająka, zarówno w wielkiej damie, jak i w pomywaczce"... Albo to: „Kobiety oplątują mężczyznę istną siecią, aby go w końcu zniszczyć"... I jeszcze tutaj: „Kobiety mają naturę perwersyjną"... *

— Sam jesteś perwersyjna świnia! — zazgrzytał Robbie.

— Ker! — zwróciłem się do Galtona. — Nie wiem, co was poróżniło, ale wiem, że pajacując tak przeciw Robbiemu grasz przeciwko profesorowi w tej dziedzinie. To on mi kiedyś wykładał, że kobieta, której odmienia się kaprys, niszczy mężczyznę okrutniej niż najpodlejszy z „jazzmenów". A co do cudzołożenia przez kobiety, mówił, że „niewiele rzeczy może się udać z żoną, ale ta jedna udaje się prawie zawsze".

— Prawie? Tak ci wykładał profesor Grant? To widocznie odmienił mu się kaprys! Z króla antyfeministycznych cyników — hop! — w skórę pazia! Rozumiesz coś z tego? To szajbus! Dowiedz się, że ten mądrala właśnie obstawił „prawie"! Ma kolejną narzeczoną i wierzy, że znajdzie się wśród wyjątków bez poroża!

— Jego kłopot.

— Ustalił już datę ślubu, Nurni!

Spojrzałem na Granta:

— Żenisz się?!

— No... zrozum, Nurni, ona jest... jest bardzo inteligentna... — wybąkał Grant, czerwieniąc się jak sztubak zaskoczony z rękami pod kołdrą.

— „Najwyżej cenię u kobiet inteligencję!", rzekł wkładając rękę w jej figi... — prychnął Ker. — Rozumiesz, Nurni, będzie miał inteligentne dialogi z żoną, zwłaszcza o północy w Wigilię, kiedy nawet baby mówią po ludzku. „Kobieta najlepszym przyjacielem człowieka"! Zdrowie młodej pary!

— Widzisz jaki to cham!? — zdenerwował się Robert. — Ja już nie wytrzymuję tego jazzu, prędzej czy później dam mu w ryj! Wiesz, co mi zrobił, kiedy mu powiedziałem o moim narzeczeństwie

* — Tłum. Ireny Wyrzykowskiej.

i o tym, że chcę, abyś ty był moim drużbą? Wręczył mi te dwie pocztówki i radził, żebym zaproszenia ślubne i weselne kaligrafował na rewersach! Taki jazz!

Obaj byli przygotowani do skarżenia się przede mną: Grant wyjął z portfela dwie pocztówki i rzucił mi na kołdrę. Pierwsza przedstawiała damę ubraną i trzymającą w dłoniach pajęczynę wielką niczym sieć, którą można łowić ofiary nieświadome nadciągającego fatum. U dołu był podpis małymi literkami: „Paolo Veronese, DIALEKTYKA". Na drugiej goła piękność, widziana od strony pleców, podawała dłonie dwóm ubranym mężczyznom (ale tylko jednemu wciskała ukradkiem w dłoń miłosny list). Tutaj podpis brzmiał: „Paolo Veronese, NIEWIERNOŚĆ".

— A później wtrynił mi tę książkę, sukinkot, jakby jeszcze za mało było świńskiego jazzu! — dodał Grant.

Spojrzałem na Galtona:

— Ker...

— Zrobiłem to z przyjaźni, chcę go ratować, a on tego nie rozumie! — burknął Galton. — Dopiero co przejechał się na tamtej cizi z KKD-U! Dopiero co walczył przeciwko tym babom jak lew i wykończył panią Tigran! Jeszcze się nie obmył z tego potu, a już jest znowu zakochany jak harcerz!

— Ta nie jest feministką! — zapiszczał Grant.

— Ale ty jesteś feministą, durniu!... Młodzi powinni słuchać starszych i doświadczonych, jeżeli nie mnie, to Singera! Dałem mu Singera, bo Singer...

— Dał mi Singera przez złośliwość, bo wie, że ojciec kazał mi się uczyć Talmudu, bym został rabinem, a Singer to syn rabina i też wbijano mu Talmud do głowy! — krzyknął Grant. — Taki jazz!

— Gówno, durniu! — odkrzyknął Galton. — Dałem ci Singera, bo Singer dożył dziewięćdziesiątki i znał mnóstwo kobiet, i wiedział, co pisze, kiedy pisał o kobietach i o małżeństwach! W jego literaturze prawie wszystkie żony to kurwy, a mężowie to rogacze! Cholernie długo myślał, co trzeba zrobić, żeby ożenić się nie z kurwą, i dopiero na starość wymyślił. W swojej ostatniej powieści, „Shosha", której bohaterem jest on sam, a duże fragmenty są dosłownym powtórzeniem jego pamiętników, ożenił się z dziwolągiem — z kobietą niedorozwiniętą, która przestała rosnąć w dzieciństwie i która jest fizycznie niezdolna do stosunku. Tak pokonał tę obsesję zdrady, zapewniając sobie stuprocentową wierność ukochanej! Ale ty chcesz wyjść za normalną!

Kłócili się jak dwóch pijaków, nie pamiętając już o mojej obecności, aż w końcu Grant wybiegł z „jazzowym" przekleństwem na ustach. Galton zwiesił głowę, milcząc ponuro. A później szepnął:

— „Komedia zwana miłością kobiety"!... To nie ja, to Proust.

— Proust był pedałem!

— Widocznie uznał, że już lepiej być pedałem!

— Galton...

— Dobra, dobra...

Znowu zamilkliśmy, obaj pełni dziwnego wstydu.

— Staruszku — mruknąłem — on chce zaspokoić swój głód ciepła. Brakuje mu żony, bo brakuje mu rodziny. Nosi w sobie marzenie, by mieć czyjeś serce na wyłączność, by to serce czekało każdego dnia w jego domu...

— Wiem!... — przerwał mi, mówiąc cicho. — „Gdzie ty Kaju, tam ja Kaja". I to drugie marzenie, żeby stosunek z kobietą, choćby pięciokrotny w ciągu dnia, był czymś niezwykłym, czymś absolutnym, czymś grzesznie świętym, a nie tylko rypaniem sapiącej golizny o rozrzuconych nogach, fruwających u nasady zachłannego dupska! Ja to wszystko rozumiem, Nurni... Moją największą wadą jest to, że nie umiem innym wybaczać tych samych snów i postępków, które wybaczałem i wybaczam sobie.

— No to rzeczywiście jesteś dziwak, bardzo różny od reszty śmiertelników! — roześmiałem się, żeby poprawić mu humor. — Jesteś jak ziarnko piasku na plaży!

— À propos wybaczania.... Pamiętasz, kiedy mnie werbowałeś do pościgu za twoją macochą, przysiągłeś mi, że nie uprawiasz mokrych robót...

— Tak, kapitanie Galton, od tego Taerg ma innych.

— A co się stało z Faronem?
— Umarł.
— Tak po prostu?
— Zatruł się, biedaczysko...
— Czym?
— Ołowiem. Ja byłem szybszy.
— Próbował cię rąbnąć?
— Tak, próbował mnie rąbnąć. O co ci chodzi, Ker?
— O to, że nie chciałbym pracować dla szaleńca.
— Nie pracujesz dla szaleńca, możesz być spokojny. Ja zaś będę spokojny, kiedy przeprosisz Robbiego, za to, że flekowałeś go jak uciekinier z domu świrów! Zrób to jeszcze dziś, Ker.
— Dobra... Widziałeś tę dziewczynę, Nurni? Bo ja widziałem. Cudo! Spostrzegłem w tym pięknym wzroku, że jej bardzo zależy na zostaniu żoną głośnego dziennikarza, wielką panią Grant, lecz nie zauważyłem w tych ślepkach wielkiej miłości do niego! To dama nowoczesna, całkiem pozbawiona przesądów, odda się każdemu. Dlatego żal mi Granta, on jest w niej zakochany naprawdę! A kto naprawdę kocha, będzie naprawdę nieszczęśliwy. Będzie z nią miał...
— Będzie miał kolejną lekcję, jeżeli przeznaczenie tak mu pisało. Ale to nie nasza sprawa. Zrób to dziś!

Gdy wyszedł, leżałem wpatrując się w sufit i myśląc o komedii ludzkiej, którą odgrywam razem z resztą błaznów. Potem wziąłem do ręki „Spuściznę", ale nie chciało mi się czytać — wpatrywałem się w okładkę, bardzo urokliwą, musiał ją zrobić pierwszorzędny grafik. Przed północą włożyłem kasetę do odtwarzacza. Było tam kilka ślicznych numerów, „*Looking for the summer*", „*Every second counts*" i tytułowa „*Auberge*", lecz mnie się najbardziej podobało „*And You my love*". Po pierwszym przesłuchaniu puściłem ją kilkakrotnie, narkotyzując się w ciemnościach zwłaszcza pierwszą zwrotką, w której była czysta poezja:

> „*I do not sleep tonight*
> *I might not ever*

The sins of the past have come
See how they sit down together

Outside my window
Outside my door
And I know the reason
What they've all come here for

You my love, my sweet, sweet love
*Are what it's all, because of"**.

I te trzy słowa na początku zwrotki drugiej: „*Surrender is easy*"... Tak — poddawać się jest łatwo jak iść schodami w dół, nie poddawać się to wspinaczka. „Ale nie wolno ci zaprzestać biegu! — myślałem. — Nie wolno ci wybaczyć komukolwiek prócz niej! Krimmowi i wszystkim innym, którzy zafundowali twemu ojcu samobójczy lot!"...

Weszła pielęgniarka. Była żywym świadectwem błędu, jaki popełnił stryj oceniając urodę pielęgniarek tej kliniki.

— Muzyka tak późno?! — wybuchnęła sztucznym gniewem. — Najwyższy czas spać, panie poruczniku!

— Bez kołysanek ciężko zasypiam...

— Taki jest pan dziecinny? — uśmiechnęła się figlarnie.

---

* — *„Nie mogę spać tej nocy*
Nie mogę się nawet zdrzemnąć
Z wizytą przyszły moje grzechy
Spójrz jak tam razem siedzą

Siedzą pod moim oknem
I za progiem mych drzwi
A ja dobrze wiem czemu
Nie dają spokoju mi

To ty, moje słodkie kochanie,
Jesteś tego przyczyną".

— Taki jestem romantyczny, siostro.

— Mężczyźni są romantyczni tylko wówczas, gdy napotykają opór, który trzeba przełamać czułością i gadaniem. Kiedy go nie ma — nie ma szansy na romantyczność! — wygłosiła z emfazą, lecz tonem wciąż pełnym figlarnych ogników.

Zrozumiałem po co zajrzała do separatki i wyciągnąłem dłoń:

— Nie będę stawiał oporu, przyrzekam!

Dała mi usnąć nad ranem.

Odwiedzali mnie również moi chłopcy. Przychodzili codziennie w pięciu, sześciu czy dziesięciu, zawsze pytając o to samo: czy czuję się już lepiej niż wczoraj, a kiedy zapewniałem, że lepiej, patrzyli na siebie z radością kibiców, których drużyna rozegrała kolejny mecz ligowy i zbliżyła efektownym zwycięstwem do zdobycia czempionatu. Żadne słowa nie mogłyby mi wmówić, że moi ludzie mnie kochają; przekonywałem się o tym bardzo powoli, więc być może trwałoby to jeszcze długo, gdyby nie ów szpital. Ich zatroskane oczy mówiły prawdę. Martwili się dzień i noc; pierwszy raz w życiu poczułem, że stanowię skarb. Ale nie doznałem z tego powodu wzruszenia, ani radości, ani dumy, które są owocami kadzidła i hołdów, gdyż ci ludzie niczego nie mogli mi ofiarować. Mogli mi dać swą miłość, i swoje posłuszeństwo, i swoją odwagę, i nawet swoją śmierć dla przedłużenia mi życia, ale ja pragnąłem w mym życiu tylko jednej rzeczy, a tej nie mogli mi ofiarować, więc nie mogli mi ofiarować niczego. Dlatego ich oddanie było mi obojętne i nudne jak białe ściany mojego szpitalnego pomieszczenia.

Dwóch ludzi mogło mi dać wszystko, czego pragnąłem. Ci dwaj to były dwa moje psy szukające tropu — Galton i Darlok. Każdy z nich osobno szukał, lecz zadania mieli identyczne. Galton badał jakiś tajemniczy ślad, na temat którego nie chciał się rozwodzić, by „nie zapeszyć", mruknął tylko:

— Ta kobieta coraz bardziej mnie interesuje, synku. Zawsze chciałem poznać diabła.

— Mówisz o Miriam?

— Tak, ale o tej drugiej, o wdowie po twoim stryju Mateuszu, Nurni.

— Mnie interesuje ta pierwsza, wdowa po moim ojcu!

— Wiem, Nurni. Tylko że ja chcę dzięki tej drugiej trafić do tej pierwszej.

— A co robi Darlok?

— Chce trafić bezpośrednio do tej pierwszej. Każdy z nas sunie innym tropem, dzięki czemu szansa jest podwójna, a my wzajemnie sobie nie przeszkadzamy. Darlok ostatnio wziął się za lingajatów.

— Za co?

— Za kogo. Lingajaci to wyznawcy hinduskiego boga Sziwy. Ja jestem religioznawcą z wykształcenia, dlatego Darlok konsultował u mnie kult Sziwy. Mówiłem ci już o tym...

Tak, wspomniał kiedyś, że Miriam nabawiła się hinduizmu, ale wówczas nie uwierzyłem w to.

— Galton, czy ona naprawdę?...

— Co naprawdę?

— No, z tą Sziwą, do cholery!

— Spytaj Darloka, ja nie znam szczegółów. Ale gdyby to było nieprawdą, Darlok nie traciłby tyle czasu na Sziwę.

— Dlaczego wybrała Sziwę? Co jej odbiło?!...

— Może coś, co odbija każdemu uciekinierowi: pragnienie potężnego azylu. Sziwa to wielki pan! Wielki destruktor, wielki budowniczy i wielki tancerz. Lecz mogło jej również odbić coś innego, bo Sziwa to arcykopulant. Sziwaici zwą go Mahadeva, czyli Wielki Bóg, gdyż uważają go za największego z bogów, władcę wszechświata. Jego boskie siły symbolizowane są przez grono bogiń-małżonek. Zaś jego kult jest najczystszym fallicznym kultem jaki zna historia, kultem „lingamu" czyli fallusa boskiego, fallus to główny symbol Sziwy. I wreszcie zwą go Nataradża, co znaczy Król Tańców, bo on powoduje koniec świata lub życia swym kosmicznym pląsem, „tandawą". Lecz to zniszczenie stanowi zaczątek nowego życia, gdyż Sziwa jest również bogiem odrodzeń, wskrzeszeń, inkarnacji. Jest więc bogiem zniszczenia i zmartwychwstania, bogiem końca, z którego bierze się początek, bogiem śmierci, która jest potrzebna, aby życie się odrodziło. Wpędza w niebyt i wydobywa z niebytu...

Przypomniały mi się słowa Farona bredzone nad tarotową kartą: „Ona nosi nazwę Władca Bramy Śmierci... Druga jej nazwa to Dziecko Wielkich Przemian lub Wielka Transformacja. Symbolizuje nagłą katastrofę, obumieranie dla formowania nowego... To dar Lucyfera — dar niszczycielski, prowadzący ku odrodzeniu...". Galton wciąż popisywał się swą wiedzą religioznawczą:

— ... Sziwa nosi księżyc na głowie, trzecie oko na czole, a na szyi kolię z czaszek ludzkich, co mu...

— Dość, Ker! Gdzie jest teraz Darlok?

— Nie mam bladego wyobrażenia.

— Gdyby zadzwonił lub zjawił się u ciebie...

— To powiem mu, że ma przybiec ekspresowo.

— Powiedz mu!

Eks-prokuratora Darloka widziałem dotychczas kilkakrotnie, ale za każdym razem wydawał mi się obcy niczym facet, którego widzi się pierwszy raz. Jeśli „bezosobowość" coś znaczy, to właśnie ta cecha była u niego cechą charakterystyczną. Galton twierdził, że takim „bezpłciowym" uczyniło prokuratora więzienie, bo dawniej ten gość należał do gwiazd w salonowych kręgach Nolibabu. Przebył długą drogę, wpierw adwokacką, później polityczną. Pragnął zostać szefem partii, mężem stanu, ministrem lub rządowym negocjatorem, lecz podczas tej wspinaczki nie przyszło mu na myśl, że tam zamiast wierzchołka może znajdować się wąwóz lub dziurawy most. Spadł do prokuratury, a potem jeszcze niżej, za kratę stołecznego więzienia, z którego Hubert wydobył go dzięki mojemu wstawiennictwu. Miał dziwny zwyczaj — wszędzie, gdzie wszedł, podchodził do okna i rozmawiając spoglądał na świat za szybą, jakby wypatrywał tam czegoś lub jakby oczekiwał na kogoś, kto się tam pojawi. I tak właśnie było, gdy przyszedł do mnie.

— Panie Darlok — zacząłem bez wstępów — od Galtona wiem, że ma pan ślad.

— Urwany — powiedział, gapiąc się przez okno.

— Gdzie urwany?

— W obozie lingajatów. Miriam i jej kochanek wstąpili do sekty lingajatów. Kiedy takie sekty zdelegalizowano, lingajaci zadekowali się w górach...

— Gdzie?

— W górach Radru. Ale jej tam już nie ma. Doszło do konfliktu o nią między jej kochankiem a przywódcą sekty. Ten wódz, Donald Pargis, uwięził kochanka pani Flowenol, a ona sama zniknęła bez śladu.

— Pargis?!... Major NB?

— Tak, kiedyś pracował w NB. Ale w NB on był tylko inspektorem, majorem był w wojsku. Mówiono do niego po staremu: „panie majorze", żeby mu zrobić przyjemność.

— To on „prowadził" Farona?

— On.

— A teraz prowadzi sektę...

— Tak. Jest urodzonym przywódcą, idealny materiał na sekciarskiego guru. Tylko że nie jest to zrzędzący guru, jak „Starzec", to bestia!

Męczył mnie dialog z jego plecami.

— Denerwuje mnie rozmowa z pańskimi plecami! Zechce pan usiąść na tym fotelu.

Porzucił okno, usiadł, a ja rozkazałem:

— Proszę dalej mówić.

— O czym?

— O nim.

— O Pargisie?

— Tak. Wszystko, co pan wie na temat Pargisa.

Słuchałem kilka minut, uzyskując wizję klarowną. Pargis był niegdyś doradcą nikaraguańskich contrasów w ramach naszej pomocy dla nich. Spisywał się tam bardzo dobrze, otaczała go legenda bohatera, lecz wojna się skończyła, a żadnej innej chwilowo nie było, i to mu usunęło grunt spod nóg. Należał do tych ludzi, którym tylko wojna zapewnia prawdziwą wielkość. Tacy faceci świetnie się czują na koniu lub na czołgu pod gradem kul, to urodzeni rycerze. Każdy ich wtedy podziwia, a baby tracą dla nich przytomność. Koniec wojny jest zawsze klęską takiego człowieka. Bez cokołu, który stanowiło siodło na końskim grzbiecie lub czołgowy właz, wylatują ze sfery mitologii do sfery przyziemnej codzienności. I wówczas okazuje się, że ten mityczny heros to w istocie roztyły debil na krzywych nogach, żałośnie bezradny wobec prostych zadań i rygorów, idący przez życie jak kaleka, pijak lub bandzior, kompromitujący się i szamoczący, nie godzien żadnej miłości ani nawet współczucia — godzien tylko wzgardy, szafotu lub szpitala psychiatrycznego. Wysoko, w górze, z koniem pod tyłkiem i z wojenną rzeźniczą chwałą, było mu bardziej do twarzy. Jego błąd polegał na tym, że przeżył wojnę. Miał za dużo szczęścia w boju. Oto psychoanalityczny portret Pargisa.

Darlok skończył wymieniać mi elementy bazowe tego portretu i umilkł.

— Co dalej?

— Wrócił stamtąd i służył w garnizonie Halgar.

A więc prowincjonalny garnizon, koszary i nuda stymulująca tępotę lub obłąkanie lub zezwierzęcenie żołdaków. Pargisa zaprowadziła do zbrodni.

— Brał udział w „filmach ostatniego tchnienia" — rzekł Darlok.

— W czym?

— To podziemny, mafijny wideoprzemysł produkujący kasety z niesymulowanymi mordami, panie poruczniku. Filmuje się autentyczne okrutne mordy na porwanych lub zwabionych biedakach. Taka kaseta kosztuje do dwóch tysięcy rangów. Pargis był tym, który podrzynał gardła ofiarom. Nakryła ich glina, ale on nawet nie stanął w sądzie. Został zwerbowany przez Narodowe Bezpieczeństwo, za czasów generała Tolda. Ceną było odpuszczenie win. Gdy Told utracił władzę, Pargis założył sektę lingajatów. Gdy ją zdelegalizowano, uszedł w góry.

— Jak można dojechać do ich obozu, Darlok?

— Nie można, to dziki masyw, jedyna droga prowadzi dnem jaru skalnego, bardzo łatwo ją zakleszczyć kamieniami. Chyba że śmigłowiec...

— Jest tam lądowisko?

— Jest duża łąka, można siadać bez trudu. Dam panu mapkę. Proszę być ostrożnym, kilku kapłanów nie rozstaje się z bronią. Dam panu również zdjęcie Pargisa.

— I nazwisko tego gacha, którego uwięził.

— Dirk Olmer. Być może jest to już nazwisko trupa, ale żył jeszcze miesiąc temu.

Polecieli ze mną Rok Zeurtine i Chris Altan. To był piękny rejs. Nad nami rozjaśniony ocean nieba, pod nami ziemia przyodziana lasem, trawą, jeziorem i słońcem, bajeczny kraj! Czerwone dachy wiejskich domostw, kominy dymiące obiadami w naszym kierunku, rzeki jak szosy i szosy jak rzeki, starannie uprawianie pasemka pól i łąk, owce na dole i chmury na górze. I szare, bezkresne połacie wody, czochrane wiatrem, krojone ptakami, które wolą pływać niż latać, gdy robiliśmy skrót nad zatoką Keld. Blisko celu równina zamieniła się w płaskowyż, a orna ziemia i liściasta zieleń w skamieniały grunt najeżony jałowcami. Lecz lądowisko było bez zarzutu — była to łąka w górskiej kotlinie, zakwiecona jak najpiękniejszy dywan, tak cudowna, iż oczywistym zgrzytem był brak na trawie niewinnej, o różowej buzi, pastereczki, którą można posiąść.

Nad łąką wisiało granitowe zbocze. Tkwiła w nim wielka pieczara, a u stóp przycupnęły domki pomalowane tęczą barw, pełne hinduskich symbolów i napisów. Ludzie w hinduskich szatach krzątali się obok, nie zwracając na nas uwagi, co bez wątpienia było sztuczne — zachowywali się tak, jakby helikopter lądował tu co dziesięć minut. Ktoś musiał im to nakazać. Przeszedłem obok nich. Uśmiechali się do mnie, mówiąc:

— Bądź pozdrowiony.

Albo:

— Witaj, bracie, w naszym domu.

Odpowiadałem:

— Bądźcie pozdrowieni, bracia.

Szereg domostw kończyło coś w rodzaju wiaty, pod której dachem jacyś „lamowie" w szafranowożółtych habitach śpiewali chwałę kwiatu lotosu przy wtórze dzwoneczków, bębenków, rogów i cymbałów, a zimny, przenikający wszystko wiatr roznosił ten śpiew po całej kotlinie wraz z zapachem kadzidła. Płomienie oliwnych lampek trzęsły się jakby już miały zgasnąć, lecz nie gasły; ceremonialny szal z jedwabiu furkotał pod sufitem; koło wiedzy na srebrzystych sznurkach bujało się jak wahadła zegarów.

Ruszyłem stromą ścieżką do pieczary, która leżała dalej niż się nam wydawało z helikoptera. Ścieżkę kończyły granitowe schodki. Wewnątrz było ciemno. Ujrzałem jakieś zjawy w pląsającym blasku ognia, same będące jak płomienie, unoszące się nad aurą, którą dawało ognisko, splątane, pojawiające się i znikające. Mój wzrok powoli adaptował się, ciemność przestała być czernią i wyszedłem z tego przedsionka widząc, że dalej jest drugie pomieszczenie. Wkroczyłem do wielkiej groty, która była nawą ich kultu. Płonęły tam lampki olejne na wysokich kolumienkach. Dzięki nim półmrok stawał się bardziej jasnością niż mrokiem, można było oglądać każdy sprzęt i każde załamanie skał, lecz ja widziałem tylko jedno: posąg boga na środku jaskini. Był trzymetrowy, cały złoty i miał sterczący fallus. Nagie kobiety, które tańczyły dookoła niego, kolejno podbiegały, żeby wziąć fallus w usta i potrzymać przez chwilę. Nie wiadomo skąd dobiegał drażniący dźwięk instrumentu, raz przypominającego cytrę, a raz piszczałki; ta melodia zdawała się wirować naokoło ścian, owiewając mi głowę niczym podmuch „*air-condition*". Usłyszałem zza pleców męski głos:

— Witaj, przybyszu.

Stał za mną kapłan w białym prześcieradle, łysy jak kolano i uśmiechnięty, lecz w oczach miał czujność wilka gotowego gryźć. Rozpoznałem go natychmiast. Fotografia, którą wręczył mi Darlok, ukazywała faceta z bujną czupryną i z wąsami, jednak oczy i lekko odstające uszy były te same; charakterystyczny podbródek również był ten sam.

— Jesteś zgorszony, przybyszu?

— Nie — odparłem — to mnie tylko dziwi, bo to dla mnie egzotyka.

— Nie ma się tu czym gorszyć, zaiste. To nasz kult, kult lingamu, a lingam jest symbolem naszego boga, wielkiego Sziwy.

— To jest Sziwa?

— To jest Sziwa, bracie. A lingam to boski penis, to symbol płodności, symbol życia, symbol stworzenia, nie zaś to, co wydaje ci się, że widzisz. Jesteś profanem, twoje oczy profanują lingam. Twoje oczy widzą tylko członek genitalny, erotyczno-odprowadzający, dla ciebie to tylko oddawacz moczu i fizyczny zaspokoiciel. U nas jednak inaczej funkcjonuje on w świadomości adeptów, jest wymazany z niej jako przedmiot, trwa jako symbol.

— I seks nie gra tu żadnej roli, bracie?

— Lingam nie jest symbolem seksu, tak jak Sziwa nie jest Erosem tylko bogiem odrodzenia. Moce seksualne Sziwy nosi byk Nanda. Spójrz na ten złoty posążek byka, o tu... Nanda to miłość fizyczna, a Sziwa to asceza...

— Więc kim jest Nanda dla Sziwy?

— Jest wierzchowcem Sziwy, bracie.

— Ascetyczny bóg galopuje na symbolu seksu, czyli wszystko sprowadza się jednak do seksu.

— Chodzi ci o miłość? Ależ tak, uprawiamy miłość. Ale nie jako orgiastyczną rozkosz, lecz jako wyzwolenie z poczucia niższości i winy, erotyka ma dla nas taką samą wartość, co muzyka, wartość duchową.

Jakby dla potwierdzenia jego słów tajemniczy instrument zabrzmiał mocniej; melodia musnęła mi skroń, rozwiewając włosy.

— Ty spoglądasz na siostry nasze jak widz porno-kabaretu, ich nagość jest dla ciebie nieprzyzwoita. Jesteś, bracie, ślepy. One nie są takie, jakimi sądzisz je w swoim mózgu. Dla nich nagość jest wyzwoleniem. Nagość jest naturą, natura stanowi nasze sacrum, a miłosny stosunek sakramentalną epifanię naszej kosmicznej religijności.

Pomyślałem: „Skurwysynu, jak tanio kosztuje cię twój harem, trochę mętnej retoryki, kilka dętych sofizmatów!...".

— Widocznie ludzie tęsknią do tego — odparł, patrząc mi w twarz pobłażliwym wzrokiem. — Nikt ich tu nie zwabił i nikt ich tu nie gwałcił.

— Czytasz w myślach?

— Sziwa usłyszał twoją myśl, gościu.

— I powiedział ci po co tu przybyłem, gospodarzu?

— Tego nie zrobił.

— Widać czasami słuch zawodzi twego boga. Gdzie jest Dirk Olmer?

Chwycił moje ramię tak mocno, iż paznokcie przebiły dwa rękawy i zatrzymała je dopiero skóra.

— Wyjdźmy stąd, twoja obecność tu jest profanacją misterium Sziwy!

— Puść — ostrzegłem go — bo złamiesz sobie rękę w łokciu...

Wyszliśmy przed pieczarę.

— Nie dałeś mi odpowiedzi! Pytam o Dirka Olmera.

— Nie ma tu takiego. Jest tylko brat Min.

— Chcę z nim rozmawiać.

— Nie możesz z nim teraz rozmawiać.

— Zawołaj go!

— Brat Min przygotowuje posiłek naszemu Panu, posiłek rytualny, przerywać mu byłoby grzechem. Nie mogę tego zrobić, bracie.

— Jeszcze trudniej będzie ci to zrobić, gdy ja popełnię grzech wbijając twoje zęby do gardła. Zrób to szybko, bracie!

Znowu się uśmiechnął.

— Aż tak nie boisz się gniewu Sziwy? Wiesz ilu nas jest, gościu? I dwaj kapłani mają strzelby myśliwskie... Wiesz, co to jest sztucer z lunetą? Ona mierzy teraz w środek twojego czoła.

— A czy ty wiesz, święty mężu, co to jest karabin maszynowy? Widzisz ten helikopter? Ma dwa ckm-y i pokładowe działko. One mierzą teraz w was wszystkich i mogą wytłuc wszystkich w kilkadziesiąt sekund, a działko może odstrzelić lingam twojemu bogu. Twojego własnego fiuta ja odstrzelę za pomocą tego.

Uchyliłem skraj marynarki, pokazując kolbę.

— Dać ci ten orgazm?... I to jest koniec dowcipów, gospodarzu, skończyliśmy bawić się słowami. No!

Popatrzył na helikopter, potem znowu na mnie, jakby się zastanawiał. Ciszę skaleczył grzmot ckm-u — to moi chłopcy walnęli w powietrze dla ostrzeżenia, usłyszawszy dialog (mikrofon miałem pod klapą marynarki). Kapłan zaczął schodzić.

W jednym z domostw u podnóża pracował Olmer. Nie poznałbym go, tak był zmieniony — w niczym nie przypominał gościa ze zdjęć. Nie zareagował, gdy weszliśmy. Siedział w kucki na glinianym klepisku i mieszał ciasto w wielkiej misie. Był nagi, tylko z przepaską na biodrach, łysy i brodaty, starszy niż jego wiek. Miał nieprzytomny wzrok.

— Dobrze się czujesz, Dirk? — spytałem.

Uniósł zamglone oczy i spojrzał na kapłana. Dostrzegłem strach w jego spojrzeniu.

— Dirk, słyszysz mnie?

Zakołysał głową jak mechaniczna lalka. Musiał być pod wpływem narkotyków.

— Co mu jest?

— To trans boga Sziwy. Brat Min słyszy twój głos, ale nie chce z tobą rozmawiać. Bracie Min, powiedz naszemu gościowi jak się czujesz.

— Czuję się dobrze, mistrzu-przewodniku — szepnął „brat Min", spuszczając wzrok.

— Czy jesteś szczęśliwy tutaj?

— Jestem bardzo szczęśliwy, mistrzu-przewodniku.

— Powiedz mu dlaczego jesteś szczęśliwy.

— Bo ty, mistrzu-przewodniku, uwolniłeś mnie od demona, którego kochałem.

— Jaką postać przybrał ów demon, bracie Min?

— Postać kobiety, mistrzu-przewodniku.

— Czy jeszcze cierpisz przez nią?

— Jestem już wolny od zła. Kocham Sziwę i ciebie, mistrzu-przewodniku.

— Oto prawda w swej świętości! — powiedział Pargis do mnie. — Nie zakłócaj jego spokoju!

— Nie zamierzam tego robić — odrzekłem. — Jeśli jest szczęśliwy, to niech to trwa.

— Pójdźmy stąd.

Wyszliśmy przed chatę.

— Cóż to za kobieta, o której bredził?

— To była wdowa, która udawała, że czuje miłość ku niemu. Sziwa przeniknął jej duszę i kazał mi ją wypędzić z serca omotanego.

— Skąd wiedziałeś, że udawała miłość?

— Czyś nie dosłyszał? Sziwa przeniknął jej duszę i jej zmysły.

— I Sziwa ci powiedział, że udawała. A jeśli Sziwa się omylił?

— Sziwa nie umie się mylić, przybyszu! Miłość tej kobiety nie była prawdziwą miłością. Mogła być kiedyś zadurzeniem, mogła być przez jakiś czas sympatią lub chucią, to wie tylko Sziwa, lecz nigdy nie była prawdziwą miłością! Albowiem miłość ma różne oblicza i różne barwy, przywiązanie też jest rodzajem głębokich uczuć, a wielka miłość ma tylko jedną twarz i jedną barwę — barwę wielkości. I rozpoznaje się ją poprzez sól, która jej dodaje smaku, a tą solą jest czułość. Miłość bez czułości, to litość bez ramion, które potrafią ukoić, to hojność bez owego gestu, który sprawia, że obdarowany nie czuje się obdarowany łaską lub upokorzeniem, to prawość bez czynu — to tylko słowa. W stosunku tej kobiety do naszego brata nigdy nie było owej niewymuszonej lub nieudawanej czułości, czułości spontanicznej, której naturalność czy mimowolność są papierkiem lakmusowym. Sziwa odgadł to, i stąd ja wiem, że to był fałsz, przybyszu!

Nawet nie spostrzegłem, myśląc o tym, co mówi, że zaszliśmy głęboko między domostwa i moi chłopcy stracili mnie z oczu. Lecz on nie wiedział, iż nie stracili mnie z nasłuchu.

— Co z nią zrobiłeś?

— Wygnałem.
— Gdzie ją wygnałeś?
— Do królestwa ciemności. Piekło jest pisane demonom!
— Zabiłeś?!...
— Sziwa ją ukarał, gościu. Ciebie, jeśli nie będziesz nam posłuszny, czeka to samo. Daj mi swój rewolwer i powiedz swoim ludziom, że mają tu przyjść!

Odwróciłem się. Za mną stał inny łysoń w białych prześcieradłach, trzymał sztucer z lunetą wymierzony w mój brzuch, a palec jego prawej ręki spoczywał na spuście. Pargis wyciągnął dłoń:
— Dawaj to cacko, którym chciałeś mnie okaleczyć!

Helikopter poderwał się ku niebu, czyniąc hałas, który na moment odwrócił im wzrok. Sięgnąłem po spluwę, lecz palec tamtego drgnął, kula rąbnęła mnie w brzuch i zwaliła na ziemię bez przytomności. Gdy powróciłem do zmysłów, czując straszliwy ból żołądka i błogosławiąc naszą wytwórnię kamizelek kuloodpornych, maszyna była już wysoko nad wzgórzem. Ze szczytu ktoś do niej strzelał. Ten snajper ucichł, gdy zrzucono mu na łeb kilka granatów, a wówczas ten drugi, stojący obok mnie, który sądził, że przedziurawił mi brzuch, wymierzył w śmigło. Nie podnosząc się z ziemi przestrzeliłem mu kręgosłup. Dopiero potem wstałem, a Pargis wybałuszał oczy na to zmartwychwstanie i lęk dusił mu gardło.
— Ży... żyjesz?!! Jak... jak...
— Bóg Sziwa, łysielcu, inaczej mnie ocenił niż ty i przywrócił mi życie, ale duszę dał mi już inną, to taka duchowa reinkarnacja! W poprzednim wcieleniu miałem gołębie serce...

Założyłem Pargisowi kajdanki i krzyknąłem do mikrofonu:
— Chris, co u was?
— Patrolujemy teren!... Oni wszyscy spieprzają!
— Dobra, baw się tak jeszcze kilka minut i ląduj.

Spojrzałem na mojego więźnia. Miał twarz białą jak wapno. Jeśli był kiedyś herosem w Nikaragui, to musiało być bardzo dawno temu.
— Chodź — powiedziałem.
— Gdzie?

— Do świątyni.

Weszliśmy do groty. Było tam zupełnie pusto, wszyscy już rozbiegli się i schowali po kątach, tylko Sziwa trwał w swym złotym majestacie, celując ku nam z „lingamu". Pchnąłem Pargisa:

— Weź lingam do gęby!

Wziął.

— Głębiej! Czemu się boisz, to tylko symbol, a nie przedmiot. Okaż bogu swą miłość poprzez czułość. Jazda!

Jęknął, ale nie mogłem go zrozumieć, miał w ustach zbyt dużo.

— Głębiej, mistrzu-przewodniku!

Zaczął nadziewać pysk na złotego fallusa. Uderzyłem wysoko nogą, jak kick-boxer; mój but trafił w łysy czerep od tyłu i „lingam" przebił potylicę uderzonego. Kilka sekund Pargis drgał niczym robak wkłuty na szpilkę, a jego biała szata przybierała kolor intensywnej czerwieni. Uzupełniłem magazynek o dwie brakujące kule dum-dum, wymierzyłem w bóstwo i rozstrzelałem Sziwę na dziesiątki kawałków pozłacanego gipsu, metalu i drewna.

Słońce łagodnie gasło, gdy wracałem do chaty Olmera ścieżką biegnącą skrajem kotliny. Drogę zastąpiła mi feeria kwiatów — kwieciste sari na wiotkim, czekoladowym ciele — i cicha prośba:

— Weź mnie ze sobą!

Oniemiałem: „Psiakrew, nie brakuje pastereczki!". Miała gigantyczne czarne oczy, dwa zajęcze zęby w rozcięciu ust i szkarłatną kropkę powyżej maleńkiego nosa, i była tak piękna, jakby ktoś ją wymyślił, żeby zaspokoić swój estetyczny głód. Chwyciła mnie za rękę.

— Weź mnie ze sobą!

— Chcesz lecieć z nami do Nolibabu?

— Chcę być z tobą... — odparła, nie puszczając mojej ręki.

— Dlaczego akurat ze mną?

— Bo przy tobie przestanę się bać! Weźmiesz mnie ze sobą?...

— Dobrze, weźmiemy cię do Nolibabu. A teraz zaczekaj, muszę porozmawiać z Olmerem.

— Z kim?

— Z bratem Minem.

— On ci nic nie powie, jest na haju.

— A ty?

— Ja nie ćpam. Mistrz chciał mnie zmusić, żebym brała herę, ale dostawałam po tym wymiotów, więc dał mi jakiś tytoń do żucia i udawałam, że to mi dobrze robi, lecz nie żułam tego. Żułam trawę i udawałam, że jestem naćpana.

— Dlaczego w ogóle tu jesteś?

— Bo myślałam, że tu będzie bosko, ale to było nie tak, robili tu okropne rzeczy...

— Więc dlaczego nie uciekłaś?

— Bałam się, że mnie zabiją. Jedna dziewczyna uciekła, ale nie znała gór. Wytropili ją i zabili.

— Tę kobietę, którą Min tu przywiózł?

— Nie, inną.

— A tamta?

— Tamta zniknęła. Nie wiem, czy się jej udało, czy ją też...

— Zaczekaj tu...

Wszedłem do chaty „brata Mina". Nie odpowiedział na żadne pytanie, w ogóle nie reagował, jak głuchy. Siedział po turecku, kiwał się niczym nakręcony Budda i mruczał monotonną modlitwę, wpatrzony w gliniane klepisko. Rozwaliłem mu łeb pociskiem dum-dum, wyszedłem i zabrałem kwieciste sari do helikoptera. Moi chłopcy patrzyli po sobie wzrokiem, który zastępuje „perskie oko", a ich „obojętne" gęby zdawały się uśmiechać i pytać: — Czy ja coś mówię, wodzu?

Minęła północ, gdy wylądowaliśmy na dziedzińcu komendy głównej NB. W samochodzie zapytałem:

— Jak się nazywasz?

— Kari.

— Odwiozę cię do domu, Kari.

— Nie mam domu.

— Ale masz tu kogoś?

— Nikogo.

— Więc gdzie mam cię odwieźć?

— Do twojego domu. Jeśli tam już jest kobieta, ja będę służącą.

— A jeśli tam już jest służąca?

Odpowiedzią było milczenie pełne bólu lub gniewu. Postanowiłem zawieźć ją do prowadzonego przez franciszkanów schroniska dla bezdomnych, gdy wtem przykryła swą drobną dłonią moją dłoń leżącą na kierownicy samochodu. Nie wystarczył ten jeden gest, bym pojął, że kapłan Sziwy mówił prawdę, mówiąc o czułości. Przekonywałem się o tym dłużej i zrozumiałem to dopiero po kilku tygodniach z nią.

Była nielegalną imigrantką z Martyniki. Była wstydliwa, gdy nie była wyuzdana (gasiła telewizor, kiedy pokazywano gwałt albo zbyt śmiałą erotykę!). Martwiła się, że nie lubię tańczyć i że nie obchodzi mnie kobieca moda. I była czymś biologicznie tak różnym od białych kobiet całego świata, jak różna jest przyroda lasu od przyrody klombów w parku lub na ulicznym skwerze. Zakosztować tego dała mi czarna langijska kochanka przed kilkoma laty, a teraz to powróciło. Nagość radosna i bezgrzeszna w stopniu, jakiego nie osiągną rekordzistki wśród białych ladacznic. Słodycz pozbawiona gry teatralnej, fałszywej mimiki czy wystudiowanego gestu. Przyjemność robienia mężczyźnie kolacji tylko w fartuszku i w pantoflach. Bezwstyd dziecka nie uwikłanego w sieć lęków mistyczno-religijnych, drgających pod skórą, pod wyemancypowaną pozą i papuzią inteligencją. Spontaniczność zwierzęco naturalna, wolna od psychiatrycznej, żydowsko-chrześcijańskiej gmatwaniny gdzieś w ukrytych płatach mózgu, gdzie podświadoma jaźń czyni wszystko obwarowanym i potrzebuje brawurowych uśmiechów lub cynicznych słów, by to maskować. Erotyzm, który jest szczęściem, a nie gorączkowym łaknieniem szczęścia, zbyt silnym, by uczynić kobietę szczęśliwą. Seks, w którym nie ma miejsca dla czasu i nie ma żadnych obaw o pierwszeństwo na mecie, żadnych mód czy paragrafów techniki, ani potrzeby udowadniania, że jest się dobrym kochankiem lub kochanką — jest tylko triumf dwóch ciał pędzących jak pociąg, który prowadzi pijany maszynista-wesołek, czasem przyspieszając, a czasami zwalniając na wibrujących szynach, i gwiżdżąc dla draki, i zamykając oczy lub otwierając, bądź mrużąc, gdy słońce razi z kulomiotu przez okienko pacnięciami światła, opryskuje barwami i westchnieniami, niczym boski malarz pędzlem nagie ciało, które modelka ukazała tylko jemu.

Z nią nie można było zagadać zbliżeń. Nie należała do tych, które paplają bez końca, miałem z nią wiele wspólnej ciszy. To było najpiękniejsze, gdyż jej mowa nie pasowała do niej, nie była tak samo piękna, obnażała przeciętność umysłu. Kari nie była idiotką, lecz była kobietą. To dziwne, że choć tak bardzo drażnią nas „filozofki" (intelektualistki lub feministki), to jednak po stosunku z kobietą milszą niż te mądrale czujemy zawód na dźwięk zwierzeń o nowych fryzurach i wykrojach. Dlatego, mimo jej małomówności, najbardziej mnie zachwycała nic nie mówiąc — we śnie, w ptasim trzepotaniu miłosnego zbliżenia i w słodyczy płaczu. W każdej z tych rzeczy znika kobieca pospolitość, hałaśliwość lub spryt, próżność lub banalna zręczność (gdyż nie ma w tym słów), a objawia się boskość, przed którą trzeba klęczeć. Dlatego lubiłem patrzeć jak śpi, w półmroku, w którym ginie pamięć o słowach, a zostają tylko zapachy pieszczot, łez i roześmianych spojrzeń. Najmądrzejsze są kobiece oczy, bez znaczenia, czy je otworzą, czy zamkną.

A potem budziła się i dotykała opuszkami palców mojej twarzy. Tym sprawiała mi większą przyjemność niż całym swoim ciałem. Lecz to niczego nie zmieniło. Znalazłem skarb i winienem być dłużnikiem wszystkich bogów, gdyż miłość jednej kobiety, choćby najgłupszej, warta jest całego życia, tak jak ból jednego człowieka wart jest końca całego świata. Ale trzeba pokochać tę kobietę, która daje ci prawdziwą miłość. A ja nie poczułem się szczęśliwy — doznałem tylko owego stanu przelotnej satysfakcji, który jest jak płytka melancholia kobiet, kiedy idą przez ogród o zachodzie słońca. Nie chciałem odwzajemnić jej uczuć, wymienić serca za serce, i wyzdrowieć, porzucając spazm mojego biegu za zjawą. Miałem przy tym pełną świadomość, że ścigam własny sen. Negowałem odmowę, odrzucenie i nieobecność, i było mi to droższe nad skarb prawdziwej czułości. Biegłem w pogoni za własnym biegiem. I nie wiedziałem tylko jednego: czemu kobiety, które dokonują wyboru i wyrządzają niesprawiedliwość i ból, odmawiając nam miłości, są nam bliższe? Dlaczego wybieramy taką, którą trzeba podwójnie kochać, za nią i za siebie, którą trzeba stworzyć i stworzyć jej miłość we własnym pragnieniu, we własnej żądzy i o własnym głodzie, której trzeba mówić nie otwierając warg: twój opór, twoje zimno, twoja nieczułość, należą do twych zalet i cnót; twój sprzeciw i twoja tajemnica mają w sobie boskość gliny, będę rzeźbiarzem! Zbuduję cię jak kościół, jak ogrom przyrody, będziesz panowała! Będziesz moim bogiem i moją wiarą! Gdy rozchylisz usta — otworzysz wargi kosmosu, gdy zamkniesz oczy — przymkniesz powieki świata; gdy zaśniesz — ja będę twoją ciszą!

Nie pojmowałem więc, dlaczego kocham tę, która ode mnie uciekła. I nie wiedziałem dlaczego ścigam ją jak oszalały. Ale wiedziałem dlaczego nie przestanę jej ścigać. Ponieważ nienawidzę tych, którzy się poddają. Tych, których gwałci słabość i rozsądek. Tych, którzy gotowi są łamać dane sobie przysięgi, gdy liczą na złagodzenie bólu. Tych, co zapierają się własnego szaleństwa, by stanąć w szeregu na logiczną komendę; co zapatrzeni w cudzy gest, jak kameleon zmieniają godło, kiedy podsunąć im pełne koryta, i jak grzyb rosną nisko, tuż przy powierzchni gruntu. Są w moich oczach mętami i wyrzutkami, na Boga — tak o nich myślę i tak nimi gardzę! Mierzę ich jedną miarą — miarą zgnilizny. Bo chociaż tak jak oni rezygnuję z wysiłku — czynię to dlatego, by podjąć jeszcze większy wysiłek. I jeśli nawet ich jest zwycięstwo, bo do nich należy spokój — do mnie należy dręczące pragnienie, a to większa miara.

RZYM PRZECIW GALILEJCZYKOWI — Akt V.

— Wychodzisz, Kajusie Antoniuszu?

— Tak, Greku.

— Włóż blachę pod tunikę na wszelki wypadek. Noc sprzyja nie tylko miłości, lecz i zbrodni.

— Nie idę na schadzkę miłosną.

— Więc włóż dwa pancerze.

— Stary zrzędo, idę do prefekta!

— To włóż trzy i też nie wiem, czy wystarczą. Dziwne rzeczy zaczynają się dziać wokół prefekta...

— Idę doń na biesiadę, nie nudź.

— Szalony człowiek ten prefekt! Ciebie na orgię zaprosić! Zresztą ciebie można, ale nie twój wzrok, którym zatrujesz im każdą uciechę. Jeśli chcą mieć w tobie dobrego towarzysza biesiad, winni do zaproszeń dodawać ostry nóż, abyś swoje uszy i gałki oczne zostawiał w domu.

— Nie będę widział i słyszał, niech robią, co chcą.

— Ale oni będą widzieć twoje oczy, i będą słyszeć twoje milczenie, i to im zatruje całą przyjemność. Chyba, że się przełamiesz i też zamienisz w bydlę. Zrób to, żyje się raz!

— Tak, żyje się tylko raz... Powiedz mi, czy byłeś w jego domu?

— Byłem tam dwukrotnie na ucztach, które Publiusz Kwintyliusz wyprawił dla mego pana, i dla syryjskiego tetrarchy.

— Opisz mi komnatę biesiadną.

— Nie wszystko pamiętam...

— Powiedz co pamiętasz.

— Przed wejściem wodotrysk, kolumny z kamienia frygijskiego, kilka biustów i rzeźb, wewnątrz zaś pawiment czarny, granitowy, w kątach lampy olejne na brązowych trójnogach, ściany pełne malowideł z fałszywą historią rodu, i pośrodku wielki stół z drzewa cytrusowego, otoczony łożami biesiadnymi na cokołach, które mają kształt lwiąt. Pod sufitem...

— Ile jest wyjść z tej komnaty?

— Nie pamiętam...

— Kolory i kształty pamiętasz, a tego nie pamiętasz?

— Nie pamiętam... Chyba ze cztery, może więcej. Jedno do ogrodu.

— Które?

— Za szkarłatną kotarą, wprost głównego wejścia... Panie, kogo ty chcesz ubić?!

— Czemu tak głupio pytasz, Greku?

— Bo w twoich pytaniach jest krew, Kajusie Antoniuszu!

— Czyś zwariował?

— Słyszę w nich śmierć czyjąś! Jeśli prefekta chcesz ubić, to nie rób tego dzisiaj, nie rób tego tam i nie rób tego własnoręcznie! Łatwiej nająć kogoś, żeby go wysłał rozstawnymi końmi do krainy cieniów!

— Po co miałbym zabijać prefekta, Hilosie?

— Bo prefekt aresztował tę Żydówkę, która ci umknęła aby się włóczyć z Jeszuą! Myślałeś, że o tym nie wiem, Kajusie Antoniu-

szu? Wiem więcej niż ty, panie, choć więcej się domyślam, niż wiem.

— Czego się domyślasz?

— Że teraz, kiedy Galilejczyk wisi na krzyżu i jego ludzi przepędzono, toczy się gra o fotel rządcy Judei, panie. Piłat Poncjusz był protegowanym Sejana, lecz Sejan już nie żyje, a nie żyje z cesarskiego rozkazu, dlatego Piłat jest słaby i oni to wiedzą.

— Kto taki, Hilosie?

— Wszyscy! Tetrarchowie, konsulowie, legaci oraz pomniejsi dostojnicy w całej Syrii i Palestynie, prefekt jerozolimski, który też był pupilem Sejana, więc teraz musi się zasłużyć nowym hegemonom, wreszcie Żydzi, którzy od dawna mają z Piłatem na pieńku i przysięgli mu zemstę. Dając mu pod sąd Jeszuę liczyli, że uniewinni Galilejczyka i tym rozwścieczy cesarza, ale Piłat tę grę im popsuł, ukrzyżował niewinnego. Więc teraz próbują od drugiej strony. Czemu aresztowano twoją Żydówkę, Kajusie Antoniuszu? Bo chcą zagrać Herodem Antypasem, wszak to jego siostrzenica! Będą go szantażować jej zeznaniami, które prefekt wyciśnie z dziewczyny jak z gąbki, lub już wycisnął. A ty mówisz, że idziesz biesiadować w jego domu! Mów mi prawdę, albo idź do diabła!

— Idę uwolnić ją, Hilosie. Biorę część mojej kohorty...

— Germanów?

— Germanów. Podczas uczty wezmę za gardło prefekta, każę mu otworzyć loch, a później moi chłopcy wytną jego straże...

— Sami zostaną wycięci, trybunie!

— Nim zostaną wycięci, ja będę już z nią daleko.

— I gdzie z nią uciekniesz? Gdzie się schowasz, kiedy cały świat to Rzym?

— Pójdę do markomańskich lasów.

— Suchą stopą po morzu, tak jak Jeszua? Skończysz tak jak on, na krzyżu! Będą cię ścigać wszędzie!

— Ich prawo.

— A ja?!

— O czym mówisz?

— Co ja mam robić, kiedy ty na zawsze znikasz?

— Zniknij również, i to szybko. Widzisz tę sakiewkę obok hełmu? Jest twoja, tysiąc sestercji. Nie wydaj ich głupio, żyje się raz.

— Panie!...

— Żyj zdrów, błaźnie, i dobrze wspominaj barbarzyńcę z lasu markomańskiego!

— Niech wszyscy bogowie sprzęgną swe siły, żeby ci dopomóc, Kajusie Antoniuszu, a jeśli tego nie uczynią, to niech ich wszystkich weźmie zaraza!

Rodział 10.

Po żydowskim cmentarzu hulał jesienny wiatr, zasypując ścieżki i płyty nagrobne tumanami szkarłatno-złotych latawców, a ja i profesor Hornlin wyglądaliśmy jak dwie zjawy w tajemniczym krajobrazie, skonstruowanym przez mistrza gatunku „*fantasy*", na przykład Tolkiena, gdyż oprócz nas dwóch nie było tam już nikogo. Grabarze i uczestnicy pogrzebu zniknęli, dzieci profesora pobiegły szykować żydowską stypę, ja również chciałem się oddalić, by nie przeszkadzać mu w dialogu ze zmarłą, ale zatrzymał mnie kładąc mi rękę na ramieniu i powiedział:

— Czy pamięta pan, jak spytała: „Uprać ci coś, synku?"?

— Tak, profesorze.

— Była dobrą żoną. Nie była wolna od zła, lecz któż z nas jest wolny od zła? Pewnego razu sprawiła mi wielki ból, ale to dzięki niej poznałem szczęście miłości, więc czuję do niej tylko wdzięczność.

I zaczął płakać. Dopiero wtedy, bo przez całą ceremonię pogrzebową miał twarz z szarego marmuru. Zrozumiałem jak bardzo wyróżnił mnie tym, i zdziwiłem się, że facet prawie mu obcy zasłużył na to, lecz miast mówić cokolwiek, przytuliłem Hornlina. Wypłakał się na moim ramieniu i szepnął:

— Pan jest bardzo dobrym człowiekiem, jak pański ojciec.

Miałem świadomość, iż tak bardzo się pomylił, że bardziej już nie można, ale faktem jest również, że w tym otoczeniu sam sobie wydawałem się mniej szalony i mniej obmierzły. Parki i cmentarze mają czarodziejską moc. Obecność w parku lub na cmentarzu — pośród tych drzew, tych epitafiów lub klombów, tych alejek i tych ławek — największemu łotrowi przydaje pewną łagodność (to znaczy: nie uszlachetnia go, lecz łagodzi jego wygląd). W parku i na cmentarzu bardzo trudno budzić wstręt. A także czuć wstręt do samego siebie, więc w tym miejscu, i jeszcze w roli pocieszyciela (a nawet „ściany płaczu") czułem, że chwilowo jestem trochę lepszy.

— Wie pan, kiedy zrozumiałem jak bardzo kocham ją? — zapytał Hornlin, gdy szliśmy do bramy kirkuta. — Nie przed ślubem, i nie tuż po ślubie, tylko parę lat po ślubie, gdy uciekła z domu. Przez kilka owych tygodni między jej ucieczką a powrotem. I wie pan, przyjacielu, co mnie zaprowadziło do tego zrozumienia? Samotność. Tak, samotność. Samotne nocne, panie poruczniku. Najczulszy mężczyzna, gdy bierze kobietę, ma coś ze zwierzęcia podczas rui. Dopiero w samotną noc, gdy czuje rozpaczliwy brak jej ciała i gdy sekwencje marzeń szaleją mu za zamkniętymi oczami, odkrywa pełny jej urok — w tej samotnej ciszy wszystkie kobiety pięknieją. A gdy to jest samotność zakochanego człowieka, wtedy uczy się on miłości, gdyż miłości uczy nieobecność kobiety. Miłość w swej istocie jest pragnieniem miłości, tak jak religia jest pragnieniem Boga.

Wiedziałem o tym dobrze. Lecz słuchałem w skupieniu, gdyż potrzebował tego. U wrót jego mieszkania, gdy prosił, abym wszedł, wymówiłem się sprawami służbowymi i poradziłem mu:

— Niech pan weźmie sobie służącą, samotność będzie panu mniej ciążyć, profesorze.

— Wymyślono dla mnie coś innego — odparł. — Przenoszę się do mojej córki, poruczniku. Moja córka i mój zięć nie mogą mieć dzieci, więc ja będę robił im za dzieciaka i z pewnością będę podobnie uciążliwy jak noworodek.

— A kto będzie mieszkał w tym lokalu?

— Ten lokal chcę sprzedać.

— Już go pan sprzedał, Hornlin!

— Co?

— Sprzedał pan mnie! Zapłacę bez targów, szukam mieszkania!

W istocie tak było. Szukałem nowej kwatery dla Galtona i Darloka, gdyż w moim rodzinnym domu władze postanowiły urządzić muzeum, wykupując ten dom ode mnie.

— Nie mogę wam go sprzedać — powiedziałem ministrowi kultury — gdyż nie jest on tylko moją własnością.

— To już wiemy od pańskiego wuja, ale ten stan prawny zmienił się, panie poruczniku. Pańską macochę uznano za zaginioną i zgodnie z prawem może pan.

Darlokowi było wszystko jedno, i tak tylko wpadał do Nolibabu, lecz Galton zdążył się przyzwyczaić, więc klął przeprowadzkę pod nosem:

— Muzeum Fryderyka Flowenola! Nikt nie będzie chciał zwiedzać tego, nikt nie będzie się tu pchał prócz szkolnej dzieciarni ciągniętej przez głupich belfrów!

Stryj Hubert popatrzył nań z góry i wycedził:

— Ker, ja wiem, że miałeś trudne dzieciństwo!...

— Wcale nie miałem trudnego dzieciństwa!

— Więc tym bardziej nie powinieneś robić z siebie idioty, przynajmniej od czasu do czasu! Nie zajmuj się sztuką.

— Nie zajmuję się sztuką, ale nie trzeba być historykiem sztuki, żeby wiedzieć, iż ludzie mają już dość abstrakcjonizmu, moda na Pollocków minęła z wiatrem!

Odpowiadając stryj uruchomił wszystkie rejestry swego krasomówstwa:

— Moda na Pollocków, twierdzisz? Masz rację, stary durniu! Lecz nie moda na Flowenolów! To nie jest to samo! Kto widział jeden obraz Pollocka, widział wszystkie. A każdy obraz mojego brata jest inny! Byłeś w Muzeum Narodowym, w dziale FLOWENOL? Idź, Ker! Zobaczysz tam ludzi, co niektórym z tych obrazów przypatrują się przez dwie godziny po kilka razy w miesiącu. Twierdzą, że to ich uspokaja i wypada taniej niż wizyta u psychiatry. Przychodzą po terapię, za każdym razem, gdy życie da im mocnego łupnia. Jego twórczość od twórczości współczesnych mu pseudoartystów różni się tym, że ich obrazy dostarczają argumentów ikonoklastom, a jego obrazy dostarczają głębokich wzruszeń! Na tym zawsze polegała i będzie polegała wielka sztuka, czego chyba nie trzeba tłumaczyć komuś, kto równie często, co ty, sypia ze sztuką? Jako ekspert od Paola Veronese...

— Grant ci się poskarżył, tak?

— Tak, mistrzu! Przypieprzasz się niczym rzep do nie swoich spraw, chociaż płacą ci za coś zupełnie innego!

— Czy nie rozumiesz, że chcę go tylko uratować od klęski?!

— A czy ty nie pojmujesz, że tylko dzięki takim klęskom ludzkość jeszcze się rozmnaża? Mnie nie trzeba tłumaczyć, co to jest miłość i co to jest gra w małżeństwo, Ker. Mężczyźni są głupi jak samce modliszek, jedyne ich osiągnięcie w toku ewolucji to fakt, że od czasów Troi mordujemy się z innych powodów, reszta jest po staremu. Ale póki po staremu faceci głupieją dla kobiet i żenią się, póty jeszcze trwa rodzina i nie należymy do gatunków wymierających!

Ta ich sprzeczka pozostała tylko sprzeczką, lecz kolejna była już ostrą kłótnią. Ker zużył puszkę białej farby, smarując gigantyczny napis w balowej komnacie „Santissima Trinidad": „WSZELKA ROZKOSZ PŁCIOWA JEST GRZECHEM (św. Augustyn)", zaś na drzwiach, nad którymi wisiał krwisty lampion, trochę mniejszymi literami: „Czerwona latarnia, chorągiew grzechu wszystkich tych kobiet, które za niewielką ilość złota codziennie pokazują mężczyznom wnętrze swojej pochwy (Lautréamont)", przez co stryj wyrzucił go z okrętu. Cliff zrelacjonował mi tę drakę. Zadzwoniłem do Galtona, ale był nieobecny, więc zadzwoniłem do Huberta i umówiłem się z nim w jego domu.

— Galton ma agresywną sklerozę, nie widzisz tego? — spytał. — Jak uliczny gnój paskudzi drzwi i tapety, czy tak się zachowują ludzie, którzy mają wszystkie klepki w porządku? A cały ten kretyński cyrk z czytaniem Singera w szpitalu, czy to nie jest wystarczający dowód, że komuś klepki się luzują, i to forsownie?

— Te napisy to był żart, dobrze o tym wiesz, stryju.

— W szpitalu też był żart?

— Chciał powstrzymać Granta od małżeństwa, a Singera lubi tak samo jak ty Byrona, stryju, i tak samo jak ty wyręczasz się nie raz Byronem, on wyręczył się Singerem, w tym jesteście do siebie podobni.

— Żyrafa też jest podobna do chomika, bo ma cztery kończyny dolne, zauważyłeś to?

— Stryju...

— Nurni, czy nie rozumiesz skąd się bierze u Galtona fascynacja Singerem?

— Stryju, to mnie nie obchodzi, chcę tylko...

— Ale mnie obchodzi, bo porównujesz moje upodobanie do Byrona z jego upodobaniem do Singera, tak jakby źródła były w obu przypadkach identyczne czyli estetyczne! Nic błędniejszego. Klucz tkwi w tym, że Galton to zakompleksiony antysemicki filosemita. Galton jest jak ten dziewiętnastowieczny oświecony Rosjanin, czujący nienawiść do carów, do ich niemieckich żon, włoskich architektów i francuskich preceptorów, a jednocześnie zakochany w tej „europejskości" dworu carskiego, bo wiecznie cierpiący z powodu kompleksu pariasa, barbarzyńcy odrzucanego przez mityczną Europę. U wszystkich filosemitów jest taka właśnie fascynacja egzotyką judajską, przykrywająca antysemityzm tlący się głęboko w molekułach kwasu dezoksyrybonukleinowego. A Singer? Singer jest autorem jednego zdania, synku. Napisał: „Świat to skrzyżowanie rzeźni z burdelem". Mógłby już nie pisać więcej nic, reszta, cała jego literatura, to anegdotki nizane wokół tego genialnego banału. Ale napisać jedno takie zdanie! Jedno zdanie! To tak jak u Sartre'a. Nigdy nie lubiłem Sartre'a, miałem go za typowego paryskiego idiotę, i gadałem o nim to samo, co Grant mówi o Woody Allenie — że jeśli tacy ludzie jak on zyskują uznanie ogólnoświatowe, to znaczy, że Ziemia jest płaska. Lecz niedawno przeczytałem „Królową Albemarle", szkic turystyczny z Włoch, nie ukończony i dopiero teraz opublikowany. Jedno zdanie: „Podstępna władza kobiet nad elitami wykastrowała dożów". Jednym zdaniem tak ująć cały temat kataklizmu weneckiej potęgi, to naprawdę genialne!...

Mówił z rozkoszą. I zupełnie nie na temat... Zauważyłem, iż od pewnego czasu mam w nozdrzach dziwny radar, który brzęczy, gdy ktoś próbuje ukryć przy pomocy słów, że jest fałszywy wobec mnie. Tak było niedawno w gabinecie komendanta, a teraz identycznie brzmiał Hubert — czułem ten sam swąd. Po raz trzeci zostałem tak ostrzeżony, kiedy wreszcie dopadłem Galtona:

— Twoje wybaczanie sobie postępków, których nie wybaczyłbyś innym ludziom, jest już zbyt nachalne, Ker! Obrażasz każdego, awanturujesz się jak pijak, dziwne, że jeszcze ze mną nie sprowokowałeś konfliktu!

— Nie prowokuję konfliktów z jamnikami. Jesteś za mały dla mnie, Flowenol!

— Coś ty powiedział?!

— Powiedziałem, że w skali od jednego do dziesięciu przyznałbym ci dwa punkty, chłopcze, i to tylko dlatego, że nie znam faceta za jeden punkt!

Wtedy zrozumiałem, czemu obraża mnie i innych. Zrozumiałem, że robi wszystko, abym go zdymisjonował.

— Ker, te numery nie przejdą. Pajacując tak, oszukujesz...

— Chłopczyku, ponieważ oszukują wszyscy, to w życiu chodzi nie o to, kto kogo oszukuje, lecz kto kogo oszuka! — zadrwił.

— Ja jestem wobec ciebie w porządku, Ker!

— Dodaj, że przysięgasz, albo oficerskie słowo honoru, lub jakieś podobne gówno!

— Przysięgam! — wyrecytowałem, patrząc mu w oczy. — Ker, co jest grane?

— Nie wiem, co jest grane. I nie chcę wiedzieć, panie poruczniku.

— Chcesz zwiać, prawda? Ale dlaczego, zamiast samemu odejść, próbujesz wymusić, żebym to ja cię kopnął? Czegoś się boisz. Czego, Ker?

Milczał, zdziwiony, że rozszyfrowano jego plan. Nacisnąłem:

— Czego ty się boisz, Galton?!

— Panie poruczniku... — zaczął mówić, ważąc słowa.

— Nie mów do mnie „panie poruczniku"!

Znowu umilkł.

— Ker, widzę, że dzieje się coś parszywego, coś, co cię przeraża. Nie wiem, co to jest. Ale przysięgam, że wiążąc mnie z tym, robisz błąd! Na Boga, powiedz mi, co to jest?!

— To tylko zmęczenie, Nurni.

— Nieprawda, boisz się czegoś!

Spuścił wzrok i powiedział zrezygnowanym tonem:

— Boję się, żeby na mój temat nie mówiono: „Kiepsko pływał, dlatego utonął w wannie".

— Skąd ci to przyszło do głowy?

— Czuję smród.

— Ja też czuję smród, tylko że ja nic nie wiem! A ty już coś wiesz, Galton!

Podniósł wzrok i położył go na moją twarz.

— Czy brałeś udział w swataniu Granta, Nurni?

— Co?

— Pytam, czy należysz do rajfurów.

— Zwariowałeś, Galton?!

— Myślałem, że robisz to razem z nimi, no bo kazałeś mi odpieprzyć się od Granta...

— Z nimi? Z kim, Ker?

— Narzeczona Granta to enbecka laleczka, Taerg i twój stryj podsunęli mu ją.

— W jakim celu?

— Właśnie!

— Nie wiesz w jakim celu?

— Nie wiem, ale chyba nie zrobili tego bez żadnego celu? Może chcą mieć kontrolę pełnodobową nad pierwszym publicystą Republiki, a może coś innego... Taerg mu obiecał stanowisko dyrektora telewizji państwowej w przyszłym roku. Czy Grant ci się tym pochwalił?

— Nie.

— Dziwna ta wasza przyjaźń... I jeszcze coś. Jakiś krasnoludek majstrował przy hamulcach mojego samochodu. To, że nie noszę jeszcze garnituru z drewna, to prawdziwy cud, chociaż w cuda nie wierzę od kolebki.

— A więc to stąd ten twój cykor!

— Stąd, synku. Wpadło mi do głowy, że jak się zmyję sam, to ten ktoś pomyśli, iż za dużo o czymś wiem... Chciałem sprawić, żeby to mnie wykopano. Rozwścieczyłem tymi napisami twojego stryja, licząc, że przestanie płacić mi pensję za tę robotę, którą robię dla ciebie, Nurni, że wykopie mnie z etatu. Ale on wypieprzył mnie tylko ze statku.

— Dlatego postanowiłeś sprawić, żebym ja cię wykopał?

— Dokładnie, synku.

— Ker!...

— No cóż...

— Ker, uwielbiam cię, mógłbym cię z zimną krwią męczyć na wolnym ogniu!

— Przedtem wyjaw mi jedno, Nurni. Czy twój stryj od ciebie usłyszał, co zaszło w szpitalu między mną a Grantem? O Singerze, o tych dwóch reprodukcjach Veronese'a...

— Nie, to Grant mu się poskarżył.

— Grant mu się nie skarżył, napomknął mu tylko, iż kpię z jego małżeńskich planów. O Singerze i Veronesie nie wspomniał ani słowem!

— Masz pewność?

— Zapytaj Granta. Twierdzi, że nie mówił o tym nikomu, nawet tej dziewczynie, nikomu! Tylko w szpitalu, do dwóch ludzi. My dwaj plus on, razem trzech!

Potarłem czoło, jak ktoś, kto takim ruchem odpędza dybuka lub głupią myśl.

— Nas trzech i...

— Tak, dziecinko!

— ... i podsłuch!

— W enbeckiej klinice musi być podsłuch, nie ma się czemu dziwić.

— Ja się nie dziwię, ja mam ochotę zabić się własną pięścią, Galton! Ależ ze mnie idiota!...

— Czyżbyś coś tam chrzanił, synku?

— Rozmawiałem z lekarzem. Wciągnął ode mnie jedną...

— Mów... Albo lepiej nie mów!

— Wyciągnął to ode mnie przysięgając, że donosami się brzydzi!

— Stara jezuicka metoda. Wiesz jak jezuici rozwiązywali akustykę swoich kościołów, żeby nie wystawiać spowiedników na grzech łamania tajemnicy spowiedzi? Spowiednik nie musiał donosić niczego, bo każdy szept z konfensjonału był wybornie słyszalny w pewnym punkcie na przeciwległym krańcu wnętrza. Ten twój medyk nie musiał być kapustą, gdyż mówiłeś do niego i do mikrofonu.

Powoli odzyskiwałem zimną krew, to znaczy zimną twarz, bo w duchu kląłem swój debilizm.

— Galton, wywalam cię na bruk. Masz to, o co ci chodziło.

— Chodziło mi o to, gdy myślałem, że ty grasz ich melodię, synku. Ale gdy jesteś ze mną, to ja jestem z tobą, Nurni. Chcesz, to pójdę na bruk, a chcesz, to wrócę na szlak.

— Chcę, żebyś wrócił na szlak. Szukaj jej dalej, a ja zajmę się ich grą!

Cliffa Matakersa znalazłem w dziobowej części okrętu.

— Cliff, czy wyłączniki podglądu i podsłuchu, które mój stryj chce mieć, mogą dostać ukrytą blokadę?

— Chyba tak, ale to sztuczka techniczna, tu Welter jest fachurą. O co chodzi, szefie, chce pan wyciąć stryjowi kawał?

— Zgadłeś, Cliff.

Mój surowy ton uzmysłowił mu, że jest to śmiertelnie poważny kawał.

— W takim razie...

— Co?

— ... obsługa centralki musiałaby być nasza w stu procentach, pewna jak sto diabłów!

— A czy nie można zrobić drugiej, ukrytej centralki, dla pomieszczeń, które on chce wyłączać z systemu, choćby tylko nasłuchowej?... Wiem, że to będzie...

— To będzie cholernie trudne i cholernie niebezpieczne, ale spytam Weltera.

— Punkt drugi. Załóż mojemu stryjowi podsłuch na telefon, w okrętowym gabinecie, i w ogóle podsłuch tego gabinetu. Ja wiem, że podsłuchy będziemy instalować dopiero za miesiąc, ale jest bałagan, prujemy i przestawiamy ściany, w takim rozgardiaszu można to zrobić bez żadnego ryzyka.

— Okey, szefie!

— I jeszcze coś, Cliff. Inwigilacja Roberta Granta.

— Kogo?!

— Do cholery, nie znasz Roberta Granta?!

— Znam, panie poruczniku, to pański przyjaciel...

— Całodobowa obserwacja jego i jego dziewczyny! Gdzie chodzą, z kim się kontaktują, co gadają, co robią...

— Panie poruczniku...

— Słucham!

— Mogą być kłopoty z ludźmi.

— Jakie kłopoty?

— Nie mamy wolnych ludzi. Prócz tych, którzy strzegą Taerga, wszyscy inni pracują na statku bądź szkolą wartowników i detektywów dla statku, po czternaście godzin dziennie...

— Oddelegujesz kilku do inwigilacji!

— Ale...
— Wykonać!
— Panie poruczniku...
— Wykonać!!!

Niewiele brakowało, a byłbym go uderzył! Odtąd coraz częściej sądziłem, że jest jakiś dziwny mur między mną a bandą moich chłopców, tylko nie byłem pewien, czy on rzeczywiście się rodzi wśród nich, czy tylko w mojej głowie. Jeszcze nie tak dawno niczym radar wyłapywałem ich entuzjazm, ich gotowość do poświęceń, całą tę troskliwość, chociaż była mi obojętna, a teraz miałem wrażenie, iż emanują coś innego, co już nie było mi obojętne, pobudzało mnie do gniewu. Mogły to być urojenia, ale wydawało mi się, że w ich wzroku jest błysk niechęci, więcej, odrzucenie, jakby cierpieli, że muszą słuchać, i jakby złościło ich lub krępowało, że wykonują służbowe zadania nie dla celów państwowych, tylko przez moją prywatną aberrację. To wrażenie miało coś z obsesji, nawet w każdym „Tak jest!" słyszałem nutę drażniącą mój słuch.

Zauważyłem też, że coraz gorzej ich rozróżniam, że upodobniają się do siebie jakby byli zbiorem replik z pracowni tego samego rzeźbiarza, i że cały ten zespół, w którym znałem każdą twarz, każdą osobowość, zdolności, przyzwyczajenia, predyspozycje oraz indywidualne cechy, staje się idiotyczną grą luster, gdzie wszyscy są jednym, mało mnie obchodzącym besekiem, a każdy besek jest kopią w ramach multiplikacji tego samego egzemplarza.

I coraz częściej słowa, które kierowali do mnie, wyzbywały się treści, omijały moją świadomość, nie niosąc moim uszom niczego prócz jałowych dźwięków — z nośników myśli, doniesień i pomysłów przeistaczały się w puste tutti frutti; miast słów słyszałem gwar, jakbym szedł ulicą sam pośród obcego tłumu.

Życie z Kari, która nie była dla mnie nawet miłością zastępczą, tylko relaksem i strawą dla hormonów, zgubiło swój wdzięk, gdy wyparowała z mojej dziewczyny radość życia, to jest gdy Kari podjęła pracę. Tę pracę — etat opiekunki w sierocińcu — załatwiłem jednym telefonem do Taerga, a Taerg również wykonał jeden telefon do jakichś dupków rządzących sierocińcami i to wystarczyło. Lecz od pierwszego dnia wracała z pracy mając we wzroku stres, zaś po kilku dniach nawet płacząc, i nie chciała mówić czemu. W końcu wydusiłem to z niej. Otaczała ją powszechna wrogość bliźnich. Koleżanki nie mogły jej darować, że przyszła jako protegowana NB, a kolor jej skóry budził uśpioną ludzką złośliwość i niewybredne żarciki o „czarnuchach", „brudasach" i „czekoladzie z asfaltu".

Przyjechałem do sierocińca przed południem, między dziesiątą a jedenastą. Usłyszałem, że dyrektorki wciąż nie ma, i że lada moment się zjawi, bo „już wyjechała z domu". Proponowano mi rozmowę z wicedyrektorką, lecz powiedziałem, że zaczekam. Czekałem w dużym hallu, przez którego okna widać było trawnik pełen dzieciarni bawiącej się na huśtawkach, zjeżdżalniach i małych, czteroosobowych karuzelach, popychanych lub rozpędzanych. Wśród opiekunek dostrzegłem moją brązowoskórą. Huśtała tłustego malucha płci nijakiej.

Hall był prawie pusty, czasami tylko przebiegł ktoś z personelu. Pod ścianą siedział kilkuletni chłopczyk. Trzymał małego pluszowego słonia. Nie interesowało go nic z tego, co się działo wokół, wpatrywał się przed siebie jakby był niewidomy lub jakby coś na przeciwległej ścianie przykuło jego wzrok. Jego twarz nie była smutna, nie była również skupiona — był raczej nieobecny, to chyba właściwe określenie. Zaglądałem do wszystkich komórek mojego mózgu, by sobie przypomnieć, skąd znam tę twarz — na próżno! Ale że kiedyś już widziałem tego chłopca, i to w jakiejś ważnej dla mnie chwili, byłem pewien. Jego obecność plus moja pamięciowa bezradność, wprawiały mnie w dziwny stan gniewu i gorączki, typowej dla człowieka, który stoi przed własnym sejfem i usiłuje sobie przypomnieć kombinację cyfr.

— Tu nie wolno palić, proszę pana! — usłyszałem spoza pleców.

Odwróciłem się. Uśmiechnięta pielęgniarka kiwała palcem strofująco, jak niegrzecznemu bachorowi („Niu-niu!"). Rozejrzałem się za popielniczką. Wyjęła mi papierosa z ust i weszła do toalety. Gdy wróciła, zapytałem, pokazując małego:

— Dlaczego on się nie bawi tam, w ogródku, tylko siedzi tutaj?

— On się nie lubi bawić. To dziecko upośledzone. Czeka na samochód, odjeżdża stąd.

— Gdzie?

— Do domu dzieci upośledzonych.

— Co mu jest?

— Myśleliliśmy, że to dziecko autystyczne. Okazało się jednak, że jest tylko półgłuchy.

— Jak to półgłuchy?

— Na lewe ucho. Prawe ma w porządku.

— I to jest upośledzenie, które kwalifikuje go do usunięcia?!

— To powoduje, że z jego psychiką jest coś nie w porządku. Kontakt z nim jest bardzo trudny, nie odwzajemnia uczuć, nie można go rozruszać, ma w sobie coś lunatycznego. Dlatego nikt nie chciał go adoptować. Może w zakładzie specjalnym potrafią coś zrobić, pomóc mu jakoś.

— A jego rodzice?

— Nie żyją. Historii jego ojca nie znam. Ale wiem, że matka utonęła podczas wakacji.

— Gdzie?

— Nie pamiętam nazwy tego kurortu.

— Heada?

— Tak, Heada!

Kombinacja cyfr ułożyła się w mojej głowie i sejf został otwarty.

— Jak ma na imię, siostro?

— Mik.

— Ile ma lat?

— Skończył cztery lata. Ma już prawie pięć.

— Mówi?

— Umie mówić. Ale nie lubi mówić. Czasami mówi do tego słonika. Nazywa go „słoninem”. Nie mówi: słonik lub słoń, tylko: „słonin”, zwraca się do niego per: „słoninu”. Próbowałyśmy go tego oduczyć, lecz... To dziwne dziecko. Przepraszam, muszę iść, pani doktor czeka na mnie.

Gdy zniknęła, podszedłem do ławki i usiadłem na jej skraju, obok chłopca, tak blisko, że nasze ramiona dotykały się, a właściwie dotykało się tylko płótno rękawów, ale ja czułem jakiś prąd. Czułem go przez cały długi czas owego siedzenia i milczenia, lecz jeśli była w tej ciszy wymiana czegoś, to było to coś, co płynęło tylko ze mnie i wracało do mnie, na kształt echa wracającego od dalekiej ściany gór. W końcu przemówiłem (sprawdziwszy uprzednio, czy siedzę po stronie prawego ucha):

— Ciekaw jestem, jak ma na imię ten twój słonin... Kiedy byłem małym chłopcem, takim jak ty, Mik, też miałem słonina. I miałem książeczkę z obrazkami o innym słoninu, który się nazywał Dumbo i potrafił fruwać jak ptaki, bo miał ucha takie wielkie jak skrzydła ptaków. Nie wiem, Mik, czy już słyszałeś o tym fruwającym słoninu Dumbo, powiedz, słyszałeś? A może widziałeś go w książeczce, lub w telewizji?...

Ani słowa, ani drgnięcia, nic.

— Tu niedaleko jest sklep z zabawkami, wiesz? Siedzi tam na wystawie taki duży różowy słonin z wielką trąbą. Nie wiem, czy mam go kupić. No bo nie mam w moim domu nikogo, ktoby chciał bawić się z tym słoninem. I nie wiem, czy to jest ładny słonin. Więc pomyślałem sobie tak: podejdę do Mika i poproszę go, żeby mi pomógł. Mik na pewno zna się na słoninach lepiej niż inni, więc gdyby ze mną poszedł do tego sklepu, to by mi powiedział, czy to jest ładny słonin, czy nie. No i gdyby Mik powiedział, że to jest ładny słonin, to ja bym kupił tego słonina i Mik mógłby się zająć tym słoninem. Bo ten słonin siedzi tam i jest bardzo smutny, że nikt go nie chce, rozumiesz, Mik?

Żeby choć źrenica mu drgnęła! Pomyślałem, iż mówię ze złej strony, ale to było prawe ucho! Nim zdecydowałem, co dalej mówić, wyrosło przed nami kilka osób, w tym lekarka i pielęgniarka. Lekarka powiedziała do małego:

— Chodź, mały, przejedziesz się samochodem!

I wyciągnęła ku niemu rękę, a on się skulił jak morski anemon. Wówczas rozkazała pielęgniarzowi:

— Proszę wziąć dziecko i zanieść do samochodu!

Pielęgniarz podszedł do małego, a ten szarpnął się w tył i oparł o mnie, czy raczej przywarł do mojej kurtki jak spłoszony pisklak. Tamten chwycił go i szarpnął. Warknąłem:

— Zostaw!

— Co?

— Zabierz łapy!

— Kim jest ten człowiek? — spytała pani doktor. — Co on ma do tego dziecka?

— Chcę adoptować to dziecko — powiedziałem.

Usłyszałem własne słowa, jakbym stał obok i słuchał siebie zdziwiony. Ale nie chciałem cofnąć tych słów. Czasami drzwi wybierają drogę za nas: porucznik Flowenol zrobił właśnie bezmyślny, instynktowny krok przez próg i nikt już nie mógłby go cofnąć, nawet ja. Dotarł do mnie głos kobiety w białym kitlu:

— Ma pan wyrok adopcyjny?

— Będę miał.

— Wówczas zabierze pan dziecko, a teraz proszę nie przeszkadzać!

— Ja zaś proszę, żeby ten człowiek nie dotykał chłopca. Mik zostanie ze mną!

— Tom, weź chłopca na ręce! — rozkazała lekarka.

— On go nie weźmie na ręce, proszę pani!

— A to dlaczego?!

— Bo bardzo trudno jest brać coś na ręce, które są połamane. Pani winna o tym wiedzieć, pani doktor.

Lekarka zwróciła się do pielęgniarki:

— Wezwiemy policję! Gdzie tu jest telefon?

— Dalej niż policja — wyjaśniłem, okazując legitymację.

Gdybym zamiast niej wyjął broń, efekt byłby taki sam — makabryczna cisza, pełna strachu. Tę ciszę przerwał męski głos kobiety, która wkroczyła z ulicy i której szpilki stepowały na posadzce jak uderzenia młotka:

— Co tu się dzieje, moi państwo?!

władza robi z człowiekiem dzierżącym tę władzę w ręku. Twarz kobiety była biała jak mąka.

— Za co? — spytała owym strachem, który przed chwilą wypływał ze słuchawki.

— Za dwie rzeczy! Za karygodne spóźnianie się do roboty, i za to, że twój personel to zbiorowisko dup o oschłych sercach, mimo że właśnie w sierocińcu serca winny być bardzo czułe! Tylko za to!

— Te kobiety pracują tu z poświęceniem od tylu lat...

— Nie robią łaski! Mówisz: z poświęceniem? To jest coś, co mnie najbardziej zachwyca u kobiet, ich wrodzona zdolność do poświęcania. Nie do poświęcania się, tylko do poświęcania innych. Ale nie będę ci tłumaczył tego, nie mam dziś ochoty na dialog o feminizmie. Porozmawiamy o rasizmie, jak tylko przyjedzie twój zwierzchnik!

Tak Krimm musiał łamać swoich więźniów, tym samym językiem, tym samym chamstwem i tym samym upajaniem się bezsilnością ofiary, stanowiącym szczyt skurwysyństwa. „Widocznie zawód określa świadomość!" — pomyślałem. Miał być w tej myśli tylko wstręt wobec gliniarza Flowenola, lecz nie wiadomo czemu była i perwersyjna satysfakcja człowieka zdeprawowanego.

Dwadzieścia minut później wróciłem do hallu i wyciągnąłem rękę w stronę Mika, a on włożył swoją dłoń w moją i wyszliśmy. Różowy „słonin" ledwo zmieścił się w drzwiach samochodu.

Kari eksplodowała gniewem:

— Śniłam o tym dzień i noc! Lecz chcę, żeby to był nasz dzieciak! Nie chcę w domu cudzych dzieci! Chcę ci urodzić dziecko! Rozumiesz?!... Chcę, żebyś kochał moje dziecko!!

Wcale nie pragnąłem, by urodziła mi dziecko. Jej wrzask, a potem ciche łzy aż do świtu, nie robiły na mnie wrażenia. Zamknąłem się w drugim pokoju i spałem z Mikiem, który leżał między dwoma „słoninami" a mną. Następnego dnia, gdy wyszła do pracy, zadzwoniłem:

— Dzień dobry, niemowlaku!

— Pani dyrektor, ten pan jest z policji... — wyszeptał facet zv ny Tomem.

— Z policji?

— On chce wziąć Mika!

— Czyżby Mik dokonał rozboju lub zbrodni stanu? — zapyta złośliwie pani dyrektor.

Podszedłem do niej.

— Chcę wziąć nie tylko Mika, także panią! Proszę się udać c swojego gabinetu i nie wychodzić, zaraz tam przyjdę. A wy rozejd: cie się do swoich obowiązków!

Zniknęli jak przepłoszone ptaki. Ona stała niczym żona Lota, al próbowała jeszcze nadrabiać bezczelnością:

— Nie pozwolę, żeby pan!...

— Pozwolisz, wiedźmo, pozwolisz! — zawarczałem. — Marsz d(gabinetu!

Pchnięta przeze mnie, zniknęła za drzwiami, a ja zwróciłem się do Mika, pilnując azymutu prawe ucho:

— Czekaj tu na mnie, Mik, zaraz wrócę i obejrzymy tego słonina, w porządku?

Skinął główką. S k i n ą ł g ł o w ą! Miałem ochotę krzyknąć hurrra!

Gdy wpadłem do dyrektorskiego gabinetu, jego właścicielka żalił się przez telefon jakiemuś „prezesowi". Wyrwałem słuchawkę z j rąk i wrzasnąłem:

— Słuchaj, gnoju! Jestem porucznik Flowenol, adiutant pułko nika Taerga! Masz dwadzieścia minut, żeby się tu zjawić i osobiś wyrzucić tę babę ma bruk! Jeśli spóźnisz się o sekundę, my w rzucimy ciebie na bruk! Na bruk dziedzińca w enbeckim pierd Czas-start!

— Już... już, proszę pana, już! — wyszeptał sędziwy głos, w k rym było śmiertelne przerażenie.

Odłożyłem słuchawkę na widełki i sam poczułem strach, że Kri tak prawidłowo wyprorokował moją przyszłość, gdy tłumaczył mi

— Witaj, Flowenol — odparł Hornlin. — Wcale nie traktują mnie jak niemowlaka. Ale jest mi tu dobrze i jedyne, czego brakuje w tym domu, to właśnie brak niemowlaka. Radzę im, żeby pomyśleli o adopcji.

— Usłyszałem tę waszą myśl, przyjacielu. To się nazywa telepatia, mam rację?

— Masz rację, tylko nie jestem pewien, czy się im spodobasz.

— Umiem jeść zupki łyżeczką, a jak trzeba to i widelcem, umiem liczyć do dziesięciu, umiem wierszyki...

— Co się stało?

— Nie zna pan jakiegoś przytułku?

— A dla kogo pan szuka?

— Dla dwóch mężczyzn i dwóch słoni. Jeden z tych słoni jest mały i zielony, a drugi jest duży i różowy.

— A ci panowie?

— Jeden ma cztery lata i bardzo kocha słonie, nazywa je „słoninami". Drugi ma trzydzieści lat i nikogo nie kocha...

Słyszałem jego stary, zniszczony oddech, a potem usłyszałem jego głos:

— Czekamy na was.

Jego zięć miał niedaleko portu marynarki wojennej domek zatopiony w zieleni. Przy furtce do ogrodu stała córka Hornlina.

— Witam panią, czy trafiłem pod właściwy adres? Czy tu jest przechowalnia sierot i „słoninów"?

Odparła głosem pełnym takiego wzruszenia, że wydawało mi się, iż jest to szept przez łzy:

— Nie, panie poruczniku, to inny adres. Tu jest dom rodzinny „słoninów".

Zięć Hornlina był akwizytorem w jakiejś firmie uprawiającej eksport międzynarodowy. Jego częste wojaże powodowały, że głównym jego wkładem do życia rodzinnego była nieobecność. Czasami widywałem go, odwiedzając Mika. Był bardzo przystojny, w tym typie, który kojarzy się z wnętrzami eleganckich restauracji, windami markowych hoteli i licytacjami pełnokrwistych arabów. I był bardzo nierozmowny, miał naturę introwertyka — spoglądał marzycielsko swymi wiecznie przymkniętymi oczami, jakby wciąż tęsknił za innym miejscem lub odmiennym towarzystwem.

Hornlin mi opowiedział, że ten facet urodził się w polskim miasteczku, w żydowskiej rodzinie, i że jego matka wyszła za mąż dwa razy i dwukrotnie została wdową. Z pierwszego małżeństwa miała błękitnooką, blondwłosą córkę, podobną do niej, a z drugiego dwóch chłopców o typowo semickich rysach. On był młodszy. Gdy Hitler przystąpił do pędzenia Żydów na zagładę, matka i córka, wyglądające jak aryjki, spakowały się i porzuciły dom. Miał pięć lat, więc nie rozumiał, o co chodzi, nie płakał, gdy matka kazała mu czekać grzecznie w domu. Zrobił jej „pa-pa" przez okno, a później zapytał płaczącego brata, czemu płacze. Ów starszy brat poszedł do gazu; on uratował się dzięki gojom. Znalazł matkę już jako człowiek dorosły, aby plunąć jej w twarz. Lecz kiedy zobaczył tę twarz, nie plunął, tylko wyszedł bez słów.

Wspomniałem, że miał oczy zawsze lekko przymknięte, co nadawało jego twarzy marzycielski wygląd. Czasami wszakże rozwierał powieki, aby zneutralizować półmrok lub ciemność. Wówczas lepiej było nie patrzyć w te ślepia, bo z odsłoniętych źrenic płynęła prośba przecząca wersetom Talmudu: „Boże Abrahama, Izaaka i Jakuba, wypchaj się!". Nic mu nie mogłem zarzucić, lubił Mika i traktował go, jak trzeba.

Córka Hornlina byłaby kobietą bliską ideału kobiecego, gdyby miała trochę gustu kobiecego. Ubierała się w pierwszorzędnych domach mody, w bardzo eleganckie stroje, które wyglądały na niej jak używana tandeta z podmiejskich soldów. Ale Mikiem opiekowała się tak cudownie, że najlepsza matka mogłaby jej tylko dorównać. Jedynie Kari nie lubiła tej kobiety, gdyż często bywałem w tamtym domu.

Kari zmieniła się. Kobiety dziwnie się wobec mężczyzny zmieniają z biegiem upływających orgazmów doznanych od tego mężczyzny. Nikt nie mógłby mi wyrzucać, że to ja zmieniłem swój stosunek do niej, gdyż kobiety tak dziewczęco młode jak ona, nawet jeśli chwilowo mogły mnie przyprawić o gorączkę erotyczną, nigdy nie przyprawiały mnie o tę gorączkę uczuciową, której sednem jest chęć wiecznego posiadania czyjejś duszy. Ta właśnie chęć u niej — chęć zdobycia mojej duszy — aczkolwiek nic we mnie nie zmieniała, psuła mi urok naszego romansu. Kari stała się zachłanna, zaborcza i zazdrosna, co czyniło jej ramiona łańcuchami krępującymi moje ciało. Nie można być dobrym kochankiem w łańcuchach, tak jak nie można tańczyć dobrze mając skrępowane nimi nogi.

W sierocińcu przegrywała również, bo odkąd zmieniłem dyrektorkę, wszyscy chodzili wokół Kari z taką czołobitną uniżonością, iż było to bardziej stresujące niż wcześniejsza dyskryminacja. Hornlin miał starych przyjaciół na wydziale filozoficznym Akademii, więc gdy go o to poprosiłem, załatwił dla Kari etat bufetowej w stołówce jakiegoś instytutu, lecz nie pytał kim jest Kari, jakby chciał tym brakiem zaciekawienia udowodnić, że nie interesuje się fizjologią. Spytał natomiast, czy znalazłem moją macochę, a gdy mu powiedziałem, że wciąż jej szukam, wzniósł oczy ku niebu:

— Na Asklepiosa, bogowie, łaski!

— Dla kogo?

— Dla pana, Flowenol, chodzi o łaskę uzdrowienia, Asklepios to bóg lekarzy, medycyny i medycznych cudów.

— Nie musi się pan o mnie bać!

— Boję się tylko jednego. Żeby pan nie skończył tak, jak Homer...

— Myśli pan o śmierci, czy o sławie, przyjacielu? Jeśli chodzi o pierwszą, to wszyscy skończymy tak, jak Homer, a druga mi nie grozi.

— Homer umarł z przygnębienia, gdyż nie umiał rozwiązać dręczącej go zagadki, Flowenol.

— A rada?

— Jaka rada?

— Teraz powinien mi pan dać tak zwaną dobrą radę, przyjacielu. Powinien pan się stać tą mądrą wiktoriańską matką, która przed nocą poślubną swej córki radzi jej, jak to przeżyć: „Zamknij oczy i myśl o Anglii, kochanie!”.

— Kochanie — odparł tonem królewskiego błazna — ja wiem, że piekło jest brukowane cennymi radami przez ludzi, którzy własną głupotę i bagaż własnych klęsk życiowych nazywają mądrością i bogactwem doświadczenia życiowego, ale radziłbym panu, poruczniku, żyć bardziej na ziemi i bardziej przyszłością wolną od upiorów.

— A zna pan coś, profesorze, co ma przyszłość na tej ziemi?

— „Słoniny” mają przyszłość, Flowenol — powiedział, i już nie zdążył rozwinąć tej głębokiej myśli, bo weszła jego córka z władcą „słoninów”.

Do nikogo nie czułem takiego zaufania, jak do Hornlina. Był żywym fragmentem pamięci po moim ojcu (płótna ojca były jej martwym fragmentem, nie budziły we mnie niczego) i był tą przystanią, do której mogłem się schronić zawsze, gdy chandra rozrywała mi flaki. Każdy inny człowiek budził moją dużą lub małą złość — wystarczy, że był obok, i już drażnił mnie jak intruz, który pcha się bez pukania do twojego domu. Nawet Grant, bo podejrzewałem, iż zaczął coś kręcić przy boku Huberta, i Galton, który robił się niepewny, a mnie uważał za stukniętego, i moi chłopcy, którzy coraz częściej miast patrzeć mi w oczy, patrzyli mi w buty. Tłum na ulicach też. Ludzie na statku. Każdy, kto przeszedł mimo. Wszystko, czego wówczas pragnąłem, to być niewidzialnym wśród ludzi. Mieć magiczną czapkę-niewidkę lub zaklęty pierścień, jak te postacie u Tolkiena, które wkładając ów pierścień zyskują niewidzialność. Mógłbym wtedy zbadać wszystkie tajemnice moich ukrytych i jawnych wrogów. Mógłbym dopaść Krimma, wyniuchać, co kombinują stryj i Taerg, sprawdzić lojalność Roberta i mojej drużyny, pomóc Galtonowi i Darlokowi w znalezieniu Miriam, a nawet więcej — mógłbym sam to zrobić, obchodząc się bez pomagierów. I wreszcie mógłbym przyglądać się Mikowi i jego „słoninom” tak, że on by mnie nie widział. Gdyż nie powinien był widywać mnie zbyt często. Winien był raczej odzwyczajać się ode mnie, a przyzwyczajać do swoich nowych rodziców i do nowego dziadka.

Również Kari pragnąłem odzwyczaić od mojego towarzystwa i moich wdzięków. Wystarczyło, że pomyślałem o tym, i już nie przestawałem myśleć, a jej miłość stawała się dla mnie coraz bardziej męcząca, gdyż facet nie może mieć „migreny". Nie chciałem wymawiać jej lokum, jak służącej, byłoby mi głupio — musiałem zrobić coś innego. Albo podsunąć dziewczynie jednego z tych enbeckich ogierów, geniuszy w uwodzeniu i werbowaniu bab (licząc na to, że jak mówił Ker: „każda kobieta ma naturę prostytutki", więc Kari puści się z tym facetem i zostanie „przyłapana", a ja „uniosę się honorem"), albo spowodować, że NB „przypadkowo" ją namierzy jako nielegalną imigrantkę i wydali z kraju. Zdecydowałem się na mniej teatralne łajdactwo — deportowano ją z wyspy.

Ostatni raz w mym życiu uczułem ten skurcz autoobrzydzenia, którym drga sumienie umierając; po raz ostatni zapytałem gliniarza Flowenola: „Czemu stałeś się takim bydlakiem, Flowenol?!...". I bezzwłocznie zmieniłem pytanie na łatwiejsze, bo wskazujące innych jako winowajców: „Czemu mnie to wszystko spotyka, za jakie grzechy?!". Rytualne anglosaskie: „*why me???*"*. Chris Rea odpowiadał z magnetofonu, śpiewając:

> „*Oh, I must have done some wrong*
> *On a dark and distant day...*"**

Ale mnie nie mogłyby już oferować alibi, przynieść ulgi ani tym bardziej wyleczyć, żadne słowa, moje własne ni cudze, słowa mędrców lub głupców — Hubertów, Hornlinów czy Galtonów — słowa to tylko rytmiczna paplanina, jak tykanie zegara, przesypywanie się ziaren klepsydry i kukanie drewnianych ptaków. Słowa wyrażające miłość są tym samym, co miłość — mniej albo bardziej udaną grą pozorów, w którą odziewa się zew biologiczny. Słowa gwarantujące lojalność są jak przysięgi u wrót do tego, co zwie się małżeństwem, a co jest zazwyczaj formą zapasów, w których ktoś prędzej czy póź-

---

* — „*Dlaczego właśnie ja?*"

** — „*Widocznie popełniłem coś parszywego*
W jakimś mrocznym dniu przed laty..."

niej musi ulec partnerowi, poddając się jego władzy lub opuszczając matę. Słowa niosące gniew bądź nienawiść niczym nie różnią się od nienawiści i gniewu — są tylko cierniem kaleczącym duszę człowieka. Słowa reklamujące honor, wzniosłość, szlachetność i każdą inną z cnót, są bankiem fałszywych monet, zaś słowa otuchy, porady lub perswazji — procesją impotentów. A myśli?... Myśli są równie pieprznięte — któż lubi myśleć: „*mea culpa*"? Każdy woli: „*sua culpa*"!

Nawet noc nie dawała mi odpoczynku, gdyż usypiając nie leciałem w ciemność ślepą i głuchą niczym śmierć. Wszystkie te dziwne filmy skąpane w bladości świtu lub naznaczone szarością zmierzchu, pokoje o gołych ścianach, balkony nad przepaściami, parki zasypane śniegiem, pustynie i drogi bez kresu, wszystkie te obrazy zanurzone w kobiecym ciele, wibrujące światłem przenikającym fryzury, plecy i uda, jakby promienie chciały koniecznie odkryć, co kryje się pod skórą, w nerwach, ścięgnach i tkankach gruczołów, rozszyfrować zagadkę uśmiechu i płaczu, wybebeszyć każdą tajemnicę — naga dziewczyna dosiadająca bez siodła czarnego mustanga, tancerka w śmigającym wirze spódnic i włosów, akrobatka ćwicząca obłąkane salto na trapezie podniebnym — a wszystko bez jednego dźwięku, jakby operator wyłączył głos i uczynił niemym cały wszechświat. Budziłem się mokry, z poczuciem bolesnego odrzucenia, niczym to nadprogramowe szczenię w miocie, które sama przyroda skazuje na śmierć, bo wszystkie sutki są już zajęte przez rodzeństwo.

Czasami budziłem się pośrodku nocy i wychodziłem łyknąć tlenu. Do tego służył mi balkon mojego mieszkania, lecz odkąd prace na „Santissima Trinidad" wkroczyły w fazę końcową, co trzecią noc spędzałem na statku, więc dotleniałem się na pokładzie. Pierwszej takiej nocy spostrzegłem, że prócz mnie i strażników przy burcie stoi kobieta.

— Nie możesz spać? — zapytałem, stając obok.

— Mogę. Ale nie chcę.

Wyciągnęła papierosa, lecz nie mogła przypalić, bo wiatr zdmuchiwał płomień, mimo iż odwróciła się plecami do wiatru. Przypaliłem jej moją zapalniczką.

— Dzięki, „Romeo" — burknęła, dmuchając pod wiatr, więc dym uderzył mnie w oczy.

— „Romeo"? — zdziwiłem się. — Dlaczego mam być „Romeem"?

— Bo tak nazywają cię dziewczyny z górnego pokładu.

— Ale dlaczego tak mnie nazywają? To nie jest moja ksywka!

— Już jest, bo tak cię przezywają.

— Ale dlaczego, do cholery?!

— A musi być jakiś powód?

— Jasne! Ty jesteś „Bogart" od tego filmu, każdy ma ksywkę od czegoś, ksywki nie biorą się z powietrza!

— Spytaj dziewczyn, ja nie wiem.

Rzuciłem papierosa do wody i chciałem sobie pójść, gdy nagle zapytała cicho:

— Lubisz ten film?

— Tak.

— Dlaczego każdy go lubi?

— Bo to jeden z niewielu starych dobrych filmów. Ten film nie spróchniał jak inne.

— Dlaczego właśnie on nie spróchniał?

— Bo jest tam dobry aktor w swojej szczytowej formie, kilka dobrych dialogów i jedna dobra melodia, którą gra na pianinie Murzyn.

— Ale najważniejszy jest ten aktor, co?

— Tak. Faceci oglądając Bogarta w „Casablance" czują się twardzielami, a kobiety wyobrażają sobie, że leżą z nim w łóżku.

— Ja sobie nie wyobrażam.

— No to nie jesteś prawdziwą kobietą, tylko jedną z tych kobiet, które żałują, że są kobietami.

— Pieprzysz, „Romeo"!

— Co druga baba...

— Ale ja nie! Nigdy nie chciałam być mężczyzną, kochasiu. To bardzo niewygodne być mężczyzną, bo czasami trzeba okazać się mężczyzną. Kobieta jest sobą cokolwiek nie zrobi. Gdybyś tak dobrze jak ja znał tych facetów, którym się wydaje, że są twardzielami, bo zobaczyli Humphreya w „Casablance"...

— Jesteś feministką?

— Kim?

— Wrogiem chłopów.

— Nie jestem, kocham zwierzęta.

— Uważasz mężczyzn za zwierzęta i mówisz, że nie jesteś feministką!

— Nie jestem, bo wszystkich uważam za zwierzęta. Wszyscy jesteśmy zwierzętami, i wy, i my. Rodzimy się jak zwierzęta, żremy i sramy jak zwierzęta, kopulujemy jak zwierzęta, i umieramy jak zwierzęta, a potem tak samo zjadają nas robaki. Tam, po drugiej stronie, nie ma niczego!

Nie wymyśliła tego sama. Musiała swoim prostym językiem powtórzyć coś, co usłyszała od któregoś z „filozofów", może od stryja Huberta libertynizującego publicznie.

Wiedziałem jak zdobyła swoje pseudo, Hubert mi powiedział. Nie lubiła „dziadów" — starszych panów. Lecz bogaci staruszkowie to zasadnicza klientela każdego burdelu, a gdy pracuje się w burdelu, przebierać nie wolno, trzeba iść do łóżka z każdym klientem, który płaci. Odstraszać klienta nieuprzejmością, gburowatością, brakiem dobrych manier czy uśmiechu, też nie wolno, bo można za to stracić etat. Więc ona była wzorowo uprzejma dla każdego staruszka, który miał na nią ochotę, a wymęczonym przez niego stosunkiem była rozpalona tak bardzo, że prosiła delikwenta nieśmiertelną frazą z „Casablanki": „Zagraj mi to jeszcze raz, Sam!". Leciwy „Sam", bezradny w kwestii bisu, czuł wstyd, i później unikał proszącej o bisy, żeby nie narażać się na kolejny wstyd. Ta jej prośba o bisy zdobyła rozgłos i wszyscy staruszkowie omijali dziewczynę jak wylęgarnię dżumy, a ona zyskała sobie przezwisko „Bogart".

— Najśmieszniejsze jest to — powiedział stryj — że Bogart nie mówi tych słów w „Casablance".

— Jak to nie mówi?!

— Po prostu nie mówi, nie ma w tym filmie takiego dialogu.

— To znaczy, że...

— To znaczy, że Humphrey Bogart nigdy nie wypowiedział swego najsławniejszego powiedzenia, Nurni! Od kilkudziesięciu lat dziennikarze wkładają mu do ust: „Zagraj to jeszcze raz, Sam!", ale te słowa nigdy nie wyszły z jego ust, tak jak Sherlock Holmes w żadnej książce Conan Doyle'a nie używa swego najpopularniejszego zwrotu: „Elementary, my dear Watson"*, a „król-słońce", Ludwik XIV, zmarł zanim Voltaire włożył mu w usta jego credo: „Państwo to ja!".

Gdy opuszczała statek, moi ludzie inwigilowali ją, bo inwigilowali wszystkich pracowników „Santissima Trinidad" wybierających się do portu. Ona nie miała w porcie nikogo — udawała się albo do kina, albo... na koncert symfoniczny. Kiedy trzykrotnie poszła na francuski film pt. „Nikita", poszedłem i ja zobaczyć to dzieło. Zachwyciła mnie jedna fraza dialogu — stare babsko uczy tam młodą dziewczynę jak być kobietą z klasą i rzuca w charakterze puenty: „Są tylko dwie rzeczy bez granic: kobiecość oraz sposoby jej nadużywania". Przyczyną, dla której „Bogart" smakowała ów film trzykrotnie, była treść filmu: młode dziewczę, za pomocą rąk, nóg i spluwy, bije i morduje facetów (również profesjonalistów) jak lis bezradne kurczątka. Natomiast rozkoszowania się przez pannę „Bogart" muzyką symfoniczną nie mogłem pojąć w żaden sposób, więc wyjaśniłem to w najprostszy sposób, pytając melomankę kogo woli: Mozarta, Bacha, Beethovena, a może Bartoka, Haydna lub kogoś innego. Zrobiła kwadratowe oczy i powiedziała:

— Uwielbiam cieszyć się jej widokiem.

— Czyim widokiem?

— Widokiem muzyki.

---

* — „To proste, drogi Watsonie".

— Widokiem muzyki?!

— No... widokiem orkiestry. Setka wyfraczonych facetów rżnie smykami po strunach, dmie w trąby, wali w kotły, a wszystko po to, żebym ja miała przyjemność, czy to nie cudowne? Ale nie myśl, że w ogóle się na muzyce nie znam! Byłam kiedyś solistką operową, moje pianissimo budziło zachwyt, spytaj „Puszduma", on ci powie, „Romeo".

Spytałem „Puszduma", a ten się rozgniewał:

— Nie była żadną solistką, była tylko dublerką w chórze operowym, bo jej stary był woźnym w operze! I jakie pianissimo, człowieku! To nie było pianissimo, to było zwykłe falsetowanie! Prawdziwe pianissimo wymaga bogatej techniki i jest niesione na kolumnie oddechu, którą przepona wspiera i reguluje, aby uzyskało pożądaną moc. Jest ono efektem wielu lat nauki i tworem całego ciała. A falset nie zależy od właściwie prowadzonego oddechu, można go uzyskać bardzo łatwo, to wyłącznie sprawa strun głosowych. Po prostu dowolnie długo trzymasz wysoki, cichy dźwięk, nie zużywając nań zbyt wiele oddechu. Prawdziwa sztuka śpiewu cichego ulega przy tym degeneracji dla efektów zmajstrowanych tanim kosztem!

Muzyka, szczególnie tajemnica saksofonu, stanowiła cały jego świat. Był niewysoki, bardzo chudy, cały w czerni i bieli kruczych loków, śnieżnych koszul, muszki i smolistego garnituru, i miał zachrypnięty głos pasujący do negroidalnych rysów, od których dostał pseudo. Składało się ono z pierwszych liter nazwisk Puszkina i Dumasa, którzy tak jak on nosili w żyłach jedną czwartą krwi murzyńskiej, a że wiedzę historyczną posiadał w burdelu tylko stryj, byłem pewien, iż ta ksywka została wymyślona przez Huberta, chociaż Hubert nigdy nie mówił o nim lub nie zwracał się do niego inaczej jak po imieniu:

— Engelbert to skurwysyn pierwszej klasy! Jest arogancki, impulsywny, nieoględny w języku, traktuje dziewczyny gorzej niż zwierzęta, wypina się na kolegów dupą...

— A jakie ma wady? — zapytałem.

— ... i wszystkie dziewczyny uwielbiają tę kudłatą przystawkę do saksofonu niczym Żydzi Marksa!

— Niczym Żydzi Marksa?! Co tu jest wspólnego?

— Wszystko, synku. Marks był krwiożerczym antysemitą, demonstrował to bez przerwy, a Żydzi uczynili zeń świeckiego boga, wznosili mu przez cały wiek ołtarze i bili nieustające pokłony, jak bogu!

— Przecież on sam był Żydem.

— Jego ojciec był Żydem, a Marks nienawidził swego pół-żydowstwa. Engelbert nienawidzi swej damskiej urody, która tak się podoba dziewczynom. Skoczyłyby za nim w ogień! „Bogart" kocha go od lat już prawie czterdziestu!

— Znaczy od kolebki?

— Zgadłeś, od kolebki. Wychowywali się na jednym podwórku i zawsze byli parą. A kiedy dorośli i mieli się obrączkować, Engelbert uciekł w przeddzień ślubu! Później wrócił, „Bogart" myślała, że zejdą się znowu, ale jemu to nie było w głowie. Z wściekłości została prostytutką. Kilka lat temu ściągnęła go na „Santissima Trinidad". Już nie marzy o ślubie z nim, ale o jakimkolwiek związku. Gdyby choć jeden raz poszedł z nią do łóżka...

— To oni nigdy...?

— Nigdy. Gdyby raz poszedł z nią do łóżka, natychmiast by jej przeszło.

— Czemu?

— Bo Engelbert to facet, który bardzo skutecznie działa na kobiece gruczoły łzowe, ale jest bardzo kiepski w detonowaniu innych kobiecych gruczołów. Przeszło by jej, skasowałoby nawet te chorobliwe pieluszkowe uczucia, które ona ma wobec niego. Mówiła mi, że zawsze chciała mieć dzieci, ale tylko z Engelbertem.

— Podobno prostytutki są świetnymi żonami i matkami, gdy już zrezygnują z uprawiania zawodu...

— To nonsens, bzdura rozpowszechniana przez film i beletrystykę. Można wyjąć kobietę z burdelu, ale nie można wyjąć burdelu z kobiety!

— A co za różnica? Twoi bracia nie ożenili się z prostytutkami i wyszli na tym identycznie, stryju!

— Pod względem wierności nie ma różnicy, właśnie to ci wykładam. Różnica jest pod względem techniki. Żona, która była prostytutką, sprawniej zadowala męża w łożku. Perykles wiedział, co robi, żeniąc się z heterą Aspazją, chłopcze. Inni biorą prostytutki za żony z mniej racjonalnych przyczyn, przez nieświadomość, naiwność, albo wiarę w cuda. Jeszcze inni nie mają większego wyboru, a „lepsza kurwa w łóżku, niż hrabina na balkonie". Ale to zawsze kończy się klapą, z prostytutką i z hrabiną, co moja przyjaciółka, wspaniała baba, już niestety na cmentarzu, rak, wyjaśniła mi kiedyś genialnie: „Kobieta jest tak samo znudzona szczęściem, jak i nieszczęściem, złotko!" Wabiła mnie: „złotko". A „Bogart" mi żal, przez tego saksofonowego palanta ona nie wyłazi ze stresu. Biedna mała, beznadziejny przypadek!

„Bogart" w rozmowach ze mną napomknęła o Engelbercie jeden jedyny raz, jakby mimowolnie i jakby mówiła do siebie samej bądź z wyrzutem do kobiecych bóstw lub do świętych patronów:

— Twój stryj się zgrywa, że „tylko kobiety i pedały to ssaki". Engelbert nie jest pedałem, ale bez przerwy ssie swój saksofon, wyłącznie to go interesuje!

Kiedy widziałem ją po raz pierwszy — była rozmalowana. Umalowana — była bardzo piękna. W okularach wyglądała na intelektualistkę, ale nie miała żadnej wiedzy prócz życiowej i nie pragnęła innej wiedzy. Jako szefowa wszystkich dziewczyn stryja Huberta, sama nie uprawiała już zawodu. Chodziła do łóżka tylko z jednym mężczyzną, stałym korespondentem „*New York Timesa*" w Nolibabie. Był to klasyczny „liberał" amerykański, typowy lewicowiec z tej amerykańskiej elity intelektualistów, która już pół wieku zatruwa Amerykę swoimi rzekomo obiektywnymi poglądami na „wolność", przez co komuniści i inni zboczeńcy tak długo mogli robić Amerykanom wodę z mózgu. Miał nielimitowany wstęp do kajuty „Bogart", ale właśnie wtedy, gdy ja z moją ekipą „remontowałem" wnętrza statku, Hubert odebrał jankesowi ten przywilej. Ścięli się à propos

Kolumba, bo dokładnie pół tysiąca lat temu Kolumb wylądował w Ameryce i Ameryka szykowała jubel rocznicowy. Gdy facet zaczął perorować, że Kolumb był białym zbrodniarzem, który otworzył drogę konkwiście czyli chrześcijańskiej barbarii mordującej Azteków, stryj warknął na niego:

— Ci dobrzy Aztekowie zjadali małe dzieci żywcem jako rytualne ofiary podczas swoich sielskich świąt!

Facet zbladł, ale przyjął wymianę ciosów:

— Kortez to panu opowiedział, panie Flowenol?

— Kortez nie pisał kronik. Ale Kortez to widział. Widział Azteków raczących się pieczonym niemowlęciem z kukurydzą, w ostrym sosie, bo ludzkie mięso jest trochę za słodkawe, gdy się go nie przyprawi. A kronikarze zostawili dość przekazów, by nie ulegało żadnej wątpliwości, iż Aztekowie prowadzili masowy ubój bliźniego swego. Tylko podczas inauguracji wielkiej piramidy w Tenochtitlan ekipa katów azteckich, pracując dzień i noc przez pięć dób, rżnęła cztery długie szeregi więźniów. Ścięto wówczas prawie piętnaście tysięcy głów ludzkich. A ile było z tego mięsa, wyobraża pan sobie? Więc o co panu chodzi?

— Panie Flowenol, chodzi o wszystkich amerykańskich Indian i o wszystkich kolorowych, których zdominowała biała rasa, mordując, a później narzucając swoją kulturę, różnych Platonów, Szekspirów i innych rasistów, z czym już czas skończyć!

— Czas skończyć z waszym usiłowaniem miażdżenia brylantów w bambusowym moździerzu, idioto! — powiedział Hubert. — Pan Rousseau wymyślił dobrego dzikusa i od dwustu lat kretyni ów wizerunek lansują, a najnowszym rezultatem tej aberracji jest wasze hasło pedagogiczne: „Precz z martwymi białymi Europejczykami!”, właśnie z Platonami i Szekspirami, których chcecie zastąpić w college’ach panteonem niepiśmiennych indiańskich szamanów i murzyńskich griotów! Tylko co zrobicie z Otellem, też do śmietnika?

— Mister Flowenol, wypraszam sobie...

— Pocałuj mnie w dupę, śmieciarzu! Won!

Facet już nigdy nie wszedł na „Santissima Trinidad", a „Bogart" nie przejęła się tym zbytnio, tak jakby nie wchodził nigdy. Zadzwonił do niej po kilku dniach z prośbą o randkę w Nolibabie, lecz się nie zgodziła. Gdy próbował wymusić tę randkę krzykiem, położyła słuchawkę na widełki telefonu i gość był skończony.

Tego wieczora nie mogłem zasnąć. Ubrałem się o drugiej w nocy, by kontemplować księżyc z rufy lub z dziobu, ale idąc obok kajuty „Bogart" zobaczyłem przez szparę pod drzwiami, że u niej pali się światło. Puknąłem w drzwi. Krzyknęła:

— Wejdź, gliniarzu!

Siedziała na łóżku i przyciskała do brzucha kolorowe pismo, jakby chciała osłonić dziurę lub plamę. Miała inne niż zazwyczaj — ogromne, bezradne, przepraszające albo nierozumiejące — oczy małego dziecka, z obu stron nosa brudne ślady łez i dolną wargę jeszcze lekko wysuniętą po płaczu.

— Skąd wiedziałaś, że to ja?

— Nie wiem skąd... Usiądź gdzieś.

Fotel i krzesło były zawalone ciuchami, więc usiadłem na skraju łóżka, wyjąłem jej z rąk pomięte pismo i bezmyślnie przerzuciłem kilka stron. Kurduplowate szansonistki rockowych zespołów, modelki i pornomodelki, aktoreczki i wielkie gwiazdy, majaczące impotentom i ambitniakom długonogie lamparcice, które można zdobyć, ale których nie można zatrzymać. Nagle spytała cichutko:

— Gdybyś mógł ożenić się z gwiazdą filmu...

— Nie chciałbym się żenić z gwiazdą filmu.

— No, ale gdybyś musiał, „Romeo", to którą byś wybrał, powiedz!

— Myszkę Miki!

— A serio?

— Serio nigdy nie ożeniłbym się z gwiazdą filmu. Chyba, że można byłoby dokonać połączenia. Charakter Królewny Śnieżki plus anatomia Catherine Deneuve. Ale na przeszczepy charakterów trzeba zaczekać jeszcze kilkaset lat, więc mogę tylko marzyć.

— Jednak marzysz!

— Nie, żartowałem. A ty o kim marzysz?

— O nikim. Marzę o czymś.

— O czym?

— O burdelu dla bab. Chciałabym stworzyć taki burdel. Gdybym miała dość szmalu...

— Dla bab?!

— Tak, a co? Zasuwaliby w nim mężczyźni, kobiety byłyby klientelą.

— Poważnie?

— Poważnie. Mój burdel to byłaby lepsza fabryka banknotów niż ta łajba.

— Uhmm!!

— Tak by było! Zobacz ile eleganckich cipek z Nolibabu przyjeżdża wieczorem na „Santissima Trinidad", żeby dać się wydupczyć marynarzowi. Ale nie wszystkie przyjeżdżają, bo część boi się brudasa. Gdyby to był elegancki burdel z młodymi, pachnącymi ogierami, przychodziłyby tam wszystkie mężatki Nolibabu. A wiesz dlaczego? Bo każda dziewczyna po trzydziestce piątce, a zwłaszcza po czterdziestce, marzy o dwudziestoletnim jebaku, nad którym będzie miała władzę psychiczną i który będzie ją rżnął jak agregat, odmładzając tym lepiej niż masaże i kosmetyki. Jeśli któraś zaprzecza temu, to taka kłamie! Ale nie wszystkie mogą mieć stałego juniora, bo to i przed dziećmi, i przed sąsiadami głupio, i z wielu innych powodów, więc gdyby był taki burdel, to... to ja bym była najbogatszą babą na tej zasranej Ziemi!

— Na tej zasranej Ziemi, „Bogart", kobiety używają wulgarnych słów nie tylko w burdelu — powiedziałem. — Lecz ja bym wolał, żebyś tego nie robiła, kiedy rozmawiamy ze sobą. Okey?

— Okey — szepnęła, kierując wzrok do dołu.

I nie unosząc wzroku zapytała:

— Lubisz mnie?

— Ciut-ciut.

— Czy ciut-ciut to dosyć, abyś dzisiaj został ze mną?

— Myślę, że tak.

Wtedy podniosła wzrok.

Później leżeliśmy zmęczeni obok siebie, ćmiąc papierosy i milcząc dopóki nie rzekła:

— Romeo to chyba bohater jakiegoś filmu...

— Sztuki scenicznej.

— Tak, sztuki scenicznej, „Romeo i Julia", o szczęśliwej miłości!

Uśmiechnęła się:

— Kobieta i mężczyzna i szczęśliwa miłość!...

— Chłopak i dziewczyna i nieszczęśliwa miłość.

— Nieszczęśliwa miłość?!

— Bardzo nieszczęśliwa.

— Opowiedz mi, proszę!

Gdy skończyłem, westchnęła z miną dziewczynki, której opowiedziano bajkę do snu:

— To najpiękniejsza historia miłosna, jaką słyszałam! Ale bardzo smutna. Chyba nie ma smutniejszej.

— Jest — powiedziałem cicho.

— Jest?... I też taka piękna?

— Jeszcze piękniejsza.

— O kim?

— O żołnierzu i tancerce.

— Opowiesz mi, „Romeo"?

— Innym razem, muszę już iść. Muszę zrobić obchód.

Wyszedłem na pokład. Była noc. Morze mrugało gwiazdami. „Żołnierz stał w jasnym blasku płomienia i było mu straszliwie gorąco, ale nie wiedział, czy grzeje go zwykły ogień, czy też ogień miłości. Stracił swoje kolory, ale czy stało się to w czasie długiej podróży, czy też ze zmartwienia — tego nikt nie mógł powiedzieć. Patrzył na maleńką panią i ona patrzyła na niego; czuł, że topnieje, lecz wciąż jeszcze stał dzielnie z bronią na ramieniu. Nagle ktoś otworzył drzwi, wiatr owionął małą tancerkę i pofrunęła wprost do pieca, do cynowego żołnierza, zamigotała w płomieniach i już było po niej. Żołnierz roztopił się na bezkształtną masę i kiedy nazajutrz służąca wyjęła popiół, znalazła tylko maleńkie cynowe serduszko. Z tancerki zaś pozostały jedynie cekiny, a i te poczerniały na węgiel"*.

---

* — Tłum. Stefania Beylin.

RZYM PRZECIW FLORENTYŃCZYKOWI — Akt V.

— Podejdź!... Czemu kręcisz łbem wokoło? Ściany w naszym domu są tak głuche i nieme, że nawet tortury nie wydarłyby z nich słowa. Bez nijakiej obawy możesz mówić.

— Wa... wasza świątobliwość...

— Czemu dukasz, złotousty mistrzu, pofolguj językowi swemu! Rzeczono nam, iż błagałeś o tę audiencję. Czy święty Platon zwrócił ci już rozsądek, a święty Sokrates doradził, co należy w życiu szanować, a bez czego żyć się nie powinno?

— Znam tylko jedną rzecz, bez której nie powinno się żyć. Bez chleba, wody i powietrza, które są przypisane każdemu, by mógł żyć, nie można żyć. A n i e p o w i n n o się żyć bez miłości. Nie jest żywym ten, kogo nie objęła miłość, tak jak nie jest martwym ten, kogo nie objęła śmierć, bo żyć pełnią życia nie powinno się bez miłości, tak jak umrzeć nie da się bez śmierci. I tylko te dwa zegary, które odmierzają czas ulotny i czas nieskończony, złudę i wieczność, marzenie i sen, nadają człowieczemu istnieniu tragiczny wymiar, gdyż miłość nie trwa wiecznie, a śmierć wieczna jest, i nie można sprawić, aby było na odwrót. W tym się zawiera

wszystko; reszta — bunty, idee, arcydzieła i nawet wolność — to rzeczy drugorzędne, to słowa i atomy rzucane na wiatr.

— Bravissimo, maestro, bravissimo! Mało widać głodówki dwudniowej, by ci sparciał ozór. Wciąż jest z brylantów i ze złota! Tedy co nam rzekniesz, maestro?

— To tylko, ojcze święty, że choć nie powinienem żyć bez miłości, mogę żyć bez niej, lecz bez chleba, wody i powietrza żyć nie mogę, wasza świątobliwość.

— Bez podjudzenia ludu florenckiego przeciw Savonaroli także nie damy ci żywota kontynuować, mistrzu.

— To już wiem, wasza świątobliwość.

— Nie rób takiej frasobliwej gęby, zali ci to trudno przyjdzie? Łacno ci przyjdzie, dla wielu względów. Raz, że Florencja jest już zmęczona bratem Girolamo. Dwa, że jest nim rozczarowana, bo głodowi zeszłorocznemu po wcześniejszej suszy nie zapobiegł, i czarnej śmierci nie odegnał, i dotkniętym przez nią nie udzielił pomocy, a czyliż nie jest egzaminem proroka sprowadzanie cudów? Jego wyznawcy w moc jego cudotwórczą wierzą już tyle lat, spraw tedy, by zażądali jakowegoś cudu od brata Girolamo. „Próby ognia", czy próby temu podobnej... A zważ, jako nie będziesz sam we Florencji, zważ ilu ma on tam już wrogów! Stronnictwo „compagnaccich", stronnictwo „arrabbiatich", i braciszkowie różnych zakonów, franciszkanie zwłaszcza, i nowa Signoria, odkąd postraszyliśmy ją, że klątwa rzucona na niego, na całe miasto rozciągniona być może i wtedy żaden duchowny we Florencji nie będzie mógł udzielać chrztów, ślubów i pogrzebów, a kupiec żaden z grodem waszym nie będzie handlował. Ostało ci jedynie przekabacić głupców, którzy jeszcze dochowują wiary bratu Girolamo.

— Dłużników, których spod lichwy uwolnił, nie przekabacę, wasza świątobliwość. Także bracia jego zakonu dochowają mu wiary...

— Nie wszyscy, nie wszyscy! I wśród dominikanów w San Marco dzierżymy człowieka.

— Judasz mu pewnie na imię, wasza świątobliwość?...

— Zowie się Malatesta Sacromoro, żartownisiu, będzie ci służył, gdybyś potrzebował czegoś z szuflady jego opata... Ale to we Florencji. Teraz potrzebujesz czegoś z rondlów naszego kucharza, zobacz jaki honor dotyka cię, mistrzu, zjesz papieskie danie! To jak komunia, a komunia w Apostolskiej Stolicy rozgrzesza ze wszystkiego...

Rozdział 11.

Welter założył sekretny podsłuch w okrętowym apartamencie stryja, więc tę rozmowę wolałem odbyć w nolibabskim mieszkaniu stryja.

— Stryju, czy wiesz jak twoje dziewczyny mnie nazywają?
— Nie wiem, Nurni.
— „Romeo", taką mam u nich ksywkę!
— A wolałbyś, żeby nazywały cię: „Julia", synku?
— Wiesz czemu tak mnie przezywają?
— Nie wiem.
— Bo ktoś im powiedział, że uganiam się za jakąś kobietą niczym oszalały trubadur! Wiesz, kto im to wypaplał?
— Skąd mam wiedzieć, Nurni?
— Ja ci powiem, to zrobił brat mojego starego!

— Nurni, nie truj, mam ważniejsze sprawy na głowie! I czemu miałbym opowiadać moim dziewczynom takie głupstwa?

— Może bez powodu, może natura dała ci tylko za długi język!

— Nonsens! To pewnie jeden z twoich chłopców, którzy remontują...

— Nie, to żaden z moich chłopców! Oni nie wiedzą, że ścigam moją macochę!

— A Galton?

— Nie, stryju, pytałem Galtona!

— Więc może to Taerg ma za długi język? Ostatnio często bywa na statku i przespał się już z niejedną dziewczyną...

— Jeśli Taerg ma za długi język, to nie powinieneś bawić się z nim w konspirację, a jeśli ty masz za długi język, to Taerg nie powinien się bawić z tobą, bo we wszelkich konspiracjach długie ozory są najlepszą katapultą wysyłającą do grobu!

— W konspirację?... — mruknął, zwężając powieki.

— A w co? On i tych kilku generałów tak często wizytują „Santissima Trinidad" nie żeby dmuchać kajutowe dziewczyny, to robią na deser!

— Więc twoim zdaniem w jakim celu przychodzą?

— Mafijno-politycznym. To nie moja sprawa, lecz...

— Słusznie, to nie twoja sprawa!

— ... lecz to mnie dziwi, stryju...

— Co?

— Że bawisz się w politykę! Bo raczej nie namawiasz się z nimi jak wzbogacić ofertę rozrywkową twojego przedsiębiorstwa! Kiedyś drwiłeś z Mateusza, że zajmuje się polityką czyli „gównem do kwadratu", a teraz sam uczyniłeś z niej swoje hobby!

— Nie zmieniłem zdania, synku! — burknął oschle. — Wydarzenia polityczne, nawet te wielkie, zwane historycznymi, są tylko pianą. Dzisiaj na przykład cały świat kibicuje krachowi komunizmu, wszyscy mówią o tym i uważają, że to jest główne wydarzenie tego stulecia, lecz historycy przyszłych wieków pisząc o wieku dwudziestym będą mówili coś innego, za główne jego wydarzenie uznają gruntowną zmianę stosunków między kobietami a mężczyznami. Ta mutacja, polegająca na pełnym wyemancypowaniu się żebra Adamowego i na zniszczeniu struktury rodzinnej, w istocie jest czymś dużo ważniejszym od wszelkich konwulsji politycznych, bo jak każda wielka mutacja przeobraża całą ludzkość, a nie tylko treść podręczników. Fakt, że się „namawiam" w dygnitarskim gronie, nie ma nic wspólnego z polityką państwową, to gra biznesowa, dbałość o własną dupę, umacnianie moich interesów, Nurni!

Kłamał, czułem to. I powiedziałem mu to, kwitując jego słowa milczeniem, ale się tym nie przejął; wykorzystał moje milczenie, by z obrony ruszyć do ataku.

— Ty bywasz na okręcie częściej niż Taerg i generalicja, a nie dotknąłeś żadnej z moich dziewczyn!

— Nie dotykam dziewczyn, które same się rozbierają, za bardzo lubię zdejmować damie figi bez pośpiechu. Twoje dziewczyny robią to tak szybko, że nie zdążam im tego zabronić.

— Przecież z żadną nawet nie próbowałeś, więc czemu gadasz...

— Skąd to wiesz, stryju?

— One mi powiedziały, a właściwie poskarżyły. Każda chce się zabawić z tobą.

— Każda chce się z kimkolwiek zabawić, bo odkąd przebudowujemy „Santissima Trinidad" nie mają stałych klientów, tylko twoich „biznesowych" partnerów. Są bezrobotne, więc wygłodniałe.

— To nie tylko to. Ty im się podobasz, więc chcą sprawdzić twoją jurność, a drażni je twoja nieprzystępność, synku. Jeszcze trochę tej abstynencji i utracisz ksywkę „Romeo", zyskując godło mniej honorowe.

— Godło „ssaka"?

Zagwizdał przez zęby, a później zapytał jak prokurator:

— Od kogo wiesz, że tak nazwałem pedałów?

— „Bogart" mi się poskarżyła, że nazywasz tak nie tylko pedałów.

— Cudowny babsztyl, ma pamięć komputerową! Wiesz, kiedy to było, Nurni? Trzy lata temu jeden mój kelner okazał się pedałem.

Wywaliłem gościa z roboty, ale dziewczyny ujęły się za ciotą. Prosiły, żebym mu przywrócił etat. Odmówiłem, tłumacząc, że rozumiem, iż kobiety oraz pedały tworzą wspólnotę jedynych dożywotnich ssaków, więc popierają się w ramach tego samego gatunku, ale że mnie to nie wzrusza. Ona była przy tym. Ma świetną pamięć!... Spałeś z nią?...

— Przecież wiesz już, że z żadną — zełgałem, patrząc mu szczerze między oczy.

W jego pytaniu zabrzmiało coś dziwnego, coś... jakby strach. Lub tylko tak mi się wydawało, bo mój „radar" był przewrażliwiony od pewnego czasu, lecz „komputerowa pamięć babsztyla" i ów sygnał, że on się czegoś boi, wstrzeliły mi do głowy pewną myśl, zwariowaną zupełnie. Nazajutrz pokazałem „Bogart" fotografię Miriam, pytając:

— Czy widziałaś tę kobietę na statku?

— Ona tu nigdy nie pracowała, nigdy.

— Wiem, że nie pracowała, ale może przyjeżdżała z Nolibabu zabawić się na dolnym pokładzie, tak jak inne to robią.

— Może przyjeżdżała.

— Widziałaś ją?!

— Nie wiem, czy na statku. Ale gdzieś już widziałam tę kobietę. Widziałam, lecz nie pamiętam gdzie, Nurni.

Mogła ją widzieć gdziekolwiek, lub mogła widzieć na statku żonę stryja Mateusza (bliźniaczkę Miriam), lub mogła tam jednak widzieć żonę mojego starego, i sama ta możliwość, czysto spekulacyjna, kąsała moje serce jak wściekły wąż, wzmacniając moją nienawiść do okrętu-lupanaru, do tego seraju ssawek, w którym tylko „Bogart" i „Puszdum" nie budzili już mojej złości. Szczególnie mnie drażnił dolny międzypokład, gdyż zdawało mi się, że z każdego kąta paruje tam kwaśny, zmieszany zapach marynarskich torsów i kobiecych ud. Jedyną przyjemność sprawiały mi na „Santissima Trinidad" melodie, które Engelbert wydmuchiwał przez saksofon. A jedyne chwile radości na zewnątrz okrętu miałem dowiadując się od Hornlina, że Mik „normalnieje" pod wpływem czułej opieki — że się uśmiecha, bawi i nawet psoci jak każde zdrowe dziecko. Hornlina niepokoił tylko fakt, że Mik wciąż za mną tęskni, i że odkąd celowo zaprzestałem bywania w tamtym domu — codziennie o mnie pyta, więc trzeba mu było skłamać, iż jestem w dalekiej podróży, ale kiedyś wrócę.

I ja tęskniłem do niego. Byłem rozdwojony. Liczyłem, że zapomni o mnie, a jednocześnie marzyłem, iż kiedyś, za rok lub dwa, trzymając jego rękę w mojej dłoni, przyprowadzę go do lasu, by wytłumaczyć dlaczego dzięcioł dziurawi korę, i do muzeum, żeby nic nie tłumaczyć, a jedynie sprawić, by polubił muzeum, i opowiem mu o tęczy, o gwiazdach, o przypływach i odpływach mórz, lub o cieniach, które towarzyszą nam kiedy świeci słońce, a znikają w mroku, chyba że pali się żarówka lub świeca. Wiedziałem, iż tych snów nie będzie mi wolno zrealizować nigdy, bo to byłaby rywalizacja z jego rodziną, lecz samo wyobrażanie sobie takich chwil było równie piękne, jak wyobrażanie sobie tej chwili, kiedy zatopię nóż w piersi Krimma, mówiąc jedno upajające słowo: „Masz!".

Raz wszakże musiałem pójść do domu Hornlinowej córki (wówczas ona wzięła Mika do jordanowskiego ogrodu). Wymógł to Galton, który zażądał dialogu z Hornlinem i to właśnie tam. Gdy spytałem, dlaczego właśnie tam i po co, odparł:

— Po to, by znaleźć zgubę, której szukam dla ciebie, synku. Jestem już bardzo blisko, Nurni.

— Cieszę się, Ker, że w końcu jesteś blisko.

— Blisko to pojęcie nader względne, wisielec też ma blisko do ziemi, czasami tylko kilka centymetrów.

— Co chcesz przez to powiedzieć?

— Że wcale nie mam pewności, czy bardzo się ucieszysz, kiedy już ją odnajdę i kiedy staniecie twarzą w twarz.

Hornlin czekał na ławeczce w ogródku. Słońce rozgrzewało zapachy, które wydzielała flora, czyniąc ogród bezkonkurencyjnym miejscem pogawędki, więc przysiedliśmy się. Rytualnej prezentacji dopełniłem kpiarsko:

— Profesor Abel Hornlin, emerytowany filozof, który twierdzi, że jest tylko historykiem filozofii czyli kronikarzem filozofów. Kapitan Ker Galton, emerytowany gliniarz, który twierdzi, że jest tylko religioznawcą czyli specem od bóstw i bogów, chociaż lepiej zna się na owczarni bożej.

— Pierwszy raz widzę policjanta, który jest religioznawcą — uśmiechnął się Hornlin.

— A ja pierwszy raz widzę filozofa, który jest historykiem — odparł Galton.

— W czym pan tu widzi sprzeczność, kapitanie?

— W tym, że filozof to człowiek, którego fakty i zjawiska nie interesują, on szuka praw.

— Rzeczywiście. Dlatego nie zaliczam się do filozofów. Jestem tylko znawcą filozofii.

— A ja znawcą religii. Obaj więc jesteśmy gliniarzami, bo obaj tropimy i ujawniamy kuglarstwo wielkich demagogów. Ale prócz tego ja ścigam jeszcze istotę należącą do płci, która nie stworzyła żadnej doktryny filozoficznej lub religijnej, istotę, którą pewien austriacki filozof określił jako „stworzenie pozbawione zmysłu logiki, pamięci, amoralne, nic więcej ponad naczynie seksu".

Hornlin kiwnął głową, a później rzekł lekko sarkastycznym tonem:

— Tak, Weininger gardził kobietami i pisał o tym wprost. W swym dziele „Płeć i charakter" przeciwstawił duchową i etyczną wartość mężczyzny duchowej i etycznej małowartości kobiety. Skończył jako samobójca.

— Pan ostrzega mnie? — zapytał Galton.

— Ależ skąd. Tylko zdaję egzamin, żeby dowieść, iż jestem historykiem filozofii. Natomiast w sprawie, dla której pan się fatygował, nie będę mógł pomóc. Wszystko, co wiedziałem o pani Flowenol, zeznałem już jej pasierbowi, nie wymyślę niczego nowego.

— Nie ma potrzeby. Chodzi mi tylko o pewien drobiazg...

— O jaki drobiazg?

— O coś, co znalazłem w pańskim starym mieszkaniu, profesorze. To...

— Podczas rewizji?

— Nie, podczas remontu. Odmalowałem to mieszkanie.

— Pan tam mieszka?!

— Nurni je kupił, ażeby mi dać w Nolibabie jakiś kąt. Znalazłem zdjęcie pańskiej małżonki i przyniosłem je panu.

Wsadził Hornlinowi pod nos wypłowiałą fotografię, na której żona Hornlina miała wzdęty brzuch i szkliste, nieruchome spojrzenie martwej ryby. Był to tylko brutalnie oderwany fragment zdjęcia — widać było czyjś rękaw obok rękawa pani Hornlinowej.

— Czy to pan figurował na tym zdjęciu? — zapytał Galton.

— Tak. Ona była wówczas w ciąży.

— A pamięta pan ten medalion, który nosiła wtedy na łańcuszku? Tutaj ledwo go widać, ale zrobiłem powiększenie.

I wyjął zdjęcie ukazujące medalion bogaty jak cenna brosza. W misternie plecionej ramce z drutu widniał owal jakiegoś szlachetnego kamienia, rzucający błysk.

— To był rodzaj talizmanu — powiedział filozof.

— Przeciw pechowi, czy przeciw chorobie?

— Mówiła, że on chroni płód. To był talizman kobiet ciężarnych, należących do stowarzyszenia „Macierzyństwo". Moja żona była członkinią tego związku przesądnych pań, który każdą ciężarną obdarowywał takim właśnie medalionem. Wewnątrz ramki jest kryształ z wyrytym od tyłu angielskim napisem LIVE czyli „żywy". Napis jest od tyłu, by przy noszeniu dotykał piersi, co miało gwarantować, że dziecko urodzi się żywe i zdrowe.

— I pan na to pozwalał?

— A dlaczego miałbym nie pozwalać? Uważałem to za rzecz śmieszną, czysto kobiecą, lecz nieszkodliwą, być może nawet przydatną, gdyż siła sugestii i dobre samopoczucie są stymulatorami organizmu. Dlaczego interesuje pana ten medalion?

— Bo jestem historykiem kultów, a każdy przesąd jest kultem.

— Ale co to ma wspólnego z kobietą, której pan szuka?

— Jej siostra, bliźniaczka, zresztą o tym samym imieniu, żona Mateusza Flowenola, nosiła identyczny medalion. A mimo to poroniła, co utwierdza mnie w sceptycyzmie wobec kultów. Panie Hornlin, gdzie jest teraz ów medalion?

— Nie wiem. Być może w pudełku z biżuterią mojej żony.

— Gdzie pan trzyma to pudełko?

— Tutaj, na strychu.

— Czy mógłby pan sprawdzić?

— Teraz?

— Jeśli to możliwe.

— Owszem, możliwe. Gdybym znalazł, to czy...

— Byłbym zobowiązany panu — rzekł Galton.

Hornlin wstał i podreptał ścieżką prowadzącą ku domowi. Zaczekałem aż wejdzie do domu.

— Ker, co ty wyprawiasz?!

— Kontynuuję śledztwo.

— Widzę! Ale o co tu chodzi, mów!

— Pani filozofowa miała w tamtym mieszkaniu skrytkę pod podłogą kuchni, a w skrytce trochę pamiątek, listy i fotografie. Czy wiesz jaką była kobietą nim została staruchą?

— Hornlin mi mówił, że sprawiła mu kiedyś wielki ból, ale że wybaczył jej.

— Nie wiem czy by to zrobił, gdyby o wszystkim wiedział. Z pozoru była kobietą normalną, kurwą. W rzeczywistości była szczególną kurwą, członkinią tajnego stowarzyszenia LIVE, które nolibabskie damy założyły na początku tego wieku. „Macierzyństwo" to przykrywka. Znasz dobrze angielski?

— Chyba dobrze.

— Wiesz, co znaczy po angielsku „light-o'-love"?

— Kobieta lekkich obyczajów, rozwiązła...

— LIVE to skrót od „light-o'-love", dwie pierwsze i dwie ostatnie litery.

— Mówisz poważnie?

j umiera, ze starości lub ze słabości, natomiast zło jes
go doskonałe, ergo niezniszczalne: nie choruje, nie star
eczną kondycję i proszę mi wierzyć, panie Galton, nie
i rutyny, ani pomysłowości, zło jest bez przerwy i mł
adczone, i genialne. Gdy czytam u świętego Mateusza:
iwiajcie się złu, nie stawiajcie złu oporu", zastanawiam
słowa są przejawem głupoty udrapowanej w miłosierdzie, c
mądrości wynikającej z przekonania, że nie warto toczyć bo
rego nie można wygrać, gdyż wróg jest niezwyciężalny.

Pański dylemat ma tyle sensu, ile jest sensu w źle przetłu-
nych poezjach, panie profesorze! Grecki tekst ewangelii świę-
Mateusza od wieków błędnie tłumaczono. Po grecku to zdanie
: „Nie rewanżujcie się złu", w znaczeniu: nie rewanżujcie się
amą metodą, jakiej użył złoczyńca!

Panie Galton, przecież kolejny wers mówi o policzku, który
nadstawić...

Jasne, panie Hornlin, lecz niech pan zrozumie, że...

ozumiałem, że ci dwaj już się potrzebują i będą się tak długo
, aż któryś kiedyś umrze, a drugi będzie wtedy płakał. Znowu,
przypadek, dwóch intelektualnych pedałów zetnęło się z moją
cą, by dawać sobie równoczesny orgazm pytlowaniem o rze-
wzniosłych jak Olimp, zagmatwanych jak Labirynt, niezmie-
ch jak Kosmos i niewytłumaczalnych jak Fatum. Lub cu-
ych jak wędrówki Chrystusa po wodzie. Zrozumiałem, że jes-
u zbędny. Nawet nie zauważyli, kiedy wstałem i zniknąłem
łowa.

g raczy wiedzieć, co robiłem po opuszczeniu tego domu. Chy-
ędrowałem bezmyślnie przez miasto, i musiałem wyjść poza ro-
bo raptownie spostrzegłem, iż znajduję się na przedmieściu,
niskich, szpetnych zabudowań. Dalej były jakieś ogródki, wa-
niki, sady, oraz łąki, na których bydło pasło się nie pilnowane
nikogo. Zobaczyłem starą żebraczkę idącą poboczem drogi.
achiwała rękami i krzyczała dziwne słowa w niezrozumiałym
u. Czasami kucała i szczerzyła zęby jak ścigane zwierzę, aby

— Tak. Ale to jeszcze nic. Wiesz czym był ten medalion? Nagrodą. Orderem dla mężatki za sprawienie mężowi potomka z kochankiem! W tym się s t a t u t o w o specjalizowały członkinie LIVE — w obdarzaniu mężów cudzołożnymi dziećmi, na tym polegał ten sport.

— Ker!...

— Słucham.

— To jakaś ...

— Potworność? Co prawda nikt inny, tylko mój ukochany Singer napisał w „Pokutniku", że kobieta obdarzająca mężczyznę dzieckiem innego mężczyzny, jest „albo potworem, albo istotą obłąkaną", lecz tu się z nim nie zgadzam, bo uważam, że każda kobieta jest albo potworem, albo istotą obłąkaną, albo i tym i tym równocześnie. Nie wierzę w walkę klas, wierzę w walkę płci. Rację miał kilka stron dalej, gdy napisał, że „kobieta gotowa jest popełnić każdą obrzydliwość". Co zaś do dzieci z lewego łoża, to gdzieś czytałem, że europejscy lekarze szacują, iż około trzydziestu procent dzieci we współczesnych małżeństwach to dzieci cudzołożne... Jeśli Hornlin znajdzie ów „talizman", weź kryształ pod światło i przeczytaj wyryte tam słowo, ale patrząc od drugiej strony.

— Wówczas przeczytam je wspak!

— Uhmm.

— LIVE wspak to będzie... EVIL. Zło!... Może to czysty przypadek?...

— Nie, to nie przypadek, synku. Tak jak nie jest przypadkiem, że znalazłem tylko połowę fotografii. Ona urwała męża na tym zdjęciu.

— A skąd wiesz, że żona Mateusza nosiła to samo?

— Widziałem podobne zdjęcie żony Mateusza. Mateusz też był oderwany. Takie odrywanie mężów było chyba częścią rytuału jakiejś satanicznej magii u tych pań. Jeśli on znajdzie tę błyskotkę, będę się mógł nią posłużyć jako przepustką do ich grona.

— Nie masz wyglądu stuprocentowej kobiety...

— Nie przypominam też idioty. Mam odpowiednią kobietę dla zagrania tego numeru.

Wrócił filozof. Trzymał medalion wykonany z kryształu opleciónego drutem ze złota. Galton wziął „talizman" między dwa palce, spojrzał na kryształ pod światło i schował do kieszeni.

— Pożyczam go sobie od pana, chyba nie ma pan nic przeciwko temu?

— Właściwie... nie mam — rzekł skonfudowany Hornlin. — Ale po co?

— To ma związek z żoną Mateusza Flowenola, przez którą chcę trafić do jej siostry, panie profesorze — uśmiechnął się Galton i natychmiast zmienił temat dialogu: — Kiedy czekaliśmy aż pan znowu zaszczyci nas swoją obecnością, myślałem o przesądach, nie tylko kobiecych, w ogóle o przesądach. I pomyślałem sobie, że my obaj jesteśmy fałszywymi wrogami zabobonów, wyśmiewamy je i wyznajemy, w każdym razie ja muszę się do tego przyznać, a teraz zżera mnie ciekawość, czy i pan uderzy się w pierś.

— Cóż... — bąknął zaskoczony Hornlin — ... jestem umiarkowanym wrogiem przesądów, bo chociaż bywają one szkodliwe, to jednak są częścią ludzkiej tradycji, kultury, folkloru, całego ludzkiego dziedzictwa. Czy uległem kiedyś przesądowi?... Tylko raz, ale to było...

— Co to było? — spytał Ker, bo Hornlin zamilkł w pół zdania.

— To było coś, o czym nie chcę mówić.

— Identycznie jest ze mną — tylko raz! Kilkanaście lat temu mój przełożony spędzał urlop na greckiej wyspie Astypalea. Zetknął się tam z Chińczykiem, który umiał wróżyć. Chińczyk obejrzał jego dłoń i zapytał: „W jakim pan jest wieku?". Zapytany właśnie skończył czterdzieści cztery lata. Chińczyk rzekł: „Po chińsku słowo cztery, «sei», brzmi identycznie jak słowo śmierć, więc liczba czterdzieści cztery jest podwójnie nieszczęśliwa, bardzo mi przykro...". Już w następnym miesiącu mój przełożony utracił całą rodzinę, a kilka tygodni później sam został zamordowany.

— Liczba czterdzieści cztery i chińska wróżba nie miały z tym nic wspólnego, kapitanie, większość ludzi przeżywa czterdzieści czte-

lata bez żadnych tragedii. To nie jest problem
logii czy jakiegoś fatum, lecz problem...

— Pecha? — przerwał mu Galton.

— ...problem zła, kapitanie. Zła, które tkwi w
jednym ludziom krzywdzić innych ludzi.

— Gdyby wielka krzywda dotykała każdego,
profesorze, ale ponieważ dotyka tylko wybranych,
jest to problem pecha tych ludzi, których dotkn
wkraczamy w sferę fatum. W fatalny czerwony krą
Ahaba, którego do walki ze złem ucieleśnionym
pchał imperatyw przeznaczenia samurajskiego. Nie
nor, by napotkać wielkie białe zwierzę pod posta
czyzny, trzęsienia ziemi lub ognia, i być przez nie
i pył. To jest fatum. Problem selekcji mistycznej,
obliczalnej — przypadkowej. Jej kres nastąpi wów
zło. A może ono zniknąć całkowicie tylko w je
zupełnie zniknie dobro, bo nie może być piekła bez
mężczyzn, łysych bez owłosionych. Gdyby wszys
zniknęłoby pojęcie garbu. Jakie to proste — wyplen
tanie istnieć zło! Prawda?

— Nieprawda — zaprzeczył Hornlin. — W tej z
kiej, a w istocie dziecinnej dialektyce, tkwi błąd.

— Jaki błąd?

— Sofizmatyczny. Pozornie logiczne dowodzenie
dem, który zabija logikę, czyniąc z wywodu sofizma

— Jaki błąd?

— Pan go zna wybornie, celowo umieścił go pan
trukcji, by przetestować sprawność mojego rozumu.

— Jaki błąd?

— Taki, iż biała bestia jest równie sprytna i wie
pan mówił. Zło nigdy nie pozwoli zwyciężyć dobru
nie pozwoli mu zniknąć, gdyż potrzebuje tła, aby
triumf nad człowiekiem. Dobro jest zawsze kaleką: je
robliwe, łatwo się męczy, wciąż potrzebuje wsparcia

odstraszyć grupkę dzieci, które szły za nią i ciskały w wariatkę grudami błota. A czasami wybuchała śmiechem, który niósł się pod niebo, i pluła strugami zielonej flegmy. Miała na sobie łachman dziurawy jak żagiel, co nie wytrzymał sztormu, i bose nogi oblepione błotem zamiast pończoch. Jej zmierzwione włosy porywał wiatr, i cała ona przypominała gnijący, rozsypujący się liść, niesiony wiatrem wraz z minionymi złudzeniami, pretensjami i odrobiną szczęścia, którą udało się jej schwytać bardzo dawno temu. W jej oczach były mgliste wspomnienia młodości, tańców, szeptów i pocałunków, splątane, surrealistyczne, gaszone przez chory mózg płatami mroku, jakby zużyta żarówka w jej głowie pulsowała agonią nim pęknie spiralny drucik i nastanie wieczny mrok. Pomyślałem, że jeśli kiedyś była kwiatem zmysłowo rozchylającym barwne płatki, pełnym odurzającego zapachu, wdzięku i boskiego magnetyzmu, królową łąk, a teraz brudna skóra na wykrzywionych kościach straszy ludzi i podnieca szczeniaków do ciskania w kalekę błotem — to znaczy, że czas jest głównym skurwysynem i że młodzi samobójcy, ocalając swoją młodość, nie pozwalają mu w pełni triumfować.

Szedłem dalej i wkrótce znalazłem się na pustkowiu tak fonetycznie wyjałowionym, że nie słychać było żadnego psa, ptaka, owada, szumu liści bądź skrzypu moich własnych butów. Przede mną była aleja usypana ze żwiru, obsadzona wysokimi drzewami o konturach zatartych mgłą, lecz mgła wisiała na koronach, a między pniami rozpościerał się widok na step, z którego tylko gdzieniegdzie wyrastał zmierzwiony krzak lub samotna kolumna bez głowicy. Zaszedłem tą aleją na spękany grunt, który przypominał dno wyschniętego jeziora i biegł aż po linię horyzontu. Kilkaset kroków ode mnie widniał duży, czteropiętrowy dom, samotny niczym megalit lub piramida na bezkresnej pustyni. Zdawał się tu nieporozumieniem lub żartem, gdyż wokół nie było ulic, dróg ani najmniejszych śladów życia — był jak klocek upuszczony przez dziecko na lotnisku.

A jednak było tam życie, gdyż to, co z daleka brałem za czerń cokołu, okazało się klombem z czarnych róż. Oba skrzydła drzwi wejściowych rozchylały się jak przyzywające ramiona, chyba pod wpływem wiatru, chociaż moje policzki nie wyczuwały żadnego ruchu powietrza. Wszedłem. Nie wchodzi się bez potrzeby do obcych domów, lecz jeśli na całym świecie jest tylko jeden dom, a reszta krajobrazu jest pustką i ciszą, nie można uniknąć wejścia.

Za drzwiami winien być przedsionek, hall, korytarz, jakiś kawałek neutralnej przestrzeni, ale zamiast tego od razu, od progu, startowały olbrzymie, filharmonijne schody z wielobarwnych granitów i marmurów. Każdy krok był jak wystrzał w górach — gdzieś w ciemnej głębi z obu stron gasło czkawką podwójne echo, gonione przez podwójne echo od drugiego obcasa, a potem znowu od pierwszego, i tak na przemian, aż znalazłem się wysoko, w monstrualnym korytarzu, którego krańca nie mogłem dostrzec. Nikt się nie pojawił, nikogo nie zaalarmowało bębnienie moich kroków na schodach, nic się nie poruszyło, żadnego szmeru. Zapukałem do pierwszych drzwi, kilkakrotnie. Nikt nie otworzył, więc uczyniłem to sam.

Znalazłem się w dużym pomieszczeniu. Przez uchylone okno zapach rozgrzanej ziemi wdzierał się do wnętrza. Było to bardzo osobliwe wnętrze. Kolumny podtrzymujące strop oplatał bluszcz, zieleń wędrowała po ścianach, czyniąc z wielkich płaszczyzn delikatną, żywą tapetę. Żadnych mebli, lamp, obrazów i dywanów, widok jak po wyprowadzce lub z teatru nowoczesnego, gdzie scenografia jest poezją uproszczeń. I było tu dwoje aktorów. Jedną z kolumn podpierał plecami starzec o srebrnych włosach i niezliczonych zmarszczkach, lecz oczy błyszczały mu jak drogie kamienie, a usta jak szkarłatny klejnot. Był w białym kitlu i trzymał zdjęte z nosa okulary. Przed nim klęczała kobieta. Ubrana była czarno, w mocno wciętą suknię i zamszowe pantofle. Na jej twarzy, zmęczonej jak ciała zużytych tancerek, ujrzałem przestrach. Wydawała mi się podobna do staruchy, w którą dzieci rzucały błotem, ale miała cerę trochę gładszą, jeszcze nie tak mocno zrujnowaną upływem czasu. Rozmawiali ze sobą w tej dziwnej, stojąco-klęczącej pozycji.

— Jaki przedmiot z wczesnego dzieciństwa pamięta pani najlepiej?

Zamrugała powiekami, mocując się z pamięcią.

— Chyba... chyba dziadka do orzechów...
— Jest pani tego pewna, droga pani?
— Tak, panie profesorze.
— Dlaczego jest pani pewna?
— Bo... bo on mi się często śni.
— Ah więc tak, często się śni! — krzyknął uradowany starzec. — Proszę go opisać.
— Był duży, drewniany, miał twarz diabełka z parą rogów. Usta diabełka rozchylały się, mama wkładała włoski orzech i kruszyła go.
— Mama?
— Tak, mama.
— No dobrze, a jakie zwierzątko lubiła pani najbardziej w wieku dziecięcym?
— Nasz sąsiad miał osiołka, panie profesorze. Bardzo go lubiłam...
— Sąsiada czy osiołka?
— Osiołka, pan pytał o zwierzątko.
— Dlaczego akurat tego osiołka?
— Bo miał takie długie śmieszne uszy, lubiłam go głaskać, panie profesorze.
— Uhmm, to interesujące... A króliki pani lubiła?
— Bardzo!
— Czy królik lub osiołek śnią się pani?
— Czasami tak, panie profesorze.
Staruch odwrócił się w moim kierunku:
— No i co? Zawsze to mówiłem! Ukryte pragnienia seksualne biorą się z dzieciństwa, tam jest źródło, a powracają w snach ludzi dorosłych! To jasne, że pacjentka ma kompleks tłumionego seksu oralnego. Włoskie orzechy to męskie jądra w jej ustach, zaś upodobanie do zwierząt z długimi uszami to problem penisów. Długie głaskane uszy są symbolem pieszczonego członka...
Ktoś zza moich pleców szepnął:
— Niech pan nie słucha tego idioty, poruczniku!

Odwróciłem się. Za mną stał lekarz ze szpitala enbeckiego, ów ordynator, który naciągnął mnie na spowiedź, gdy chorowałem po utracie przytomności. Był w białym kitlu i w czarnym kapeluszu, co zupełnie do siebie nie pasowało.

— Szkoda marnować czas, słuchając kretyna! — powtórzył szeptem.

— Czemu?

— Bo to kretyn. Znam faceta od młodości, chodziliśmy do tego samego gimnazjum w Nolibabie. Już wtedy był idiotą. Cokolwiek usłyszał lub zobaczył, kwitował tonem światowca: „No i co? Ja to zawsze mówiłem!". Dlatego dziś para się psychoanalizą, Freudyzm to działka cwanych miernot, głupców, szajbusów, hochsztaplerów...

— Ależ!...

Cofnęliśmy się przez próg i zamknąłem drzwi.

— Nie ma żadnego ależ, poruczniku! Freudowi udowodniono już tyle oszustw i nonsensów, że fakt, iż wciąż działają jego obrońcy, zwolennicy i propagatorzy, jest najlepszym dowodem na zbiorową głupotę naszego pokolenia. Tylu prawdziwych uczonych — lekarzy, psychiatrów, biologów i socjologów — Sulloway, Fleming, Masson, Eschenröder, Benesch, Hemminger, Strachey, Szasz i inni, udowodniło, że psychoanaliza jest doktryną i praktyką szarlatańską! Terapia psychoanalityczna to absurd. Brytyjski biolog-noblista, Medawar, określił tę doktrynę jako „najstraszliwsze hochsztaplerstwo dwudziestego wieku", inny noblista, wielki Hayek, jako „najszkodliwszy zabobon dwudziestego wieku", a niemiecki biolog Hemminger stwierdził, że cała Freudowska teoria snów, psychologia i charakterologia, to urojenie, to interpretacje o wartości zabawnych bajeczek zdolnego dziadziunia. Masson, sam zresztą były psychoanalityk, nazywa to wszystko „kolosalnym łgarstwem". Ale psychoanalitycy, tak jak wróżki, wciąż mają tabuny klientek, znerwicowanych histeryczek, które opowiadają bzdury i słuchają bzdur. Kościół wiedział, co robi, wynajdując spowiedź, to potrzeba fizjologiczna. Freud też wiedział na czym buduje swoją wielkość. I ten tutaj też wie, jak warto udawać Freuda. Typowy Flowenol!

— Flowenol?
— Oczywiście. Nie poznaje pan, poruczniku?
— Nie.
— To Gustaw Flowenol! Brat pańskiego dziadka Leonarda, autora waszej kroniki.
— Czytałem ją. Ale tam nic nie ma o Gustawie Flowenolu.
— Bo pański dziadek pisał tylko o swoich zmarłych przodkach. Jednak powinien pan coś wiedzieć o psychoanalityku Gustawie, choćby z ustnych przekazów. Bez wątpienia widział go pan też na jakiejś fotografii. Ma pan kiepską pamięć, poruczniku Flowenol. Czy i mnie pan również zapomniał? Wie pan kim jestem?
— Jest pan lekarzem ze szpitala enbeckiego, wyznającym wiarę w Kościół i niewiarę w Boga.
— Co pan z pewnością wziął za pozę, sądził pan, że staram się być na siłę oryginalny?
— Tak.
— Błąd. Podobnych do mnie znajdzie pan wielu. Nie będących religijnymi, lecz uważających, że religia to coś absolutnie koniecznego dla społeczeństw, gdyż jest ona propagatorką zakazów. Można nas przezywać Wolterianami, lecz zwać nas pozerami byłoby niesprawiedliwością.
— Wśród zakazów, które tak pan sobie ceni, znajduje się również zakaz kłamania! — warknąłem.
— Z dziwnych przyczyn, ściśle sformułowanego zakazu kłamania nie ma w Mojżeszowym dekalogu, ale kłamstwo to jednak grzech. O co panu chodzi, Flowenol?
— O to, że pan skłamał! Nie mógł się pan uczyć z bratem mojego dziadka w tym samym liceum! Mógł to robić pański dziadek.
— Tym dziadkiem jestem właśnie ja, panie Flowenol.
— Głupie żarty!
— Wcale nie żartuję, tylko przestrzegam akademickiego regulaminu. Tu, w Akademii, nie wolno się przedstawiać sobą. Trzeba się odmładzać lub postarzać mówiąc o sobie. Może się pan przedstawić

jako wnuk swego ojca lub ojciec swojej matki, lecz nigdy jako syn ojca i matki.

— Dlaczego?

— Nie wiem. Taki jest tu zwyczaj, a za lekceważenie lub złamanie zwyczaju grożą bardzo surowe kary. Nie wiem dokładnie jak surowe, bo jeszcze mnie nie karano, przestrzegam zwyczajów, lecz wiem, że bardzo surowe. Panu też radzę przestrzegać. Hubert Flowenol nie przestrzegał i został ukarany. Skazano go na śmierć w morzu. Tak, wiem, że Hubert jeszcze żyje, ale zobaczy pan, utonie, z pewnością utonie w morzu. Został skazany!

— Pan zna mojego stryja?

— Cichooo!... Już się pan źle przedstawił! Powinien pan spytać, czy znam pańskiego wnuka, Huberta Flowenola! Albo syna lub dziadka!... Bardzo proszę, inaczej nie będę mógł odpowiedzieć, nie chcę być ukarany za współudział, panie poruczniku.

— No dobrze, czy zna pan mojego dziadka, Huberta Flowenola?

— Znam, leczyłem go kiedyś przez cały rok. Bezskutecznie.

— Z czego chciał go pan wyleczyć?

— Z nieprzestrzegania regulaminu akademickiego.

Minęła nas elegancka para. W korytarzu panował półmrok, lecz fragmenty klap smokingowych i faktura karnawałowej sukni oraz klejnoty i spinka krawatowa błysnęły niczym refleksy księżyca muskające falę przypływu. Usłyszałem znajomy głos:

— Dostaliśmy zaproszenie na „Wesele Figara".

Był to głos ojca!

— Na kiedy, kochanie? — spytała kobieta głosem mojej macochy.

— Na jutro.

— Ja mam kupić prezenty? A może damy któryś z twoich obrazów?

— Po co?

— Jak to po co? Chcesz iść bez prezentu na wesele?

Rozpłynęli się w ciemności, a ordynator rzekł, zasłaniając usta dłonią:

— Jest wykształcona jak peruwiańska lama, głupia wprost monumentalnie, coś na kształt Pigmejki prosto z buszu! Byłaby samodzielną królową idiotek, gdyby tylko była jedynaczką. Ugania się za diademem laurowym, wie pan jakim?

— Tak, chce być poetką.

— Czy można być poetką, gdy się nie odróżnia wiersza od wierszyka?

— Kto panu...?

— Faron mi mówił. On tu gdzieś jest...

Lekarz rozejrzał się dookoła i ja uczyniłem to samo.

— Gdzieś tu... Później go znajdziemy. Mówił mi, że ona będzie taką samą poetką, jak jej bliźniaczka aktorką. Bo tamta chce być aktorką. Bierze lekcje.

— Żona Mateusza?!

— Żona Mateusza. Bierze lekcje tam, o tam, za tymi drzwiami. Uczy się Ibsena, poruczniku. Jej nauczyciel wmówił jej wielkość Ibsena i teraz ta pani uważa Ibsena za twórcę genialnego. Tylko kobieta może uważać Ibsena za geniusza, mam rację?

— Nie masz racji — mruknął ktoś z tyłu.

Odwróciłem się i ujrzałem gębę Farona.

— Nie masz racji, doktorku — powtórzył.

— Nie mam racji?! — fuknął ordynator. — A kto mi wykładał, że Ibsen...

— Wykładałem ci tylko, że Ibsen to śmieciarz. Bo to śmieciarz. Teatr Ibsenowski to pompatyczna ckliwość plus socjo-naukowe deklamacje ze sceny, forum dyskusyjne pseudouczonych badaczy duszy ludzkiej. Dialogi to pojedynki psychologów lub psychoanalitów, przy czym szczególnie groteskowe są wszystkie te jego Rebeki, które wygłaszają setki prefreudyzmów na temat wnętrz, instynktów, motywów, popędów i aberracji kobiet. Prawie każda kobieta Ibsena to psychoanalityk, seksuolog i cały Ruch Wyzwolenia Kobiet w jednym ciele, a mężczyźni to ich lustro, i tak sobie przemawiają od pierwszej do ostatniej kurtyny jak z mównic sympozjum ero-psycho-filozoficznego.

Spojrzał na zegarek i klepnął doktora po ramieniu:

— Chłopaki, spieszę się, w piwnicy na mnie czekają, muszę gnać!

Pobiegł i zniknął, a medyk wskazał drzwi:

— Te drzwi.

Chwyciłem klamkę.

— Bez przekraczania progu, panie Flowenol!

Ostrożnie uchyliłem drzwi.

— Bez przekraczania progu! Może pan tylko spojrzeć w dół, inaczej złamie pan kark! Najlepiej uklęknąć.

Uklęknąłem i wychyliłem się przez próg. Pode mną była czeluść, ogrom pustej i mrocznej przestrzeni, jak nawa nocnego kościoła, gdzie śpi Zbawiciel i szeptać można tylko do własnych uszu. Spojrzałem w dół — równoległe rzędy foteli rozpierały się między ciemnością a ciemnością. Nagle zobaczyłem światło z ukrytego reflektora. Padało na scenę. Zrozumiałem, że to wnętrze teatru. Pośrodku sceny tkwił staromodnie ubrany mężczyzna i kartkował duży brulion w szkarłatnej oprawie. Widziałem go z daleka, a jakby stał obok — widziałem każdy por jego pięknej twarzy. Miał czarny frak delikatnie haftowany srebrną nicią; kamizelka była cała srebrna, lecz tym kolorem, który jest raczej szarością niż źródłem metalicznego błysku. Spod fraka spływał na sceniczne deski ogon jak gruby, włochaty szlauch, zakończony kitką, która legła między obcasami czarnych wysokich do kolan butów grenadierskiego kroju. Myślałem, że to Faron grający diabła, lecz mój towarzysz szepnął mi nad głową:

— To Mefistofeles! Reżyser, pedagog i dyrektor teatru!

— Przecież to Faron, do diabła!

— Faron?

— Nie poznaje pan jego mordy?

— Oh, ta pańska drobiazgowość, panie gliniarzu! Reaguje pan na poziomie czterowymiarowego świata istot prymitywnych, jakby zupełnie pan nie pojmował wymiaru Akademii!

Diabeł uniósł łeb obciążony czarnym hiszpańskim kapeluszem i zawarczał w ciemność:

— Tak. Ale to jeszcze nic. Wiesz czym był ten medalion? Nagrodą. Orderem dla mężatki za sprawienie mężowi potomka z kochankiem! W tym się s t a t u t o w o specjalizowały członkinie LIVE — w obdarzaniu mężów cudzołożnymi dziećmi, na tym polegał ten sport.

— Ker!...

— Słucham.

— To jakaś ...

— Potworność? Co prawda nikt inny, tylko mój ukochany Singer napisał w „Pokutniku", że kobieta obdarzająca mężczyznę dzieckiem innego mężczyzny, jest „albo potworem, albo istotą obłąkaną", lecz tu się z nim nie zgadzam, bo uważam, że każda kobieta jest albo potworem, albo istotą obłąkaną, albo i tym i tym równocześnie. Nie wierzę w walkę klas, wierzę w walkę płci. Rację miał kilka stron dalej, gdy napisał, że „kobieta gotowa jest popełnić każdą obrzydliwość". Co zaś do dzieci z lewego łoża, to gdzieś czytałem, że europejscy lekarze szacują, iż około trzydziestu procent dzieci we współczesnych małżeństwach to dzieci cudzołożne... Jeśli Hornlin znajdzie ów „talizman", weź kryształ pod światło i przeczytaj wyryte tam słowo, ale patrząc od drugiej strony.

— Wówczas przeczytam je wspak!

— Uhmm.

— LIVE wspak to będzie... EVIL. Zło!... Może to czysty przypadek?...

— Nie, to nie przypadek, synku. Tak jak nie jest przypadkiem, że znalazłem tylko połowę fotografii. Ona urwała męża na tym zdjęciu.

— A skąd wiesz, że żona Mateusza nosiła to samo?

— Widziałem podobne zdjęcie żony Mateusza. Mateusz też był oderwany. Takie odrywanie mężów było chyba częścią rytuału jakiejś satanicznej magii u tych pań. Jeśli on znajdzie tę błyskotkę, będę się mógł nią posłużyć jako przepustką do ich grona.

— Nie masz wyglądu stuprocentowej kobiety...

— Nie przypominam też idioty. Mam odpowiednią kobietę dla zagrania tego numeru.

Wrócił filozof. Trzymał medalion wykonany z kryształu oplecionego drutem ze złota. Galton wziął „talizman" między dwa palce, spojrzał na kryształ pod światło i schował do kieszeni.

— Pożyczam go sobie od pana, chyba nie ma pan nic przeciwko temu?

— Właściwie... nie mam — rzekł skonfudowany Hornlin. — Ale po co?

— To ma związek z żoną Mateusza Flowenola, przez którą chcę trafić do jej siostry, panie profesorze — uśmiechnął się Galton i natychmiast zmienił temat dialogu: — Kiedy czekaliśmy aż pan znowu zaszczyci nas swoją obecnością, myślałem o przesądach, nie tylko kobiecych, w ogóle o przesądach. I pomyślałem sobie, że my obaj jesteśmy fałszywymi wrogami zabobonów, wyśmiewamy je i wyznajemy, w każdym razie ja muszę się do tego przyznać, a teraz zżera mnie ciekawość, czy i pan uderzy się w pierś.

— Cóż... — bąknął zaskoczony Hornlin — ... jestem umiarkowanym wrogiem przesądów, bo chociaż bywają one szkodliwe, to jednak są częścią ludzkiej tradycji, kultury, folkloru, całego ludzkiego dziedzictwa. Czy uległem kiedyś przesądowi?... Tylko raz, ale to było...

— Co to było? — spytał Ker, bo Hornlin zamilkł w pół zdania.

— To było coś, o czym nie chcę mówić.

— Identycznie jest ze mną — tylko raz! Kilkanaście lat temu mój przełożony spędzał urlop na greckiej wyspie Astypalea. Zetknął się tam z Chińczykiem, który umiał wróżyć. Chińczyk obejrzał jego dłoń i zapytał: „W jakim pan jest wieku?". Zapytany właśnie skończył czterdzieści cztery lata. Chińczyk rzekł: „Po chińsku słowo cztery, «sei», brzmi identycznie jak słowo śmierć, więc liczba czterdzieści cztery jest podwójnie nieszczęśliwa, bardzo mi przykro...". Już w następnym miesiącu mój przełożony utracił całą rodzinę, a kilka tygodni później sam został zamordowany.

— Liczba czterdzieści cztery i chińska wróżba nie miały z tym nic wspólnego, kapitanie, większość ludzi przeżywa czterdzieści cztery lata bez żadnych tragedii. To nie jest problem chiromancji, numerologii czy jakiegoś fatum, lecz problem...

— Pecha? — przerwał mu Galton.

— ...problem zła, kapitanie. Zła, które tkwi w człowieku i każe jednym ludziom krzywdzić innych ludzi.

— Gdyby wielka krzywda dotykała każdego, miałby pan rację, profesorze, ale ponieważ dotyka tylko wybranych, ja mam rację — jest to problem pecha tych ludzi, których dotknęła krzywda, i tu wkraczamy w sferę fatum. W fatalny czerwony krąg obłędu kapitana Ahaba, którego do walki ze złem ucieleśnionym w mitycznej bestii pchał imperatyw przeznaczenia samurajskiego. Nie każdy ma ten honor, by napotkać wielkie białe zwierzę pod postacią kobiety, mężczyzny, trzęsienia ziemi lub ognia, i być przez nie startym na proch i pył. To jest fatum. Problem selekcji mistycznej, irracjonalnej, nieobliczalnej — przypadkowej. Jej kres nastąpi wówczas, gdy zniknie zło. A może ono zniknąć całkowicie tylko w jeden sposób: gdy zupełnie zniknie dobro, bo nie może być piekła bez nieba, kobiet bez mężczyzn, łysych bez owłosionych. Gdyby wszyscy byli garbaci, zniknęłoby pojęcie garbu. Jakie to proste — wyplenić dobro, a przestanie istnieć zło! Prawda?

— Nieprawda — zaprzeczył Hornlin. — W tej z pozoru szatańskiej, a w istocie dziecinnej dialektyce, tkwi błąd.

— Jaki błąd?

— Sofizmatyczny. Pozornie logiczne dowodzenie, okraszone błędem, który zabija logikę, czyniąc z wywodu sofizmat.

— Jaki błąd?

— Pan go zna wybornie, celowo umieścił go pan w swojej konstrukcji, by przetestować sprawność mojego rozumu.

— Jaki błąd?

— Taki, iż biała bestia jest równie sprytna i wie o tym, o czym pan mówił. Zło nigdy nie pozwoli zwyciężyć dobru, ale też nigdy nie pozwoli mu zniknąć, gdyż potrzebuje tła, aby widzieć swój triumf nad człowiekiem. Dobro jest zawsze kaleką: jest wiotkie, chorobliwe, łatwo się męczy, wciąż potrzebuje wsparcia i prędzej czy później umiera, ze starości lub ze słabości, natomiast zło jest absolutne, ergo doskonałe, ergo niezniszczalne: nie choruje, nie starzeje się, ma wieczną kondycję i proszę mi wierzyć, panie Galton, nie brakuje mu ani rutyny, ani pomysłowości, zło jest bez przerwy i młode, i doświadczone, i genialne. Gdy czytam u świętego Mateusza: „Nie sprzeciwiajcie się złu, nie stawiajcie złu oporu", zastanawiam się, czy te słowa są przejawem głupoty udrapowanej w miłosierdzie, czy raczej mądrości wynikającej z przekonania, że nie warto toczyć boju, którego nie można wygrać, gdyż wróg jest niezwyciężalny.

— Pański dylemat ma tyle sensu, ile jest sensu w źle przetłumaczonych poezjach, panie profesorze! Grecki tekst ewangelii świętego Mateusza od wieków błędnie tłumaczono. Po grecku to zdanie brzmi: „Nie rewanżujcie się złu", w znaczeniu: nie rewanżujcie się taką samą metodą, jakiej użył złoczyńca!

— Panie Galton, przecież kolejny wers mówi o policzku, który trzeba nadstawić...

— Jasne, panie Hornlin, lecz niech pan zrozumie, że...

Zrozumiałem, że ci dwaj już się potrzebują i będą się tak długo kłócić, aż któryś kiedyś umrze, a drugi będzie wtedy płakał. Znowu, przez przypadek, dwóch intelektualnych pedałów zetnęło się z moją pomocą, by dawać sobie równoczesny orgazm pytlowaniem o rzeczach wzniosłych jak Olimp, zagmatwanych jak Labirynt, niezmierzonych jak Kosmos i niewytłumaczalnych jak Fatum. Lub cudownych jak wędrówki Chrystusa po wodzie. Zrozumiałem, że jestem tu zbędny. Nawet nie zauważyli, kiedy wstałem i zniknąłem bez słowa.

Bóg raczy wiedzieć, co robiłem po opuszczeniu tego domu. Chyba wędrowałem bezmyślnie przez miasto, i musiałem wyjść poza rogatki, bo raptownie spostrzegłem, iż znajduję się na przedmieściu, wśród niskich, szpetnych zabudowań. Dalej były jakieś ogródki, warzywniki, sady, oraz łąki, na których bydło pasło się nie pilnowane przez nikogo. Zobaczyłem starą żebraczkę idącą poboczem drogi. Wymachiwała rękami i krzyczała dziwne słowa w niezrozumiałym języku. Czasami kucała i szczerzyła zęby jak ścigane zwierzę, aby

Waldemar Łysiak

STATEK

Redaktor techniczny: Krzysztof Lipka.
Korekta: Dorota Romanowska.
Projekt okładki: Piotr Chodorek.

Na lewym skrzydełku obwoluty: fragment mariny C. Lorraina.
Na prawym skrzydełku obwoluty: „Pamięć" R. Magritte'a.
Na stronie 6: grafika Zdzisława Milacha.
Na tylnej stronie obwoluty: olej Leszka Woźniaka.

Warszawa 1994
Wydawnictwo PLJ
ul. Radomska 16 m. 2
Warszawa
tel. 22 20 01

Zakłady Graficzne im. KEN w Bydgoszczy
ul. Jagiellońska 1, FAX 21-26-71

ISBN 83-7101-128-8

Spis rozdziałów:

M89

motto 1: *„— Wcale jej nie potępiam, że jest prostytutką. Być może robiłabym to samo, gdyby życie ułożyło się inaczej.*

— Nie wierzę. Ty nie robiłabyś tego.

— Oh, Gass, nie znasz kobiet, choć mówią, że znasz się na kobietach...”.

Larry Mc Murtry, „**Lonsome Dove**”.

motto 2: *„Dawniej ten epizod, na każdej stronie zionący melancholią, zwłaszcza w katastrofie, którą się kończy, przyprawiał mnie o zgrzytanie zębami. Wiłem się na dywanie i kopałem mojego drewnianego konia. Opisy cierpienia są czymś bezsensownym. Wszystko trzeba pokazywać w pięknym świetle. Gdyby ta historia była częścią jakiegoś zwyczajnego życiorysu, nic bym nie miał przeciwko niej. Od razu wtedy zmienia charakter. Nieszczęście nabiera dostojeństwa wskutek nieprzeniknionych wyroków Opatrzności, która je stworzyła. Ale człowiekowi nie wolno w swoich książkach tworzyć nieszczęścia. Znaczy to bowiem, że za wszelką cenę chce widzieć tylko jedną stronę rzeczy. O zapamiętałe wyjce!”.*

Lautréamont, „**Poezje**” (tłum. M. Żurowskiego).

motto 3: *„Współczesna powieść, przynajmniej w swych najambitniejszych przejawach, winna pokusić się o totalny opis człowieka, od jego obłędu po jego logikę (...) Byłoby to połączenie Kanta i Hieronima Boscha, Picassa i Einsteina, Rilke'go i Czyngiz-chana. Dopóki nie znamy tak uniwersalnego sposobu ekspresji, brońmy przynajmniej prawa do pisania powieści monstrualnych”.*

Ernesto Sabato, „**Anioł zagłady**”.

Rozdział 1.

Pierwszy raz ujrzałem go mając nie więcej niż dziesięć lat. Zbudziłem się, gdy miasto tulił jeszcze sen, lecz od morza wiatr przynosił mewią paplaninę, a na niebo wstępowała szarość. Mój mansardowy pokoik tonął w półmroku. Wymknąłem się po drabinie, nie chcąc nikogo zbudzić, zwłaszcza starego, który do późnej nocy pracował — najlepiej malowało mu się nocą. W takich przypadkach penetrowałem ogród, choć nie do krańca, bo kluczenie wzdłuż i wszerz robiło mi dowcip: natrafiałem ślady własnych bucików i albo zaczynałem wędrówkę od nowa, albo wracałem do pokoju tą samą drogą. Tamtego dnia stało się inaczej: wyszedłem przez dziurę w ogrodzeniu i pomaszerowałem ku przystani.

Na ulicach było zupełnie pusto, słyszałem echo moich kroków. Minąłem magazyny portowe, doki i gmach Biura Morskiego, wspiąłem się po kamiennych schodkach na falochron i ruszyłem ku latarni wciąż tętniącej światłem, bo chociaż nie było już ciemno, nad falami unosiła się mgła. Do szczytu wieży dreptałem spiralą żelaznych schodków, od których drętwiały nogi i kręciło się w głowie. Nie zastałem latarnika. Byłem ponad mgłą, jak w kabinie samolotu nad kłębami chmur, i dopiero gdy zerwał się mocny wiatr, który usunął białą watę, zobaczyłem horyzont. Gdzieś w połowie jego równej linii czerniał mały punkcik. Na stole, obok zrolowanych map, leżała lornetka, przytknąłem ją do oczu.

To był statek, gigantyczny trójmasztowiec ze zwiniętymi żaglami; jego maszty i reje miały coś ze szkieletu bladego jak widmo, ledwie widocznego pod słońce, gdyż balon słońca z wolna się unosił i prześwietlał ażury, lecz kadłub nie przypominał trupa — nawet w tej ciszy i w tej oddali i w całym swoim bezruchu promieniował tajemniczą grozą niczym brzuchaty, skulony mamut śpiący nie po obżarstwie, tylko po kopulacji z mamucicą, która zniknęła gdzieś w głębi morza albo uleciała ku błękitnemu sklepieniu. Nie czułem tego tak w owej chwili — czuję to teraz, gdy dobywam z pamięci tamten widok. Patrząc dziecięcymi oczami przez lornetkę, nie wiedziałem, że ów okręt to burdel stryja Huberta.

Nawet gdyby mi ktoś wówczas powiedział, że na tym statku funkcjonuje burdel, musiałby jeszcze wytłumaczyć, co to takiego, bo mając dziesięć lat nie znałem tego słowa, a przynajmniej wydaje mi się, że nie znałem go wtedy. Zapamiętujemy z dzieciństwa rok, w którym dostaliśmy pierwszy rower, ale któż może sobie przypomnieć kiedy nauczył się kląć lub rozumieć ten czy ów wstydliwy termin? Każdy z nich jest pojęciem abstrakcyjnym tak długo, aż biologia nie ucieleśni „brzydkiego wyrazu"; burdele weszły w życie mojego rocznika dopiero wtedy, kiedy mogły, to jest wówczas, gdy Indianie, kowboje, supermeni i batmeni w dziecinnych pokojach umierają, odchodząc w tę najpiękniejszą przeszłość, która już nigdy nie powróci na jawie. Burdel był dla nas jednym z czterech możliwych sposobów seksualnej inicjacji w wieku przedmaturalnym lub przedpoborowym, obok koleżanek ze szkół i z dyskotek, lub starszych, ale jeszcze nie

— Miła moja, zrozum, nie możesz tak tego spaprać, jak w drugim akcie „Gdy wstaniemy z martwych"! Tam, gdzie on mówił: „I porzuciła mnie — przepadła bez śladu...", odpowiedziałaś małpując Stanisławskiego, a ja mam gdzieś ten pieprzony naturalizm, nie tego cię uczyłem! Zrozum żesz, do boga, musisz pozbyć się tej maniery, nie chcę, żebyś była sobą, masz być więcej niż sobą, masz grać, grać, grać! Tendencja do naturalności nie ma nic wspólnego ze sztuką, jest wstrętna na scenie, tak samo jak wstrętna jest sztuczność w życiu codziennym! Wiesz, czego ja chcę? Chcę, żebyś była super-marionetą, marionetą totalną, wielką lalką tego świata!

Z oceanu ciemności poza kręgiem, jaki dawał reflektor, wyłoniła się Miriam. Szatan przerzucił kilka stron.

— Spróbujemy ten fragment „Upiorów". Ja będę pastorem, ty panią Alwing.

Wyrwał jedną kartkę tekstu i podał jej.

— Wchodzisz tam, gdzie jest czerwona kreska, dziecinko, od słów: „Chwilami mam wrażenie, pastorze Manders, że my wszyscy". Tylko nie na automat, nie odreagowujesz mu ostro, grasz z maski, ale niby w uśpieniu, w letargu! Tam, gdzie są pauzy dłuższe, będę ci robił znak ręką. No, dawaj!

Poczęła czytać, wolno i rytmicznie, jak zahipnotyzowane medium:

— „Chwilami mam wrażenie, pastorze Manders, że my wszyscy jesteśmy upiorami. Błąka się w nas nie tylko to, co odziedziczyliśmy po ojcu i matce. Są to różne stare, martwe poglądy, różne strupieszałe wierzenia. Nie żyją w nas, ale weszły nam w krew, nie możemy się ich wyzbyć. Kiedy biorę do ręki gazetę, żeby ją przeczytać, mam wrażenie, że między wierszami pełzają upiory. Po całym kraju snują się upiory, jest ich tyle, ile piasku w morzu... Zresztą wszyscy jesteśmy żałosnymi tchórzami, którzy lękają się światła"...*

Wstałem z kolan, a ordynator zamknął drzwi.

— Może ją pan zobaczyć również na sali sądu, panie Flowenol.

— Żonę Mateusza?

---

* — Tłum. Jacek Frühling.

— Tak, żonę Mateusza.
— Przecież ona jest teraz tu, w teatrze!
— I tam, w sądzie.
— Nie może być i tam, i tu w tej samej chwili!
— Założymy się, poruczniku? Pan wciąż zbyt dogmatycznie traktuje czas i czasoprzestrzeń, to jakieś kalectwo!...
— Gdzie jest sala sądowa?
— Tu — wskazał kolejne drzwi.
— I co się tam dzieje?
— Tam się dzieje proces z powództwa żony przeciwko mężowi, panie poruczniku. To dużo lepszy teatr, bo powódka skorumpowała sąd, więc pański stryj jest bez szans.
Uchylił drzwi, zerknął do środka, kilka sekund trzymał oko w szparze i odwrócił się, by złożyć mi raport:
— Pani sędzina Malino przesłuchuje tatusia powódki czyli teścia pozwanego Mateusza. Bawią się wybornie, to wspaniały łotr, król hipokrytów.
— Wiem.
— Zna go pan?
— Poznałem go.
— No to nie muszę mówić panu, że jest charakterologicznie zgangrenowany do krańca, lecz ma wygląd szlachetnego patriarchy. Biedak cierpi katusze, bo to alkoholik, a na rozprawę musiał przyjść trzeźwo. Całe życie był pasożytem, żył z innych, jak kleszcz. Małżeństwa jego córek z Flowenolami były dlań podwójnym uśmiechem losu, bo bliźniaczki finansowały tatusia hojnie z tego, co zarabiali oblubieńcy. Jest dzisiaj, na tej rozprawie, wzorem tradycyjnych cnót, ale jego stała anegdotka przy wódce to opowiadanko, jak za młodu z kilkoma kolegami rżnęli jedną dziewczynę, celowo w prezerwatywach, by później pełne prezerwatywy rzucać z okna na głowy przechodniom! Taki miał życiowy styl. Teraz już wiek go trochę przyhamował.
Obok nas pojawił się Faron z drwiącym grymasem:
— Zazdrość cię żre, pierniku!

— Jaka zazdrość?! — obruszył się lekarz.

— Że nigdy w życiu nie robiłeś sztafety! Wierz mi, one to bardzo lubią i choć każda wypiera się ciągotek do „takich obrzydlistw", wszystkie mają to we krwi od kamienia łupanego, kiedy cała męska populacja szczepu przelatywała sobie w pół godziny wybraną jaskiniową damę. A te kondomy zrzucane burżujom na łeb świadczą tylko o fantazji tego faceta, to klawy gość!

Wsadziłem oko i ucho w szparę. Sąd zapytał „klawego gościa":

— Co, według świadka, było główną przyczyną konfliktów między powódką a pozwanym?

„Klawy gość" zamknął diagnozę w jednym zdaniu:

— Przyczyną, Wysoki Sądzie, był ten fakt, że mój zięć cierpi na kompleks Otella.

Sędzina odwróciła się do protokolantki:

— Notuj: pozwany cierpi na kompleks Otella... Otella, tak.

Spoza pleców też dobiegł mnie dialog:

— Widzieliśmy jak próbowałeś z nią fragment „Upiorów" — powiedział medyk. — Kiepsko grała.

— Bo grała siebie zamiast panią Alwing — przytaknął Faron. — Pani Alwing jest namiętną czytelniczką książek, a Miriam lubi czytać tylko listy swoich kochanków i własne listy do kochanków, więc z pewnością markizę de Merteuil w „Niebezpiecznych związkach" zagrałaby bez trudu. Tutaj nie umiała pokonać tej subtelnej bariery, która rozdziela kobiety wykształcone od kobiet unikających drukowanego.

— Pieprzysz! — zripostował jakiś trzeci głos, który dobrze znałem.

Odwróciłem się i ujrzałem Galtona.

— Pieprzysz, bo miała tajną biblioteczkę obscenicznych podręczników i katalogów figur seksualnych, więc kompletnego analfabetyzmu wlepiać jej nie wolno!

— Skąd się tu wziąłeś, kapitanie? — zapytał medyk.

— Z ciekawości, doktorku. Proces między kurwą a szaleńcem jest imprezą wartą obejrzenia.

— Czemu nazywasz go szaleńcem?

— Bo to człowiek, który szuka sprawiedliwości, a ten, kto szuka sprawiedliwości, jest szaleńcem. Gdyż sprawiedliwość nie istnieje, doktorku. Jest chimerą. Jest kłamstwem. Jego sprawiedliwość jest jego kłamstwem. Sprawiedliwość nieuczciwego sędziego jest kłamstwem korupcji. Sprawiedliwość dobrego sędziego jest kłamstwem prawa, kłamstwem kodeksu. Są rzeczy, których nie można zważyć. Waga w rękach Temidy to szyderstwo, tylko przepaska na jej ślepiach ma sens.

Znowu wsadziłem oko między framugę a drzwi. Sędzina zapytała pozwanego:

— Dlaczego pozwany nie chce dalej powódki utrzymywać?

Mateusz odrzekł cicho, jakby wbrew przekonaniu:

— Dlatego, że powódka winna się utrzymywać sama, podejmując pracę.

U sędziny Malino zwęziły się oczy:

— Niech pozwany nie będzie dzieckiem! Pozwany przecież wie, iż powódka nigdy długo nie pracowała, nie jest więc przyzwyczajona do pracy. Nawet jednak gdyby powódka wzięła się do jakiejś pracy, nie zdołałaby zarobić na tak luksusowy tryb życia, do jakiego jest przyzwyczajona. Kontynuację takiego trybu życia, zdaniem Sądu, winien zapewnić powódce pozwany. Jeśli pozwany nadal będzie się sprzeciwiał płaceniu powódce takiej pensji miesięcznej, jakiej powódka żąda, Sąd przekona pozwanego, iż jest w mocy zasądzić sumę jeszcze wyższą, a nadto obciąży pozwanego bardzo wysokimi kosztami sądowymi oraz wyegzekwuje od pozwanego bardzo wysoką dobrowolną wpłatę na Fundusz Popierania Sprawiedliwości w naszym kraju!

— To się nazywa sprawiedliwość?! — prychnął medyk.

— To się nazywa solidarność płciowa — odparł Galton i zapytał: Wchodzimy, panowie?

— Excusez-moi, nie mam czasu — rzekł Faron.

— Tutaj, gdzie czas nie istnieje, ty nie masz czasu? — zdziwił się lekarz.

— Muszę załatwić coś na zewnątrz Akademii, a tam czas biegnie szybko.

— Dla ciebie?

— Zwłaszcza dla mnie. Pomyśl, co roku nowy wysyp szesnastoletnich dziewcząt! Można zwariować! Bye, chłopaki!

Galton wszedł na salę, Faron wybiegł z gmachu, a ja zapytałem lekarza:

— Dlaczego zwiecie ten gmach Akademią?

— Bo to jest Akademia, poruczniku.

— Jaka Akademia? Przecież Akademia to szkoła.

— Wykłady są na drugim piętrze. Kilku pańskich krewnych wykłada tam swoje przedmioty, albo prowadzi seminaria dla studentów, albo uczy dziatwę szkolną.

— Moich krewnych?

— Tu wykładają i uczą tylko Flowenolowie. To jest Akademia Flowenolów.

— A Faron? Faron nie należy do Flowenolów!

— Odkąd pan go zabił, Faron należy do Flowenolów, panie Flowenol. To jak u dzikich, pokrewieństwo przez rozlaną krew. Chce pan tam pójść?

Weszliśmy na drugie piętro. Korytarz był trochę szerszy, a drzwi okazalsze i zwieńczone mosiężnymi numerami sal.

— W jedynce wykłada profesor Ralf Flowenol, poruczniku — rzekł medyk. — Wie pan o kim mówię?

— O zoologu. Pamiętam z kroniki dziadka...

— Wnuka, poruczniku!

— Tak, z kroniki wnuka Leonarda.

Uchyliłem te drzwi i przeraziłem się na widok Ralfa Flowenola. Zobaczyłem tłuściocha o wprost hipopotamim ciele. Jego brzuch sterczał do przodu niby tender lokomotywy, a tłuste fałdy policzkowe zwisły mu niczym jądra. Mówił głosem tak wysokim, jakby chciał przekrzyczeć siebie samego.

— ... tych wszystkich różnic, o których już wspomniałem, oraz wszelkich innych! Dlaczego na przykład mężczyzna dorastając staje

się konserwatywny w coraz większym stopniu, a baby odwrotnie, z wiekiem się radykalizują? Takich zadziwiających sprzeczności jest cała fura! Wszelako podobieństwa przeważają nad różnicami. A czemu? Bo kobietę i mężczyznę łączy ich zwierzęcość. Owa zwierzęcość to nasza fizjologia, w której reprodukcja jest koroną, a seks i micha przyjemnością. Czy państwo zauważyli, jak mało różnią się nogi kobiet i żab? No właśnie!... Ci, którzy przyznają ludzkiemu człowieczeństwu wyższość nad ludzką zwierzęcością, są patentowanymi kretynami! Czymże bowiem jest człowieczeństwo człowieka? Polega ono na tym, że sumienie jest rupieciarnią instynktów zbyt trudnych, w skali wieczności drugorzędną wobec zwyrodniałego talentu lub geniuszu. Że młodość jest głucha na przestrogi, gdyż tylko czuje, a dojrzałość jest głucha na entuzjazm, gdyż tylko myśli. Że przysięgi są zawsze pisane na piasku lub na wodzie, i że prawdziwa godność kwitnie tylko w otępiającej samotności, a prawdziwa pycha wśród ryczącego tłumu. Że nuda jest rakiem, który zeżre każdy skarb materialny lub duchowy. Że prawdziwym błaznem jest człowiek inteligentny, bo prostaka winić nie można. A więc co? Otóż to, proszę państwa, iż jedynie na gruncie fizjologii znajdujemy absolut. Weźmy otwór gębowy jako przykład. Tak prawdziwa kobiecość, jak i prawdziwa męskość polega na zwalczaniu obrzydzenia i braniu do ust z przyjemnością. Gdy mężczyzna zastaje ukochaną w ramionach innego samca i zapala cygaro ręką, która nie drży, by wchłonąć z rozkoszą porcję dymu nim odwróci się plecami do wiarołomnej i wyjdzie krokiem tak wolnym, że aż ironicznym — jest stuprocentowym mężczyzną! Gdyż to cygaro w zębach jest herbem arystokratów!

— Co za świr! — jęknąłem, patrząc na lekarza.

— Tak, to Flowenol — zgodził się medyk.

— Chodźmy dalej, chcę...

— Moment, poruczniku!

Ralf już nie mówił, tylko wrzeszczał:

— ... pewność siebie tych sterczących młodzieńcow, których warga nie wyschła jeszcze z mleka matczynego — woda wszystkich

rzek nie potrafi obmyć ich mózgów z brudu głupoty, która na starość zamienia się w szlachetną patynę głupoty już inteligentnej lub doświadczonej! I wszystkie te małe dziewczynki pieprzące się z przedwczesną wprawą, które czas zamienia w stare dewotki zdarte kurewstwem jak obcasy komiwojażerów! I wszyscy ci mężczyźni, co uważają, że sznur, którym najsolidniej można przywiązać kobietę do jednego kutasa, to sznur pereł lub brylantów, oraz ci, co mają we wzgardzie wszystkie kobiety prócz własnej matki, którą szanują tak bardzo, że gotowi są przysięgać na krzyż, iż nigdy nie postradała dziewictwa, jak również wszystkie te sędziwe skurwysyny, tak bogate, że mogliby już nie kraść, ale kradną tak jak inni, nie wiadomo dlaczego! I wszystkie te kobiety, co stojąc pod prysznicem unoszą głowy, zamykają oczy i otwierają usta, wyobrażając sobie, że Zeus pluje na nie deszczem spermy, która czyni cuda w ich wnętrzu i rozkosznie pieści całe ich ciało — kobiety wiecznie nienasycone, jak ryjówki, owe małe zwierzątka, których piorunujący metabolizm zmusza je do żarcia bez przerwy, bo inaczej musiałyby zdechnąć! Ryjówka, proszę państwa, to nader ciekawe zwierzę. Przykładowo ryjówka aksamitna, „Sorex araneus"...

Lekarz nie był chyba podekscytowany ryjówką aksamitną, i w ogóle jakąkolwiek ryjówką, bo zamknął drzwi.

— Na co ma pan teraz ochotę, poruczniku, na literaturę, czy na sztukę wykładaną przez Flowenolów?

— I na to, i na to.

— W dwójce są zajęcia z literatury, a szefem katedry jest Markus Flowenol, chodźmy tam.

Obok sali „literackiej" ujrzeliśmy dwóch facetów. Jeden stał z brulionem w dłoniach i gapił się do góry, a drugi lewitował mu nad głową i zaglądał do wnętrza sali przez mały świetlik pod stropem. Byli to Grant i Kindock.

— Pisze już? — zapytał Grant.

— Jeszcze ględzi, ale już trzyma kredę... — szepnął Kindock. — Teraz wyciera tablicę...

— Kiepsko trafiliśmy, poruczniku — rzekł medyk. — Wykładu dziś nie ma, to egzamin, chyba półsemestralny, diabli wiedzą...

Zbliżył się do Granta.

— Grant, co tu robicie?

— Moja dziewczyna zdaje egzamin, chcemy jej pomóc — odparł Grant.

— Nie dałaby rady z normalną ściągawką?

— Normalną ściągawkę to ma tam każdy zdający, tylko żeby sensownie ściągać, trzeba mieć trochę rozumu. Ona jest dobra w kobiecym jazzie, ale w literaturze jest tępa jak długopis, sama nie napisze niczego! Musimy jej podyktować. Będą dwa tematy do wyboru, pewnie jeden z poezji, a drugi z prozy, więc...

— Jak chcesz jej podyktować?

— Przez walkie-talkie, profesorze. Ona ma słuchawkę w nóżce okularów, tam gdzie nóżka zgina się za ucho...

— Już! — rzekł Kindock spod stropu. — Już pisze!

— Dyktuj!

— Załóż...

— Co mam założyć, do cholery?!

— Nic, to jest początek pierwszego tematu, idioto!

— Aha. No to dawaj ten jazz!

— Załóż, że stwierdzenie, iż krytyka to filozofią poezji i prozy, nie jest aksjomatem, a więc wymaga dowodu.

— Wolniej!

— Dowód... skonstruuj... biorąc... pod uwagę... krytyczne... rozprawy... na temat zna... znaczących... dzieł... literatury... wieku... Oświecenia, ta... takich... jak... „Pamela" i... „Klarysa"... Richardsona,... „Niebezpieczne związki"... Laclosa,... „Nowa Heloiza"... Rousseau,... „Cierpienia młodego Wertera"... Goethego,... oraz... powieści... Fieldinga.

— Co dalej? — spytał Grant.

— To już koniec pierwszego tematu — odparł Kindock.

— Pieprzony jazzman! Kto zna te krytyczne rozprawy, cholera! Nie wiem, co tu truć, ale może ten drugi temat, z poezją...

— Zaczyna pisać, dyktuję!... Stwierdzenie... Lautréamonta... z „Pieśni Maldorora":... „Ta, która... kocha,... nawet... naj... najbardziej,... prędzej czy później... zdradzi",... jak również... ostatnie... zdanie... z „Pasterki i kominiarczyka"... Andersena:... „Kochali się... tak długo,... dopóki... sami... nie potłukli się... na kawałki",... są przejawem... identycznego... pesymizmu,... lecz wyrażonego... w sposób... odmienny,... dosłownie... i metaforycznie. Uczyń... te dwa cytaty... mottem... refleksji... nad problematyką... małżeńską... w prozie... dziewiętnastego wieku,... i wykaż,... która z tych koncepcji... pesymizmu,... werystyczna... czy metaforyczna,... dominuje... w owej prozie.

— Wszystko?

— Wszystko — rzekł poeta i sfrunął na klepki pawimentu.

— A to jazzowy fiut! — wściekł się Grant. — Nie dał nic z poezji, samą prozę, i do tego tylko osiemnasto i dziewiętnastowieczną! ... Co robimy?

— Chyba to drugie. Można nalać cały basen wody, wykąpać w nim Stendhala, Balzaca i Flauberta...

— Od czego zacząć?

— Od wodolejstwa, mówiłem! Daj jej na początek choć kilka zdań, żeby się nie zsikała ze strachu.

Grant wyjął walkie-talkie i szepnął:

— Zaczynam, malutka, pisz!...

Kindock znowu uniósł się pod strop, by filować przez świetlik na salę, a Grant rzucił do mikrofonu:

— W każdej epoce proza...

— Sprzęt działa, Robbie! — ucieszył się Kindock. — Twoja pani już macha długopisem, tylko wolniej dyktuj!

— ... epoce... proza i poezja... wyczerpują... absolutnie wszystko... przecinek... co można... powiedzieć o miłości... przecinek... i każde następne... pokolenie twórców... bierze się od nowa... za to samo... przecinek... żeby odkryć... i uwznioślić... przecinek... ubierając w metafizykę... i w mistycyzm... przecinek... te same prawdy... o biologicznym imperatywie człowieka... Teraz chwilę odpocznij, kotku, zaraz będzie dalszy ciąg!

Wyłączył aparaturę i zwrócił się do poety:

— Co mam truć?

— Nawiń, że dziewiętnastowieczna proza francuska nie ma wówczas równej sobie, a potem zaczniemy od ruletki czyli od „Rouge et noire", tylko przestań się zgrywać jak przy pierwszym zdaniu, bo on może i uwierzy w damską inteligencję, ale w taką damską ironię nie uwierzy na pewno!

— Idziemy do trójki? — spytał lekarz, tracąc zainteresowanie parą „murzynów".

Poszliśmy do sali trzeciej. Uchyliłem drzwi i zobaczyłem na katedrze rudzielca w szlafroku, co było strojem trochę dziwnym dla wykładowcy uniwersyteckiego.

— To pański pra-pra-pradziadek Adrian — rzekł medyk.

Przypomniałem sobie z kroniki dziadka Leonarda, że Adrian Flowenol był „filozofem-seksuologiem", zdziwiło mnie więc, czemu wykłada historię sztuki, i już chciałem spytać doktora, lecz nie uczyniłem tego, bo pochłonęła mnie treść wykładu, a nadto przypomniałem sobie, że wyśniona kobieta Adriana składała się z torsu knidyjskiej bezgłowej Afrodyty i z głowy amarneńskiej Nefretete, co znaczyło, że musiał interesować się sztuką. Miał charakterystyczny dudniący głos Flowenolów:

— ... i tam, za pomocą zdjęcia roentgenowskiego ustalono, że Rembrandt, tworząc portret swojej żony Saskji, namalował ją jako bliblijną Judytę czyli morderczynię Holofernesa, a dopiero później przemalował dzieło, dając żonie postać rzymskiej bogini Flory czyli wiosny. Mamy tu ewidentny przykład zmiany nastroju. Pod wpływem udręk małżeńskich serwowanych przez żonę artysta wyobraża ją jako kobietę, która obcięła łeb kochankowi, czyli jako symbol kobiecego zła, ale później, rozbrojony sztuczkami, których kobiety mają pełno w zanadrzu, zmienił złowrogą alegorię na alegorię miłosną. Jeśli już dotknąłem tematu Judyty, to chcę zwrócić państwa uwagę na pewien wyjątkowy obraz. Znamy setki malowideł z wizerunkiem Judyty, niewielu było artystów, którzy pominęli ów dramat z przekazu biblijnego. Są to w olbrzymiej większości ujęcia statyczne, portretowe: kobieta trzymająca głowę męską już po dekapitacji. Tylko raz przedstawiono sam akt dekapitacji w tak naturalistyczny sposób, że widok ten budzi grozę i obrzydzenie; gdy się na to patrzy, człowieka ciarki przechodzą. Ów obraz, własność neapolitańskiego muzeum Capodimonte, namalowała w pierwszej połowie siedemnastego wieku kobieta, Artemisia Gentileschi. Tylko bowiem kobieta mogła przedstawić szlachtowanie mężczyzny — nie zabijanie, lecz szlachtowanie, trudno to inaczej nazwać — z taką sadystyczną rozkoszą. Spójrzmy!

Wyświetlone przezrocze zamieniło biel ekranu w feerię kolorów. Mężczyzna leżał na wznak z ustami wykrzywionymi męką, walcząc rozpaczliwie i beznadziejnie. Atletyczna służąca gniotła mu kolanami piersi i obezwładniała łapami wielkimi jak kloce, zaś równie dobrze umięśniona Judyta trzymała go lewą dłonią za włosy, prawą natomiast dzierżyła miecz i tym mieczem rezała powoli gardło. Łoże zlane strugami krwi, i spokojne twarze dwóch pań pracujących bez nerwów, niby gospodynie domowe zarzynające wieprzka.

Pedagog milczał krótko; po chwili wznowił swój trel:

— Z estetycznego punktu widzenia obraz ten jest klinicznym przykładem braku gustu. Nic, moi drodzy, nie jest ważniejsze od gustu. Talent, biegłość, rutyna i nawet geniusz w stanie czystym, bez gustu są tylko papraniną lub pornografią, bezguście to choroba śmiertelna...

— Brak logiki też! — mruknął medyk. — Geniusz w stanie czystym nie może być pozbawiony gustu, bo nie byłby geniuszem w stanie czystym, ten gość filozofuje kretyńsko...

— Bo on jest filozofem-seksuologiem, proszę pana — wyjaśniłem lekarzowi.

— Wszyscy Flowenolowie są filozofami-seksuologami, poruczniku, to choroba dziedziczna w waszej rodzinie. Nawet Bart Flowenol, który uczy pierwszoklasistów, nie może się wyzbyć tego.

— Tutaj?

— Co: tutaj?

— Tutaj uczy?

— Tak, na trzecim piętrze.

Pobiegłem do schodów. Na trzecim piętrze były kilometry ścian bez drzwi. Znalazłem tylko jedne, na samym krańcu korytarza. Uchyliłem i zajrzałem w głąb. To musiała być klasa szkolna, gdyż spostrzegłem ławki z małymi dziećmi, jak również tablicę i stół, za którym stał belfrowaty osobnik i perorował głośno:

— Kobiety tak bardzo tęsknią do przeciwieństw. Do ekstremalnych przeciwieństw, moje dzieci. Tak! Gdy mają mężów pediatrów, tęsknią do ramion kata, żony intelektualistów najchętniej oddają się brudnym, cuchnącym wieśniakom, rybakom, góralom i rzeźnikom, ślubne powstańców facetom z bezpieki, a okupacja wyzwala w nich chęć pieprzenia się z oprawcami w eleganckich mundurach. Te, które wciąż słyszą: „Czy będziemy dziś razem spać, kochanie?", marzą o: „Teraz cię zerżnę", albo o: „Daj dupy!", podczas gdy te, które taką obcesowość mają na codzień, śnią o pięknych strojach, delikatnych słowach, kulturalnych przyjęciach i wyrafinowanych lub nieśmiałych samcach. Tylko jedno łączy wszystkie: pieniądze! Marzenia o dużych banknotach! Otóż to, moje kochane! Nigdy i nigdzie żadna nie marzy o przeciwieństwie dużych banknotów, o drobnych monetach. Tylko temu są wierne! Tak jak śpiewacy chwały narodowej wierni są w swych pieniach dla przygłupów tylko obrazowi cnotliwej matki-patriotki, kucharki-siusiarki, dziewicy-orlicy, itp.! Tymczasem prawda jest taka, że moralność kobiety nie istnieje, tak jak nie istnieje jednorożec, zwierzak ze sterczącym fallusem wyrastającym z mózgu, a więc nie można uniknąć owej tęsknoty, można tylko uniknąć faktu, oszukując biologię. Ręczę wam, moje dziatki, że zrobię kurwę z każdej matki!, jak pisał poeta, co wieszczem był...

Drugi gość, siedzący w fotelu pod oknem, zerwał się, siny z oburzenia, i zaryczał:

— Panie nauczycielu, co pan tu mówi dziatkom?!!! To miała być lekcja biologii!!!

— A o czym ja mówię, panie wizytatorze?

— Pan... pan mówi świństwa! Straszne świństwa! Pan jest świntuch!!!

— A pan jest flak, panie wizytatorze!

— Co?!

— Pstro!

Wizytator skoczył do drzwi i wybiegł tak gwałtownie, że trącił mnie i przewrócił na próg, a to spowodowało, że nauczyciel mnie zauważył.

— Proszę wstać, młody człowieku! Kim jesteś?

— Jestem Nurni, proszę pana.

— Nie pytam o imię i nazwisko, tylko o to, czy jesteś synem swojej babci, młody człowieku!

— Synem swojej babci? — zdziwiłem się, zapominając co tłumaczył mi lekarz.

— Tak, synem babci. Tylko ciężki przypadek kwalifikuje do wpisania na listę uczniów. Skurwiona matka jest przypadkiem pospolitym, gdy złajdaczona babcia to prawdziwa rzadkość. Zwróć uwagę, iż samo słowo b a b c i a nie pasuje do kurwiego fachu. Kojarzy się w podświadomości z dobrem, nieodparta miękkość i delikatność jest w tych dwóch sylabach, w ich dźwięku i znaczeniu, równie oczywista jak słodycz w czekoladzie. Babcia to szlachetność i szacowność, to wzniosłość i godność niepokalana, to powtórna dziewica, duch pełen archaicznej prawdy, zabytek piękna, pomnik! Donos, iż babcia była rozpustnicą w przebraniu nieskazitelnej damy, jest jak zgrzyt noża sunącego po szkle, a proces upewniania się w tym — jak rak toczący ciało biblijnego dekalogu dziecięcych wyobrażeń. Łatwiej już zrozumieć, choć może trudniej przeboleć fakt, iż matka była kobietą rozwiązłą, gdyż ona należy do świata istot realnych, podczas gdy babcia należy do sfery mitologii i nawet więcej, do krainy baśni dziecięcych, gdzie nic, co odwiecznie piękne, nie powinno być brukane, trzeba bowiem szanować kanony boskiego ideału. Babci nie wolno igrać z tradycją, gwałcąc wilka!

— Babcia, babcia, babcia!!! — zagrzmiał chór dziecięcych głosów z trzech rzędów ławek.

— Teraz egzamin kwalifikacyjny, bez tego nie możemy cię przyjąć. Pytanie numer jeden: dlaczego szanujesz babcię, mimo jej lubieżnych grzechów?

— To chyba jasne, panie profesorze, pan to przed chwilą wykładał.

— Za taką odpowiedź, młody człowieku, nie stawiamy stopni! Nic nie jest jasne na egzaminach, póki nie zostanie wyjaśnione przy pomocy słów, które tworzą wyczerpującą odpowiedź. Jasne jest tutaj tylko to, że ja jestem egzaminującym, a ty jesteś egzaminowanym, i chociaż ten, kto egzaminuje, doskonale zna odpowiedzi na pytania, które stawia egzaminowanemu, to jednak nie można egzaminującego traktować jak idiotę, który wzorem idiotów pyta o coś, mimo że zna odpowiedź na to, o co pyta, gdyż reguły egzaminu polegają właśnie na tym. Czy to jasne?

— Jasne, panie profesorze.

— Więc pytam...

Brzęczyk w jego zegarku dał piskliwy głos. Facet spojrzał na cyferblat, chwycił staroświecki mosiężny dzwonek i energicznie nim potrząsnął. Dziecięcy chór dobył z siebie ryk: „Babcia, babcia, babcia!!!" i całe stado wybiegło jak tajfun na korytarz, porywając mnie siłą rwącego nurtu. Dopiero przy schodach zdołałem się uwolnić od tej czeredy, która pędziła niżej. Ja poszedłem wyżej.

Całe czwarte piętro było majestatyczną nawą kościoła. Panował w niej taki ścisk, jak podczas Bożonarodzeniowych świąt w kościołach Nolibabu. Zobaczyłem mnóstwo znanych mi twarzy, pułkownika Taerga, Galtona, Darloka, Granta, Hornlina, Krimma, Engelberta, kardynała Jonsa i przeora Knitsa, mojego ojca, moją matkę i moich stryjów, obie bliźniaczki, pannę „Bogart", panią Tigran, Kari i kapłanów Sziwy, wszystkich moich chłopców z BS-u, a nawet moich kumpli ze szkoły i z wyprawy afrykańskiej, oraz wielu innych ludzi, których twarze były mi znane, lecz nie pamiętałem, kim oni są, jakichś przelotnych gości mojego życia. Chciałem spytać doktora, dlaczego jest tu Hubert, mimo iż wyrzucono go z Akademii, ale moją uwagę odwrócił dziwny widok. Na ambonę wszedł golusieńki garbus, wyciągnął ramiona przed siebie, jakby chciał objąć wszystkich zebranych, i trwał tak przez kilkanaście sekund bez ruchu i bez słowa. Poznałem go. To był ten garbus, który chichotał niczym opętany kiedy zamawialiśmy ze stryjem Hubertem nagrobek dla mojego starego, tylko że wtedy był w ubraniu. Cisza spowiła nawę, a garbus podniósł wzrok i otworzył usta:

— Bracia i siostry! Kobiety, które nosicie swoje czoła między swoimi udami, i mężczyźni, z którymi równie warto rozmawiać o kochaniu, jak warto rozmawiać z muchą! Ojcowie niepokalani szczęściem rodzinnym i wy młode matki wzięte w niewolę przez dziecko, które opóźnia wam ucieczkę ku doskonałemu skurwieniu! Klerycy, którzy masujecie sobie genitalia uszami, co rozkwitają podlewane przez usta spowiedniczek obmyte już ze spermy naszej powszedniej! Jurorzy orgazmów, w togach rozciągliwych jak guma naszej ludzkiej sprawiedliwości! Koryfeusze, gracze, nauczyciele i rozkazodawcy seksu! Dziecięta karmione zatrutą piersią, by wyrosnąć na skurwysynów przedłużających trwanie gatunku, oraz skurwysyny zdziecinniałe od zmęczenia! Złodzieje cytatów romantycznych, bednarze lubieżnych mądrości, strażnicy dziewictwa i westalki kotłów z lędźwiową zupą! Brojlery dmuchane w odbyt pornografią przez kamerzystów wideo i baronowie ze zwisającymi u nosa glutami lubieżnych orderów! Panienki, panie, damy, hrabiny i pozostałe dziwki, a także niezepsuci młodziankowie, ogiery, zboczeńcy i reszta impotentów! Rojowisko ty ludzkie przyrodzone moje, słuchaj! Będzie o miłości!

Nagle jakiś mężczyzna stojący pod amboną odwrócił się do tłumu i zachrypiał z wysiłkiem:

— Ten Belzebub ubliża nam wszystkim, obraża naszą godność! On degraduje człowieka! Oczernia dzieło Stwórcy! Świat nie składa się z samych mętów, są przyzwoici ludzie...

Protestującym był „Starzec", ów wywieziony przeze mnie do Australii. Garbus zagłuszył go:

— Wolicie słuchać tego grzyba?!

— Nieeeee!! — ryknął tłum.

— Wyrzućmy go więc, żeby nam nie przeszkadzał, bracia i siostry! Kto jest za wyrzuceniem, niech podniesie dłoń!

— Cliff! — krzyknąłem do Matakersa. — Zastrzel każdego, kto podniesie rękę! Nawet pułkownika, jeśli to zrobi!

— Z przyjemnością, panie poruczniku! — odparł Matakers.

— I nie zapomnij o tym gnoju na ambonie!

— Rozkaz!

Cliff i pułkownik jednocześnie złapali broń. Wybuchła dzika strzelanina, bo nie tylko ci dwaj mieli spluwy. Przerażony tłum runął ku wyjściu i na moment zakleszczył je. Chcąc uniknąć stratowania, pognałem do schodów. Chciałem biec w górę, ale medyk, który znowu zjawił się obok, nie dawał:

— Tam panu nie wolno, tam jest Strych, poruczniku!

— A co tam jest?

— Tego nie mogę panu ujawnić, to tajemnica. Proszę zejść na dół!

— Czy to pan, doktorze, mówił o błędzie logicznym u któregoś z moich przodków, co? Czy można zejść w górę?

— Mój błąd nie był logiczny, tylko semantyczny!

— Zawsze jednak głupota.

I miast zejść, zjechałem po poręczy tak szybko, iż nie mógłby mnie dogonić.

Na dworze wziąłem głęboki haust powietrza i spojrzałem wokół. Niebo ciemniało, zbliżała się godzina ciszy wieczornej. Czarne róże gubiły swój blask, szarzały. Wiatr niósł zapachy kadzidlanych dymów. Ciekawiło mnie skąd. Obszedłem gmach. Za jego plecami rozpościerał się wielki czarnoróżany klomb i stał katafalk z czarnego granitu. Ktoś leżał na nim. Obok, na trójnogu, dymiły zioła żałobne. Podszedłem blisko i rozpoznałem w umarłej kobietę, którą morski bałwan wymył z plaży kiedy obserwowałem ją przez lornetkę z balkonu. Miała zamknięte powieki i fioletową twarz ludzi, którzy już nie wrócą. Przy katafalku siedziała jej córka. Uniosła wzrok i spojrzała na mnie:

— Ah, to ty...

Spytałem:

— Długo tak czuwasz?

— Nie, umarła kilka minut temu. Teraz szykuję się do płaczu, więc odejdź, to nie są twoje łzy.

— Mówiła coś?

— Tak. Ledwo było słychać, przytknęłam ucho do jej ust.

— Możesz mi powiedzieć?

— Mówiła: „Czasami marzę... we śnie, na pół przebudzona... że on znowu jest przy moim boku... czuję dotknięcie jego rąk, i to, jak obejmuje mnie mocno... A potem marzę, że obejmuje mnie bardzo mocno...".

— O kim to mówiła?

— O nim, to chyba jasne?

— Nic nie jest jasne, dziewczyno.

— Idź już!

Spojrzałem za siebie. Przede mną rozciągała się pustka aż po linię horyzontu, który przyzywał noc, i chociaż ciemność nie spowiła jeszcze ziemi, na niebie poczęły zapalać się pierwsze krople gwiazd.

RZYM PRZECIW GALILEJCZYKOWI — Akt VI.

— Widzisz ich?
— Gdzie?
— Tam, u stóp wzgórza, tam gdzie padł twój koń. Ten dym, to pył spod kopyt ich rumaków. Będą tu przed południem.
— Ale nas już tu nie będzie przed południem!
— Na jednym zmęczonym koniu daleko nie ujedziemy.
— Cóż więc zrobimy?
— Ty jedź. Ja zostanę, by z nimi porozmawiać.
— Jednym zmęczonym mieczem nie porozmawiasz długo. Ale ten jeden miecz wystarczy, by zrobić to, co robią Scytowie, gdy już nic zrobić nie można, Kaju.
— A cóż oni takiego robią, Noemi?
— Scyta zabija swym mieczem żonę, a później zabija siebie... Popatrz, kołują nad nami ptaki, one już wiedzą.
— Ja miałbym przeciw tobie użyć mojego miecza?
— Lepiej, żebyś to zrobił, mój rycerzu. Jeśli cię wezmą żywcem, to cię ukrzyżują. Jeśli mnie wezmą, to będę przez nich hańbiona wiele razy. Tego pragniesz, Kaju?... Nie patrz tak

wściekle, wiem, że to wszystko moja wina. Gdybym nie poszła do Niego...

— Tyś nie poszła do niego. Tyś do niego ode mnie uciekła!

— Uciekłam od siebie.

— Kochałaś się w nim, tak jak te wszystkie, które towarzyszyły mu!

— Wszystkie one tak, ja nie. Kochałam Go, ale nie kochałam w Nim mężczyzny. Nigdy przed tobą nie kochałam mężczyzny i nigdy później nie kochałam mężczyzny, przysięgam ci, Kaju! I nie martw się już. Jestem szczęśliwa i jestem ci wdzięczna. Dziękuję ci!

— Za to, że cię wyrwałem stamtąd? Nie masz za co dziękować, ofiarowałem ci tym śmierć!

— Dziękuję ci za to, że nie udało nam się uciec, Kaju, i długo razem żyć. Że nie zdążysz się znudzić mną, a ja nie zdążę znienawidzieć ciebie. Że nigdy kłamstwo i pogarda nie wejdą między nas. Całe nasze życie to było tylko czekanie na siebie i miłość, i już nic ponad miłość, którą cię kocham, mój wyśniony!... Obejmij mnie!...................... Tak, jestem bezwstydna, Kaju! Gdybyśmy mieli więcej czasu, stać by mnie było na rumieniec i na nieśmiałość, ale te dwie godziny pod oczami ptaków to całe moje życie. Chodź!

Rozdział 12.

Ta wielka robota była niby ciąża, trwała dziewięć miesięcy. Podczas tych trzech kwartałów przećwiczyliśmy wyselekcjonowany zespół ochrony „Santissima Trinidad", jak również zespół techników do obsługiwania aparatury kontrolnej, i zainstalowaliśmy na statku oraz wokół statku wszystko, co było można, nie wyłączając systemu antyrakietowego. Dwa dni po tym, jak Welter i Matakers zameldowali mi, że robota jest skończona, przeprowadziłem całodobowy „rozruch". Było to ostre sprawdzanie wszystkich elementów technicznych i dodatkowy egzamin dla goryli zatrudnionych na statku — egzamin, o którym ich nie uprzedzono (moi ludzie przygotowali w tym celu rozliczne „niespodzianki", pułapki, ataki etc.). Wszystko grało! Stryj Hubert, który obserwował „rozruch", był zachwycony:

— Wykonałeś fantastyczną robotę, synku! Proś, o co chcesz, należy ci się premia!

— Wszystko, co chcę?

— Tak! — odparł, i natychmiast się przestraszył. — Za wyjątkiem jednej rzeczy, synku! Nie żądaj ode mnie tego, czego żądasz od Darloka i Galtona, bo to, czego od nich żądasz, to jest prośba człowieka chorego! Ja tej kobiety szukał nie będę!

Już chciałem go spytać: — Więc i ty uważasz mnie za chorego?, ale zdążyłem „ugryźć się w język". Spytałem:

— Uważasz mnie za chorego, stryju?

— Uważam cię za ciężko chorego, Nurni.

— I ciężko choremu powierzyłeś robienie ze swego statku twierdzy nie do zdobycia?

— Powierzyłem ci robotę techniczną, ale nie powierzam ci wszystkich moich sekretów. Uczynię to wtedy, gdy wyzdrowiejesz, na co chwilowo się nie zanosi.

Miał słuszność. Nie trudno było mu dostrzec, co się dzieje ze mną; wiedziałby o tym i wówczas, gdyby nie znał podsłuchu ze szpitala, gdyż wszystko to musiało być wypisane w moim wzroku lub na moim obliczu. Tamte tygodnie, kiedy kończyłem roboty we wnętrzu „Santissima Trinidad", pamiętam jako huśtawkę psychiczną. Jednej nocy śniły mi się czarne tunele zachlapane krwią Krimma i dudniące skowytem Miriam, na której gołym pośladku kat Hank wyciskał piętno żelazem rozpalonym do białości, a przez kolejną noc odnajdywałem siebie wśród łagodnych wzgórków smaganych wiatrami i rozległych wrzosowisk mających wygląd gigantycznego dywanu o barwie różowo-fioletowej, przywodzących na myśl dziewczęta, które błąkają się po pustkowiu w muślinowych sukniach z mgły i we włosach z babiego lata. Jednego dnia czarna chandra zżerała mój umysł, drugiego rozsadzała mnie nadzieja, że Darlok i Galton już niosą mi oczekiwany łup. Dopadało mnie klasyczne otępienie, które ma zawsze ryj wieprza lub barana (wtedy lepiej nie patrzeć w lustro), a nazajutrz mój mózg pełen był żwawych myśli, kołujących chaotyczną linią psa biegnącego przed i za swoim panem. W mojej

duszy raz było cicho jak na cmentarzu, a innego dnia słyszałem okrutny ryk bestii gotowej szarpać każde gardło. Czy dusza może ryczeć? Może, ośmieszać się można w różny sposób, to jest nie tylko prawdopodobne, ale i prawdziwe — to jest ta chwila doskonałego błazeństwa, która nie mieści się w ramach karykatury czy groteski zwyczajnej, ten ryk to szampańska przyjemność dla demonów. Ale przed wszystkimi musiałem grać zdrowego, przed stryjem też, więc kolejnemu pytaniu dałem wojowniczy ton:

— Uważasz mnie za wariata?!

— Można to nazwać w ten sposób. Orwell nazywał to „double-thinking" — podwójnym myśleniem. Psychiatrzy nazywają to schizofrenią czyli rozdwojeniem jaźni. Filozof powie: „homo duplex", mając na myśli człowieka rozdwojonego, dwóch ludzi w jednym człowieku. Zawsze chodzi o to samo, o dwa różne światy, które tworzy i w które wierzy jednostka ludzka. Masz pełną świadomość jak prymitywna i jak nikczemna była ta kobieta, więc ją nienawidzisz, gdyż ktoś zepsuty tak bardzo zasługuje tylko na pogardę lub nienawiść. I kochasz tę kobietę, więc ścigasz ją, gdyż obiekt tak silnego pożądania zmusza do biegu. To są dwie zupełnie różne kobiety, znienawidzona i uwielbiana, lecz tylko dla ciebie. Rozdwoiłeś ją. Dla każdego innego ta kobieta jest jedna. Wobec niej wszyscy inni są zdrowi. Ty nie jesteś zdrowy, bo rozdwajając ją, rozdwoiłeś siebie. Proś, o co chcesz, lecz nie każ mi jej szukać, synku!

Tracił czas wykładając mi to. To samo wykładali mi wcześniej Hornlin i Faron, z takim samym skutkiem — z żadnym.

— Dużo ryzykujesz, stryju. Gdybym poprosił cię o „Santissima Trinidad"...

— Na własność?

— Powiedzmy.

— To byłbyś idiotą, bo poprosiłbyś o swoją własność! Przecież ja prócz ciebie nie mam innych spadkobierców! Ten okręt będzie twój prędzej czy później. Wolałbym, rzecz prosta, później, ale nie mam już czterdziestu lat, psiakrew, nie mam już nawet pięćdziesięciu lat, dawno minąłem tę najważniejszą granicę...

— Jaką granicę?

— Tę cholerną granicę, synku, przed którą drażni cię każdy facet starszy od ciebie, a po której drażni cię każdy od ciebie młodszy. Jestem już daleko poza nią.

— Stryju, przeżyjesz nas wszystkich, takich jak ty śmierć się boi niczym dewot diabła.

— Dzięki, synku, za dobre słowo, ale ja nie jestem tego pewien... Lecz z drugiej strony nie myśl, że serio przeklinam swoje lata, żartowałem. Nie narzekam na starość, znam sposoby eksploatowania jej uroków, Nurni. Tylko głupiec lub ignorant będzie twierdził, że piękny poranek jest czymś bardziej odurzającym niż piękny zachód słońca, synku... No więc, co chcesz w nagrodę, Nurni?

— Zastanowię się, stryju.

— Zastanawiaj się krótko. Nagroda jest wtedy fajna, gdy jest ciepła, zimne obiady smakują gorzej.

— Wymyślę coś jeszcze w tym tygodniu.

Ta rozmowa odbyła się rano. Byłem cholernie niewyspany po całonocnym „rozruchu", więc kimałem do trzeciej, gdy zadzwonił budzik. Zjadłem coś, wziąłem prysznic, ubrałem się i przypomniałem sobie o koncercie Dire Straitsów, na który miałem bilet już od miesiąca. Przyjechali do Nolibabu w ramach tournée „*On every street*". Dziewięćdziesięciotysięczny stadion pękał w szwach (sto pięćdziesiąt tysięcy fanów wśród trybun i na płycie, ciało w ciało), a przed stadionem kłębiło się drugie sto pięćdziesiąt tysięcy, dla których wybudowano mega-ekrany i głośniki. Zdobyłem dobre miejsce, jakieś trzydzieści metrów od estrady, ale miałem kiepski widok, bo mnóstwo dziewczyn siedziało na karkach swoich chłopaków, kołysząc się, wyjąc, klaszcząc, machając ramionami, szalejąc bez wytchnienia. Nagle poczułem, że ktoś ciągnie mnie za rękaw i usłyszałem damski głos:

— Weź mnie do góry!... Proszę!

Zobaczyłem młodziutką blondynkę ostrzyżoną tak krótko, że prawie na jeża (czemu strzygą się w ten sposób tylko blondynki?; nigdy nie widziałem brunetki ostrzyżonej na jeża!). Była nieomal

sobowtórem „jeżowatej" dziewczyny, która — gdy ojciec przeniósł mnie z liceum do liceum — pierwsza chciała poderwać „nowego". Zaczepiła mnie w trakcie przerwy i zapytała bez fałszywego wstydu:

— Podobam ci się?

— Tak, bardzo.

— Chcesz ze mną chodzić?

— Nie.

— Masz już dziewczynę, tak?

— Nie, nie mam dziewczyny.

— No to dlaczego nie chcesz ze mną chodzić?

— Bo chodzić lubię sam.

— Jak to sam?

— Po prostu sam. Lubię spacerować sam.

— Przecież ja mówię o takim chodzeniu... no, jak chłopak z dziewczyną! Że są razem.

— Nie lubię tego.

— Nie lubisz?!... Słuchaj, może ty jesteś pedał? Nawet imię masz takie dziwne, jak u pedała...

— Nie jestem.

— Więc dlaczego nie lubisz się spotykać z dziewczynami?

— Lubię się spotykać z dziewczynami. Tylko nie lubię z nimi chodzić.

— No ale przecież jak się spotykasz...

— Spotykam się z takimi dziewczynami, które chcą się przespać ze mną na tym spotkaniu. Ale nie chodzę z nimi.

— Tylko po to się spotykasz?

— A po co można się spotykać z dziewczynami?

— Szpaner!

— To nieprawda, unikam szpanu. Jestem po prostu szczery.

— Jesteś po prostu głupi, nadęty i świniowaty!

— To też nieprawda.

Zapamiętałem dialog z tą dziewczyną i zapamiętałem jej chłopięcego jeża, identycznego jak u tej smarkuli, która teraz stała w kon-

certowym ścisku obok mnie i szarpiąc mój rękaw przekrzykiwała „*Six plates knife*" lub „*Private investigation*":

— Weź mnie na ramiona, proszę!

Przyklęknąłem z trudem, gdyż było cholernie ciasno. Wskoczyła mi na kark. Uniosłem się. Trzymałem ją za nogawki dżinsów. Podskakiwała na mnie jak na koniu, do rytmu kolejnych piosenek. Ale gdy grali „*Money for nothing*", zaczęła jednostajnie ruszać pupą i trzeć kroczem o moją szyję. Dopiero po dłuższej chwili zrozumiałem, co ona robi. Dłońmi trzymała moje włosy kurczowo. Orgazm miała w połowie utworu, wrzeszcząc razem z tysiącami gardeł wypełniających stadion. Gdy zakończył się cały ten bal, zeskoczyła na rozdeptany trawnik płyty boiskowej i bez słowa zniknęła wśród tłumu.

Opuściłem stadion, ciężko wiosłując łokciami, po pół godzinie. Pragnąłem przebić się na parking, wziąć swój wóz i grzać do domu, lecz zza pleców dobiegł mnie krzyk:

— Flowenol!

Odwróciłem się i ujrzałem Engelberta — ten jego bajeczny uśmiech z niesłychaną liczbą śnieżnobiałych zębów między wargami. Przedtem tylko raz w życiu widziałem coś analogicznego, Faron miał podobne uzębienie — uzębienie telewizyjnych i okładkowych reklam. Ale Faronowi brzydko krzywiły się wargi kiedy pokazywał zęby. I Faron nie miał równie smolistych kudłów. Cudowny kontrast tych białych zębów i kruczych loków był chyba inspiracyjnym źródłem sposobu ubierania się „Puszduma" w manierze klawiatury fortepianowej — białe buty i koszule do czarnej muszki i czarnych spodni, bądź czarne buty i koszule do muszki białej i spodni o barwie mleka. Sadza i bita śmietana, bez żadnych pośrednich kolorów. Identycznie wyglądał w tamtej chwili, gdy pchał się przez tłum, krzycząc:

— Byłeś na koncercie?

— Tak.

— Nigdy bym cię nie podejrzewał o to, gliniarzu!

— Lubię ich.

— Ich nie można nie lubić, zwłaszcza Knopflera!... Głupio, że nie zgadaliśmy się, można było razem pójść. Masz tu gablotę?

— Mam.

— Mogę się zabrać z tobą?

— Nie jadę w kierunku nadbrzeża, tę noc spędzę w domu.

— Trudno, nie ma sprawy — odparł i chciał odejść.

— Wróć! — zatrzymałem go. — Podrzucę cię na przystań.

Czułem do niego sympatię instynktowną. Z kilku powodów. Raz, że najwyraźniej było w nim, tak jak we mnie, dwóch ludzi, chociaż to jego rozdwojenie wyglądało zupełnie inaczej. Kiedy dopisywał mu humor, lub kiedy grał, lub kiedy zamyślony spacerował między burtą a burtą statku, miał w sobie tę — tak lubianą przez kobiety — ciepłą wrażliwość i pluszową delikatność pederastów, wielką jak ich odbytnice, i tę wspaniałą inteligencję, która sprawia, że pedały ścigają się z Żydami na liście genialnych twórców. Dlatego niektórzy brali go za pedała, choć nie był pedałem, i więcej — nie znosił pedałów niczym zarazy. Na statku powtarzano sobie jako dowcip słowa, którymi uderzył kelnera-homoseksualistę (tego samego, którego stryj wyrzucił z „Santissima Trinidad"):

— Nigdy nie mogłem zrozumieć skąd się biorą pedały! Przecież wy nie możecie się rozmnażać! A jest was pełno!

Taki był, gdy nie miał humoru. Bardzo często go nie miał i wówczas ukazywał swoje drugie, a właściwie pierwsze, główne oblicze — twarz człowieka bez kindersztuby, napastliwego, lubiącego ranić do bólu.

Po wtóre lubiłem go za to, że był samotnikiem z upodobania. Nawet jeść nie lubił razem z innymi; nigdy nie korzystał ze stołówki dla personelu, ani z restauracyjnej kuchni „Santissima Trinidad", ani z baru okrętowego. Miał w swojej kajucie kuchenkę i sam pitrasił sobie posiłki. Czasami któraś z dziewczyn chciała go czymś poczęstować, ale żadnej się to nie dało, więc w końcu zaprzestały takich prób.

I wreszcie lubiłem go za melodie, które wydobywał ze swojego saksofonu — nie te, które grał dla gości, lecz te, które grał dla samego siebie, gdy sale balowa i restauracyjna były puste. Wchodził wtedy na estradę powolnym, jakby lekko chwiejnym krokiem, patrząc gdzieś w dal. Czarno-biały, zamyślony, wiotki nieomal chorobliwie, wyjęty z dawno minionego czasu — przypominał jednego z tych kuracjuszy, którzy zjeżdżali się do dziewiętnastowiecznych uzdrowisk w poszukiwaniu pięknej żony lub pięknej śmierci. Przez kilka minut, to brał ustnik między wargi, to wyjmował, jakby próbując złamać swoją tremę, lub może zastanawiając się nad melodią. A gdy już ostatecznie wkładał go do ust, jeszcze chwilę wodził wzrokiem po pustej sali niby po pełnej widowni. I dopiero zaczynał grać, koncentrując się przymykaniem oczu. Godzinę później wracał do kajuty z tym samym chybotliwym roztargnieniem trzciny kołysanej przez delikatny wiatr.

Złośliwość i napastliwość Engelberta nie drażniły zakochanych w nim dziewcząt, drażniły tylko szefa interesu — „Puszdum" wciąż darł koty z Hubertem. Stryj Hubert był człowiekiem, który się urodził do rozkazywania, a człowiek, który się urodził do rozkazywania, będzie rozkazywał nawet królom. Tymczasem Engelbert — prócz tego, że urodził się do saksofonu — urodził się do buntu, opryskliwości i niepodporządkowania nawet królom. I taki mi się podobał, a jego brutalny styl obcowania nie budził we mnie wstrętu. Pierwszy raz zobaczyłem jak to robi, gdy mijał którąś z dziewczyn, mocno wymalowaną. Dziewczyna się uśmiechnęła:

— Cześć, „Puszdum"!

— Cześć. Twój stary był chyba Włochem, kotku.

— Dlaczego?

— Bo masz gębę jak pizza.

Dziewczyna spojrzała nań z wyrzutem, prawie ze łzami, ale bez nienawiści, co zawsze dziwiło Huberta w równym stopniu, jak gniewało go chamstwo „Puszduma".

— Też dokopuję, gdy muszę, dźgam bez litości, wiesz, że nie lubię oszczędzać bliźniego, ale nie gryzę bez powodu, robię to wtedy, gdy mnie prowokują, natomiast brzydzę się pajacami, którzy robią to dla sportu i lekceważą wdzięk oraz elegancję! — rzekł kiedyś

„Puszdumowi" w twarz. — Po co zabijać tasakiem, gdy można użyć perłowego sztyletu? Ty jesteś rzeźnik! Pewnie uważasz się za dowcipnego, lecz te twoje odzywki są tylko wulgarne! Nie ma w nich ducha!... Tak, jesteś dobrym saksofonistą, to prawda, dlatego wciąż nie wyrzucam cię na bruk, lecz moja cierpliwość powoli się kończy!

— Wie pan co, admirale? — zapytał „Puszdum", nim odszedł ze wzgardliwą miną.

— Co?

— Pan nie jest cierpliwy, pan jest upierdliwy!

W tym też nie było ducha. Duch był tylko w saksofonie Engelberta, i może jeszcze w jego strojach oraz rysach negropodobnych; wszystko inne było niesympatyczne w tym bezczelniaku. Ale sympatyczność już dawno utraciła w moich oczach cechy cnoty ludzkiej. Sensowna dorosłość polega między innymi na tym, że człowiek przestaje się nabierać, to jest darzyć spontaniczną sympatią tak zwanych sympatycznych, gdyż już wie, że sympatyczność owych zawodowców (ludzi wiecznie uśmiechniętych, ciepłych, miłych, wzbudzających instynktowne zaufanie i chęć obcowania z nimi) jest maską kryjącą szambo ludzkie, i że większość sympatycznych to mierzwa w przedziale od cynicznych wydrwigroszy, hochsztaplerów, do sprytnych pieczeniarzy, przytakiwaczy, osobników pozbawionych kręgosłupa, pochlebców i lizusów. Szorstcy nie znaczy źli; zbyt wiele razy czyjaś sympatyczność oparzyła mi duszę, a czyjaś gruboskórność okazała się pancerzem kryjącym uczciwość, bym tego nie rozumiał. Szorstcy nie drażnili mnie — sygnał alarmowy zapalała we mnie sympatyczność sympatycznych, ich gra, męcząca jak podwójna gorliwość neofitów lub natręctwo komorników.

„Santissima Trinidad" miał niedaleko za portem nolibabskim cztery firmowe przystanie — dla gości (czyli dla klientów), dla specjalnych gości (znajomych stryja), dla personelu i dla eleganckich pań, które dbały o swoją reputację bardzo. Każda przystań dysponowała odrębnym dojazdem i parkingiem z wieloma miejscami. Gdy wyhamowałem przed przystanią dla personelu, Engelbert — w nastroju antysamotniczym o dziwo — zapytał:

— Musisz wracać do domu, chłopie?

— Bo co?

— Bo moglibyśmy opić na statku gitarę Knopflera i wrzucić coś na ruszt, zrobiłem się głodny.

— O tej porze nic już nie podają na statku, a zresztą nawet gdyby kuchnia była czynna, to ty przecież nie korzystasz z niej nigdy, tak słyszałem.

— Dobrze słyszałeś. Olewam żarcie w barach, restauracjach i stołówkach, bo większość kucharzy, kuchcików i kelnerów wpycha paluchy do nosa i nie myje rąk po wyjściu ze sracza. Każdy, kto żre w lokalach publicznych, wpierdala brudne żarcie. Ale to, że tak wielu ludzi wpierdala brudne żarcie, nie znaczy, że ja mam robić to samo! Lubisz bekon na jajach?

— Lubię.

— To zostaw tu wóz. Mam jaja i bekon, i umiem smażyć. I mam boskie piwo.

Przed wejściem do motorówki straż obszukała Engelberta i „obwąchała" czujnikiem elektronicznym — bez tego nikt (prócz mnie i stryja) nie mógł wyruszyć w stronę okrętu. Minęła już północ, zrobiło się zimno, morze okazało się nerwowe. Płynęliśmy powoli, gdyż rozbujana fala czyniła zbyt ryzykownym dociskanie gazu. W górze wisiało dziwne niebo; całe było intensywnie granatowe i świeciła na nim tylko jedna gwiazda, jak samotny żółty guzik na wielkiej opończy z ciemnego atłasu. Wszystko dookoła, powietrze, zapachy, myśli, pragnienia i przytłumione dźwięki nocy, zdawało się biegnąć ku niej niczym ku nieodwołalnemu przeznaczeniu — była w niej moc wabienia, silna wprost seksualnie, zwierzęca i atawistyczna, przemożna. Wpatrywaliśmy się w nią milcząc, póki nie zapytałem:

— O czym myślisz?

— O tym, że jeśli mam się utopić, to chciałbym się utopić właśnie w taką noc, gdy świeci tylko ta jedna. Wiedziałbym do kogo zrobić perskie oko przed utonięciem.

— Dlaczego miałbyś się utopić?

— Bo tam, gdzie śpię, mam wielką wodę pod dupą, gliniarzu.

— Nieprawda, masz solidny kadłub pod dupą.

— Od tych majtków, co wizytują „Santissima", by rżnąć nolibabskie damulki, znam stare portowe przysłowie. „Jeśli mieszkasz blisko morza, umrzesz w nim", nie słyszałeś tego? Ja mieszkam cholernie blisko morza, na samym morzu.

— Po remoncie „Santissima" jest niezatapialny, nie musisz się bać.

— Czy ja powiedziałem, że mam cykor? Śmierci się nie boję, gdybym się bał, to nie pracowałbym w burdelu, tylko w jakiejś nolibabskiej kawiarni, gdzie podają likier i ciastka z czekoladą.

— A dlaczego pracujesz w burdelu? Jest w mieście tyle fajnych klubów, knajp i kawiarni...

Nie zdążył mi odpowiedzieć, gdyż przybiliśmy do burty „Santissima Trinidad". Windziarz sprawdził Engelberta (tak jak na nadbrzeżu) i parę minut później zobaczyłem kajutę saksofonisty. Lica ścian dostrzec się tu nie dawało, tyle przywiesił plakatów z gwiazdami jazzu, swingu i rocka; przywiesił je również na suficie i tylko podłogę oszczędził nie wiadomo czemu. Jajka rozbijał gestem iluzjonisty, smażył bekon jak zawodowi kucharze; razem z wybornym piwem smakowało to tak, że nie pamiętałem kiedy moje podniebienie miało identyczną przyjemność. A później wrócił do pytania, na które nie odpowiedział mi u burty:

— Pytasz, dlaczego tu pracuję?... Dlaczego o to pytasz?

— Bo jest w tym coś dziwnego.

— Kiedy Faulknera pytano, jakie zajęcie najbardziej sprzyjałoby jego twórczości, odpowiedział, że posada w burdelu, gdyż przez cały dzień aż do wieczora jest tam spokój, co sprzyja pracy twórczej.

— Znasz dobrze twórczość Faulknera?

— Znam prawie wszystko. Mogę dużo czytać, bo mam dużo czasu.

— Właśnie to mnie dziwi. To, że facet pracujący w burdelu czyta i dmucha w saksofon, a unika burdelowych panienek. Na ogół faceci, którzy pracują w burdelach...

— Ja nie jestem ogół, gliniarzu! I nie jestem sportowcem, więc odkąd zrobiono sport z miłości, pieprzę ten sport! Mogę się rżnąć z kobietą, która rozumie, co to jest czułość, wierność i jeszcze kilka innych rzeczy bliskich temu, ale nikt mnie nie zmusi, żebym się z innymi facetami ścigał dla udowodnienia, kto jest wytrzymalszy, sprawniejszy, grubszy, dłuższy i głębszy, tylko dlatego, że wiecznie niedopchnięte baby tak chcą! Całe to rodeo seksualne, które uprawiałem jak idiota przez wiele lat, bo nie chciałem być gorszy, dzisiaj wisi mi jak kilo kitu! Szukam czegoś zupełnie innego, a jeśli żadna nie jest zdolna do czegoś innego, to olewam je!

— Myślę, że „Bogart" jest zdolna do czegoś innego. Kocha cię, „Puszdum"...

Wybałuszył na mnie podejrzliwy wzrok i zachrypiał:

— Co mówisz, gliniarzu?

— Mówię, że ta dziewczyna cię kocha, grajku.

— Więc tu jest piesek pogrzebany! Cały czas o to ci chodziło!... Czy to „Bogart" cię wysłała?

— Nie, to nie ona zaprosiła mnie do twojej kajuty! I to nie przez nią nie jestem teraz w domu!

— Ale musiała z tobą rozmawiać na mój temat!

— Nie!

— Więc kto to był?

— Hubert. Opowiadał, że rzuciłeś ją w przeddzień ślubu.

— A kto to wypaplał temu dupkowi?! Ona!

— Więc tak było?

— Było, minęło, nie twój interes!... Jeszcze się napijemy?

Wstał i przyniósł dwie kolejne butelki „Tuborga" oraz butelkę Wędrującego Jana.

— Nasze kawalerskie, gliniarzu!... Dziewczyny przezywają cię „Romeo", ale ty też jakoś nie za bardzo kleisz się do nich.

— Bo ja się boję HIV-a.

— A ja się boję tego brodatego diabła, który siedzi u każdej baby w kroku! Ględzenie! On się boi HIV-a!

— Każdy się kiedyś czegoś boi. Gdy zwiewałeś od ołtarza, to powodem był też jakiś cykor.

Nic nie odpowiedział; przyglądał się nalepce butelki, jakby była tam napisana magiczna formuła lub wskazówka dla człowieka uciekającego.

— Co robiłeś potem?

— Kiedy?

— No, wtedy, kiedy zwiałeś od ślubu.

— Spytaj czego nie robiłem. Wszystko robiłem, absolutnie wszystko! Robiłem nawet za farmera.

— Żartujesz! Ty?

— Nie żartuję, słowo honoru! Najpierw miałem sad. Sad wpierdoliły zające. Ogrodziłem cały. Nic nie pomagało, skurwysyny przełaziły dołem, górnicza ich mać! Potem miałem łan kukurydzy i chłopa, który doglądał tego. Normalny chłop wypija dziennie pół littra, więc to było dużo pieniędzy. Znowu zbankrutowałem. No to wziąłem się do hodowli krów. Ale był pomór i ten syf załatwił moje stado...

— Duże stado?

— Miałem samca i samiczkę, z tego mogło być duże stado. Ale on nie miał siły na nią włazić, od tego pomoru... Szkoda gadać! Brałem się za różne rzeczy. Szukałem, gliniarzu, czegoś, czego chcę...

— A czego chcesz?

— Czego chcę dzisiaj?

— Tak, dzisiaj.

— Czego ja chcę? Chciałbym zasłynąć czymś wyjątkowym, czymś absolutnie wyjątkowym, jak ten malarz, co obciął sobie ucho. Ale nie mogę nic takiego wygłówkować. Wszystko już było zagrane, nawet gdybym obciął sobie kutasa, też nie byłbym oryginalny, historia jest pełna urżniętych fallusów.

— Historia jest pełna ludzi, którzy nie mogą się zejść, choć powinni się zejść. Tak jak ty i „Bogart".

— Daj mi spokój, gliniarzu! „Bogart" jest fajną dziewczyną, ale „Bogart" jest współczesną dziewczyną, a ja jestem z innej epoki!

— „Bogart" jest przyzwoitą dziewczyną.

— Co ty powiesz? To ona jest tą przysłowiową dziewicą w burdelu?

— Nie jest też dziwką w burdelu.

— A co tu robiła przez tyle lat?

— Nie robiłaby tego, gdybyś jej nie rzucił! Najpierw dzięki tobie przestała być dziewicą, a później dzięki tobie znalazła się w burdelu! Ale nie pracuje już jako dziwka.

— Tylko jako burdel-mama!

— A ty jako burdelowy klezmer!... Mówię ci, „Puszdum", ona jest znowu przyzwoitą kobietą.

— To jeszcze gorzej, gliniarzu.

— Gorzej?

— Przyzwoita jest gorsza niż kurwa.

— Dlaczego?

— Dlatego, iż współczesny permisywizm tak rozleniwił przyzwoite, że nie chce się im już nawet robić czegoś, co robiły od tysięcy lat — udawać wierności, gliniarzu! I dlatego, że seks kurwy to zawód kurwy, a seks przyzwoitej to sport!

— Co ci odbiło z tym sportem! Już drugi raz o tym bredzisz!

— Powiedz to Singerowi, gliniarzu.

— Komu?

— Singerowi. Nie czytałeś Singera?

— Nie — skłamałem, czując prąd w alarmowych komórkach mózgu (jeszcze nie racjonalny, czysto intuicyjny).

— To zobacz sobie.

Zdjął z półki nad koją cieniutką książczynę i chwilę wertował. Znalazł podejrzanie szybko.

— Przeczytam ci.

— Sam przeczytam — mruknąłem, wyciągając rękę ku niemu. — Wskaż mi tylko gdzie.

— Ten akapit jest tu zaznaczony.

To właśnie podejrzewałem. Strona była w rogu zgięta i akapit był oznaczony na marginesie dwoma krzyżykami, tak samo jak w „Spuściźnie", którą Galton sekował Granta przy moim szpitalnym łożku. Nie mogłem mieć pewności stuprocentowej, lecz wszystko wskazywało, że tę książkę „Puszdum" dostał od Galtona! Był to „Pokutnik", zaś oznaczony akapit brzmiał następująco:

„Kiedy współczesny mężczyzna sypia ze współczesną kobietą, to tak jakby był w łożku ze wszystkimi jej kochankami. Oto dlaczego dzisiaj jest tak wielu homoseksualistów. Dlatego, że współczesny człowiek duchowo sypia z niezliczonymi mężczyznami. On nieustannie chce być lepszy w dziedzinie seksu. Wie bowiem, że jego partnerka porównuje go z innymi kochankami. Prowadzi to do impotencji, na którą cierpi wielu ludzi. Seks traktuje się niczym sport"*.

Nigdy nie widziałem, żeby Galton i Engelbert zamienili choć parę słów. Do tego Galton od pewnego czasu na okręcie nie bywał, gdyż stryj go wyrzucił. A nie mogąc bywać... Zrozumiałem, co się stało, lecz nie dałem tego poznać po sobie i dalej z werwą idioty grałem agenta biura matrymonialnego, pracując dla „Bogart" ile sił. Tak bardzo chciałem uszczęśliwić tę dziewczynę, że gdyby to mogło coś dać, rzuciłbym się „Puszdumowi" do stóp i błagałbym go na kolanach, aby odwzajemnił jej miłość. Nie wiem, ile w tym było „Johnnie Walkera" i piwa, a ile mojego gołębiego serca, wiem tylko, że grałem swatkę w brawurowy sposób. Grałem tak długo, aż gospodarz się wkurwił. Ujął to lapidarnie:

— Wypierdalaj!

— Co takiego?

— Wypierdalaj do domu!

Poczułem się znieważony. Nie mogłem puścić tego płazem, ubabrał mi honor.

— W porządku, ale musisz mnie odprowadzić na pokład! Ja odwiozłem cię na statek, to ty odprowadź mnie na pokład!

— A jak nie odprowadzę?

---

* — Tłum. Pawła Smogorzewskiego.

— To nie wyjdę stąd!

Jakoś dopełzliśmy na górny pokład, choć mieszanina żyta szkockiego i niderlandzkiego chmielu nie ułatwiała tej wspinaczki. Po drodze zapytałem:

— Ty chyba jesteś jedynakiem, co?

— Dlaczego tak myślisz?

— Tylko jedynaki wyrastają na kompletnych skurwysynów!

— Nie jestem jedynakiem, mam siostrę.

— I co ona robi?

— Stara się...

— Więc dlaczego ty się nie starasz?

— Bo nie jestem moją siostrą, chuju!

Tym mnie dobił. Na pokładzie capnąłem go wpół, wyrzuciłem za burtę i krzyknąłem do strażników:

— Człowiek za burtą!

I ruszyłem na dół, by w kajucie „Bogart" wyluzować swój stres. „Bogart" spała, więc trochę trwało nim uchyliła drzwi. Zapytała słusznie:

— Zwariowałeś, „Romeo"? Czemu tak tłuczesz, wiesz która godzina?

— Wiem, cukiereczku.

— Jesteś nawalony!

— Jestem kompletnie trzeźwy!

— Czego chcesz?

— Chcę ci powiedzieć, dlaczego nie powinnaś się wiązać z saksofonistą! Zwłaszcza węzłem małżeńskim, o którym marzysz!

— Nie drzyj się tak! Chodź!

Wciągnęła mnie do środka i zapaliła lampę.

— Coś się stało „Puszdumowi"?

— Nic mu się nie stało, cukiereczku, tylko może przejaśnieje, bo właśnie bierze kąpiel oczyszczającą.

— Chlaliście we dwóch?

— Tak!

— Słuchaj, Nurni, jest późno, chciałabym...

— To potem! Masz to jak w banku! Najpierw muszę cię uświadomić, dlaczego taka długa miłość to jest kiepski interes. Bo ty jesteś delikatna jak z porcelany. On też jest jak z porcelany. I gębę ma ciemną jak kominiarz. I ubiera się jak kominiarczyk, na czarno. Łapiesz?

— O co chodzi?

— Znasz tę bajkę Andersena o porcelanowych pastereczce i kominiarczyku? W Akademii Flowenolów dziewczyna Granta zdawała z tego egzamin, jak Boga kocham!

— „Romeo", połóż się!

— Zaraz, przedtem muszę ci...

— Najpierw się połóż!

Położyła mnie w swoim wyrku, ściągnęła mi obuwie i siadła obok.

— Wiesz jak się kończy ta bajka? — zapytałem. — „Kochali się tak długo, dopóki sami nie potłukli się na kawałki"!

Dalej niczego nie pamiętam, usnąłem niby trup.

Galtona wziąłem za pysk dwa dni później, gdy wrócił z terenu do Nolibabu. Uderzyłem „na chama", blefując, iż wiem wszystko:

— Masz szczęście, twój kabel przeżył.

— Jaki kabel?

— Twój agenciak na statku, ten murzynopodobny, nie udawaj durnia!... Na statku ma ksywkę „Puszdum,", a u ciebie powinien mieć kryptonim „Saksofon"!

— Co znaczy: przeżył?

— Turlnąłem go do morza. Ale go wyłowiono, masz fart, Ker.

— Dlaczego do morza?

— Bo wpierw mnie upił, a potem znieważył, ten świrus! Wyjaw mi, Galton, na jaką cholerę werbujesz tam psa? Ja jestem twoim człowiekiem w burdelu, i mam tam wszystko pod kontrolą, i chyba gramy w jednej drużynie! Kazałeś temu gnojowi mnie szpiegować? A może kazałeś mnie upić, żeby wyciągnąć coś ode mnie?

— Nurni, to nie tak... On miał mieć oko na wszystkich, głównie na Huberta i jego enbeckich kompanów. Ty możesz nie zauważyć

wszystkiego, a dodatkowa para ślepi... Odkąd wiem, że ktoś chce mnie usunąć, zrobiłem się cholernie przeczulony, synku, dlatego...

— Ja nie chcę cię usunąć! Mogłeś mi o tym powiedzieć!

— No, niby tak... — burknął Galton, wpatrzony we wzór dywanu.

— Jak skaptowałeś tego frajera?

— Po pierwsze on nie lubi twojego stryja...

— A po drugie?

— Dowiedziałem się, że zabił szefa cyrku, w którym przygrywał woltyżerom i akrobatom. Dlatego teraz pracuje w burdelu, schował się na „Santissima Trinidad".

— O co poszło, o dziewczynę?

— O niedźwiedzia.

— O co?!

— O niedźwiedzia. Ten dyrektor cyrku był treserem zwierząt i uczył tańczyć niedźwiedzia na rozpalonej blasze.

— No to zasłużył.

— Zasłużył.

— Ale wątpię, czy ta negroidalna końcówka saksofonu przyda się na coś.

— Już się przydała, synku. Pokazałem mu zdjęcie Miriam. Widział ją kiedyś w kajucie admiralskiej.

— W kajucie mojego...

— Uhmm.

— Tę Miriam, czy tamtą Miriam?

— On tego nie wie, Nurni.

— A ty wiesz?

— Ja będę wiedział już niedługo, synku. Prawdopodobnie była to żona Mateusza.

— Prawdopodobnie?

— Żona Mateusza donosiła Hubertowi na jego brata, Nurni!

— Co donosiła?

— Hubert był wściekły, że jego braciszek należy do lewicowych demokratów. Chciał mieć to pod kontrolą.

— Enbecja miała to pod kontrolą!

— Hubert również. Ale Hubert chciał też wiedzieć, co wie enbecja. Miriam kablowała na męża i enbecji, i Hubertowi, w ten sposób zarabiała podwójnie, a Hubert wiedział wszystko. Słuchaj, Nurni, na statku pracował kiedyś pewien gość, był szefem krupierów okrętowego kasyna...

— Trezor. Lionel Trezor. Dalej będzie szefem krupierów.

— Ale kiedy ja byłem na „Santissima Trinidad", to jego nie było. „Puszdum" mi mówił, że ten facet wyjechał.

— Wyjechał na dłuższy urlop do rodziny w Ameryce. Podczas remontu kasyno nie działało, więc był niepotrzebny. Wrócił tydzień temu.

— Zaproś go do mnie, chcę z nim odbyć krótki dialog. To pilna sprawa! Ten gość był członkiem partii Mateusza, i to wysoko postawionym w hierarchii partyjnej.

— Hubert by takiego nie przyjął.

— Więc albo Hubert o tym nie wiedział, albo ten typ był wtyką Huberta wewnątrz czerwonej partii.

— Zanim generał Told objął władzę, Hubert kompletnie nie interesował się polityką!

— A ty skąd to wiesz?... Bo tak mówił?

— Tak mówił.

— Ludzie mówią różne rzeczy, synku...

Patrzył w milczeniu na moją twarz, a ja czułem się jak żółtodziób, który jest śmieszny, bo wierzy we wszystko, co ludzie mówią. Przed oczami stanęła mi facjata Trezora. Był to siwowłosy gość o prezencji emerytowanego dyplomaty lub majordomusa królewskiego dworu. Dzięki dziwnemu skrzywieniu warg miał wygląd człowieka wiecznie naburmuszonego.

— Nie mogę ci go sprowadzić do miasta — powiedziałem. — Trezor leży w swojej kajucie ze złamanymi żebrami. To przez remont. Dawniej mógł chodzić na każdym międzypokładzie po omacku, gdyż znał każdy kąt „Santissima Trinidad", lecz teraz trochę się zmieniło, więc kiedy szedł po omacku do swojej panienki, to wpadł

w otwarty luk. Będziesz musiał wykonać ten dialog u niego, Ker. Mamy tam podsłuch, ale podsłuchują moi chłopcy.

— Byłoby lepiej dla nas obu, Nurni, gdyby twoi chłopcy nie słyszeli o czym będę z nim rozmawiał.

— Dobrze, przez całą noc podsłuch jego kajuty będzie wyłączony.

— Przez którą noc? Hubert nie wpuści mnie na „Santissima Trinidad"!

— Wpuści, i to już jutro, Ker. Jutro oblewamy koniec robót.

Formalnie byla to męska popijawa dla hierarchów ekipy prowadzącej remont i szkolącej ochroniarzy, a więc dla mnie, Grotiusa, Matakersa, Weltera, Altana, Zeurtina, Kraya i dla szefów służb technicznych na statku, lecz stryj rozszerzył listę gości o Taerga, Granta i kilku oficerów wojska oraz NB. Wobec tego ja rozszerzyłem ją o Hornlina i Galtona, a Grant o Kindocka.

— Twojego nadwornego filozofa poznam z przyjemnością, ale kapitan Galton nie ma tu wstępu! — rzekł stryj.

— Galton to jest ta moja „premia" za przebudowę. Hasło: „Proś o co chcesz". Odzew: „Zgoda", stryju!

— Zgoda, Nurni, ale tylko na ten wieczór, a później wynocha!

— Nie, prośba dotyczy amnestii kompletnej!

— Mam ochotę ci przylać, synku! — warknął.

— A ja mam prawo prosić o co chcę, stryju, więc proszę, abyś mu wybaczył! Nadto zwróć uwagę, że ciebie i Galtona winna łączyć komitywa, jeśli nie przyjaźń, gdyż łączy was pewien rodzaj braterstwa, który nie łączy cię z nikim innym.

— Braterstwa? Jakiego braterstwa?!

— Swego rodzaju braterstwa krwi, bo tylko wy dwaj mówicie do mnie: „synku". Dlatego winieneś mu przebaczyć, admirale!

— Pod warunkiem, że ten łajdak obiecą, iż nie będzie mazał farbą na moim statku!

Galton był zadowolony, a Hornlin wprost wniebowzięty możliwością dotknięcia obiektu już legendarnego. Stryj powitał go ceremonialnie i usiadł przy nim, aby mieć partnera do górnolotnych dia-

logów. Grant siedział obok Galtona, dalej Taerg i Kindock wśród moich beseków i techników, zaś vis-a-vis oficerowie, między którymi ja. Tak mnie ulokował stryj, ale było mi wszystko jedno, bo nie miałem nastroju do rozmawiania z kimkolwiek, do picia, śmiechu, rechotu, wymądrzania się i przekrzykiwania typowego dla wieczorów kawalerskich. Z początku udawałem zaangażowanie, lecz później, gdy już się rozkręcili dzięki paru toastom, milczałem jak ta kukła, lub raczej jak słuchawka, w którą — czy ona chce tego, czy nie — wpadają dźwięki z przestrzeni otaczającej ją wokół, teksty mądre i głupie, intelektualne i żołdackie, namaszczone i sprośne, kakafonia pieprzenia samców uradowanych alkoholową zażyłością, w tym mafijnym poczuciu, że się należy do rasy białych bwana godnych wielkiego safari.

— ... Ale czy istnieje coś takiego jak ewolucja filozofii, profesorze?

— Istnieje coś takiego. Jest to rozwój myśli filozoficznej, panie Flowenol. Dlaczego pan pyta?

— Bo oprócz mnogości filozoficznych szkół trudno mi dostrzec kształt tej ewolucji. Na przykład ewolucja techniczna jest widoczna gołym okiem, od skrobaczki do obrabiarki i od tam-tamu do telefonu. A w filozofii jak był chaos, tak jest chaos.

— W każdej ewolucji wędrujemy od chaosu do chaosu, w generalnej również.

— Co pan rozumie przez generalną, panie Hornlin?

— Tę, na początku której był Wielki Chaos, nowocześniej zwany Entropią. Później, miliony czy miliardy lat od Wielkiego Wybuchu, kosmos zaczął się trochę porządkować...

— Sam?

— Nie wiem. Może z woli Przedwiecznego, a może według praw materii. Tak czy owak powstały pyłowe mgławice, a z nich różne gwiazdy i planety, i na jednej zaczęła się ewolucja od białka do człowieka, ten zaś łączył się w związki bliskie jego upodobaniom, czyli kolejno w hordy, plemiona, narody, państwa i wreszcie w partie polityczne, które są aktualnym stadium tej ewolucji. Tak więc od

chaosu zawędrowaliśmy do chaosu, bo gry wewnątrzpartyjne i międzypartyjne to czysty chaos.

— Może tylko dla filozofa, ergo dla politycznego dyletanta, panie Hornlin?

— Jestem historykiem, panie Flowenol, a historyk zna się na tym lepiej niż zawodowi politycy, gdyż ma w pamięci całą historię politycznego chaosu, ergo przypadku. Historia dowiodła, że dziejami świata nie rządzi determinizm, lecz przypadek, ergo chaos. Podobnie jest z prawami natury. Według Heisenberga są one probabilistyczne, nie zaś deterministyczne. Historia nigdy nikogo skutecznie nie wyedukowała właśnie dlatego, że znajomość przeszłości nie gwarantuje sukcesu, gdyż przypadek niweczy wszelkie reguły i obala każdą strategię.

— Napoleon zaprzeczyłby panu.

— Tylko młody Napoleon zaprzeczyłby. Stary Bonaparte już wiedział dlaczego przegrał z Rosją i pod Waterloo, mimo że planował sukcesy i według wszelkiego prawdopodobieństwa winien był je odnieść. À propos. Czy pan wie, że pierwszą kobietą Napoleona była prostytutka?

— Ta dygresja to dlatego, że rozmawia pan z właścicielem burdelu?

— Tak. Wiedział pan, czy nie?

— Trudno, żebym nie wiedział o tym.

— Czemu trudno?

— Po pierwsze — bo jestem właścicielem burdelu. Po drugie — bo jestem historykiem.

— Pan jest historykiem?

— Historykiem prostytucji, co dzisiaj, według arabskich fundamentalistów, znaczyłoby: historykiem kobiecości, gdyż według nich każda kobieta, która pracuje poza domem, jest prostytutką. A wracając do Napoleona, ja też zrobię panu mały egzamin. Ile razy uczyniono go rogaczem?

— Hmm... Napoleon był żonaty dwa razy...

— Brawo! Tak jest, pierwsza zrobiła go rogaczem przy pomocy porucznika Charlesa, druga przy pomocy pułkownika hrabiego Neipperga. Nieszczęścia chodzą parami, chciałoby się rzec. Ten człowiek wbrew pozorom nie był dzieckiem fortuny.

— A któż jest dzieckiem fortuny, panie Flowenol? Cóż może człowiek wiedzieć o szczęściu, prócz tego, jak się to pisze? Ci, którzy uchodzą za szczęśliwych, to są ci, którzy najbardziej dziarsko, najlepiej i najwytrwalej, grają szczęśliwych. Przy odpowiedniej dawce rutyny to nawet nie kosztuje tak wiele wysiłku.

— Teraz mówi filozof, czy dalej historyk, profesorze?

— Mowi Hornlin!

— Gdy już dotknęliśmy libido, co jest zupełnie naturalne, bo znajdujemy się w burdelu, to jestem ciekaw, panie Hornlin, czy pan jest wyznawcą Freuda, czy Junga?

— Nie jestem niczyim wyznawcą. Freud był fałszerzem. Bardziej interesuje mnie Jung.

— Bo nie był fałszerzem?

— Bo na przekór Freudowi zajął się podświadomością zbiorową, odkrywając archetypy właściwe całej ludzkości, oraz symbole, które, mimo iż przybierają wielorakie formy, zachowują uniwersalność.

— Czemu pan spogląda na zegarek? Filozof nie powinien być sługą czasu! Spieszy się pan gdzieś, czy aż tak bardzo wynudziłem pana, panie Hornlin?

— Nie, nie, broń Boże, ale wszyscy jesteśmy niewolnikami zegarka. Obiecałem, że wrócę do domu o...

— Wszyscy, prócz kobiet! Niepunktualność to więcej niż kontestacja, to ich permanentna rewolucja!

— A pan, jak mi mówiono, jest wrogiem rewolucjonistek.

— Tak, nie cierpię feminizmu. Ale bywają wyjątki. Ostatnio francuska socjolożka, znana feministka, Evelyne Sullerot, wydała pracę, w której winą za rozbijanie rodzin, za niszczenie mężów i unieszczęśliwianie potomstwa, obarczyła kobiety, i to bez szukania usprawiedliwień. Choć nie pada w tej książce termin „mieszczańska moralność”, to jednak w każdym zdaniu czuje się tęsknotę do niej, do mieszczańskiego mitu rodzinnego... Ale to dla pana problem zbyt chyba mało filozoficzny?

— Wielcy filozofowie nie pomijają tego problemu.

— Kto na przykład?

— Na przyklad Denis de Rougemont. Już w latach czterdziestych, gdy „mieszczańska moralność" nie była jeszcze kompletnie wydrwiona przez libertynów, pisał o niej w „La part du Diable", iż jej rzekomą ciasnotę i ograniczenia atakują głupcy i łajdacy, podczas gdy zasłużoną wzgardę winna budzić nie ona, lecz jej rozprzężenie. Co do pracy pani Sullerot, to ją znam. Bardzo sympatyczna mowa w obronie tatusiów.

— Prawda? Ja też byłem mile zdziwiony.

— Lecz gdy nie jest pan mile zdziwiony, jest pan feminożercą. To pan unicestwił Eleonorę Tigran, naszą królową feminizmu.

— Ktoś musiał to zrobić! W końcu z trzech plag dwudziestego wieku feminizm jest najgorzy, zostawia najwięcej ofiar.

— A co pan uważa za plagi lżejsze?

— Faszyzm i komunizm.

— Panie Flowenol, bunt kobiet, totalizm, alienacje, samobójstwa, narkotyki, dzieci rodzące dzieci, et cetera, były w każdym wieku. I w każdym wieku to nie one najbardziej deprawowały ludzkość.

— Wiem, panie Hornlin, gorsza była głupota, ta zbiorowa i ta indywidualna...

— Głupota to czynnik niematerialny!

— A więc co, profesorze?

— Bogactwo i bieda!

— Czy idzie panu o to, że bogactwo i bieda, choć tak krańcowo się różnią, skurwiają człowieka w identyczny sposób? To znaczy dokumentnie?

Galton, wykorzystując konwersacyjny harmider, wstał i ruszył „do toalety", którą była kajuta Trezora. Odprowadziłem go wzrokiem, po czym ukierunkowałem anteny słuchu na grupę bonzów wojska i enbecji. Raz za razem wstrząsał nimi zdrowy pijacki rechot. Pytlowali to samo, co stryj Hubert i Hornlin, tylko używali trochę innego języka:

— ... Wpadł jak skończony osioł! Żona zadzwoniła do niego do roboty z rozkazem, żeby po drodze do domu wstąpił do jej przyjaciółki i wziął kilka kosmetyków. Wrócił do domu, jego stara była zgłodniała, więc wyciąga mu ptaka ze spodni, i co widzi? Cały ptak umazany szminką!

— Daj adres tej przyjaciółki!

— Nie znam adresu. I nie znam tego babsztyla.

— Ja ją znam, ma na imię Gaby. Pracuje w salonie piękności, u Coty'ego.

— Jaka jest?

— Jaka jest? Chłopie, już na pierwszy rzut oka miła w dotyku! I pobłażliwa dla chętnych! A biust ma jak kopuły bazyliki weneckiej!

— Byłeś w Wenecji, Gilford?

— Nie, lecz widziałem na zdjęciu.

— Te jej cyce?

— Ha, ha, ha, ha, ha, ha, ha, ha, ha, ha, ha, ha, ha!!!

— Ale dowcip!... Mówię wam, byłem raz z nią!

— Tylko raz?

— Z nią nie można być więcej razy, to pieprzona onanistka, ja tego nie lubię!

— A co ci to przeszkadza, Gilford? Onanistki są świetne, bo są napalone bez przerwy!

— No dobra, ale żeby używać stojącej tuby od pasty do zębów? Nie może sobie kupić sztucznego fiuta w sex-shopie?

— Brenda, ta z trzeciego batalionu służb pomocniczych, ma całą kolekcję sztucznych kutasów, powiesiła je nad wanną.

— To ta, co rwie kwatermistrza?

— Ona wychodzi za niego w przyszłym tygodniu!

— Gówno będzie z tego miała, to weteran braku erekcji!

— A po co jej to, jak ma kolekcję gumowych ptaków? Każe mu, żeby ją nimi popychał. Wychodzi za niego, bo to największy złodziej w całej armii, będzie bogatą damą, prawda, panie pułkowniku?

— On chyba już miał jedną żonę?

— Miał, ale się rozwiódł, to znaczy ona się z nim rozwiodła, żeby zachapać połowę ukradzionej przez niego fortunki. Najśmieszniejsze było to, że oskarżyła go o zdradę!

— O zdradę? Nie zdradzał jej nawet z własną dłonią, nie jest do tego zdolny!

— Ale do tłuczenia lewego szmalu jest zdolny!

— I do oddawania moczu!

— Ha, ha, ha, ha, ha, ha, ha, ha, ha, ha, ha, ha, ha!!!

— Ty, Ralf, powinieneś być księdzem! Szóste: nie cudzołóż z własną dłonią!

— A wiecie skąd ona przyszła do armii? Ze szkoły, była nauczycielką, jak Boga kocham! Wygruzili ją z tej budy, więc przyszła do...

— No to wszystko jasne! Wszystkie nauczycielki mają trypra mózgu! Tak się ostatnio wkurwiłem na jedną w budzie mojego szczeniaka, że...

— Co, z nieletniego szczeniaka zrobiła ci pełnoletniego bez zezwolenia tatusia?

— Wejdź na drzewo, Burt! To facetka od biologii...

— A o czym ja mówię, tatusiu?

— Kazała oglądać dzieciakom filmy przyrodnicze. No to gapią się w telewizor jak idzie taki film, bo ona później je pyta. Stary! Czasami to rzucę okiem i włosy dęba mi stają! Cokolwiek nie oglądasz, dżungla, pustynia, góry czy dno oceanu, pod ziemią i na ziemi, bagna, jeziora czy step, wszędzie wszyscy wpierdalają wszystkich! Bez przerwy, na okrągło! Płazy wpierdalają robaki i myszy, lwy wpierdalają bydło, sowy wpierdalają płazów, duże wpierdalają małe, każdy wpierdala każdego od rana do nocy! Bez przerwy polują na siebie i żywcem się żrą... Stary, cała ta przyroda, kurcze blade, to polega na ciągłym zabijaniu i wpierdalaniu jednych przez drugich, patrzeć na to nie można. A ta pinda każe to oglądać bachorom w domu!

Przeniosłem słuch na trzecią grupę — grupę Kindocka, Taerga, Robbiego i moich chłopców. Grant perorował głośno:

— To pierdziel! Przy nim nie można wytrzymać dwóch minut, on bezustannie smrodzi! Taki jazz. Widocznie ma jakieś kłopoty z przemianą materii, z żołądkiem albo z wątrobą, powinien iść do lekarza! I powinien zaniechać bywania w jazzowym towarzystwie póki się nie wyleczy! Naprawdę nie mam nic przeciwko niemu, ale nie cierpię ludzi, którzy puszczają tyle gazów jakby chcieli zdobyć kosmos!

— O kim mowa? — zapytał Galton, który właśnie wrócił „z toalety".

— O moim teściu, Galton.

— A co mamy do powiedzenia o teściowej?

— To również idiotka, uprawia jazz astrologiczny! Według niej znak Strzelca to perwersja i nikczemność, rozumiesz?

— Rozumiem, że ty jesteś spod znaku Strzelca?

— Czy ja sobie wybierałem ten jazz? Kindock jest spod znaku Barana i to mu wcale nie przeszkadza być dobrym poetą! Gdybyś tylko słyszał jak ten rozlazły tłumok umie zgnębić człowieka przy pomocy paru wyrazów...

— A wiesz, że córki wdają się w matki?

— Odjazzuj się ode mnie, Galton! Hortensja jest... jest po prostu...

— Wiem, sama słodycz! Znam wszystkie te kobiece słówka proste jak spirala, to dzięki nim już po raz drugi z antyfeministy zrobiłeś są babochwalcą i tylko teściowa psuje ci ten kult. Zaś psychologia i psychiatria znają dobrze pewne zjawisko — jest to zjawisko regresu do dzieciństwa, infantylizacji. Ale nie bój nic, to ci przejdzie jak katar, nawet wiem, kto ci w tym pomoże, chłopczyku.

— Nie przejdzie mi dopóki będę oglądał taki jazz, jak ta dziewczyna zgwałcona tydzień temu nad zatoką, pocięta żyletkami i uduszona! Czym jest przy takiej makabrze całe to pieprzenie o złu, które rozsiewają kobiety?!

— Dalej jest prawdą. A tamto jest zbrodnią, jedną z tych zbrodni, które prymitywny bydlak popełnia w tym celu, żeby feministki mogły wszystkich facetów nazywać bydlakami, Grant! Bez takich i innych prymitywów one byłyby słabe.

Robert chciał mu odwarknąć, lecz Taerg zagrzmiał tonem wykluczającym sprzeciw:

— Dość tych kłótni, panowie, zmieńmy temat!

— A o czym można rozmawiać w burdelu, panie pułkowniku? — zdziwił się Galton.

— O dochodach z burdelu! — rzekł Cliff. — Pan Kindock ma świetny pomysł na super-dochodowy burdel.

— Ten tutaj jest właśnie super-dochodowy, to Sezam!

— Pan Kindock ma pomysł na większe Eldorado. Niech pan im to opowie.

Kindock, mocując się nieco ze sztywnym organem artykulacji, wyjaśnił w czym rzecz:

— Ja bym zatrudniał sobowtóry gwiazd, proszę panów...

— Których gwiazd?

— No... filmowych gwiazd. Każdemu facetowi się śni, że rżnie gwiazdę filmową. No to ja bym szukał sobowtórów znanych aktorek...

— Nie znalazłbyś dużo idealnych sobowtórów!

— Ale znalazłbym dość chirurgów plastycznych, którzy by podrasowali te panie na stare gwiazdy kina...

— Stare?! Czyś ty zwariował, Jock?!

— Chciałem powiedzieć: gwiazdy starego kina, dawne gwiazdy filmowe.

— Dlaczego?

— No bo do burdelu klasy lux przychodzą bardzo nadziani faceci po pięćdziesiątce i po sześćdziesiątce. I chcą mieć towar klasy lux. Albo wyżej niż lux. Dlatego, żeby im dogodzić, trzeba zaspokoić nie tylko ich ciała, również ich nostalgiczne marzenia-wspomnienia. Więc to musiałyby być gwiazdy, które ci faceci od dawna pamiętają ze swoich erotycznych snów i z marzeń na jawie. Dla podtatusiałych Gina Lollobrigida, Marylin Monroe, Liz Taylor, Claudia Cardinale, Sofia Loren, Romy Schneider, Brigitte Bardot czy Catherine Deneuve, a dla totalnych pierników Greta Garbo, Rita Hayworth i Marlena Dietrich.

— A dla nas Sharon Stone i Julia Roberts! — krzyknął Galton. — Nie czytałem żadnego z twoich rymów, mistrzu, lecz widzę, że jesteś poetą genialnym, masz u mnie Nobla! Duuuży łeb, prawda chłopcy? Weź to opatentuj i sprzedaj Flowenolowi za grubą forsę! Albo bierz się sam do budowy lupanaru!

— Na taki pomysł można wpaść wyłącznie tutaj, w przypływie upojenia alkoholowego! — westchnął Robert.

— Nie jestem pijany! — obruszył się Kindock. — I nie wpadłem na to teraz, tylko w latrynie obozu!

— Jakiego obozu? — zainteresował się Taerg.

— Karnego, panie pułkowniku. Told mnie wsadził.

— Co było przyczyną, jeśli można spytać?

— Poezja, panie pułkowniku.

— To prawda — przytaknął Robert. — Byłem na jego procesie, był też Flowenol. W życiu nie widziałem lepszej komedii!

— Gdzie pan siedział?

— W kamieniołomach granitu. Wyszedłem jak Tolda obalił Rabon.

— Jego ekscelencja prezydent marszałek-generalissimus Rabon!

— Tak, rzeczywiście, panie pułkowniku.

— Długo pan siedział?

— Cztery tygodnie, ale jak jeden klawisz zaaplikował mi „Diabelską miłość", to myślałem, że z gówna pójdę prosto do piachu.

— Co to jest ta...?

— „Diabelska miłość"? Ulubiona zabawa klawiszy. Pakują więźnia do dołu kloacznego. Stoi się po pas w fekaliach i przeżyć można tylko w jeden sposób. Niewielu znało ten sposób, ale mnie sprzedał go pewien obyty bandzior. Zamiast stać, trzeba przykucnąć i trzymać wargi tuż nad powierzchnią gówna. Kto próbował stać, ginął — dusiły go gazy. Ja uklęknąłem...

— Osobliwe bywają pola chwały kombatantów — wtrącił Galton refleksyjnie.

— To było pole miłości — dodał równie cierpko Grotius.

— ... Uklęknąłem i trzymając nos tuż nad powierzchnią bajora myślałem o tym, dlaczego to się zwie „Diabelska miłość"? A później, żeby uciec myślami od tego smrodu, zacząłem sobie wyobrażać, iż rżnę piękne dziewczyny. I wyobrażałem sobie, że to są moje ulubione gwiazdy filmu.

— Pewnie każdy tam ucieka myślami do seksu i dlatego klawisze zwą to „Diabelska miłość" — rzekł Kray.

— Możliwe. Ja nie umiałem się zdecydować na jedną z tych filmowych dup, więc wyobraziłem sobie, że mam harem z nimi wszystkimi. Ale haremów mieć nie wolno, no to wyobraziłem sobie, że jest taki burdel, w którym wszystkie kurwy mają twarze filmowych gwiazd.

— Jest taki burdel — powiedział Galton. — Nazywa się Hollywood.

— Ale jaka z niego korzyść, kapitanie? — mruknął Altan. — One są za bogate dla takich jak my!

— Największa jest korzyść z bogatych kurew, przyjacielu! Pod starość, gdy naturalnie wysycha im pizda, a rytualnie ogarnia dewocja, zamieniają się w filantropki, by odkupić swój wieloletni grzech. Mnóstwo biedaków, cwaniaków i zwierzaków korzysta z tego.

Oficerowie wrzucili szybsze tempo picia i byli już urżnięci agonalnie. Jakiś major ryczał tak głośno, że towarzystwo skupione wokół Granta, Taerga i Galtona zamilkło, patrząc ku wrzeszczącemu wzrokiem pełnym dezaprobaty. Ryczący major dowodził generałowi, jaka jest różnica między strusiem a człowiekiem:

— No powiedz, jaka jest różnica?... Oupp!... No, jaka jest różnica?... A widzisz, żadna!... Czym się człowiek różni od strusia, oupp!?... Dwie nogi, głupi łeb wysoko, nadmuchany kuper, szlauch od gęby do odbytu i trochę zwojów nerwowych, które każą czuć ból! Widzisz jakąś różnicę?...

Zapytany spał, więc odpowiedzią była cisza. Major jednak nalegał bojowo:

— No, czemu milczysz?... Są, czy nie są różnice?

Odpowiedział mu Galton z drugiej strony stołu:

— Tylko dwie, panie majorze. Struś nigdy nie zaśpiewa „Hamleta" i nie zatańczy „Ostatniej Wieczerzy". No... może jeszcze nie wrzuci kostek lodu do scotcha, ale tu nie mam pewności, czy byłby aż takim idiotą.

Wybałuszony wzrok majora, chwila milczenia i znowu euforyczny bełkot jeszcze nie oklapłych. Dzięki tej chwili milczenia dosłyszałem swoje imię. Użył go stryj w pytaniu:

— Czy to prawda, co powiedział mi Nurni, że matematyka jest pana spóźnioną namiętnością?

— Matematyka i fizyka kwantowa. Tylko z tego powodu żałuję, że jestem stary. Jest już za późno, bym zgłębił je obie...

— A na co to panu? Co to ma wspólnego z filozofią? Te nauki są nie do pogodzenia!

— Być może są do pogodzenia. Czy wie pan, że niektóre pola, na przykład tak zwane pole prawdopodobieństwa w mechanice kwantowej, nie zawierają ani materii, ani energii?

— Do czego pan zmierza? Do duszy?

— Powiedzmy bezpieczniej, że do umysłowości lub samoświadomości, które nie mogły się wykształcić w toku ewolucji Darwinowskiej, bo ona udoskonala tylko naszą zwierzęcość.

— A więc do Boga, profesorze?!...

— Nie wiem... Nic nie wiemy. Wszystkie żyjące istoty, od roślin do człowieka, mają ten sam kod genetyczny, a my nie wiemy dlaczego. To jest cud, nauka nie umie tego wyjaśnić, może się tylko zdumiewać, panie Flowenol...

Zamilkli i patrzyli sobie w oczy dziwnym wzrokiem przestraszonych geniuszów. Od początkowych błahostek, bon-motów i żarcików wspięli się ku rozmowie tak głębokiej, iż bali się stracić grunt lub ośmieszyć, nie wobec partnera — wobec siebie samego. Z Galtonem Hornlin rozmawiał niby identycznie, ale brakowało w ich dialogu — w którym była wielkość, obopólna przyjemność, pasja, perfekcja i wzajemne pożądanie — elementu o jeszcze większej skali. Tego psychicznego napięcia, które jest godne miana magicznej lub metafizycznej elektryczności, ponieważ rodzi się z zachwytu, i z przestrachu, i z magicznej właśnie zdolności uzewnętrzniania czegoś, co jest nieuchwytne, skąd do metafizyki tylko pół kroku. A tu, złowiwszy ledwie kilka zdań, czułem ową elektryczność. Stryj był urzeczony Hornlinem jak kobieta pięknym zalotnikiem — nigdy nie widziałem, żeby podczas dialogu tak ważył swoje słowa. I nigdy nie widziałem, by on — człowiek narzucający swoją erudycję, mistrz arbitralnych wyjaśnień i gwałcących przemów, wielki złotousty gadacz, miażdżący językiem każdego, kto nieostrożnie stanął z nim w szranki — wolał, prowadząc dialog, zadawać pytania niż udzielać odpowiedzi pytającemu. To było niezwykłe i prawie wzruszające.

Tymczasem ich wspólne milczenie było majestatyczne. A przez to, że było tak monumentalne — było bliskie śmieszności, według powiedzonka Napoleona („Od wielkości do śmieszności..."), i stryj chyba to wyczuł, gdyż rozerwał je pytając:

— Wierzy pan w Boga, profesorze?

— Nie wiem. A pan?

— Ja nader głęboko, ale w sposób filozoficzny.

— To znaczy?

— Według teorii Pascala. Lepiej wierzyć niż nie wierzyć, bo jeśli Go nie ma, to nie traci się niczego, a jeśli On jest, to wierzący wygrywa kącik w raju.

Uśmiechnęli się obaj.

— Pascal czuł to samo, co ja czuję — rzekł Hornlin. — Napawała go strachem wiekuista cisza nieskończonych przestrzeni, ten potworny, milczący kosmos...

— No to wypijmy za ten głuchy, ślepy i bezlitosny kosmos, profesorze!

Przez gwar i przez śmiech wesołej kompanii nadleciało — gdzieś od stropu, od górnego pokładu — kilka taktów muzycznych. Fragment bardzo znanej melodii, ale pamięć mnie zawodziła. Wyszedłem z salonu i wspiąłem się na rufę pełną powietrza tak czystego, że odurzało, po kilku godzinach spędzonych w mgle nikotynowej. Melodia brzmiała teraz mocno, wiatr ją roznosił we wszystkich kierunkach — ku gwiaździstemu niebu, ku światełkom portu i ku niewidocznym liniom horyzontu. Ktoś grał na trąbce „*Saint Louis Blues*". Ktoś dobry, być może trębacz orkiestry klezmerującej klientom kasyna. Grał gdzieś w okolicy dziobu, między dziobem a śródokręciem. Dłuższą chwilę miałem kłopot, pragnąc dostrzec gdzie stoi. Nagle wyłonił się spoza głównego masztu i ujrzałem... saksofonistę Engelberta! Pierwszy raz hałasującego trąbką! Nie wiedziałem, iż zdradza saksofon dla obcego instrumentu — wyglądał tak dziwacznie, że aż egzotycznie. Stąpał miarowo, wolno podnosząc i opuszczając buty, z głową i trąbką uniesionymi ku górze, jakby grał tę pantomimę przed oczami świętych i samego Pana Boga. Biel jego koszuli dziurawiła ciemność niczym wybuch granatu. Nie był sam. Za nim, równie miarowo, stąpały dziewczęta — burdelowe „panienki" w bieliźnie nocnej. Lampy na masztach oblewały je zielonkawym światłem, upodobniając do woskowych manekinów, które nocą, kiedy ludzie tego nie widzą, zaczynają się bawić. Ich taneczny krok czynił tę procesję korowodem wcale nie upiornym, pomimo mroku, tylko ich milczenie było tak głębokie, iż wywoływało pozór kompletnej ciszy, chociaż Engelbert zamieniał swoje płuca na blues głośny niczym dzwon.

Kiedy zbliżyli się do rufy, ujrzał mnie, stanął i przestał grać. Dziewczyny zamarły w pół kroku, jak lalki, których sprężyny rozwinęły się jednocześnie. „Bogart" nie było wśród nich.

— Popatrzcie na niego, to morderca! — krzyknął „Puszdum" swoim ochrypłym tenorem. — Chciał mnie utopić, za-mor-do-wać! Ma to we krwi, od samego urodzenia był mordercą!

— Jak to od urodzenia? — bąknęła któraś z „panienek".

— Tylko się narodził, już miał trupa na sumieniu — akuszerka umarła ze śmiechu, kiedy go zobaczyła!

Więcej nie interesował się mną. Zrobił półobrót, przytulił ustnik do spuchniętych warg, dmuchnął ten sam blues i ruszył, stąpając niby bocian, w kierunku głównego masztu, a one wznowiły swój pląs muminków wędrujących za flecistą z Hameln.

Zostałem tam, gdy ich sylwetki pochłonęła już ciemność. Dźwięk trąbki gasł, lecz wciąż wypełniał przestrzeń, falował między wodą a najdalszą gwiazdą, jak szept o stworzeniu kosmosu. Nie czułem zimna, czułem się bardzo samotny. Wtem od tyłu dobiegło skrzekliwe pytanie:

— Hej, kolego, co z tobą?

Na zwoju lin, w kącie rufy, siedział ów cmentarny garbus, który kiedyś drwił ze mnie i ze stryja, ten sam, którego kazałem zastrzelić w Akademii Flowenolów. Miał chorobliwą urodę miejsc wyjałowionych, przysypanych śniegiem tundr, dymiących śmietników, spalonych słońcem koryt po umarłych rzekach — to jego mogłaby tyczyć złośliwość o rozbawionej na śmierć akuszerce. Zapytałem jak „krawężnik" patrolujący swój rejon:

— Co tu robisz?

— Siedzę i słucham, poruczniku.

— Kim jesteś?

— Chciałbym być narratorem.

— Narratorem czego?

— Wszystkiego. Co się z tobą dzieje, poruczniku? Jesteś chory?

— Tak, myślę tylko o niej.

Wlepił w moją twarz pozbawione blasku, matowe źrenice, i wydął wargi przypominające pysk lemura:

— A zdarza ci się czasami myśleć nie o sobie, poruczniku?

RZYM PRZECIW FLORENTYŃCZYKOWI — Akt VI.

— Uniżenie witam waszą świątobliwość! Gnałem z Florencji na złamanie karku...

— Mów jeszcze szybciej!

— „Filius perditionis" e morto!*

— Która była?

— Dziesiąta z rana, wasza świątobliwość.

— A tłum?

— Lżył go niczym złoczyńcę, kiedy go prowadzono na plac śmierci. Bito go od tyłu, pytając: „Zgadnij, kto cię uderzył, proroku!" i: „Fra Girolamo, czyja cizma cię kopnęła?".

— Zatem złotousty spisał się dobrze...

— Wybornie, wasza świątobliwość!

— Sprzeciwów żadnych?

— Prawie, wasza świątobliwość...

— Mów!

---

* — *„Syn niegodziwości" jest martwy! (papież Aleksander VI zwał Savonarolę „filius perditionis").*

— Niefortunnie szubienicę na krzyż zbito i tłum sarkał, że to przypomina krzyż Golgoty, więc obcięli jedno ramię w tym krzyżu, wasza świątobliwość.

— Co dalej?

— Dalej powiesili i spalili mnicha, wasza świątobliwość.

— Bogu niech będą dzięki Najwyższemu! Morta la bestia, morta la rabbia o venano!*

---

* — *Zdechła bestia, zdechła jej furia i jad! (według przysłowia starowłoskiego: „Gdy bestia zdycha, zdycha jej furia i jej jad”).*

Rozdział 13.

— Dwie ważne sprawy, szefie — powiedział Cliff. — Dziś w nocy umarł Berkun.

Minister gospodarki, Dag Berkun, był zaufanym człowiekiem prezydenta Rabona. W ciągu ostatnich kilku miesięcy zaufani Rabona umierali przy akompaniamencie wybuchów i strzałów podziemia terrorystycznego. Taerg chwytał i rozwalał podziemne płotki, media krzyczały o sukcesach enbecji, a dygnitarze (w tym kilku generałów) ginęli kolejno, jakby według listy selekcyjnej.

— Krimm?

— Prasa i telewizja podadzą jutro, że zawał serca.

— Ja ciebie nie pytam, co oni podadzą! Pytam, co się wydarzyło!

— Umarł normalnie w łóżku. Od strzału w pierś.

— Więc Krimm!... Tuszują to, bo komendant nie może go złapać.

nazwie! Proszę to przeczytać, eminencjo. A wcześniej stłuc zegarek, bo inaczej będzie miał eminencja tylko minutę na dokonanie lektury!

Czytałem ów artykuł przed wizytą u nuncjusza. Grant, którego Taerg i Hubert złowili wędką karierologiczną, dał popis publicystycznego kunsztu:

„H I P O K R Y Z J A
czyli o co chodzi?

Pierwszą rzeczą, jaką zrobił po przybyciu do naszego kraju nowy nuncjusz papieski, kardynał Amedeo Terrafini, był protest. Protest złożony na ręce głowy państwa, Jego Ekscelencji Marszałka-Generalissimusa Rabona. Kardynał Terrafini zaprotestował przeciwko dwóm grzechom popełnianym w naszym kraju: przeciwko prostytucji i przeciwko używaniu symboliki katolickiej dla celów będących w całkowitej sprzeczności z doktryną katolicką.

Nuncjusz Terrafini ma lat pięćdziesiąt dziewięć, z czego około czterdziestu przepracował jako kapłan, piętnaście jako książę Kościoła, a ostatnich dziesięć jako dyplomata watykański. W charakterze wysłannika Ojca Świętego wojażował do wielu krajów. Akredytowany był w trzech. Przez wszystkie te lata i w żadnym miejscu, gdzie go przyjmowano, nikt nigdy nie słyszał, aby kardynał Amedeo Terrafini choć jeden raz zaprotestował przeciwko prostytucji, rozwiązłości, nieobyczajności i używaniu symboliki katolickiej dla celów obrażających Kościół. Czemuż więc zrobił to w Nolibabie? Możliwe są — do wyboru — trzy odpowiedzi:

1. Prostytucja i profanacja istnieją tylko w naszym kraju, zaś w innych państwach globu o czymś takim w ogóle nie słyszano.

2. Jego eminencja kardynał Terrafini był przez kilkadziesiąt lat ślepym i głuchym niemową, zaś wzrok, słuch, mowę plus wrażliwość moralną odzyskał dopiero w Nolibabie dzięki błogosławionej sile nadmorskiego klimatu.

3. Mamy do czynienia z hipokryzją, ergo z czymś, co autorzy Pisma Świętego nazywają faryzeizmem.

Zastanówmy się teraz, która z tych trzech odpowiedzi jest odpowiedzią prawidłową.

Jego eminencja nuncjusz, nim zaszczycił z woli Ojca Świętego Nolibab, był nuncjuszem papieskim w Niemczech, gdzie prostytucja — przynajmniej liczbowo — jest rekordowa na kontynencie europejskim. Niemieckie mega-burdele noszą wdzięczne nazwy «Centra Erosa», a niemieckie dzielnice płatnego seksu (np. osławiona hamburska Sankt Pauli) nie mają równych sobie. Jego eminencja kardynał Terrafini nigdy nie skarcił tej gałęzi niemieckiego przemysłu.

Jako nuncjusz dla obszaru Niemiec kardynał Terrafini mieszkał w Bonn. Właśnie w Bonn, niedaleko nuncjatury papieskiej, znajduje się jedno z najciekawszych muzeów globu. Zwie się ono: Muzeum Kobiet. Muzeum tym, do którego może wejść z ulicy każde dziecko, zarządzają wyłącznie damy, na czele z dyrektorką, Frau Marianne Pitzen. Głównymi eksponatami są genitalia, to znaczy męskie i żeńskie narządy płciowe, ukazywane w akcji i w spoczynku, od wewnątrz i od zewnątrz, w skali 1:1 i w olbrzymich powiększeniach, z plastiku, gipsu, drewna, płótna, włosia, kamienia, tudzież z innych materiałów, tak by eksponaty trochę różniły się między sobą. Kardynał Terrafini przez cały czas pobytu w mieście nie zauważał tego przybytku sztuki, a ponieważ go nie zauważał (chociaż często obok niego przejeżdżał), więc nie krytykował.

Niemcy są również królestwem młodzieżowej prasy. Każdy numer tych czasopism dla nastolatków («Mädchen», «Bravo» etc.) jest zapełniony wskazówkami o wyuzdanym lub pornograficznym charakterze. Przykładowo «Mädchen» («Dziewczyna») specjalizuje się w poradach dla dziewcząt. Fragment porady z zeszłotygodniowego numeru: «Najwrażliwszą częścią ciała twojego chłopca jest penis. Głaskanie, lekkie uciskanie, dotknięcie ustami lub branie penisa w usta potęguje wzrost pożądania u twego chłopca...»! Te magazyny propagują miłość tak zwaną jednonocną — «one-night-stands». A zatem uczą młodych Niemców rozwiązłości, gangrenują ich moralnie, mordują tradycyjne reguły życia małżeńskiego i rodzinnego, których orędownikiem jest Kościół. Tymczasem nuncjusz Terrafini nigdy się przeciwko owym pismom nie wypowiedział.

Co zostało? Profanowanie symboli katolicyzmu. Bardzo często robi to show-biznes, i ma to na młodzież równie destrukcyjny wpływ. Według niektórych stoi za tym mafia Żydów, ateistów, komunistów, liberałów, pedałów i ruchu feministycznego. Według mnie, stoją za tym pieniądze. Jak ktoś mądrze powiedział: zawsze, gdy nie wiadomo o co chodzi, chodzi o pieniądze. Lecz aby zgarnąć duże pieniądze, trzeba mieć dużo odbiorców. Te miliony odbiorców, to miliony tępawych młodzianków i miliony rozmóżdżonych i rozhisteryzowanych dziewcząt, będące widownią koncertów rockowych, podczas których osobnicy płci nieokreślonej chcą się im przypodobać. Produkt musi być głośny i wulgarny, i taki jest, lecz produkt często powielany staje się nudny, i wówczas trzeba produktu nowego, oryginalnego, szokującego. Na przykład szokującego bluźnierstwem. Recepta jest prosta: bierze się wydrowate, lubieżne kurwiątko, i daje mu się imię (nazwę) Bożej Matki. Później wynosi się tę Madonnę na piedestał show-biznesu gigantyczną kampanią reklamową, i kręci się teledyski, w których wszelakie symbole chrześcijaństwa i atrybuty liturgiczne zostają wymieszane z pornografią oraz z ekshibicyjnym seksem. Im bardziej rozwiązła publicznie jest Madonna, tym bardziej religia jest utaplana w gnoju. I o to chodzi. O to, by młodzież, która jest przyszłością świata, kojarzyła kult, Kościół, Boga i Jego Matkę z gołym rozbujanym cycem i z gołą wypiętą lub rozkraczoną dupiną. Jego eminencja kardynał Terrafini był w Niemczech delegatem namiestnika Bożego kiedy Madonna dawała tam serię koncertów. Koncerty te stanowiły kliniczny przykład «używania symboliki katolickiej dla celów będących w całkowitej sprzeczności z doktryną katolicką». Tymczasem nie słyszano, by nuncjusz złożył w tej sprawie protest na ręce kanclerza Kohla.

Pamiętać jednak należy, iż nuncjusz jest dyplomatą i realizuje polecenia Watykanu. Watykan również nigdy nie oprotestował bluźnierczej Madonny i bluźnierstw Madonny. Budzi to zdziwienie, gdyż ten sam Watykan głośno zwalcza głupstwa, na przykład wyroby gumowe. O co tu chodzi? Zawsze, gdy nie wiadomo, o co chodzi, chodzi o duże pieniądze. Szczegóły w przyszłym tygodniu.

Robert Grant".

Kardynał podniósł wzrok, a stryj wyjął mu gazetę z ręki.

— Jakie szczegóły? — zapytał nuncjusz.

— Szczegóły dotyczące udziału waszej eminencji w pewnych matactwach Banco Ambrosiano oraz Instytutu Dzieł Religijnych czyli kasy watykańskiej, przed paru laty. Ktoś z nas wspomniał na początku tej rozmowy o łapownictwie, eminencjo...

— To bezczelny szantaż!

— Z całą pewnością, eminencjo. Tylko że nie kompletny. Zapomniałem wspomnieć o takim szczególe, jak przynależność „brata" Terrafiniego do powiązanej z mafią loży wolnomularskiej P-2, razem z innymi „braćmi"-kardynałami, Villotem, Palettim, Casarolim...

Usta stryja wystrzeliwały kolejne nazwiska, a twarz Terrafiniego uzyskiwała ten kolor bieli, który właściwie jest już szarością. W malarstwie ów odcień nosi fachowy termin: „*grisaille*". Stryj zakończył tak, jak lubił, „filozoficznie":

— ... Mówiliśmy tu nie tylko o łapownictwie, eminencjo. Mówiliśmy też o sile argumentów. Życie mnie nauczyło, że jeśli nie skutkuje siła argumentów, trzeba zastosować argument siły!

— Poskarżę się u prezydenta! — krzyknął nuncjusz. — I powiem mu o tej gazecie!

— To nie zatrzyma druku. W tej czy innej, ale wydrukujemy, skarżąc się przy tym, że eminencja chciała cenzurować wolność słowa za pomocą inkwizycyjnych metod. Później gazety na całym świecie przedrukują ten artykuł, bo Grant to nasz publicysta numer jeden, jego się przedrukowuje i jemu się wierzy. W ten sposób rozpętamy aferę, która definitywnie zamknie ci drogę ku realizacji twego największego marzenia — ścieżkę ku tronowi apostolskiemu! Wiesz o tym równie dobrze jak ja, klecho!

Później, już w samochodzie, powiedział mi:

— Głaskaj lub zabij! Ale zabitego też pogłaskaj.

Tam właśnie zrobił to, gdy nuncjusz — na początku rozluźniony i butny — teraz siedział sztywny i milczący. Zamiast „klechy", z ust stryja wyszła znowu „eminencja" pełna szacunku:

— Nie pragnę być wrogiem Kościoła, eminencjo. Jest wiele spraw, w których ja i Kościół zgadzamy się całkowicie. Kiedy Kościół walczy przeciwko zabijaniu nienarodzonych, ja stoję po tej samej stronie barykady, co Kościół, gdyż aborcja to ewidentny, okrutny mord popełniany na żywej istocie ludzkiej, a każda frazeologia proaborcyjna jest niczym innym, jak ohydnym faryzeizmem uprawianym dla wygody milionów dzieciobójczyń. Stąd wyraz: m a t k a, nie brzmi w moich uszach takim sakralnym echem, jakie się przypisuje temu słowu, bo większość matek to zimne morderczynie własnych dzieci. I nie jest to jedyna sprawa, w której zgadzam się z Kościołem. Ale gdy ktoś chce ze mną walczyć, przyjmuję wyzwanie, eminencjo... My nie powinniśmy walczyć, powinniśmy zawrzeć sojusz. W sprawie tego sojuszu zwróci się do eminencji mój przyjaciel, szef Narodowego Bezpieczeństwa, i mam nadzieję, że nie spotka się z odmową. A teraz żegnam waszą eminencję i życzę dużo pomyślności w nowym miejscu pracy.

Gdy wiozłem go do domu, wyczuł, że chcę o coś zapytać.

— Coś cię gnębi, synku?

— Nie, stryju.

— A jednak coś cię gnębi.

Chciałem go błagać o prawdę na temat Miriam — o tę tajemnicę, którą ukrywał przede mną. Ale prócz starych kłamstw nie powiedziałby mi nic. Zapytałem:

— Stryju, czy ty wierzysz w coś?

— W coś konkretnego, Nurni?

— W jakiś absolut.

— Żaden absolut nie istnieje. Nie ma absolutnej prawdy, absolutnej etyki, absolutnej miłości, mądrości, piękna, dobra, jak również Wielkiego Ducha. Wszystko to są mrzonki filozofów.

— A chciałbyś, żeby było coś takiego?

— Taaak, Nurni! — powiedział z uśmiechem mrożącym krew w żyłach, demonstrując tym tonem i tym uśmiechem, że brakuje mu przeciwnika na miarę jego geniuszu.

Dwa dni później „Santissima Trinidad" wznowił publiczną działalność. Cztery dni później, idąc środkowym międzypokładem do centralki podsłuchów, zobaczyłem Hornlina! Opuszczał kajutę którejś z „dam", a gdy mnie spostrzegł, zrobił taki ruch, jakby chciał umknąć. Mój szok eksplodował w pytaniu:

— Co pan tu robi, do cholery?!

— Pański stryj zaprosił mnie na pokład... I kapitan Galton... — wymamrotał tak cicho, że ledwo go dosłyszałem.

— Nie pytam, kto pana zaprosił, tylko co pan robi w tym burdelu!

Podniósł wzrok, jakby dość miał już wstydzenia się:

— Szukam mojej młodości...

— Tutaj?!

— A mógłby mi pan polecić coś innego?

— Tak, fizykę kwantową, profesorze! Niedawno słyszałem, że wyłącznie przez nią żałuje pan, iż jest stary, bo nie zdąży pan już zgłębić jej tajników!

— Ja teraz mówię o szukaniu młodości, a nie mądrości.

— Wobec tego polecam „Trzech muszkieterów"! Niech pan czyta Dumasa, profesorze!

— W ten sposób to ja odnajduję moje dzieciństwo, a nie młodość, panie poruczniku. Czytam „Pinokia" i „Czerwonego kapturka" Mikowi... On bardzo tęskni za panem. Jednak nie wyszło na dobre, że pan przestał go odwiedzać.

— Przestałem, bo tak uzgodniliśmy! Mik winien zapomnieć o mnie i przywyknąć do nowych rodziców!

— Jakoś to się nie klei, panie Flowenol. Coś się popsuło, chyba dlatego, że popsuło się małżeństwo „rodziców", mój zięć ma metresę. Mik tylko ze mną czuje się jako tako, i ciągle gaworzy o panu. Pyta, kiedy pan po niego przyjedzie. Nie „do niego", lecz: „po niego"!

— Cholera!

— Ja nie narzucam panu...

— Nie, to nie o to chodzi. Przyjdę jutro, profesorze.

Wziąłem Mika do cyrku indyjskiego, gdzie tresowane słonie robiły główne numery. Znalazł się w siódmym niebie, bo „słoniny" tańczyły rumbę, losowały trąbami prezenty dla dzieciaków i grały piłką wielką jak kula ziemska. Kiedy go żegnałem, zawinął rączki wokół mojej szyi.

— Obiecujes? — spytał cichutko, trzymając wargi tuż przy moim uchu.

— Tak, obiecuję. Nie wiem kiedy, może już niedługo.

— Obiecujes jak Lobin Hood? — wyseplenił.

— Tak. Jak Robin Hood.

Nadstawił buzię, żeby go cmoknąć, i podreptał z „dziadkiem" Hornlinem w kierunku domu, a ja zostałem sam jak Robin Hood.

U drzwi mojego domu czekał Ker. Był wyraźnie przejęty:

— Darlok i ja zlokalizowaliśmy ją!

— Wiecie gdzie jest Miriam?!...

— Tak, synku!

— Moja macocha czy bliźniaczka?

— Nie rozróżniamy ich, nie wiemy która. Ale według wszelakiego prawdopodobieństwa obie tam są.

— Gdzie?

— W starym zamku, czterdzieści pięć mil na północ od stolicy. To średniowieczny zamek, przez miejscową ludność zwany Twierdzą Menad, lub Fortecą Menad. Według legend gnieździły się tam niegdyś czarownice wyznające kult Lilith, synku.

— Kult Lilith?!

— Tak, kult żeńskiego demona, bezpłodnej diablicy Lilith. To zamierzchły, babilońsko-żydowski archetyp kobiety sfrustrowanej i okrutnej...

— Co ona tam robi, Galton?

— Tam jest teraz sekretne gniazdo feminizmu, więc domyśl się co ona tam robi.

— Jakiego feminizmu? Hubert zgnoił cały ten ruch, ośmieszając panią Tigran!

— Nie ma już pani Tigran, rezerwy przejęły pałeczkę. Powiedz mi, Nurni, kiedy...

— Jutro.

— Darlok i ja...

— Sam tam pójdę.

— Nurni...

— Sam tam pójdę, kapitanie Galton!

Nie wytrzymałem do następnego dnia. Chcąc się wyspać, zgasiłem lampę wcześniej, ale obudził mnie stukot deszczu. Była druga w nocy, więc znowu próbowałem zasnąć. Beznadziejna sprawa. Po tych wszystkich miesiącach, kiedy nadzieja wyciekała ze mnie jak pieniądze z dziurawej sakiewki, myśl, że zobaczę moją miłość, rozpalała mi puls niby gorączka, od której pęka termometr.

Ruszyłem, gdy jeszcze mrok spowijał Nolibab. Wokół panowała kompletna cisza, nie było żadnych ludzi, nie paliły się światła w oknach, zaskrzeczał tylko jakiś ptak cierpiący na bezsenność. Moje kroki niosło echem w głąb ulic, więc stąpałem delikatnie, by nie robić hałasu.

Ta sama cisza panowała za rogatkami, gdy znalazłem się wśród krajobrazu wiejskiego. Po ślepej nocy nastał jesienny dzień, łagodny niczym uśmiech człowieka starzejącego się w dobrobycie. Słońce wspinało się jeszcze dość wysoko, lecz jego promienie — wyjąwszy dwie szczytowe godziny — były chłodne, nie potrafiły już niczego zapalić, ani pobudzić do życia sił ukrytych w głębi ziemi, w pniach drzew i w pancerzach owadów. Lekki wiatr głaskał puste pola i pożółkłe łąki, a gdy czasami dmuchnął mocniej, liście zrywały się do lotu jak czerwone pijane motyle, którym starcza sił tylko na to, żeby ładnie upaść.

Później coraz mniej było łąk i pól, a coraz więcej bagna i rozlewisk. Droga zamieniła się w groblę, pełną drewnianych mostków, które chwiały się pod nogą. Topiel przecinały fale mchów nastroszonych i wzdętych, im dalej zaś było od lustra wody — wydeptanych i zdartych; miejscami zjawiała się drapiąca turzyca o runi drobniutkiej, białawej, wyżartej księżycową porą przez chore wilki z pobliskiego lasu lub przez zgłodniałe psy z pobliskiej osady; także krzewinki jeżyny, ozdobione siwkami brusznicy i szaroniebieską pijanicą.

Wiatr niósł zapachy dymów, lecz nie chciałem nocować wśród ludzi; przenocowałem w kępie mchu, grubej i ciepłej jak wiejska pierzyna. Dopiero gdy wylazłem z niej nad ranem, zatrząsłem się od chłodu. Był październik, słońce grzało tylko w południe, słabo i bardzo krótko. Po południu chwycił pierwszy lekki mróz — uprzednia ranna obfitość rosy zamieniła się w jesienny szron, ręce i twarz myłem w wodzie z łuskami lodu. Klęcząc u brzegu strumienia zobaczyłem dębowy liść niesiony prądem. Kilkadziesiąt mrówek siedziało na nim jak na wielkiej tratwie lub łodzi pozbawionej steru. Przez chwilę przyglądałem się tej odysei, taka była dziwna. Wtem spod lustra wody wychynęły wargi rybie lub żabie (nie zdążyłem dostrzec, rzecz stała się zbyt szybko), chwyciły brzeg liścia i wciągnęły „łódź" pod wodę razem z gromadką pasażerów. Toń strumienia zmąciły kręgi, które uderzyły o brzeg, zgasły i lustro wody znowu się wygładziło.

Przez kolejną noc trzymał chłód, ale na tym bagnistym terenie ziemia nie zdążyła jeszcze zamarznąć i we mgle poranka moje buty co raz to trafiały w kałuże. Krajobraz jednak się zmieniał. Dostrzegłem pagórki spowite szaroniebieską aurą i blaskiem słońca wędrującego ku błękitnemu niebu. Równina stawała się suchsza i przybierała kolor ochry, zwiędłej róży, sinej bieli, jakby szalony scenograf projektował tu błazeńskie tło dla onirycznych wędrówek. Ciszy i spokoju nie mącił żaden hałas, samolot, świergot ptaków, bzykanie owadów lub szum rzeki. Było tak cicho, iż wydawało mi się, że czas się zatrzymał.

I wtedy ujrzałem górę samotną jak starzec, jedyną od horyzontu do horyzontu. Najpierw zobaczyłem cień tej góry, czarny trójkąt krojący równinę, później skalisty tułów i wreszcie maleńki beret wykonany ludzką ręką. To była Forteca Menad.

Ów widok sparaliżował mi nogi i odchylił głowę — przez jakiś czas trwałem bez ruchu na krawędzi cienia, czekając aż wydarzy się coś niezwykłego. Daremnie jednak wytężałem wzrok w stronę zamku, który wieńczył szczyt. Stare gniazdo rycerskie nie reagowało na promieniowanie moich oczu, patrzyło spokojnie w dolinę, ponad moją głową, jak gdyby było grobowcem przywykłym już tylko do milczenia.

Nim zaszło słońce znalazłem się u podnóża góry. Wspinaczka krętą drogą wokół zbocza wyciskała mi wiadra potu, lecz nie ustawałem, bo każdy krok przybliżał mnie do kamiennego kościotrupa oplecionego dziką przyrodą niczym chramy Majów w amazońskiej dżungli. Ta potężna budowla, którą ojcowie przekazywali synom, a każdy z synów dodawał coś do niej, wzmacniał i podnosił, nawet jako ruina miała groźny wygląd milczącej bestii, mordę ostatniego prehistorycznego gada z zębami wyszczerzonymi w stronę intruzów. Trzeba było pięciu wieków i kilkunastu pokoleń, by owa piramida kamieni wzniosła się od fundamentów, poprzez lochy, komnaty i blanki krenelażu, do zwieńczenia szczytowej wieżyczki, i tylko jednej wojennej pożogi, by zamieniła się w majestatycznego trupa. Dawniej ludzka praca zapładniała wegetację ciosanego granitu, teraz czyniła to roślinność dekorująca kamienie.

Osiągnąłem szczyt, gdy słońce malowało widnokrąg purpurą. Równina pode mną gasła, a nade mną piętrzyła się wielka brama między dwoma pilastrami. U stóp prawego zobaczyłem rzeźbę kucającej małpy z jabłkiem trzymanym w ręku. Stanąłem obok, szukając kołatki lub dzwonka. Wtem małpa poruszyła mordą i nakazała mi palcem:

— Stań tu!

Stanąłem naprzeciwko niej, a wtedy ona wyrzuciła nogę do przodu i zadała mi piętą cios w podbrzusze. Ból mnie zgiął i zmusił do uklęknięcia.

— Masz rację, że nie pytasz czemu uczyniłam ci zło — powiedziała. — Tak niewiele różni zło i dobro, wszystko można odwrócić i nazwać inaczej. Ty się też odwróć póki jeszcze możesz i fruwaj stąd, chłopczyku!

Podniosłem się z kolan i już miałem ją rąbnąć kantem zelówki, gdy zaskrzeczała:

— Nie rób tego! Jestem marmurowa, na nic całe twoje kung-fu, złamiesz sobie nogę!... Jak się tak upierasz, to jazda, wchodź, głupku!

Pchnąłem odrzwia i wszedłem w tę ponurą bramę, zdobioną masywnymi wieżyczkami i kutymi w żelazie wężami morskimi, którym uczyniono z pysków donice dla szkarłatnych kwiatów. Dalej rozciągał się dziedziniec, a każda jego pierzeja miała drzwi. Wybrałem największe i znalazłem się w dużym pomieszczeniu o romańskich oknach ze środkową kolumienką. Była to pusta kaplica, nosząca ślady czasu i ludzkiej bezbożności. Zszarzałe, spękane malowidła na tynku i drewniane ławy na wyszczerbionym pawimencie pokrywał rój wulgarnych graffiti i arabesek o fallicznych sinusoidach. Na ołtarzu, zamiast krzyża lub świętej ikony, widniało współczesne malowidło: duża, piękna kobieta z aureolą, w czerwonym, mocno wydekoltowanym trykocie i w niebieskiej spódnicy, przełożyła przez kolano golusieńkiego blondasa i tłukła go ile sił po tyłku; z głowy bezradnie machającego rączkami dziecka spadła aureola, wprost do stóp bijącej. Na ramie widniała plakietka z mosiądzu, mieszcząca podpis: „Max Ernst, NAJŚWIĘTSZA MARIA PANNA KARCI JEZUSA CHRYSTUSA".

Za kaplicą był korytarz ze sklepieniem żebrowym. Później kilka schodków i wszedłem w ciemność, do pomieszczenia bez okien. Już chciałem się wycofać, gdy mrok przeobraził się w półmrok. Na granitowym murze zobaczyłem cień — wielki kontur mojej postaci, przypominający mamucią sylwetkę mitycznego rycerza lub garbusa z katedry Victora Hugo; mój łeb wędrował po suficie, a moje gigantyczne ciało po kamieniach muru i pawimentu. U moich kolan stał garbus, ale nie ten Victora Hugo, lecz garbus z cmentarza, ten sam, którego widziałem już kilka razy. Trzymał łuczywo rozsiewające żółty blask. Zapytałem, co robi w tym miejscu.

— Mówiłem ci już, chcę być narratorem — odparł.

— Po co?

— Lubię być narratorem. Ale teraz mogę być przewodnikiem. Wszystko można odwrócić, a i tak wychodzi na jedno i to samo, jak to w życiu.

— Znasz ten zamek?

— Znam wszystko. Ruszajmy!

Stąpał przodem, wysoko unosząc płomień łuczywa. Szliśmy przez puste, milczące i wymarłe sale o jaskrawych lamperiach, o herbach tak świeżych i błyszczących jak kupione herby nuworyszów, których nawet kurz nie zdążył ubrać, a tym bardziej patyna uszlachetnić co nieco. W pierwszej sali rzucił pierwszą informację:

— Biblioteka, poruczniku.

— Widzę, że biblioteka!

Na półkach stały poematy Safony, wszystkie dzieła Simone Weil, Simone de Beauvoir, Eriki Jong oraz innych feministek, rozprawy takie jak „Twoje ciało należy do ciebie" i tony identycznych utworów.

Kolejna sala była wideoteką. Metalowe półki gięły się pod ciężarem kaset z damskimi „*movies*", czyli takimi, gdzie kobieta góruje nad facetem („Thelma i Louise", „Śmiercionośna ślicznotka", „Nikita", „Emanuelle", „Nagi instynkt", „Dempsey and Makepeace", „Z Madonną w łóżku", „Imperium zmysłów" etc.).

Trzecia sala mieściła muzeum sztuk pięknych. Wśród wielu obrazów ujrzałem dzieło Artemisii Gentileschii, Holofernesa zarzynanego przez Judytę i jej służącą. Górną część ramy wieńczył napis: JUSTITIA. „*Justitia*" to po łacinie: sprawiedliwość.

— Zwariowały! — mruknąłem.

— Nie tak zupełnie, poruczniku — odparł garbus. — Wielokrotnie w historii artyści przedstawiali Judytę z głową Holofernesa jako „Justitię", personifikując tą morderczynią sprawiedliwość. Nie one to wymyśliły.

Wokół pełno było Judyt i Salome z uciętymi męskimi głowami na półmiskach, były Zuzanny w kąpieli podglądane przez staruchów, były niezliczone akty, były „Dialektyka" i „Niewierność" Veronese'a, „Kobiety w oknie" Friedricha i Dalego, a także baby Rafaela, Rembrandta, Vermeera, Greuze'a i innych mistrzów. Mnóstwo też było Boucherowskiej półpornografii — owych nieletnich kobieciątek leżących na brzuchach z rozrzuconymi nogami i z pośladkami wypiętymi w stronę patrzącego.

Widząc dzieło Artemisii, przypomniałem sobie, co Adrian Flowenol mówił w Akademii Flowenolów na temat tego obrazu. A potem przypomniałem sobie, że była tam również nawa kościelna i że ten garbus przemawiał do tłumu z ambony.

— Mówisz, że znasz wszystko... — powiedziałem.

— Tak, znam wszystko — odparł.

— Więc musisz znać tajemnicę Strychu.

— Jakiego strychu?

— Nie udawaj durnia! Mówię o Strychu w Akademii Flowenolów!

— Chodźmy dalej.

— Najpierw powiesz mi, co to za tajemnica!

— Gdybym ci powiedział, przestałaby być tajemnicą. Rozumiesz więc, że nie mogę tego zrobić.

— Nie możesz, czy nie chcesz?

— Jedno i drugie, przyjacielu. Po pierwsze, nie wolno mi. A po drugie, zdradzać ten sekret choremu byłoby okrucieństwem, nie jestem okrutny wobec przyjaciół. Gdybyś się dowiedział, zgłupiałbyś jeszcze bardziej, a ty jesteś już wystarczająco ogłupiały, pozostań przy tym.

— Więc to dotyczy Miriam!

— To dotyczy wszystkich dwunożnych zwierząt, twoja Miriam jest kroplą w morzu.

— Wszystkich?

— Tak, wszystkich kobiet.

— Wszystkich kobiet? A więc ta tajemnica to zwierzęcość kobiet?

Popatrzył na mnie jak pielęgniarz na wariata.

— To miałoby być tajemnicą? O tym, że kobiety to tylko zwierzęta, wie połowa mężczyzn, trzy czwarte spowiedników i każda z kobiet. To jest coś innego, przyjacielu.

— Coś bardziej potwornego?

— Tak. Coś pięknego. Coś potwornie pięknego. Coś pięknie potwornego. Coś bardzo prostego, jak każda rzecz wielka. Coś... coś na kształt duszy tej pięknej Żydówki, która była w Oświęcimiu metresą doktora Mengele, słyszałeś o nim?

— Tak.

— Ale nie chodzi tu o jej duszę wtedy, kiedy ciągnęła mu wąchając krematoryjne dymy, bo w każdym jest zwierzęca żądza życia, dla życia ludzie wszystko zrobią. Chodzi o jej duszę po Oświęcimiu. Mengele zabrał tę kobietę uciekając z obozu i kochali się dalej, jak to zakochani... Rozumiesz? Coś z tej materii, dziecinko... Więcej mnie nie wypytuj o Strych, bo niczego więcej nie zdradzę, koniec wykładu!

U progu sali czwartej garbus powiedział:

— Sala nienawiści.

— To znaczy co?

— To znaczy, że tu się odbywają seanse nienawiści.

Pod stropem widniało kilka napisów malowanych fosforową farbą („Macho w depresji — rzuć się do ustępu!"; „Im więcej mężczyzn poznaję, tym bardziej lubię swego psa"; „Jane Fonda: Kobieta to płeć wyższa"; „Kobieta tak potrzebuje mężczyzny jak ryba roweru", itp.). Niżej stał rząd strzelniczych tarcz i tarcz do rzucania lotką, a kręgi tych tarcz wymalowano na twarzach mężczyzn. Każda twarz była inna, gdyż były to powiększone zdjęcia konkretnych osób.

— Kim jest ten ze zmarszczonymi brwiami? — zapytałem.

— To wielki Strindberg, dziecinko! Twórca terminu „kobieta-modliszka", deprawująca i niszcząca mężczyznę.

— A ten w środku?

— Weininger, genialny filozof. Mizogin, jak my wszyscy, tylko że niektórzy, tak jak on, potrafią to celniej formułować.

Nad drzwiami wisiał duży supraport z białym wielorybem gruchoczącym łódź pełną harpunników.

— Co tu robi Moby Dick?

— Eksterminuje brzydką płeć. Ale według nich on był samicą, więc nie mógł nazywać się Moby Dick, to była Moby Sally. One uwielbiają Moby Sally.

Piąte pomieszczenie wypełniała aparatura chemiczno-biologiczna, a jedyną ozdobę stanowiła tu rzeźba bogini Izys z księżycem w koronie — symbolem nocnej władzy nad planetą.

— To laboratorium. Tutaj próbują wynaleźć sposób zapładniania kobiety przez kobietę, taki, żeby rodziły się same dziewczęta.

— I co?

— I gówno. Przynajmniej na razie. Ale się nie poddają, wciąż to ćwiczą, twarde wiedźmy! Pracują tu również nad technologią i farmakologią orgazmu.

— Są tu jacyś mężczyźni?

— Mężczyźni nie są im potrzebni do orgazmów. Dawno już udowodniono, że większość kobiet miewa orgazm przez pieszczotę łechtaczki, a tylko zdecydowana mniejszość może go osiągnąć przez naszego fiuta, podczas normalnego stosunku.

Kolejna sala miała bogaty ołtarz ze złotym krucyfiksem, lecz zamiast Jezusa do krzyża umocowano gołą piękność, którą rzeźbiarz wyobraził tak precyzyjnie, jak to robił Cellini — nie brakowało łonowych włosów.

— Bóg był kobietą, przyjacielu, to Chrysta — objaśnił garbus, widząc mój kwadratowy wzrok. — Rzeźba Edwiny Sandys z roku 1975, bardzo popularna wśród feministek. Co, jesteś zaszokowany?

— Nie... To znaczy tak.

— Jak się pierwszy raz ogląda coś w tym stylu...

— Oglądałem już coś w tym stylu, ale to był rysunek. Mój stryj ma zbiór grafik pornograficznych...

— Pewnie widziałeś „Kuszenie świętego Antoniego” Féliciena Ropsa. Goła, wyzywająco uśmiechnięta dziwka na krzyżu?

— Tak.

— Rops sto lat temu zrobił sobie żart i nic więcej, lecz one tutaj poważnie to traktują.

— A co tu się robi?

— Tu lesbijki zaślubiają lesbijki, a kiedy nie ma ślubu, to są jakieś inne ceremonie, zawsze jest jakaś okazja.

— Na przykład jaka?

— Na przykład rytualna uroczystość z okazji początku menopauzy.

Wszystkich odpowiedzi udzielał kpiącym tonem, ale kpiącym wobec nich, zaś wobec mnie był grzeczny, wyzbyty pogardy, którą niegdyś demonstrował. Mimo to budził mój wstręt. Czy miał świadomość tego? Zakładam, że tak.

— Czemu żadnej nie spotykamy?

— Bo wszystkie biorą udział w posiedzeniu babskiego kongresu, w dawnej sali rycerskiej — odpowiedział. — Już dwa dni obradują.

— Gdzie obradują?

— Piętro nad nami. Lecz i tu je słychać. Wsadź łeb w kominek, poruczniku, a usłyszysz, bo rycerski kominek stoi nad tym kominkiem.

Wydrążony w ścianie kominek był wielki jak mała grota — wszedłem do niego bez pochylania karku. I gdy tylko wszedłem, od góry usłyszałem damski głos:

— ... więc nikomu nie wolno negować tej prawdy! Adrienne Rich pisała z zachwycającą trafnością: „My, kobiety, jak plemię dawno podbite i zaginione, mamy nasze spalone miasta, nasze rysunki na ścianach wąwozów, nasze anonimowe pieśni, utajone znaki sekretne, które teraz dopiero zaczynamy objawiać na nowo". Tak, moje siostry, tak było dawno temu! Badania archeologiczne naszych sióstr dowiodły, że w prehistorycznym okresie matriarchatu rozwinęła się kultura na wysokim poziomie. Erę matriarchatu zastąpiła era patriarchatu, która trwa po dzień dzisiejszy. Jest ona źródłem wszelkiego społecznego zła: dyskryminacji płci, rasizmu, sadyzmu i klerykalizmu, niechęci do homoseksualizmu, kultu niewolnictwa i nienawiści do ciała, nierówności klasowej, pauperyzacji, wojny i gwałtu technologicznego na przyrodzie!

Szanowne siostry! Środkiem do osiągania przez jedną grupę ludzi dominacji na drugą grupą ludzi jest przemoc. Celem przemocy jest odbieranie godności czyli człowieczeństwa. Istnieje wiele gatunków terroru. Może to być małżeństwo, system prawny, religijny, zwykły fizyczny gwałt lub pornografia. Ta ostatnia jest szczególnie niebezpieczna, gdyż wiele sióstr otwarcie deklaruje, inne zaś to ukrywają, że lubią pornografię i chętnie biorą w niej udział dla celów komercyjnych. Te siostry twierdzą, że pornografia jest formą seksualnego wyzwolenia! Siostry te nie rozumieją, że pornografia to męska broń wymierzona przeciwko nam i że nie stanowi ona wyzwolenia seksualnego, lecz oznacza uprzedmiotowienie kobiety, a zatem jej seksualne zniewolenie! Przemysł pornograficzny to instrument władzy, którą macho sprawuje nad kobietami, odbiera im godność, przekształca je w towar, utrzymuje w poniżeniu! Najbardziej nikczemną formą tego przemysłu służącego dewastacji kobiet jest pornografia sadomasochistyczna. Siostry, które to robią i które tłumaczą się prawem do wolności seksualnej oraz prawem do wolnego wyboru sposobu zarabiania, winny być napiętnowane i reedukowane, dlatego wczorajsze głosowanie, podczas którego projekt rezolucji o nielegalności sadomasochizmu został odrzucony statutową większością dwóch trzecich Zgromadzenia, uważam za błąd! Komisja dyscyplinarna winna się przyjrzeć temu skandalicznemu werdyktowi, a powtórne głosowanie winno być jawne oraz imienne, proszę sióstr!

Kolejną sprawą jest religia chrześcijańska, której dogmaty i przepisy, nie dość, że dyskryminują kobietę od wieków, to jeszcze są z gruntu fałszywe! Na szczęście feministyczna teologia rozwija się ostatnio pomyślnie i burzy świat starych fałszerstw chrześcijańskich! Dzięki naszym siostrom-teolożkom, pracownicom znakomitych uczelni w Europie i Ameryce — że wymienię tu tylko tak głośne siostry jak Uta Ranke-Heinemann, Rosemary Ruether, Christina Reimers, Sandra Schneiders, Elisabeth Schüssler Fiorenza, Sandy Yarlott, Margaret Mc Manus, Sally Mc Fague czy Mary Daly — wiemy już dzisiaj, iż Bóg nie był mężczyzną lecz kobietą! Nie było żadnego Boga-ojca i Boga-syna, wszechświat stworzyła Wielka Matka, drogie siostry! Kobiet nie mógł zbawić Zbawiciel-mężczyzna, to oczywiste! Szowinistyczny androcentryzm twórców Pisma Świętego zasiał kłamstwo o Bogach-mężczyznach i zmusił setki pokoleń do modlenia się: „Ojcze nasz”, lecz my stworzyłyśmy nową, prawdziwą Biblię, interpretującą Ewangelię z punktu widzenia naszego ruchu, ruchu wyzwolenia kobiet, i w tej Biblii nie ma ani jednego zaimka „on”! Siostry, które dotychczas nie nabyły tego dzieła mądrości i prawdy, mogą naprawić zaniedbanie w sekretariacie, korzystając z bonifikaty dwudziestoprocentowej.

Jeszcze jedno, drogie siostry. Wśród kościelnych dyktatur poniżających kobietę szczególny stopień terroryzmu uprawia dyktatura katolicka. Nie zezwala ona kobietom przyjmować święceń kapłańskich, wznieca nienawiść do wolności seksualnej i do postaw homoseksualnych, propaguje szaleńczą hagiografię heterogenicznych kajdanów małżeńskich i obłąkany kult dziewictwa, mimo że profesor Ranke-Heinemann udowodniła bezspornie, iż nawet Matka Boska nie była dziewicą...

Wybiegłem z kominka.

— Czy ona jest tam? — zapytałem.

— Po tysiąckroć jest — odparł garbus. — Widzisz te drzwi? Dalej są schody.

Biegłem na górę lekceważąc grzmot, jaki moje buty krzesały z kamienia. Wpadłem do hallu, którego ściany były okryte ciężką draperią. Instynkt pokazał mi rozcięcie w tej kotarze i stanąłem na progu wielkiej sali pełnej kobiet siedzących ciasno niby publiczność teatralna. I natychmiast zamknąłem oczy, i otwarłem je, i znowu zamknąłem, żeby odpędzić majak, ale on nie chciał ustąpić. Każda z tych kobiet miała inny strój, lecz wszystkie miały tę samą twarz — twarz Miriam! W sali siedziało kilkaset lub może nawet tysiąc sobowtórów Miriam!

Wtem obok mnie rozbłysło światło — garbus stanął za moimi plecami z łuczywem. Płomień zwrócił uwagę kobiety siedzącej najbliżej wejścia. Odwróciła twarz w moim kierunku.

— Skąd się tu wziąłeś, Nurni?

Przez chwilę nie mogłem wydusić słowa, tak bardzo ścisnęło mi krtań coś dziwnego, mieszanina strachu i wstydu. W końcu zwalczyłem tę słabość:

— Szukam ciebie.

— Mnie już nie ma, Nurni. I do tego nie lubię dzieci, to znaczy mężczyzn-małych chłopców.

— A znasz innych mężczyzn, kurwo?! — wtrącił się garbus, ukazując kły rozeźlonego drapieżnika.

Chciałem go kopnąć w ten wyszczerzony pysk, lecz powstrzymała mnie jej odpowiedź:

— Tak, Hubert był mężczyzną...

Odwróciła twarz, ze wzrokiem już niewidzącym, zapatrzonym do wewnątrz, pełnym marzeń lub wspomnień lub tylko bólu, w każdym razie my przestaliśmy dla niej istnieć, jakby w ogóle nie było nas tutaj. Ale czy ona była tutaj? Czy to była ona, czy kobieta, którą morski bałwan zdmuchnął na plaży podczas mojego urlopu? Im dłużej wpatrywałem się w jej profil, tym mniej byłem pewien kto mnie odtrąca. Drzwi zamknęły się same, poczułem wiatr przy skroni, a wzdęta kotara musnęła łuczywo i stanęła w ogniu. Próbowałem ją zerwać, lecz ogień rozprzestrzeniał się zbyt szybko. Garbus wybuchnął śmiechem:

— Hi, hi, hi, hi, hi, hi, hi, hi, hi!... To bez sensu, przestań się bawić w strażaka!... Zresztą ten pożar również jest bez sensu, nie ma rozwiązań idealnych. Wtedy, kiedy palono czarownice, można było spalić wszystkie czarownice. Ale gdyby to zrobiono, dzisiaj Ziemia byłaby bezludna, więc to też byłoby do dupy.

Paliło się już z trzech stron. Zbiegłem po schodach pełnych dymu, przebiegłem jakąś salę i chwyciłem klamkę kolejnych drzwi, lecz gdy nacisnąłem, klamka się urwała. Płomienie były tuż-tuż. Gorący pot okrył mi czoło. Naparłem ramieniem — drzwi nie chciały ustąpić. Kopnąłem je z taką siłą, jaką tylko mogłem wyzwolić w sobie. Ustąpiły. Jeden kopniak przywraca świat.

Gdy dobiegłem do wielkiej bramy, paliło się już pół zamku. Kamienna małpa wyła błagalnie:

— Weź mnie ze sobą! Weź mnie ze sobą!

— Dlaczego miałbym to zrobić?

— Nie chcę ginąć w ogniu! — jęknęła. — Nie zasłużyłam na taką krzywdę i na taki ból!

— Jesteś pewna, że to krzywda i ból? Wszystko można odwrócić i nazwać inaczej, czy nie tłumaczyłaś mi tego?

— Błagam cię, weź mnie ze sobą! — zawyła, przekrzykując huk pożogi.

— Daruj, ale nie udźwignę kamienia! — odkrzyknąłem.

— Jeśli mnie weźmiesz stąd, wyjawię ci co jest na Strychu!

— Na jakim strychu?

— Na Strychu tego domu, przy którym rośnie klomb z czarnych róż!

— Na Strychu Akademii?

— Tak!

Próbowałem unieść ją, lecz była zbyt ciężka, a płomienie ogarniały już bramę i lizały moje włosy. Przez dym buchający moim śladem, gdy biegłem na zboczu, dosięgnął mnie jej krzyk:

— Nigdy nie poznasz ostatniej prawdy, głupcze, nigdy nie zgłębisz tajemnicy Strychu, nigdy nie będziesz wiedział!!!

Ów krzyk echo odbijało od ścian wąwozów tnących zbocze: "Nigdy nie będziesz wiedziaaaaaał!!!... dziaaał!!... aaał!"...

Podnóże góry bombardował grad parzących iskier i kamyków; schroniłem się w niszy skalnej i przeczekałem to piekło. Na równinę mogłem zstąpić gdy blask księżyca dał jej srebrzysto-fioletowy poler. Hen, wysoko, dopalała się ruina zamku, istny płomień olimpijski na szczycie świętego wzgórza. Wokół było tak cicho, jakby wszystkie demony zamieszkujące tę ziemię uciekły stąd, prócz jednego, którego niosłem w moim mózgu, lecz on konał ze zmęczenia — senność, niczym wampir, wypiła mu całą krew.

Zbudził mnie Galton. Leżałem na trawie, pośrodku równiny, a on siedział obok i drażnił mi nos łodyżką jakiegoś kwiatu.

— Dzień dobry — rzekł spokojnie.

— Dzień dobry... — odparłem, nie kryjąc zdziwienia.

— Znalazłeś ją?

— Znalazłem.

— I?

— I już nie muszę jej szukać. A czemu ty się tu znalazłeś?

— Musiałem ci wyjść naprzeciw...

Uderzyła mnie myśl tak potworna, że przerwałem mu:

— Czy Mikowi coś się stało?!...

— Nic mu się nie stało. Jedyne, co grozi twojemu „słoninowi", to że kiedyś zachowasz się wobec niego jak Sziwa wobec swego syna Ganesza.

— O czym ty pierniczysz, Ker?

— O tym, że Sziwa uciął synowi głowę i zastąpił ją łbem słonia. Ale nie przejmuj się, Ganesz to hinduski bóg mądrości. Mik wyrośnie na mądralę większego od nas dwóch. I szczęśliwszego, wiadomo, że słoń przynosi szczęście.

— Zwłaszcza afrykańskim kłusownikom i handlarzom kłami słoniowymi! Czemu mnie szukasz?

— Wybiegłem ci naprzeciw, bo mam nowinę. I dlatego, że uciekam z Nolibabu. Już tam nie wrócę, Nurni.

— Co się stało?

— Co się stało?... Wiele się stało. Najpierw umarł Bóg. Potem umarły ideologie. Człowiek został sam na bezkresnej drodze do wymarzonego raju. Cudowna okazja dla charyzmatycznych bydlaków pragnących żelazną pięścią spełniać to marzenie. Ludzie czekają na nich, tęsknią do nich. Miliony i miliardy ludzi na wszystkich kontynentach, synku. Ubezwłasnowolnienie jest taką samą ludzką potrzebą, jak jedzenie i picie. To nieprawda, że ludzie tęsknią do wolności, tęsknią tylko do bezpieczeństwa...

Przerwałem mu:

— Skończ z tą filozofią! Co jest?

— Jeszcze jest Rabon, ale wkrótce będzie Taerg, który pragnie bardziej uszczęśliwić naród. Przygotowują zamach.

— Domyślałem się tego.

— Kościół jest z nimi, mają w ręku nuncjusza i kardynała Diala, który będzie nowym prymasem kiedy Taerg zostanie nowym prezydentem. Pomaga mu kilku generałów, kilkudziesięciu pułkowników i dwóch cywilów: twój stryj, który daje szmal i daje na tajne spotkania z gronem oficerskim miejsce nie budzące podejrzeń, bo wiadomo, że w burdelu robi się tylko jedno, oraz pan Krimm, który wykańcza zbyt twardych ludzi Rabona, żeby nie było zbyt dużego oporu.

— Tego się również domyślałem. Komendant przymyka oczy na działalność terrorystyczną...

— Nie, synku, on kieruje działalnością terrorystyczną. Krimm wykonuje tylko jego rozkazy.

— Coś ty powiedział?!

— Powiedziałem, że Krimm gra w jednej drużynie z Taergiem i z Hubertem Flowenolem, synku.

— Masz dowody?

— Cliff ma dowody. Nagrał rozmowę komendanta i twojego stryja.

— A skąd ty o tym wiesz?

— Cliff cię szukał, nie miał pojęcia gdzie zniknąłeś i na jak długo. Zwrócił się do mnie. Uzgodniliśmy, że ja pójdę twoim śladem do zamku...

— A on pilnuje Krimma?

— Pilnuje aparatury podsłuchowej. Krimm przeszedł „kosmetykę" chirurgiczną, więc zidentyfikować go nie da rady, właśnie o tym gadali Hubert z Taergiem. Że można Krimma spokojnie zaprosić na statek, bo ty go nie poznasz, gdyż chirurg plastyczny wykonał arcydzieło.

— A co Krimm ma robić na statku?

— Ma wziąć udział w odprawie sztabu spiskowego kilka godzin przed puczem.

— Kiedy?

— Za dwa dni.

Przypomniałem sobie twarz Krimma. Ale tej twarzy już nie było, więc przypomniałem sobie delikatne ręce Krimma, którymi nigdy nie bił więźniów („Nie zdarzyło mi się uderzyć przywiezionego tu człowieka, nie biję. Jestem jeszcze gorszy, używam słów..."). Po tych rękach rozpoznałbym go z łatwością — gdy mnie przesłuchiwał, zwróciły moją uwagę, bo pasowały do skrzypka, nie pasowały do oprawcy. Przypomniałem sobie również jak zadzwonił, gdy uwolniono go między siedzibą NB a pałacem prezydenta. Cytował wówczas kpiarskim tonem Biblię, rzucając groźby („W Biblii piszą, Flowenol, że jest czas siewu i czas zbierania, czas miłości i czas nienawiści, czas wojny i czas pokoju, i tak dalej. No więc teraz będzie czas odzierania głupców ze zwycięskich złudzeń, i czas tworzenia polegającego na niszczeniu! Ty wiesz, Flowenol, że ja lubię niszczyć..."). Słyszałem jego głos tak wyraźnie, jak gdyby dobiegał z magnetofonu leżącego między Kerem a mną wśród traw. I widziałem jego źrenice (których też nie mógł zmienić mu chirurg), tak blisko, jak gdyby zamiast Galtona siedział obok mnie komisarz Krimm. I pomyślałem sobie tak głośno, jak gdybym nie myślał, lecz krzyczał: „Najwyższy czas przekonać cię, że Biblia mówi prawdę o marności wszystkiego, zwłaszcza życia, które kończy się w prochu. U niektórych za sprawą strzelniczego prochu!...".

Wstałem i Galton również wstał. Wyciągnął do mnie ramiona, a ja zrobiłem to samo i objęliśmy się.

— Bądź zdrów, synku.

— Dzięki, staruszku.

— Może się jeszcze kiedyś zobaczymy...

— Może...

Za plecami Kera, w odległości kilkudziesięciu metrów, ujrzałem sylwetkę człowieka stojącego nieruchomo.

— Ktoś cię śledzi!

— On mnie nie śledzi, on czeka na mnie, synku. To Darlok. Biorę go do siebie, bo jest bez domu i bez pracy odkąd wykonał tę robotę dla porucznika Flowenola.

— Uściskaj go w imieniu Flowenola. Za to, że znaleźliście ją, i za to, że nie powiedzieliście mi wszystkiego, czego dowiedzieliście się o niej.

— To by cię zabiło, Nurni...

— Nie tak łatwo zabić Flowenola, staruszku. Flowenola może zabić tylko Flowenol.

— Myślisz o swoim ojcu? Nie zrobisz chyba tego głupstwa?!...

— Nie zrobię.

— Przysięgnij!

— Przysięgam jak Lobin Hood!

— Co takiego?

— Nic, Ker, żartuję.

— Jeśli żartujesz, to znaczy, że nie mam się czego obawiać.

Patrzyłem na nich, gdy szli równiną pod słońce, aż zniknęli za fałdą terenu.

W Nolibabie Cliff przywitał mnie roztrzęsiony; dotąd nie znałem Matakersa histeryzującego.

— Rany boskie, szefie, czy wie pan...

— Wiem, widziałem się z Galtonem. Dawaj te taśmy.

Włączyłem magnetofon i przez cztery godziny słuchałem brata mojego ojca. Kilkanaście rozmów, w tym kilka telefonicznych. Była również rozmowa ze znawcą Pisma Świętego.

— To on! — krzyknąłem jak debiutant na polowaniu, który trafił pierwszy raz.

— Kto? — zapytał Matakers.

— Krimm!

Uniosłem się w tym jednym momencie; później byłem zimny, nawet wtedy, gdy z głośników płynął fragment dialogu między stryjem a komendantem na mój temat:

„ — Nie sądzisz, że Nurni i jego chłopcy przydaliby się podczas szturmu, co? Kiedy gromiliśmy Tolda wykonał fantastyczną robotę.

— Wiesz, Hub... miałem w tym roku mało czasu na oglądanie telewizji, widziałem tylko kilka rzeczy. Dwie pamiętam. Tę plenerową «Toskę» z Rzymu i coś z olimpiady barcelońskiej. Australijczyk, który wygrał tysiąc pięćset metrów dowolnym, zapytany, jak się wygrywa na tak długim dystansie, powiedział, że przez pierwsze pół kilometra jest lekko, przez drugie ciężko, i o ostatnich pięciuset metrach powiedział tak: «A dalej... No cóż, na ostatnich pięciuset metrach mężczyźni zostawiają chłopców z tyłu»... Zostaw swego bratanka w jego piaskownicy...".

— Dwóch cholernie cwanych starszaków, a żaden nie wpadł na to, że w piaskownicy wszystko słychać! — zgrzytnął zębami Matakers. — Zdejmujemy Krimma przy nadbrzeżu?

— Nie będziemy zdejmować Krimma, Cliff. Zrobimy jemu i jego kolegom finał olimpijski w stylu dowolnym. Jutro, gdy już będą na łajbie i gdy zamkną na klucz drzwi u stryja, ściągnij wszystkich twoich i moich kolegów z okrętu, lecz tak, żeby niczego nie spostrzeżono... Aha, i weź „Bogart" oraz „Puszduma" ze sobą pod jakimkolwiek pretekstem!

Nazajutrz w ładowni okrętowej umieściłem kilka skrzyń części dla systemu antyrakietowego, który był chlubą „Santissima Trinidad". Wieczorem obserwowałem z nadbrzeża jak kolejni spiskowcy płyną do burdelu. Był wśród nich Robert, ale to mnie nie zdziwiło — wiedziałem, co Taerg mu obiecał, i wiedziałem, że stryj podarował mu Ferrari Testarossa jako premię za artykuł o nuncjuszu.

Minęła północ, gdy wszyscy moi ludzie już się wyokrętowali, a Cliff przywiózł mi ostatnią łodzią pannę „Bogart" i saksofonistę. Wtedy wziąłem do ręki pilota i nacisnąłem czerwony guzik.

Z miejsca, gdzie kotwiczył burdel, eksplodował w ciemność tak wielki gejzer ognia, iż wydawało się, że to podmorski wulkan rozerwał skorupę ziemską i rzygnął płomieniami ku niebu. Na długą chwilę granatowy nieboskłon przemienił się w biały, żółty i pupurowy. Jeśli ktoś z nas nie mógł dotąd pojąć Wielkiego Bum, które stworzyło wszechświat, to teraz miał to przed sobą, gdyż to było jak eksplozja przestrzeni, a nie eksplozja w przestrzeni. Jakby jądro kosmosu z drobinki mniejszej od protonu w mgnieniu oka nadęło się do rozmiarów całego Nolibabu i całego morza aż po horyzont. Uderzyła nas fala wybuchu niczym fala praenergii rozprzestrzeniająca się wiecznie wraz z kosmosem, a spadające wokół szczątki i wirujące dymy były podobne do błyskotliwych łancuchów gwiazd, galaktyk i mgławic, które się tworzą wraz z ekspansją wszechświata.

Później zapadło milczenie; łagodna, wysrebrzona księżycem fala przykryła gotującą się kipiel w miejscu tragedii, i nie został żaden ślad owej Arki Noego. Lecz ja wciąż patrzyłem w ten sam punkt i widziałem ich oczy. Satysfakcję, że wysłałem ich wszystkich do piekła, mąciłaby mi świadomość, iż kiedyś spotkam się tam z całą tą ferajną — mąciłaby, gdybym wierzył w istnienie biblijnego piekła. Ale ja wierzyłem, że piekło istnieje tylko na Ziemi i tylko w człowieku. I chociaż wysadziłem ledwie jego małą część, byłem zadowolony tak, jak gdybym całe królestwo szatana pogrzebał na wieczność.

Odwróciłem się do „Bogart" i do saksofonisty.

— Wasz świat już nie istnieje. Znajdźcie sobie lepszy świat, razem lub osobno, macie wolny wybór.

„Bogart" milczała ze wzrokiem pełnym łez, nie patrząc mi w twarz. Engelbert splunął mi pod nogi i wycedził:

— To klawo, że uratowałeś nam życie. Ale to niczego nie zmienia. Dalej uważam cię za głupiego chuja, Flowenol. Nie dlatego, że przy okazji wymordowałeś sporo dziewczyn na statku, tylko dlatego, że zniszczyłeś razem z tym bajzlem mój saksofon! Pieprzę cię!

I ruszył w stronę miasta, a „Bogart" dreptała przy nim.

Uścisnąłem rękę każdemu z moich chłopców.

— Cliff — powiedziałem do Matakersa. — Daj Rabonowi te taśmy i zamelduj mu, że zlikwidowałeś konspirację antyrządową. Nagrodzi cię szefostwem enbecji lub gwardii pałacowej, będziesz jednym z półbogów, przyjacielu. Reszta chłopaków też dostanie piękne szlify i piękne ordery...

— Część chłopaków chce wyrywać stąd, szefie.

— Dokąd?

— Na Bałkany, tam jest wojna, Serbowie płacą zawodowcom kupę szmalu.

— Ale wiesz, co każą robić za tę kupę szmalu? Czytałem reportaż, Cliff. Rozwalają bezlitośnie chorwackie i muzułmańskie dzieci, kobiety przed zabiciem gwałcą i torturują, ich ulubiona zabawa to wbijanie muzułmańskim dziewczętom do pochew butelek po winie! Będziesz to robił za kupę serbskiego szmalu? Zresztą tutaj, jako likwidatorzy spisku, dostaniecie od generalissimusa dużo więcej.

— A pan?

— O mnie zapomnij.

Pod domem Hornlina znalazłem się przed trzecią. Drzwi otworzyłem sobie sam, nie pragnąc budzić Hornlinowej córki, miałem klucz. Zapaliłem lampkę przy łożku i zbudziłem starego, kładąc mu dłoń na usta.

— Wyfruwam, Hornlin. Mika biorę ze sobą, obiecałem to małemu.

— Obietnica rzecz święta — zamruczał — więc robisz dobrze. A człowiek najgłębiej samotny to ten, kto nie jest nikomu potrzebny, więc po dwakroć robisz dobrze. Gdzie wyfruwasz?

— Gdzieś daleko, do krainy „słoninów".

— Do Afryki?!

— Nie, tam jest zbyt gorąco. Gdzieś, gdzie klimat jest zdrowszy, gdzieś do lasu w Sherwood...

Uśmiechnął się, wstał i spakował ciuchy małego.

Godzinę później mój helikopter był już ponad dachami Nolibabu i leciał w stronę morza. Zawieszeni wysoko, jak orły i dzwony, widzieliśmy wokół milion gwiazd — cały ten naszyjnik z miliona brylantów, zerwany kobiecie i ciśnięty ręką pełną furii przez okno, ku niebu, gdzie się rozsypał, zdobiąc milionem kropel bezkresną ciemność. Na tylnym fotelu Mik miał spać, lecz tylko udawał sen. W pewnej chwili przytulił się do moich pleców niczym kojący okład do głębokiej rany, a ja poczułem się wywyższony jego cichą radością, jakbym wśród tego miliona gwiazd odnalazł wahadło mojej duszy dzięki biciu jednego maleńkiego serca, gdyż było ono tożsame z sercem wszystkiego — z sercem zapachów i słów, z sercem ptaka w locie i wiatru na rozdrożu, z sercem zwierzęcia i Boga, króla i żebraka, z sercem melodii i ciszy, skwaru letniego i ulewy jesiennej, od dna głębokich mórz do sufitów przeznaczeń, od pożółkłych ksiąg, nieruchomych jak wielkie głazy, do bajek skaczących jak koniki polne, od krańca do krańca!

W głębi wszystkich żywiołów — powietrza, ognia, wody, kobiety i ziemi.

RZYM PRZECIW GALILEJCZYKOWI — Akt ostatni.

Legionista drugiej centurii, patrząc na te dwa skrwawione ciała jak na parę bogów uśpionych miłością, na te dwie twarze spokojne jak w godzinie szczęśliwego snu, zapytał centuriona łamiącym się głosem:

— Panie... czemuśmy to zrobili?!!

Rzymianin spojrzał ku linii widnokręgu, za którym rozciągały się tysiące mil ciszy, i odparł:

— Sic fata tulere....*

K O N I E C

Warszawa, październik 1988 — sierpień 1992.

---

* — *Tak chciał los...*

Artemisia Gentileschi – „Judyta i Holofernes”

Paolo Veronese – „Dialektyka”

Paolo Veronese – „Niewierność”

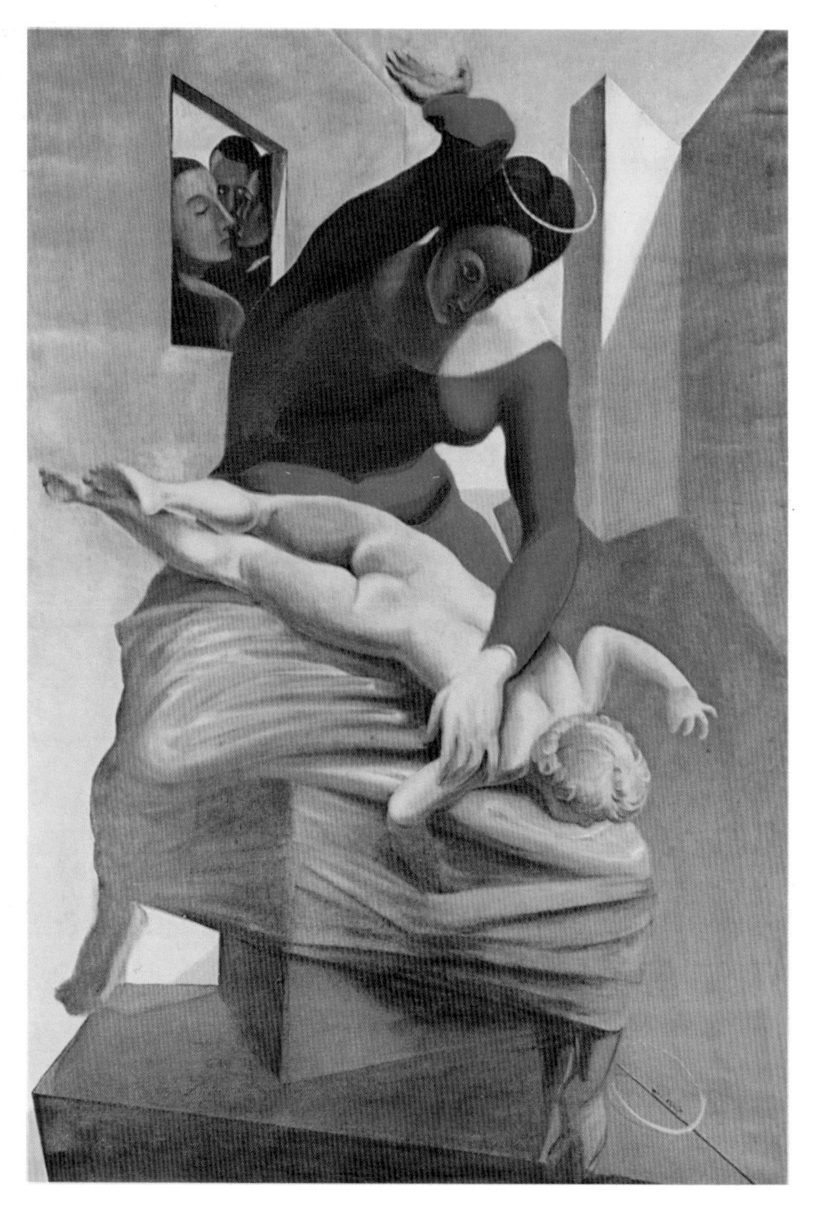

Max Ernst – „NMPanna karząca Jezusa"